디딤돌수학 개념기본 중학 3-1

펴낸날 [초판 1쇄] 2021년 9월 1일 [초판 2쇄] 2022년 6월 1일
펴낸이 이기열
펴낸곳 (주)디딤돌 교육
주소 (03972) 서울특별시 마포구 월드컵북로 122 청원선와이즈타워
대표전화 02-3142-9000
구입문의 02-322-8451
내용문의 02-336-7918
팩시밀리 02-335-6038
홈페이지 www.didimdol.co.kr
등록번호 제10-718호
구입한 후에는 철회되지 않으며 잘못 인쇄된 책은 바꾸어 드립니다.

[2291230]

수학은 개념이다!

디딤돌수학

개념기본

중 3 / 1 개념북

중학 수학은 개념의 연결과 확장이다.

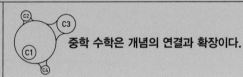

올바른 **개념학습**을 통한 **중학수학 완성!**

1 꼭 알아야 할 핵심개념!

Think Way

올바른 개념학습의 길을 열어줍니다.

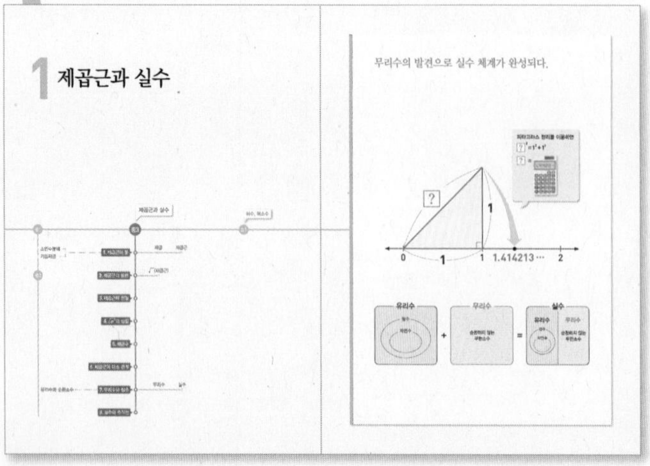

개념을 연결하고 핵심개념 포인트로 생각을 열어주고, 개념특강을 통해 개념을 마무리 정리해줍니다.

중단원 도입

이전 학습개념, 이 단원에서 배울 개념, 이후 학습개념의 연결고리를 통해 개념의 연결성을 이끌어주고, 단원의 핵심개념을 통해 생각을 열어줍니다.

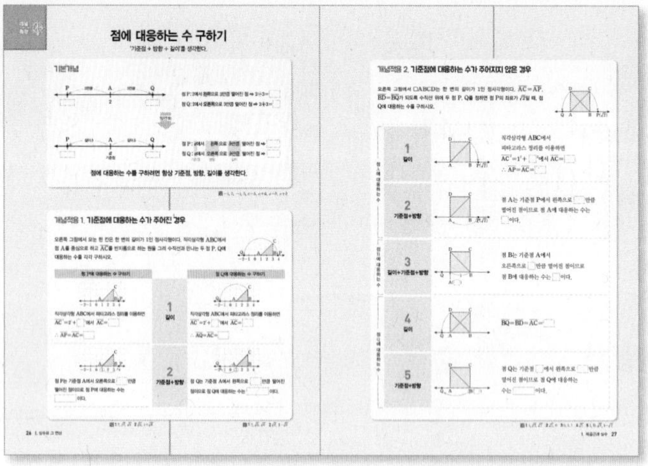

개념특강

이 단원의 중요한 개념, 설명이 필요한 개념, 공식화되는 과정 등 필요한 단원의 마무리 개념을 정리하는 길을 열어줍니다.

2 사례 중심으로 쉽게 설명하는 개념 정리!

Think Way

왜?라는 궁금증을 해결합니다.

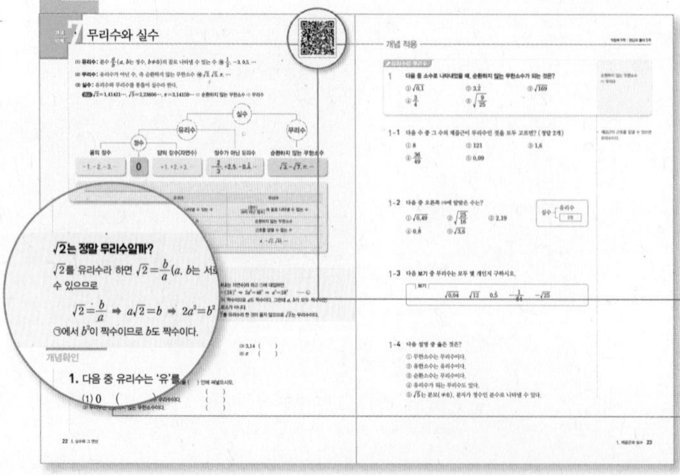

수학적 개념을 이해하는 데 꼭 필요한 '왜?'라는 궁금증을 해결해줍니다.

주제별 개념

외우지 않아도 개념을 한눈에 이해할 수 있게 정리해줍니다.

▷ 개념강의 동영상

왜 개념이 필요한지, 그 원리 등을 설명해주어 개념 학습의 이해를 도와줍니다.

Think Way

문제를 통해
개념정리를 도와줍니다.

3 5 Part의 문제 훈련을 통한 개념완성!

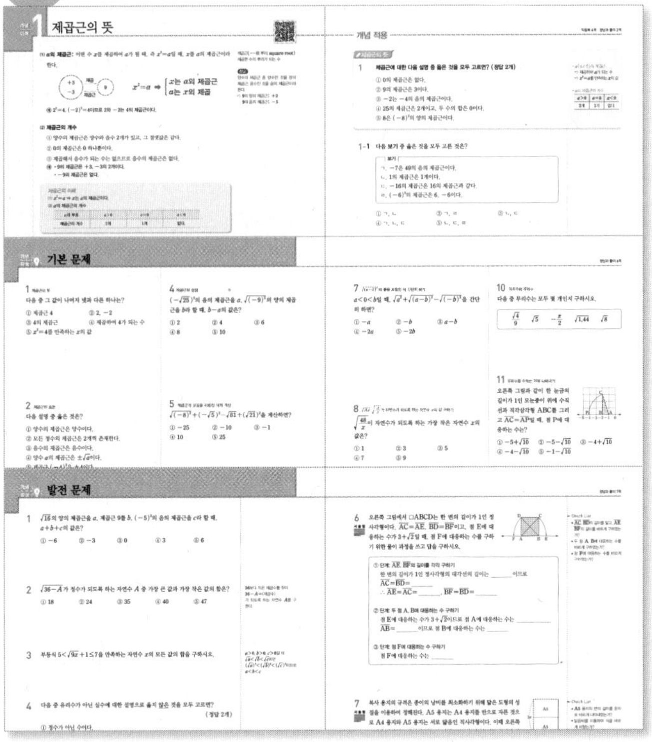

머릿속에 정리된 개념을 문제 학습 5개 Part를 통해 확실하게 내 개념으로 만들수 있습니다.

개념북

Part 1 개념적용

배운 개념을 개념적용 파트를 통해 문제에 적용하여 개념을 정리합니다.

Part 2 기본문제

개념적용 파트에서 정리한 개념을 기본 문제 파트를 통해 다시 한 번 반복! 머릿속에 꼭꼭 담아줍니다.

Part 3 발전문제

기본 문제 파트보다 조금 더 발전된 문제를 통해 문제해결력을 키워줍니다.

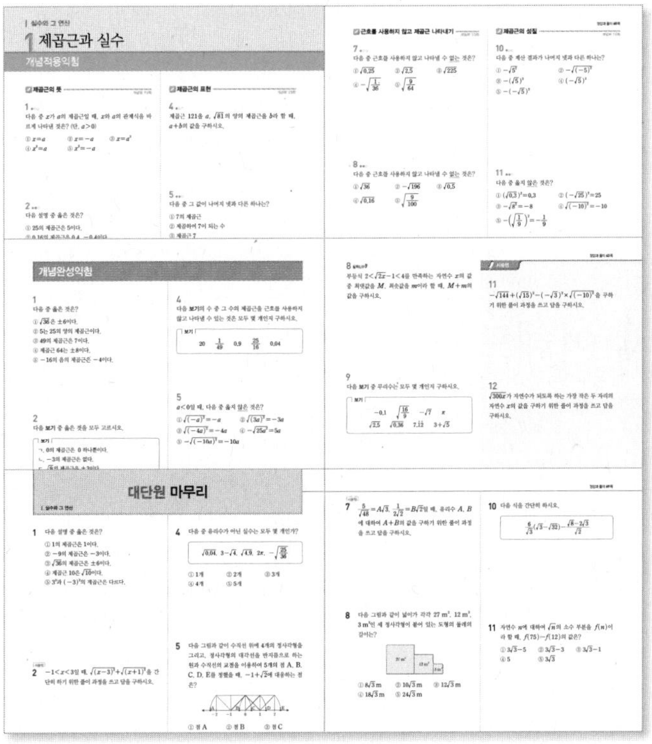

익힘북

Part 4 개념적용익힘

개념북의 개념적용 파트와 **1:1매칭 문제**로 구성되어 좀 더 다양한 개념적용 문제를 학습하며, 반복학습을 통해 개념을 완성시켜줍니다.

Part 5 개념완성익힘+대단원 마무리

배운 개념을 응용단계 학습까지 연결할 수 있도록, 그리고 최종 해당 단원의 평가까지 확인하며 마무리 할 수 있도록 구성하였습니다.

디딤돌수학 개념기본 중학편은 반복학습으로 개념을 이해하고
확장된 문제를 통해 응용단계 학습의 발판을 만들어 줍니다.

4 단계별 학습을 통한 서술형완성!

Think Way

서술형 학습의
올바른 길을 열어줍니다.

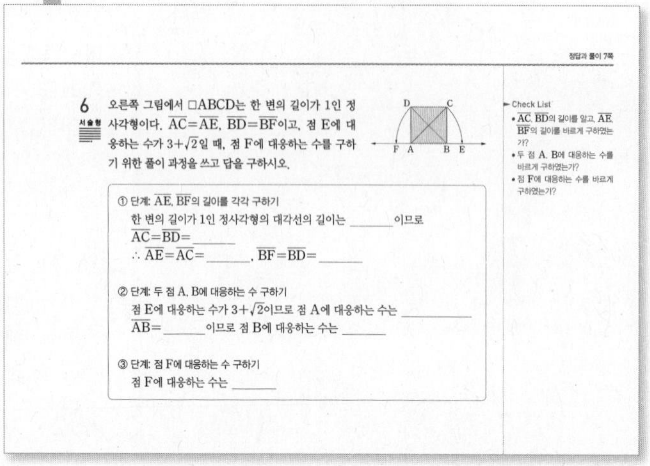

6 서술형 오른쪽 그림에서 □ABCD는 한 변의 길이가 1인 정사각형이다. $\overline{AC}=\overline{AE}$, $\overline{BD}=\overline{BF}$이고, 점 E에 대응하는 수가 $3+\sqrt{2}$일 때, 점 F에 대응하는 수를 구하기 위한 풀이 과정을 쓰고 답을 구하시오.

① 단계: $\overline{AE}$, $\overline{BF}$의 길이를 각각 구하기
한 변의 길이가 1인 정사각형의 대각선의 길이는 ______ 이므로
$\overline{AC}=\overline{BD}=$______
$\therefore \overline{AE}=\overline{AC}=$______, $\overline{BF}=\overline{BD}=$______

② 단계: 두 점 A, B에 대응하는 수 구하기
점 E에 대응하는 수가 $3+\sqrt{2}$이므로 점 A에 대응하는 수는 ______
$\overline{AB}=$______ 이므로 점 B에 대응하는 수는 ______

③ 단계: 점 F에 대응하는 수 구하기
점 F에 대응하는 수는 ______

Check List
- $\overline{AC}$, $\overline{BD}$의 길이를 알고, $\overline{AE}$, $\overline{BF}$의 길이를 바르게 구하였는가?
- 두 점 A, B에 대응하는 수를 바르게 구하였는가?
- 점 F에 대응하는 수를 바르게 구하였는가?

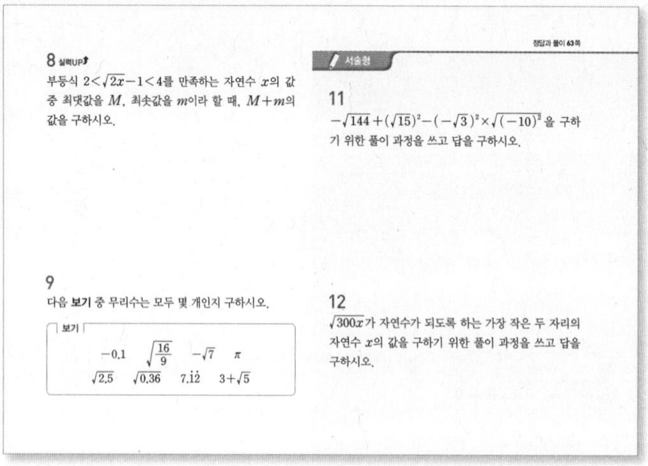

8 실력UP
부등식 $2<\sqrt{2x}-1<4$를 만족하는 자연수 x의 값 중 최댓값을 M, 최솟값을 m이라 할 때, $M+m$의 값을 구하시오.

9
다음 **보기** 중 무리수는 모두 몇 개인지 구하시오.

보기
-0.1 $\sqrt{\frac{16}{9}}$ $-\sqrt{7}$ π
$\sqrt{2.5}$ $\sqrt{0.36}$ $7.\dot{1}\dot{2}$ $3+\sqrt{5}$

서술형

11
$-\sqrt{144}+(\sqrt{15})^2-(-\sqrt{3})^2\times\sqrt{(-10)^2}$을 구하기 위한 풀이 과정을 쓰고 답을 구하시오.

12
$\sqrt{300x}$가 자연수가 되도록 하는 가장 작은 두 자리의 자연수 x의 값을 구하기 위한 풀이 과정을 쓰고 답을 구하시오.

서술형 학습

- **개념북**에서는 서술형 훈련을 단계별로 학습 할 수 있게 빈칸 넣기로 구성되어 있습니다.
- **익힘북**에서는 실전을 대비하여 실전처럼 서술형 훈련을 할 수 있게 구성되어 있습니다.

5 문제 이해도를 높인 정답과 풀이!

Think Way

문제 이해도를
높여줍니다.

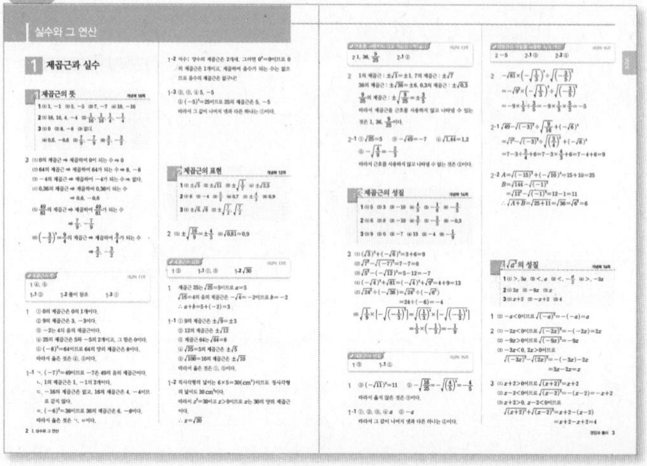

정답과 풀이

학생 스스로 정답과 풀이를 통해 충분히 이해 및 학습 할 수 있도록 정답과 풀이를 친절하게 구성하였습니다.

차례

I 실수와 그 연산

1 제곱근과 실수

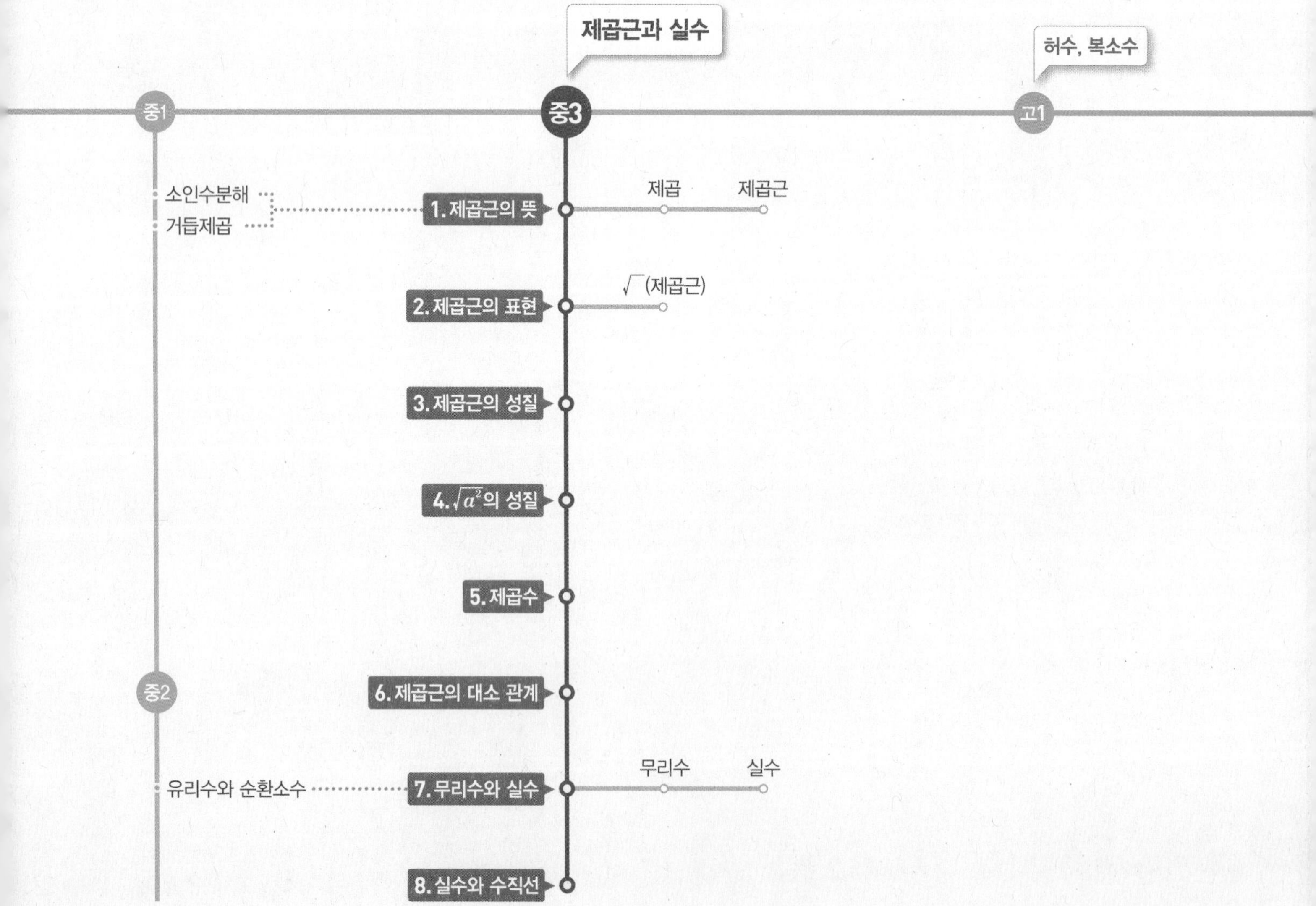
제곱근과 실수
허수, 복소수
중1
중3
고1
소인수분해
거듭제곱
1. 제곱근의 뜻
제곱
제곱근
2. 제곱근의 표현
$\sqrt{}$ (제곱근)
3. 제곱근의 성질
4. $\sqrt{a^2}$ 의 성질
5. 제곱수
중2
6. 제곱근의 대소 관계
유리수와 순환소수
7. 무리수와 실수
무리수
실수
8. 실수와 수직선

무리수의 발견으로 실수 체계가 완성되다.

피타고라스 정리를 이용하면

$$\boxed{?}^2 = 1^2 + 1^2$$

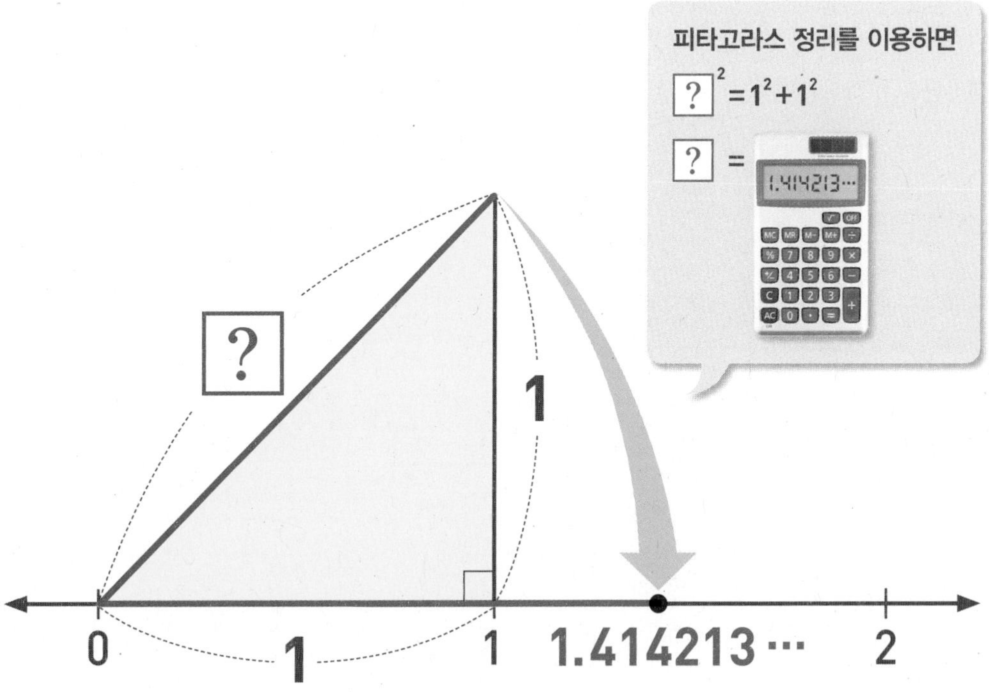

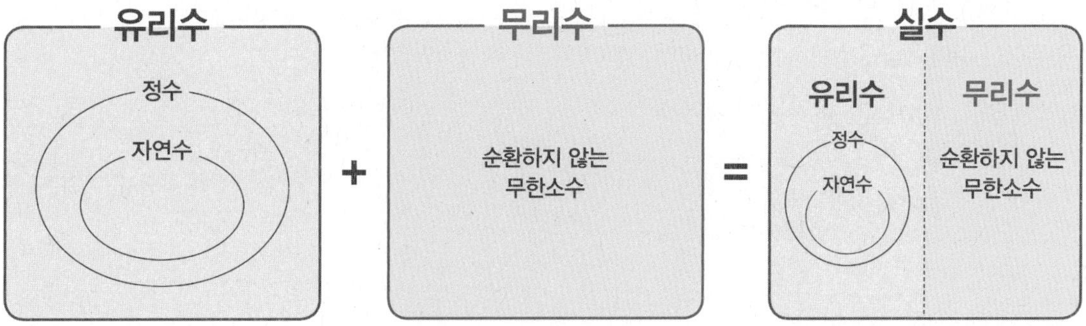

개념 이해 1 제곱근의 뜻

(1) **a의 제곱근:** 어떤 수 x를 제곱하여 a가 될 때, 즉 $x^2=a$일 때, x를 a의 제곱근이라 한다.

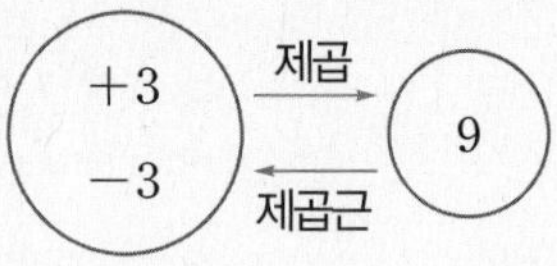

$x^2=a$ ➡ $\begin{cases} x\text{는 } a\text{의 제곱근} \\ a\text{는 } x\text{의 제곱} \end{cases}$

예) $2^2=4$, $(-2)^2=4$이므로 2와 -2는 4의 제곱근이다.

제곱근(––根 뿌리, square root) 제곱한 수의 뿌리가 되는 수

참고
양수의 제곱근 중 양수인 것을 양의 제곱근, 음수인 것을 음의 제곱근이라 한다.
⇨ 9의 양의 제곱근: $+3$
9의 음의 제곱근: -3

(2) **제곱근의 개수**

① 양수의 제곱근은 양수와 음수 2개가 있고, 그 절댓값은 같다.

② 0의 제곱근은 0 하나뿐이다.

③ 제곱해서 음수가 되는 수는 없으므로 음수의 제곱근은 없다.

예) • 9의 제곱근은 $+3$, -3의 2개이다.
• -9의 제곱근은 없다.

제곱근의 이해

(1) $x^2=a$ ➡ x는 a의 제곱근이다.

(2) a의 제곱근의 개수

a의 부호	$a>0$	$a=0$	$a<0$
제곱근의 개수	2개	1개	없다.

개념확인

1. 제곱하여 다음 수가 되는 수를 모두 구하시오.

(1) 1　　(2) 25　　(3) 49　　(4) 100

❗ 제곱하여 양수 a가 되는 수는 2개인데 이 두 수는 절댓값이 같고 부호는 다르다.

2. 다음은 주어진 수의 제곱근을 구하는 과정이다. □ 안에 알맞은 수를 써넣으시오.

(1) 16의 제곱근 ➡ 제곱하여 □이 되는 수
➡ $x^2=$□을 만족하는 x의 값
➡ $x=$□, □

(2) $\frac{1}{16}$의 제곱근 ➡ 제곱하여 □이 되는 수
➡ $x^2=$□을 만족하는 x의 값
➡ $x=$□, □

3. 다음 수의 제곱근을 모두 구하시오.

(1) 0　　(2) 64　　(3) -4

(4) 0.36　　(5) $\frac{49}{81}$　　(6) $\left(-\frac{3}{2}\right)^2$

개념 적용

제곱근의 뜻

1 제곱근에 대한 다음 설명 중 옳은 것을 모두 고르면? (정답 2개)

① 0의 제곱근은 없다.
② 9의 제곱근은 3이다.
③ -2는 -4의 음의 제곱근이다.
④ 25의 제곱근은 2개이고, 두 수의 합은 0이다.
⑤ 8은 $(-8)^2$의 양의 제곱근이다.

• $a(a \geq 0)$의 제곱근
⇨ 제곱하여 a가 되는 수
⇨ $x^2=a$를 만족하는 x의 값

• a의 제곱근의 개수

$a>0$	$a=0$	$a<0$
2개	1개	없다.

1-1 다음 **보기** 중 옳은 것을 모두 고른 것은?

보기
ㄱ. -7은 49의 음의 제곱근이다.
ㄴ. 1의 제곱근은 1개이다.
ㄷ. -16의 제곱근은 16의 제곱근과 같다.
ㄹ. $(-6)^2$의 제곱근은 6, -6이다.

① ㄱ, ㄴ ② ㄱ, ㄹ ③ ㄴ, ㄷ
④ ㄱ, ㄴ, ㄷ ⑤ ㄴ, ㄷ, ㄹ

1-2 다음은 제곱근에 대하여 민철이와 지수가 대화한 내용이다. 두 학생 중 제곱근에 대하여 틀리게 말한 학생을 찾아 대화 내용을 바르게 고치시오.

민철: $2^2=4$, $(-2)^2=4$잖아. 그래서 4의 제곱근은 2와 -2의 2개야.
지수: 아~. 그렇다면 어떤 수의 제곱근은 항상 2개구나!

▸ 양수, 0, 음수의 제곱근의 개수를 이해한다.

1-3 다음 중 그 값이 나머지 넷과 다른 하나는?

① -5 ② 25의 제곱근
③ $x^2=25$를 만족하는 x의 값 ④ 제곱하여 25가 되는 수
⑤ $(-5)^2$의 제곱근

개념 이해 2

제곱근의 표현

(1) **제곱근의 표현:** 제곱근은 기호 $\sqrt{\ }$를 사용하여 나타내는데 이것을 근호라 하고 '제곱근' 또는 '루트(root)'라 읽는다.

예) $\sqrt{2}$: 제곱근 2 또는 루트 2

참고 $\sqrt{\ }$는 뿌리(root)를 뜻하는 라틴어 radix의 첫 글자 r를 변형하여 만든 것으로 알려져 있다.

$\sqrt{a}$ ➡ 제곱근 a, 루트 a

$a>0$일 때

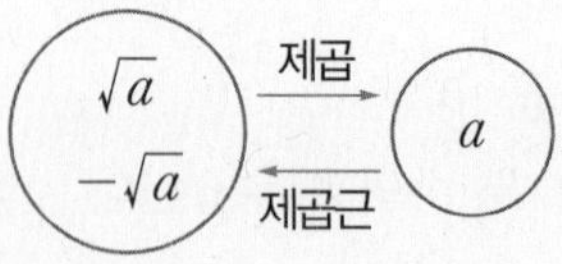

(2) **양수 a의 제곱근:** 양수 a의 제곱근 중에서 양의 제곱근을 $\sqrt{a}$, 음의 제곱근을 $-\sqrt{a}$라 한다.

이때 양수 a의 제곱근 $\sqrt{a}$와 $-\sqrt{a}$를 함께 $\pm\sqrt{a}$로 나타낸다.

➡ $x^2=a\,(a>0)$이면 $x=\pm\sqrt{a}$

예) 2의 제곱근은 $\sqrt{2}$와 $-\sqrt{2}$이고 함께 나타내면 $\pm\sqrt{2}$이다.

참고 • 9의 제곱근은 $\sqrt{9}$와 $-\sqrt{9}$이고 9의 양의 제곱근은 3, 음의 제곱근은 -3이므로 $\sqrt{9}=3$, $-\sqrt{9}=-3$이다.
즉, 근호 안의 수가 어떤 수의 제곱이면 근호를 사용하지 않고 나타낼 수 있다.
• $\pm\sqrt{a}$는 '플러스마이너스 루트 a'라 읽는다.

a의 제곱근과 제곱근 a의 비교 (단, $a>0$)

a의 부호	a의 제곱근	제곱근 a
뜻	제곱하여 a가 되는 수	a의 제곱근 중 양의 제곱근
표현	$\sqrt{a}$, $-\sqrt{a}$	$\sqrt{a}$
개수	2개	1개
예	3의 제곱근은 $\sqrt{3}$, $-\sqrt{3}$	제곱근 3은 $\sqrt{3}$

개념확인

1. 다음 수의 제곱근을 근호를 사용하여 나타내시오.

(1) 5　　(2) 11　　(3) $\frac{1}{7}$　　(4) 2.5

2. 다음을 근호를 사용하지 않고 나타내시오.

(1) $\sqrt{36}$　　(2) $-\sqrt{16}$　　(3) $\sqrt{\frac{25}{4}}$

(4) $\sqrt{0.49}$　　(5) $\frac{16}{9}$의 제곱근　　(6) 0.81의 양의 제곱근

❗ 근호 안의 수가 어떤 수의 제곱이면 근호를 사용하지 않고 나타낼 수 있다.

3. 다음을 차례로 구하시오.

(1) 6의 제곱근과 제곱근 6　　(2) $\frac{7}{2}$의 제곱근과 제곱근 $\frac{7}{2}$

개념 적용

제곱근의 표현

1 제곱근 25를 a, $\sqrt{16}$의 음의 제곱근을 b라 할 때, $a+b$의 값은?

① 7　② 3　③ 0
④ -3　⑤ -7

$a>0$일 때
(1) a의 제곱근
⇨ 양의 제곱근 : $\sqrt{a}$, 음의 제곱근 : $-\sqrt{a}$
(2) 제곱근 a
⇨ $\sqrt{a}$

1-1 다음 중 옳은 것을 모두 고르면? (정답 2개)

① 9의 제곱근 ➡ ± 3
② 12의 제곱근 ➡ ± 6
③ 제곱근 64 ➡ 8
④ $\sqrt{25}$의 제곱근 ➡ ± 5
⑤ $\sqrt{100}$의 제곱근 ➡ $\sqrt{10}$

1-2 오른쪽 그림과 같이 가로의 길이가 6 cm, 세로의 길이가 5 cm인 직사각형과 넓이가 같은 정사각형의 한 변의 길이를 x cm라 할 때, x의 값을 구하시오.

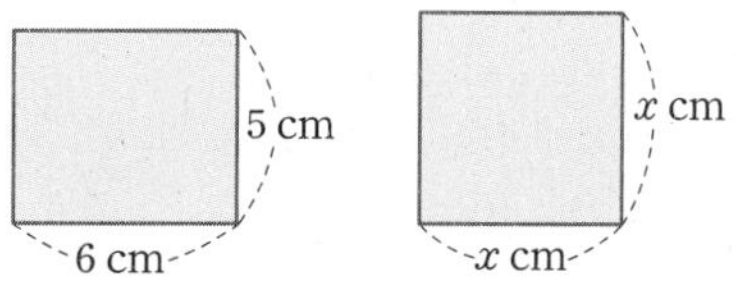

▸ 정사각형의 한 변의 길이가 넓이의 양의 제곱근임을 이해한다.

근호를 사용하지 않고 제곱근 나타내기

2 다음 보기의 수 중 그 수의 제곱근을 근호를 사용하지 않고 나타낼 수 있는 것을 모두 고르시오.

보기

1　7　36　0.3　$\frac{9}{25}$

근호 안의 수가 어떤 수의 제곱이면 근호를 사용하지 않고 나타낼 수 있다. 즉,
⇨ $\pm\sqrt{a^2}=\pm a$ (단, $a>0$)

2-1 다음 중 근호를 사용하지 않고 나타낼 수 <u>없는</u> 것은?

① $\sqrt{25}$　② $\sqrt{32}$　③ $-\sqrt{49}$
④ $\sqrt{1.44}$　⑤ $-\sqrt{\frac{4}{9}}$

제곱근의 성질

$a>0$일 때, 다음이 성립한다.

(1) a의 제곱근을 제곱하면 a가 된다.

$$(\sqrt{a})^2=a, \quad (-\sqrt{a})^2=a$$

예 $(\sqrt{2})^2=2$, $(-\sqrt{2})^2=2$

(2) 근호 안의 수가 어떤 수의 제곱이면 근호를 없앨 수 있다.

$$\sqrt{a^2}=a, \quad \sqrt{(-a)^2}=a$$

$\underbrace{}_{\sqrt{(-a)\times(-a)}=\sqrt{a^2}=a}$

예 $\sqrt{2^2}=2$, $\sqrt{(-2)^2}=2$

> **제곱근의 성질을 이용한 식의 계산**
> 제곱근의 성질을 이용하여 근호를 없앤 후 계산한다.
> ① $-(\sqrt{3})^2+(-\sqrt{5})^2=-3+5=2$
> ② $\sqrt{(-6)^2}\times\sqrt{\left(\dfrac{1}{2}\right)^2}=6\times\dfrac{1}{2}=3$

참고

$a>0$일 때

(1) 제곱하여 a가 되는 수는 $\pm\sqrt{a}$이
므로
$\quad(\sqrt{a})^2=a, (-\sqrt{a})^2=a$

(2) a^2의 양의 제곱근은 a이고
$(-a)^2=a^2$이므로
$\quad\sqrt{a^2}=a, \sqrt{(-a)^2}=a$

개념확인

1. 다음 수를 근호를 사용하지 않고 나타내시오.

(1) $(\sqrt{5})^2$
(2) $(-\sqrt{3})^2$
(3) $-(-\sqrt{10})^2$

(4) $\left(\sqrt{\dfrac{4}{3}}\right)^2$
(5) $-\left(\sqrt{\dfrac{1}{6}}\right)^2$
(6) $-\left(-\sqrt{\dfrac{3}{5}}\right)^2$

❗ 제곱근의 성질 (1)

$a>0$일 때

① $(\sqrt{a})^2=a$, $(-\sqrt{a})^2=a$　② $\ominus(\sqrt{a})^2=\ominus a$, $\ominus(-\sqrt{a})^2=\ominus a$

2. 다음 수를 근호를 사용하지 않고 나타내시오.

(1) $\sqrt{6^2}$
(2) $\sqrt{(-8)^2}$
(3) $-\sqrt{10^2}$

(4) $\sqrt{\left(\dfrac{3}{7}\right)^2}$
(5) $-\sqrt{\left(-\dfrac{2}{5}\right)^2}$
(6) $-\sqrt{(-0.3)^2}$

❗ 제곱근의 성질 (2)

$a>0$일 때

① $\sqrt{a^2}=a$, $\sqrt{(-a)^2}=a$　② $\ominus\sqrt{a^2}=\ominus a$, $\ominus\sqrt{(-a)^2}=\ominus a$

3. 다음을 계산하시오.

(1) $(\sqrt{3})^2+(-\sqrt{6})^2$
(2) $\sqrt{7^2}-\sqrt{(-7)^2}$
(3) $\sqrt{5^2}-(-\sqrt{12})^2$

(4) $(-\sqrt{4})^2+\sqrt{81}$
(5) $\sqrt{24^2}\div(-\sqrt{36})$
(6) $\sqrt{\dfrac{1}{9}}\times\left\{-\sqrt{\left(-\dfrac{1}{3}\right)^2}\right\}$

❗ 제곱근의 성질을 이용하여 주어진 수의 근호를 없앤 후 ＋, －, ×, ÷를 계산한다.

개념 적용

익힘북 5쪽 | 정답과 풀이 3쪽

제곱근의 성질

1 **다음 중 옳지 않은 것은?**

① $\sqrt{(-4)^2}=4$　② $\sqrt{0.8^2}=0.8$　③ $(-\sqrt{11})^2=-11$

④ $-\left(\sqrt{\frac{1}{7}}\right)^2=-\frac{1}{7}$　⑤ $-\sqrt{\frac{16}{25}}=-\frac{4}{5}$

$a>0$일 때
(1) $(\sqrt{a})^2=(-\sqrt{a})^2=a$
(2) $\sqrt{a^2}=\sqrt{(-a)^2}=a$

1-1 다음 중 그 값이 나머지 넷과 다른 하나는? (단, $a>0$)

① $\sqrt{a^2}$　② $(\sqrt{a})^2$　③ $(-\sqrt{a})^2$

④ $\sqrt{(-a)^2}$　⑤ $-\sqrt{(-a)^2}$

제곱근의 성질을 이용한 식의 계산

2 **다음을 계산하시오.**

$$-\sqrt{81}\times\left(-\sqrt{\frac{1}{3}}\right)^2\div\sqrt{\left(-\frac{3}{5}\right)^2}$$

① 제곱근의 성질을 이용하여 주어진 식을 간단히 한다.
② ×, ÷를 계산한다.
③ +, −를 계산한다.

2-1 $\sqrt{49}-\sqrt{(-3)^2}\div\sqrt{\frac{9}{16}}+(-\sqrt{6})^2$을 계산하면?

① 7　② 8　③ 9

④ 10　⑤ 11

2-2 $A=\sqrt{(-15)^2}+(-\sqrt{10})^2$, $B=\sqrt{144}-\sqrt{(-1)^2}$일 때, $\sqrt{A+B}$의 값은?

① 4　② 5　③ $\sqrt{29}$

④ $\sqrt{33}$　⑤ 6

▸ 제곱근의 성질을 이용하여 A, B의 값을 각각 구한다.

개념 이해

4 $\sqrt{a^2}$의 성질

근호 안에 문자나 식이 제곱되어 있는 경우는 결과가 음이 아닌 값이 되도록 근호를 없앤다.

(1) $a \geq 0$일 때, $\sqrt{a^2}=|a|=a$

$a=2$일 때, $\sqrt{a^2}=\sqrt{2^2}=2=a$

부호 그대로

(2) $a<0$일 때, $\sqrt{a^2}=|a|=-a$

$a=-2$일 때, $\sqrt{a^2}=\sqrt{(-2)^2}=2=-(-2)=-a$

부호 반대로

예 $a>0$일 때

(1) $2a>0$이므로 $\sqrt{(2a)^2}=2a$

(2) $-a<0$이므로 $\sqrt{(-a)^2}=-(-a)=a$

$\sqrt{(a-b)^2}$의 꼴 간단히 하기

$\sqrt{(a-b)^2}$의 꼴을 간단히 할 때에는 먼저 $a-b$의 부호를 조사한다.

(1) $a \geq b$이면 $a-b \geq 0$이므로 $\sqrt{(a-b)^2}=a-b$

(2) $a<b$이면 $a-b<0$이므로 $\sqrt{(a-b)^2}=-(a-b)=-a+b$

예 $-1<a<1$일 때

(1) $a+1>0$이므로 $\sqrt{(a+1)^2}=a+1$

(2) $a-1<0$이므로 $\sqrt{(a-1)^2}=-(a-1)=-a+1$

참고

$\sqrt{a^2}$의 성질

① $\sqrt{(\text{양수})^2}=|\text{양수}|=(\text{양수})$

② $\sqrt{(\text{음수})^2}=|\text{음수}|$

$=-(\text{음수})=(\text{양수})$

즉 $\sqrt{a^2}$은 a^2의 양의 제곱근이므로 a의 부호에 관계없이 항상 음이 아닌 값을 갖는다.

개념확인

1. 다음 □ 안에 알맞은 부등호를 써넣고, 주어진 식을 간단히 하시오.

(1) $a>0$일 때, $3a$ □ 0이므로

$\sqrt{(3a)^2}=$ ______

(2) $a>0$일 때, $-a$ □ 0이므로

$\sqrt{(-a)^2}=$ ______

(3) $a<0$일 때, $\frac{a}{2}$ □ 0이므로

$\sqrt{\left(\frac{a}{2}\right)^2}=$ ______

(4) $a<0$일 때, $-2a$ □ 0이므로

$\sqrt{(-2a)^2}=$ ______

2. 다음 식을 간단히 하시오.

(1) $x>0$일 때, $\sqrt{(-2x)^2}$

(2) $x<0$일 때, $\sqrt{(-9x)^2}$

(3) $x>0$일 때, $\sqrt{(-3x)^2}-\sqrt{(2x)^2}$

3. 다음 식을 간단히 하시오.

(1) $x>-2$일 때, $\sqrt{(x+2)^2}$

(2) $x<2$일 때, $\sqrt{(x-2)^2}$

(3) $-2<x<2$일 때, $\sqrt{(x+2)^2}+\sqrt{(x-2)^2}$

! $\sqrt{(a-b)^2}$의 꼴을 포함한 식을 계산할 때에는 먼저 $a-b$의 부호를 조사하여 근호를 없앤 후 간단히 정리한다.

개념 적용

$\sqrt{a^2}$의 성질

1 **$a<0$일 때, 다음 보기 중 옳은 것을 모두 고른 것은?**

보기
ㄱ. $-\sqrt{a^2}=-a$　　ㄴ. $\sqrt{(-5a)^2}=-5a$
ㄷ. $-\sqrt{(7a)^2}=7a$　　ㄹ. $\sqrt{16a^2}=4a$

① ㄱ, ㄴ　② ㄱ, ㄷ　③ ㄴ, ㄷ
④ ㄴ, ㄹ　⑤ ㄷ, ㄹ

$\sqrt{a^2}=|a|=\begin{cases} a & (a\geq 0) \\ -a & (a<0) \end{cases}$

1-1 $a>0$일 때, 다음 중 옳지 않은 것은?

① $\sqrt{(-a)^2}=a$　② $\sqrt{4a^2}=2a$　③ $-\sqrt{9a^2}=-9a$
④ $-\sqrt{(-5a)^2}=-5a$　⑤ $\sqrt{(-10a)^2}=10a$

1-2 $a>0$, $b<0$일 때, $\sqrt{(-6a)^2}+\sqrt{(5a)^2}-\sqrt{(4b)^2}$을 간단히 하면?

① $7a-2b$　② $7a+2b$　③ $7a-4b$
④ $11a-4b$　⑤ $11a+4b$

$\sqrt{(a-b)^2}$의 꼴을 포함한 식 간단히 하기

2 **$-1<x<4$일 때, $\sqrt{(x+1)^2}+\sqrt{(x-4)^2}$을 간단히 하면?**

① -5　② 5　③ $-2x-3$
④ $2x-3$　⑤ $2x+3$

(1) $a-b\geq 0$이면 $\sqrt{(a-b)^2}=a-b$
(2) $a-b<0$이면 $\sqrt{(a-b)^2}=-(a-b)$

[참고]
$x+1$, $x-4$의 부호를 판단할 때, $-1<x<4$를 만족하는 x의 값을 택하여 대입하는 방법도 있다.
즉, $x=1$을 대입하면
$x+1=1+1>0$
$x-4=1-4<0$

2-1 $3<x<5$일 때, $\sqrt{(3-x)^2}-\sqrt{(5-x)^2}$을 간단히 하면?

① -2　② 2　③ $-2x+2$
④ $2x-8$　⑤ $2x+8$

개념 이해 **5**

제곱수

(1) **제곱수**: $1, 4, 9, 16, 25, \cdots$ 와 같이 자연수의 제곱인 수
→ $1^2, 2^2, 3^2, 4^2, 5^2, \cdots$

참고
$\sqrt{a}$가 자연수가 되려면 a는 $1^2, 2^2, 3^2, \cdots$ 과 같이 제곱수이어야 한다.

(2) **제곱수의 성질**

① 소인수분해하면 소인수의 지수가 모두 짝수이다.
예 $36=2^2\times3^2$, $81=3^4$, $100=2^2\times5^2$

② 근호 안의 수가 제곱수이면 근호를 사용하지 않고 자연수로 나타낼 수 있다.

$$\sqrt{(\text{제곱수})}=\sqrt{(\text{자연수})^2}=(\text{자연수})$$

예 $\sqrt{25}=\sqrt{5^2}=5$, $\sqrt{64}=\sqrt{8^2}=8$

$\sqrt{Ax}$ 또는 $\sqrt{A+x}$가 자연수가 되도록 하는 자연수 x의 값 구하기 (단, A는 자연수)

(1) $\sqrt{Ax}$의 꼴
① A를 소인수분해한다.
② 소인수의 지수가 모두 짝수가 되도록 x의 값을 정한다.
예 $\sqrt{18x}$가 자연수가 되도록 하는 가장 작은 자연수 x의 값을 구해 보자.
$18=2\times3^2$이므로 소인수의 지수가 모두 짝수가 되도록 하는 가장 작은 자연수 x는 2이다.

(2) $\sqrt{A+x}$의 꼴
➡ $x>0$이므로 A보다 큰 제곱수를 찾는다.
예 $\sqrt{18+x}$가 자연수가 되도록 하는 가장 작은 자연수 x의 값을 구해 보자.
18보다 큰 제곱수는 25, 36, 49, ⋯이므로 $18+x=25, 36, 49, \cdots$ $\quad\therefore x=7, 18, 31, \cdots$
따라서 가장 작은 자연수 x는 7이다.

개념확인

1. 다음 수를 근호를 사용하지 않고 나타내시오.

(1) $\sqrt{49}$ (2) $\sqrt{144}$ (3) $\sqrt{169}$ (4) $\sqrt{225}$

2. 다음은 주어진 식이 자연수가 되도록 하는 가장 작은 자연수 x의 값을 구하는 과정이다. □ 안에 알맞은 수를 써넣으시오.

(1) $\sqrt{12x}$

12를 소인수분해하면 $12=2^2\times$□이므로 $12x=2^2\times$□$\times x$
소인수의 지수가 모두 짝수가 되도록 하는 자연수 $x=$□$\times(\text{자연수})^2$의 꼴이다.
따라서 가장 작은 자연수 $x=$□이다.

(2) $\sqrt{12+x}$

12보다 큰 제곱수는 □, 25, 36, ⋯이므로
$12+x=$□, 25, 36, ⋯ $\quad\therefore x=$□, 13, 24, ⋯
따라서 가장 작은 자연수 $x=$□이다.

개념 적용

$\sqrt{Ax}$, $\sqrt{\frac{A}{x}}$가 자연수가 되도록 하는 자연수 x의 값 구하기

1 $\sqrt{120x}$가 자연수가 되도록 하는 가장 작은 자연수 x의 값은?

① 5 ② 6 ③ 10
④ 15 ⑤ 30

(1) $\sqrt{Ax}$의 꼴
⇨ A를 소인수분해한 후 Ax가 제곱수가 되기 위해 곱해야 할 x의 값을 구한다.

(2) $\sqrt{\frac{A}{x}}$의 꼴
⇨ A를 소인수분해한 후 $\frac{A}{x}$가 제곱수가 되기 위해 나누어야 할 x의 값을 구한다.

1-1 $\sqrt{\frac{54}{x}}$가 자연수가 되도록 하는 가장 작은 자연수 x의 값은?

① 2 ② 3 ③ 6
④ 12 ⑤ 18

$\sqrt{A+x}$, $\sqrt{A-x}$가 자연수가 되도록 하는 자연수 x의 값 구하기

2 $\sqrt{30+x}$가 자연수가 되도록 하는 가장 작은 자연수 x의 값과 그때의 $\sqrt{30+x}$의 값을 차례로 구하면?

① 3, 3 ② 3, 6 ③ 6, 6
④ 6, 7 ⑤ 9, 7

(1) $\sqrt{A+x}$의 꼴
⇨ A보다 큰 제곱수를 찾아 $(A+x)=$(제곱수)가 되게 하는 x의 값을 구한다.
(2) $\sqrt{A-x}$의 꼴
⇨ A보다 작은 제곱수를 찾아 $(A-x)=$(제곱수)가 되게 하는 x의 값을 구한다.

2-1 $\sqrt{23-x}$가 자연수가 되도록 하는 자연수 x의 개수는?

① 4 ② 5 ③ 6
④ 7 ⑤ 8

개념 이해 6

제곱근의 대소 관계

$a>0$, $b>0$일 때

(1) $a<b$이면 $\sqrt{a}<\sqrt{b}$

(2) $\sqrt{a}<\sqrt{b}$이면 $a<b$

(3) $a<b$이면 $\sqrt{a}<\sqrt{b}$이므로 $-\sqrt{a}>-\sqrt{b}$

예 • $2<3$이므로 $\sqrt{2}<\sqrt{3}$

• $\sqrt{2}<\sqrt{3}$이므로 $-\sqrt{2}>-\sqrt{3}$

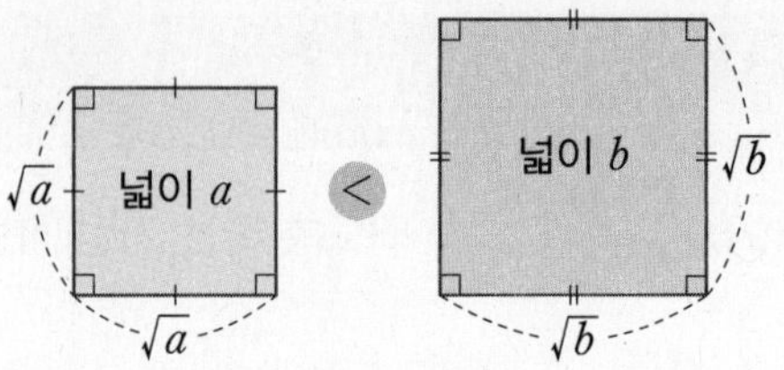

넓이가 a, b인 두 정사각형에서 넓이가 넓을수록 그 한 변의 길이도 길다.
즉, $a<b$이면 $\sqrt{a}<\sqrt{b}$

$a>0$, $b>0$일 때, a와 $\sqrt{b}$의 대소를 비교하기

[방법 1] 근호가 없는 수를 근호가 있는 수로 바꾸어 대소를 비교한다.

➡ $\sqrt{a^2}$과 $\sqrt{b}$의 대소를 비교

[방법 2] 두 수를 제곱하여 대소를 비교한다. ➡ a^2과 b의 대소를 비교

예 두 수 3과 $\sqrt{8}$의 대소를 비교해 보자.

① $3=\sqrt{3^2}=\sqrt{9}$이고 $\sqrt{9}>\sqrt{8}$이므로 $3>\sqrt{8}$

② $3^2=9$, $(\sqrt{8})^2=8$이고 $9>8$이므로 $3>\sqrt{8}$

개념확인

1. 다음 □ 안에 알맞은 부등호를 써넣으시오.

(1) $\sqrt{6}$ □ $\sqrt{7}$

(2) $\sqrt{\frac{1}{4}}$ □ $\sqrt{\frac{1}{5}}$

(3) $\sqrt{0.1}$ □ $\sqrt{\frac{1}{3}}$

(4) $-\sqrt{10}$ □ $-\sqrt{11}$

❶ 양수 a, b에 대하여 $a>b$이면 ➡ $\sqrt{a}>\sqrt{b}$

➡ $-\sqrt{a}<-\sqrt{b}$

2. 다음 □ 안에 알맞은 부등호를 써넣으시오.

(1) 4 □ $\sqrt{15}$

(2) -5 □ $-\sqrt{23}$

(3) $\frac{1}{2}$ □ $\sqrt{\frac{3}{4}}$

(4) -0.2 □ $-\sqrt{0.4}$

❶ $a=\sqrt{a^2}$이므로 $\sqrt{a^2}$과 $\sqrt{b}$의 대소를 비교한다.

3. 다음 부등식을 만족하는 자연수 x의 값을 모두 구하시오.

(1) $1<\sqrt{x}<2$

(2) $2\le\sqrt{x}<3$

❶ a, b가 양수일 때, 근호가 없는 수를 근호가 있는 수로 바꾼 후 $\sqrt{a}<\sqrt{x}<\sqrt{b}$이면 $a<x<b$임을 이용하여 x의 값의 범위를 구한다.

개념 적용

제곱근의 대소 관계

1 **다음 수를 크기가 작은 것부터 차례로 나열할 때, 세 번째에 오는 수는?**

-3	$\sqrt{8}$	$\sqrt{17}$	$-\sqrt{11}$	6

① -3　② $\sqrt{8}$　③ $\sqrt{17}$
④ $-\sqrt{11}$　⑤ 6

$a>0$, $b>0$일 때
(1) $a<b$이면
$\sqrt{a}<\sqrt{b}$, $-\sqrt{a}>-\sqrt{b}$
(2) $\sqrt{a}<\sqrt{b}$이면 $a<b$

1-1 다음 중 두 수의 대소 관계가 옳은 것은?

① $\sqrt{2}>2$　② $-2>-\sqrt{3}$　③ $\frac{1}{3}>\sqrt{\frac{1}{3}}$
④ $-4>-\sqrt{17}$　⑤ $\sqrt{24}>5$

제곱근을 포함한 부등식 풀기

2 **부등식 $4<\sqrt{3n}<5$를 만족하는 자연수 n의 값의 합은?**

① 20　② 21　③ 22
④ 23　⑤ 24

$a>0$, $b>0$, $c>0$일 때
$\sqrt{a}<\sqrt{b}<\sqrt{c}$이면
⇨ $(\sqrt{a})^2<(\sqrt{b})^2<(\sqrt{c})^2$
⇨ $a<b<c$

2-1 부등식 $3<\sqrt{x-1}\le 4$를 만족하는 자연수 x의 개수는?

① 5　② 6　③ 7
④ 8　⑤ 9

개념 이해

7 무리수와 실수

(1) **유리수:** 분수 $\frac{a}{b}$(a, b는 정수, $b \neq 0$)의 꼴로 나타낼 수 있는 수 예 $\frac{1}{2}$, -3, 0.5, …

(2) **무리수:** 유리수가 아닌 수, 즉 순환하지 않는 무한소수 예 $\sqrt{2}$, $\sqrt{5}$, π, …

(3) **실수:** 유리수와 무리수를 통틀어 실수라 한다.

참고 $\sqrt{2}=1.41421\cdots$, $\sqrt{5}=2.23606\cdots$, $\pi=3.14159\cdots$ ⇨ 순환하지 않는 무한소수 ⇨ 무리수

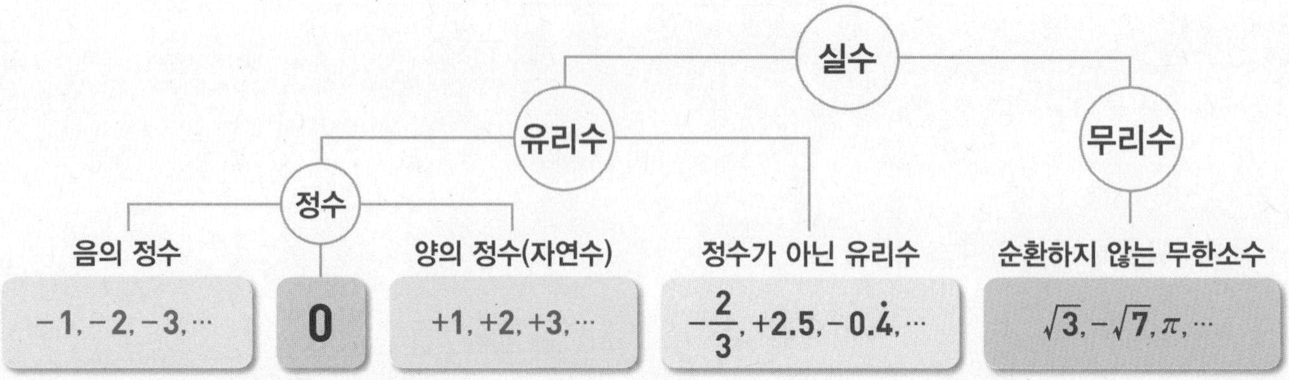

유리수와 무리수 구별하기

실수의 분류	유리수	무리수
특징	$\frac{(정수)}{(0이\ 아닌\ 정수)}$의 꼴로 나타낼 수 있는 수	$\frac{(정수)}{(0이\ 아닌\ 정수)}$의 꼴로 나타낼 수 없는 수
종류	정수, 유한소수, 순환소수	순환하지 않는 무한소수
근호의 유무	근호를 없앨 수 있는 수	근호를 없앨 수 없는 수
예	-2, 9.3, $\frac{1}{7}$, $0.\dot{6}$, …	π, $-\sqrt{2}$, $\sqrt{10}$, …

$\sqrt{2}$는 정말 무리수일까?

$\sqrt{2}$를 유리수라 하면 $\sqrt{2}=\frac{b}{a}$(a, b는 서로소인 자연수)로 나타낼 수 있으므로

$$\sqrt{2}=\frac{b}{a} \Rightarrow a\sqrt{2}=b \Rightarrow 2a^2=b^2 \quad \cdots\cdots ㉠$$

㉠에서 b^2이 짝수이므로 b도 짝수이다.

즉, $b=2k$(k는 자연수)라 하고 ㉠에 대입하면

$$2a^2=(2k)^2 \Rightarrow 2a^2=4k^2 \Rightarrow a^2=2k^2 \quad \cdots\cdots ㉡$$

㉡에서 a^2이 짝수이므로 a도 짝수이다. 그런데 a, b가 모두 짝수이면 a, b는 서로소가 아니다.

따라서 $\sqrt{2}$를 유리수라 한 것이 옳지 않으므로 $\sqrt{2}$는 무리수이다.

개념확인

1. 다음 중 유리수는 '유'를, 무리수는 '무'를 (　) 안에 써넣으시오.

(1) 0 (　　)　　(2) $1.\dot{2}\dot{3}$ (　　)　　(3) 3.14 (　　)

(4) $\sqrt{6}$ (　　)　　(5) $\sqrt{81}$ (　　)　　(6) π (　　)

2. 다음 설명 중 옳은 것은 ○표, 옳지 않은 것은 ×표를 (　) 안에 써넣으시오.

(1) 순환소수는 유리수이다. (　　)

(2) 근호를 사용하여 나타낸 수는 모두 무리수이다. (　　)

(3) 무리수는 순환하지 않는 무한소수이다. (　　)

개념 적용

유리수와 무리수

1 **다음 중 소수로 나타내었을 때, 순환하지 않는 무한소수가 되는 것은?**

① $\sqrt{0.1}$ ② $3.\dot{2}$ ③ $\sqrt{169}$
④ $\frac{3}{4}$ ⑤ $\sqrt{\frac{9}{25}}$

순환하지 않는 무한소수
⇨ 무리수

1-1 다음 수 중 그 수의 제곱근이 무리수인 것을 모두 고르면? (정답 2개)

① 8 ② 121 ③ 1.6
④ $\frac{36}{49}$ ⑤ 0.09

▶ 제곱근의 근호를 없앨 수 있으면 유리수이다.

1-2 다음 중 오른쪽 (가)에 알맞은 수는?

실수 ┬ 유리수
　　 └ (가)

① $\sqrt{0.49}$ ② $\sqrt{\frac{25}{16}}$ ③ 2.19
④ $0.\dot{8}$ ⑤ $\sqrt{3.6}$

1-3 다음 **보기** 중 무리수는 모두 몇 개인지 구하시오.

보기

$\sqrt{0.04}$　　$\sqrt{12}$　　$0.\dot{5}$　　$-\frac{1}{64}$　　$-\sqrt{25}$

1-4 다음 설명 중 옳은 것은?

① 무한소수는 무리수이다.
② 유한소수는 유리수이다.
③ 순환소수는 무리수이다.
④ 유리수가 되는 무리수도 있다.
⑤ $\sqrt{5}$는 분모($\neq 0$), 분자가 정수인 분수로 나타낼 수 있다.

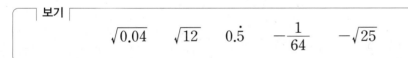

개념 이해 8

실수와 수직선

(1) 무리수를 수직선 위에 나타내기

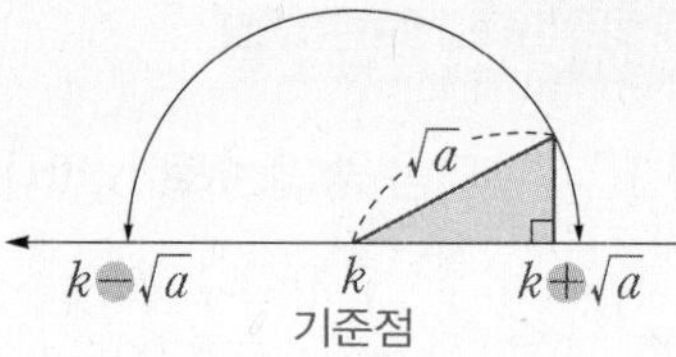

무리수는 직각삼각형의 빗변의 길이를 이용하여 수직선 위에 나타낼 수 있다.

예 무리수 $\sqrt{2}$, $-\sqrt{2}$를 수직선 위에 나타내기

(i) 오른쪽 그림과 같이 수직선 위에 원점을 한 꼭짓점으로 하고 직각을 낀 두 변의 길이가 1인 직각삼각형을 그린다.

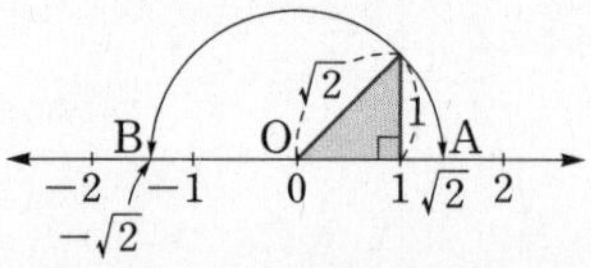

(ii) 원점을 중심으로 하고 직각삼각형의 빗변을 반지름으로 하는 원을 그린다.

(iii) 원과 수직선이 만나는 두 점을 각각 A, B라 하면 점 A에 대응하는 수는 $\sqrt{2}$, 점 B에 대응하는 수는 $-\sqrt{2}$이다.

(2) 실수와 수직선

① 모든 실수는 각각 수직선 위의 한 점에 대응한다.

② 수직선은 실수에 대응하는 점으로 완전히 메울 수 있다.

③ 서로 다른 두 실수 사이에는 무수히 많은 실수가 있다.

참고 수직선 위의 모든 점에는 실수가 하나씩 대응한다.

무리수를 직사각형의 넓이를 이용하여 수직선 위에 나타내기

오른쪽 그림과 같이 한 눈금의 길이가 1인 모눈종이 위에 정사각형 ABCD를 그릴 때, 정사각형 ABCD의 넓이는 $9-4\times\left(\frac{1}{2}\times2\times1\right)=5$이므로 $\overline{AB}$와 $\overline{AD}$의 길이는 $\sqrt{5}$이다.

$\overline{AB}=\overline{AP}$, $\overline{AD}=\overline{AQ}$가 되도록 수직선 위에 두 점 P, Q를 정하면 점 P에 대응하는 수는 $\sqrt{5}$, 점 Q에 대응하는 수는 $-\sqrt{5}$이다.

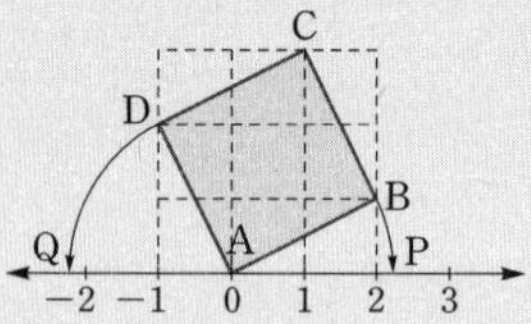

개념확인

1. 오른쪽 그림과 같이 한 눈금의 길이가 1인 모눈종이 위에 수직선과 직각삼각형 ABC를 그리고 $\overline{AC}=\overline{AP}$가 되도록 수직선 위에 점 P를 정할 때, 다음을 구하시오.

(1) $\overline{AC}$의 길이

(2) 점 P에 대응하는 수

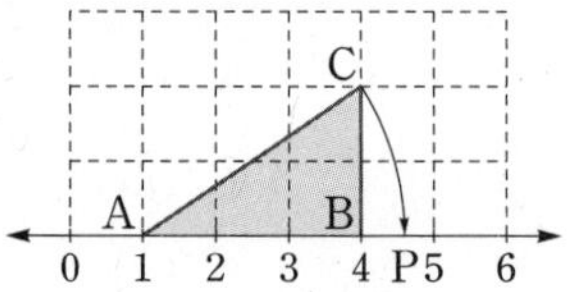

2. 다음 설명 중 옳은 것은 ○표, 옳지 않은 것은 ×표를 ( ) 안에 써넣으시오.

(1) 수직선 위의 모든 점은 실수에 대응한다. ( )

(2) 유리수에 대응하는 점만으로 수직선을 완전히 메울 수 있다. ( )

(3) 서로 다른 두 유리수 사이에는 무수히 많은 무리수가 있다. ( )

(4) 서로 다른 두 무리수 사이에는 무수히 많은 유리수가 있다. ( )

개념 적용

무리수를 수직선 위에 나타내기

1 오른쪽 그림과 같이 한 눈금의 길이가 1인 모눈종이 위에 수직선과 직각삼각형 ABC를 그리고, 점 A를 중심으로 하고 $\overline{AC}$를 반지름으로 하는 원을 그렸다. 원과 수직선이 만나는 두 점을 P, Q라 할 때, 두 점 P, Q에 대응하는 수를 차례로 구하시오.

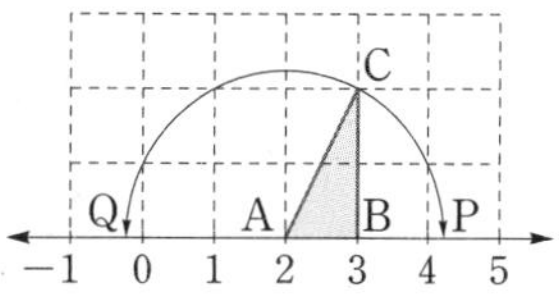

수직선 위의 점에 대응하는 수
(1) 기준점에서 오른쪽으로 a만큼 ⇨ (기준점)$+a$
(2) 기준점에서 왼쪽으로 a만큼 ⇨ (기준점)$-a$

1-1 오른쪽 그림과 같이 수직선 위에 2개의 정사각형을 그리고, 정사각형의 대각선을 반지름으로 하는 원과 수직선의 교점을 이용하여 두 점 A, B를 정했을 때, 두 점 A, B의 좌표를 각각 구하시오.

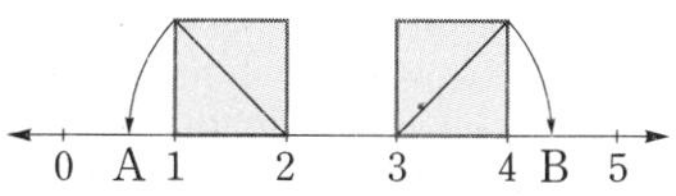

1-2 오른쪽 수직선에서 A~E 구간 중 $1+\sqrt{5}$에 대응하는 점이 존재하는 구간을 구하시오.

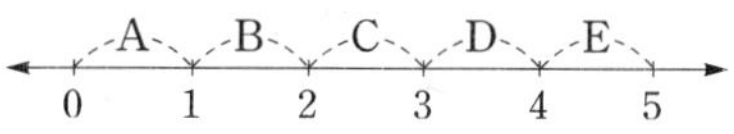

▸ 부등식의 성질을 이용하여 $1+\sqrt{5}$의 범위를 구한다.

실수와 수직선

2 다음 설명 중 옳은 것은?

① 2와 3 사이에는 유리수가 없다.
② $\sqrt{2}$와 $\sqrt{3}$ 사이에는 무리수가 없다.
③ $\sqrt{3}$과 $\sqrt{7}$ 사이에는 1개의 정수가 있다.
④ $\sqrt{3}$과 $\sqrt{5}$ 사이에는 1개의 유리수가 있다.
⑤ $\sqrt{5}$와 $\sqrt{7}$ 사이에는 1개의 무리수가 있다.

(1) 서로 다른 두 실수 사이에는 무수히 많은 실수가 있다.
(2) 모든 실수는 각각 수직선 위의 한 점에 대응한다.
(3) 수직선은 유리수와 무리수, 즉 실수에 대응하는 점으로 완전히 메울 수 있다.

2-1 다음 설명 중 옳지 않은 것은?

① -1과 1 사이에는 무수히 많은 정수가 있다.
② $\frac{1}{3}$과 $\frac{1}{2}$ 사이에는 무수히 많은 유리수가 있다.
③ $\sqrt{5}$와 $\sqrt{6}$ 사이에는 무수히 많은 유리수가 있다.
④ 1과 $\sqrt{2}$ 사이에는 무수히 많은 무리수가 있다.
⑤ 수직선은 유리수와 무리수에 대응하는 점으로 완전히 메울 수 있다.

점에 대응하는 수 구하기

'기준점 + 방향 + 길이'를 생각한다.

기본개념

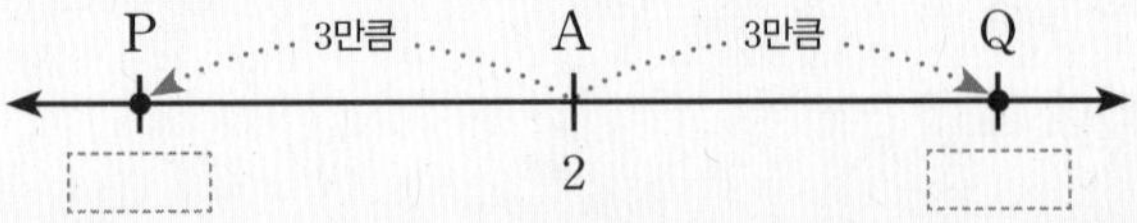

점 P : 2에서 왼쪽으로 3만큼 떨어진 점 ➡ 2−3=□

점 Q : 2에서 오른쪽으로 3만큼 떨어진 점 ➡ 2+3=□

일반화

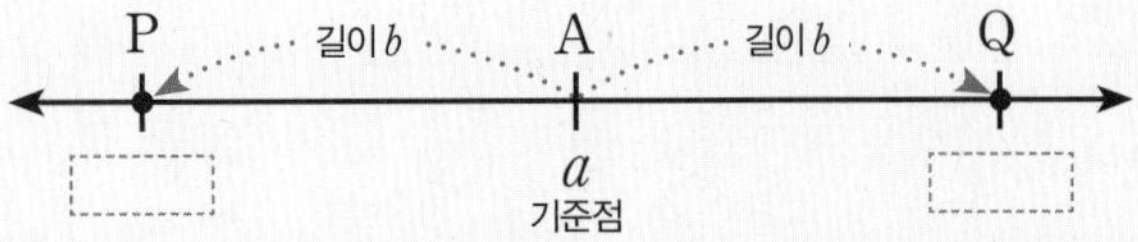

점 P : a에서 왼쪽으로 b만큼 떨어진 점 ➡ □

점 Q : a에서 오른쪽으로 b만큼 떨어진 점 ➡ □

(기준점) (방향) (길이)

점에 대응하는 수를 구하려면 항상 기준점, 방향, 길이를 생각한다.

답 -1, 5, -1, 5, $a-b$, $a+b$, $a-b$, $a+b$

개념적용 1. 기준점에 대응하는 수가 주어진 경우

오른쪽 그림에서 모눈 한 칸은 한 변의 길이가 1인 정사각형이다. 직각삼각형 ABC에서 점 A를 중심으로 하고 $\overline{AC}$를 반지름으로 하는 원을 그려 수직선과 만나는 두 점 P, Q에 대응하는 수를 각각 구하시오.

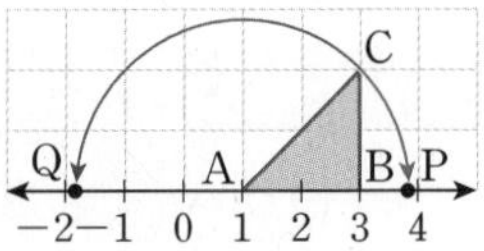

점 P에 대응하는 수 구하기

1 길이

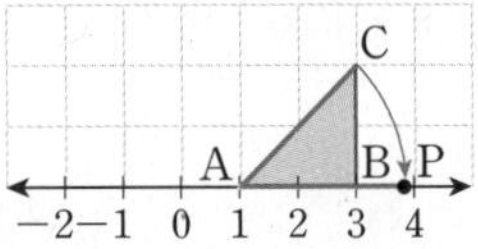

직각삼각형 ABC에서 피타고라스 정리를 이용하면

$\overline{AC}^2=2^2+□^2$에서 $\overline{AC}=□$

$\therefore \overline{AP}=\overline{AC}=□$

2 기준점+방향

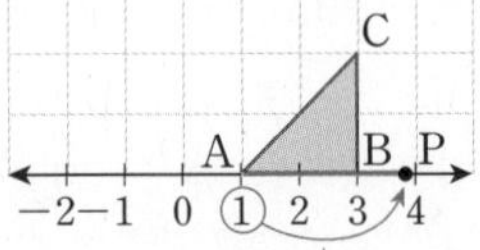

점 P는 기준점 A에서 오른쪽으로 □만큼 떨어진 점이므로 점 P에 대응하는 수는 □이다.

답 1 2, $\sqrt{8}$, $\sqrt{8}$ 2 $\sqrt{8}$, $1+\sqrt{8}$

점 Q에 대응하는 수 구하기

1 길이

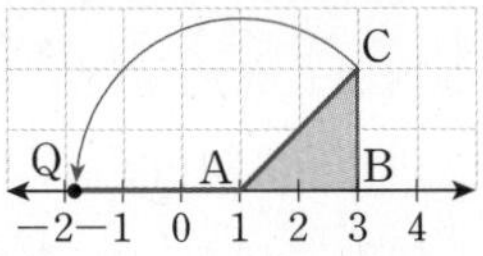

직각삼각형 ABC에서 피타고라스 정리를 이용하면

$\overline{AC}^2=2^2+□^2$에서 $\overline{AC}=□$

$\therefore \overline{AQ}=\overline{AC}=□$

2 기준점+방향

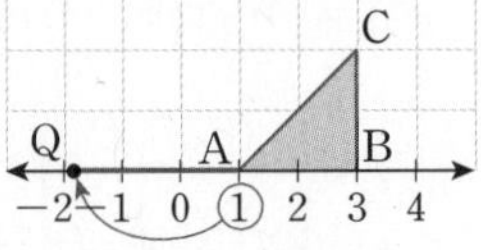

점 Q는 기준점 A에서 왼쪽으로 □만큼 떨어진 점이므로 점 Q에 대응하는 수는 □이다.

답 1 2, $\sqrt{8}$, $\sqrt{8}$ 2 $\sqrt{8}$, $1-\sqrt{8}$

개념적용 2. 기준점에 대응하는 수가 주어지지 않은 경우

오른쪽 그림에서 □ABCD는 한 변의 길이가 1인 정사각형이다. $\overline{AC}=\overline{AP}$, $\overline{BD}=\overline{BQ}$가 되도록 수직선 위에 두 점 P, Q를 정하면 점 P의 좌표가 $\sqrt{2}$일 때, 점 Q에 대응하는 수를 구하시오.

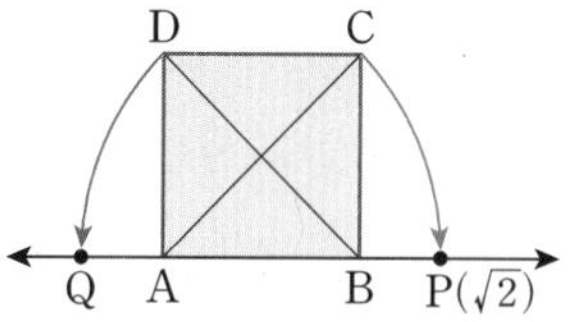

점 A에 대응하는 수

1 길이

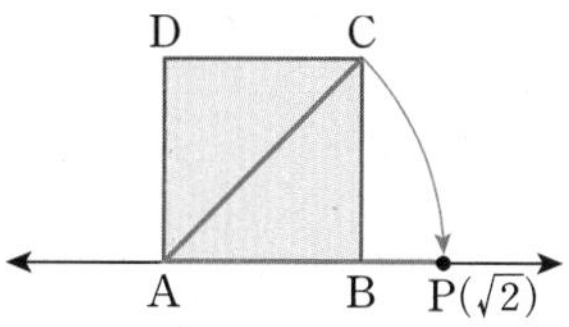

직각삼각형 ABC에서
피타고라스 정리를 이용하면
$\overline{AC}^2=1^2+\square^2$에서 $\overline{AC}=\square$
$\therefore\ \overline{AP}=\overline{AC}=\square$

2 기준점+방향

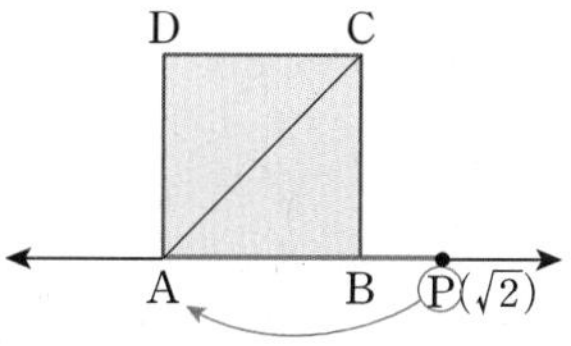

점 A는 기준점 P에서 왼쪽으로 $\square$만큼 떨어진 점이므로 점 A에 대응하는 수는 $\square$이다.

점 B에 대응하는 수

3 길이+기준점+방향

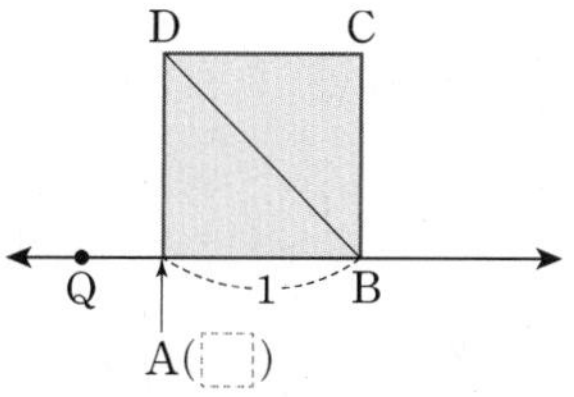

점 B는 기준점 A에서
오른쪽으로 $\square$만큼 떨어진 점이므로
점 B에 대응하는 수는 $\square$이다.

점 Q에 대응하는 수

4 길이

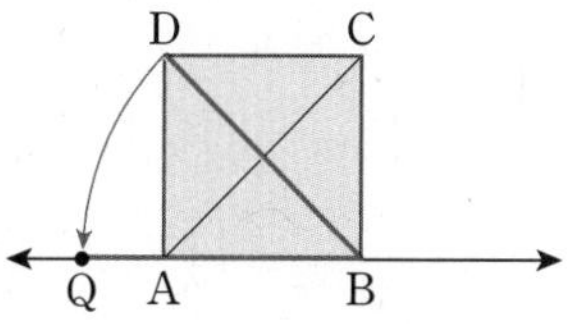

$\overline{BQ}=\overline{BD}=\overline{AC}=\square$

5 기준점+방향

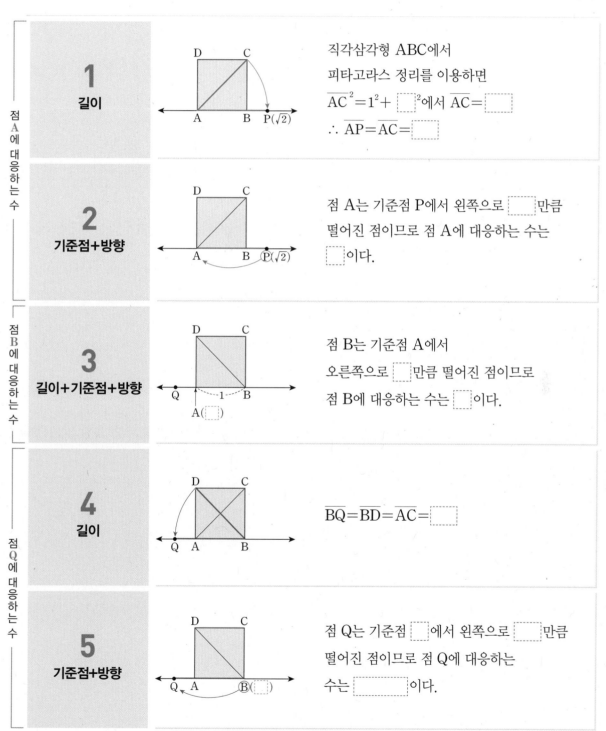

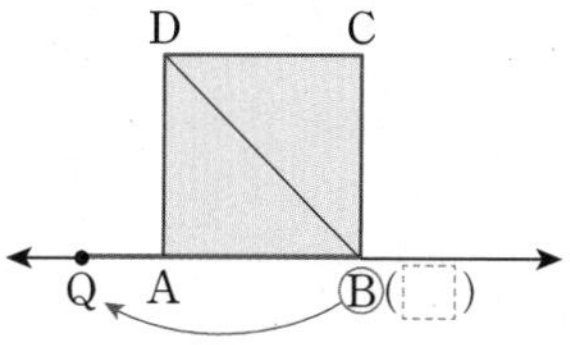

점 Q는 기준점 $\square$에서 왼쪽으로 $\square$만큼 떨어진 점이므로 점 Q에 대응하는 수는 $\square$이다.

답 **1** 1, $\sqrt{2}$, $\sqrt{2}$ **2** $\sqrt{2}$, 0 **3** 0, 1, 1 **4** $\sqrt{2}$ **5** 1, B, $\sqrt{2}$, $1-\sqrt{2}$

기본 문제

1 제곱근의 뜻

다음 중 그 값이 나머지 넷과 다른 하나는?

① 제곱근 4　　② 2, −2
③ 4의 제곱근　　④ 제곱하여 4가 되는 수
⑤ $x^2=4$를 만족하는 x의 값

2 제곱근의 표현

다음 설명 중 옳은 것은?

① 양수의 제곱근은 양수이다.
② 모든 정수의 제곱근은 2개씩 존재한다.
③ 음수의 제곱근은 음수이다.
④ 양수 a의 제곱근은 $\pm\sqrt{a}$이다.
⑤ 제곱근 $(-4)^2$은 ±4이다.

3 근호를 사용하지 않고 제곱근 나타내기

다음 중 주어진 수의 제곱근을 근호를 사용하지 않고 나타낼 수 <u>없는</u> 것은?

① 16　　② $\frac{3}{5}$　　③ 0.09
④ 36　　⑤ 400

4 제곱근의 성질

$(-\sqrt{25})^2$의 음의 제곱근을 a, $\sqrt{(-9)^2}$의 양의 제곱근을 b라 할 때, $b-a$의 값은?

① 2　　② 4　　③ 6
④ 8　　⑤ 10

5 제곱근의 성질을 이용한 식의 계산

$\sqrt{(-8)^2}+(-\sqrt{5})^2-\sqrt{81}+(\sqrt{21})^2$을 계산하면?

① −25　　② −10　　③ −1
④ 10　　⑤ 25

6 $\sqrt{a^2}$의 성질

$a>0$일 때, 다음 **보기** 중 옳지 <u>않은</u> 것을 모두 고른 것은?

보기

ㄱ. $\sqrt{a^2}=a$　　ㄴ. $\sqrt{9a^2}=9a$
ㄷ. $\sqrt{(-5a)^2}=-5a$　　ㄹ. $-\sqrt{(-6a)^2}=-6a$

① ㄱ, ㄴ　　② ㄱ, ㄷ　　③ ㄴ, ㄷ
④ ㄴ, ㄹ　　⑤ ㄷ, ㄹ

7 $\sqrt{(a-b)^2}$ 의 꼴을 포함한 식 간단히 하기

$a<0<b$일 때, $\sqrt{a^2}+\sqrt{(a-b)^2}-\sqrt{(-b)^2}$을 간단히 하면?

① $-a$ ② $-b$ ③ $a-b$
④ $-2a$ ⑤ $-2b$

8 $\sqrt{Ax}$, $\sqrt{\frac{A}{x}}$가 자연수가 되도록 하는 자연수 x의 값 구하기

$\sqrt{\frac{48}{x}}$이 자연수가 되도록 하는 가장 작은 자연수 x의 값은?

① 1 ② 3 ③ 5
④ 7 ⑤ 9

9 제곱근의 대소 관계

다음 중 두 수의 대소 관계가 옳지 않은 것은?

① $5<\sqrt{26}$ ② $-\sqrt{27}<-5$
③ $0.4<\sqrt{0.4}$ ④ $-\sqrt{3^2}<-\sqrt{10}$
⑤ $\sqrt{\frac{1}{5}}<\sqrt{\frac{1}{3}}$

10 유리수와 무리수

다음 중 무리수는 모두 몇 개인지 구하시오.

$\frac{\sqrt{4}}{9}$ $\sqrt{5}$ $-\frac{\pi}{2}$ $\sqrt{1.44}$ $\sqrt{8}$

11 무리수를 수직선 위에 나타내기

오른쪽 그림과 같이 한 눈금의 길이가 1인 모눈종이 위에 수직선과 직각삼각형 ABC를 그리고 $\overline{AC}=\overline{AP}$일 때, 점 P에 대응하는 수는?

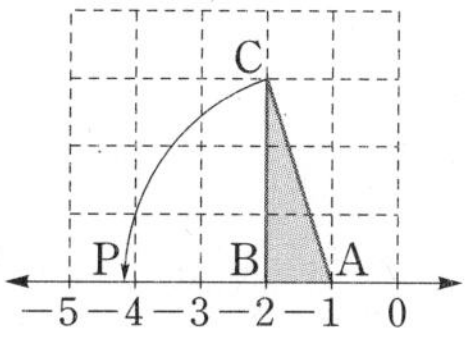

① $-5+\sqrt{10}$ ② $-5-\sqrt{10}$ ③ $-4+\sqrt{10}$
④ $-4-\sqrt{10}$ ⑤ $-1-\sqrt{10}$

12 실수와 수직선

다음 **보기** 중 옳은 것은 모두 몇 개인지 구하시오.

보기

ㄱ. 유리수와 무리수에 대응하는 점만으로 수직선을 완전히 메울 수 없다.
ㄴ. 모든 실수는 각각 수직선 위의 한 점에 대응한다.
ㄷ. 서로 다른 두 정수 사이에는 무수히 많은 정수가 있다.
ㄹ. 서로 다른 두 유리수 사이에는 무수히 많은 유리수가 있다.
ㅁ. $\sqrt{5}$와 $\sqrt{6}$ 사이에는 무수히 많은 무리수가 있다.

개념 완성

발전 문제

1 $\sqrt{16}$의 양의 제곱근을 a, 제곱근 9를 b, $(-5)^2$의 음의 제곱근을 c라 할 때, $a+b+c$의 값은?

① -6 ② -3 ③ 0 ④ 3 ⑤ 6

2 $\sqrt{36-A}$가 정수가 되도록 하는 자연수 A 중 가장 큰 값과 가장 작은 값의 합은?

① 18 ② 24 ③ 35 ④ 40 ⑤ 47

36보다 작은 제곱수를 찾아 $36-A=$(제곱수) 가 되도록 하는 자연수 A를 구한다.

3 부등식 $5<\sqrt{9x}+1\leq 7$을 만족하는 자연수 x의 모든 값의 합을 구하시오.

$a>0$, $b>0$, $c>0$일 때 $\sqrt{a}<\sqrt{b}<\sqrt{c}$이면 $(\sqrt{a})^2<(\sqrt{b})^2<(\sqrt{c})^2$이므로 $a<b<c$

4 다음 중 유리수가 아닌 실수에 대한 설명으로 옳지 않은 것을 모두 고르면? (정답 2개)

① 정수가 아닌 수이다.
② 순환하지 않는 무한소수이다.
③ 근호를 사용하여 나타낸 수이다.
④ 실수 중에서 무리수이다.
⑤ $\dfrac{(\text{정수})}{(0\text{이 아닌 정수})}$의 꼴로 나타낼 수 없는 수이다.

5 $0<a<1$일 때, $\sqrt{\left(a+\dfrac{1}{a}\right)^2}-\sqrt{\left(a-\dfrac{1}{a}\right)^2}$을 간단히 하면?

① $-\dfrac{2}{a}$ ② $-2a$ ③ 0 ④ $2a$ ⑤ $\dfrac{2}{a}$

$a+\dfrac{1}{a}$과 $a-\dfrac{1}{a}$의 부호를 먼저 구한다.

6 서술형

오른쪽 그림에서 □ABCD는 한 변의 길이가 1인 정사각형이다. $\overline{AC}=\overline{AE}$, $\overline{BD}=\overline{BF}$이고, 점 E에 대응하는 수가 $3+\sqrt{2}$일 때, 점 F에 대응하는 수를 구하기 위한 풀이 과정을 쓰고 답을 구하시오.

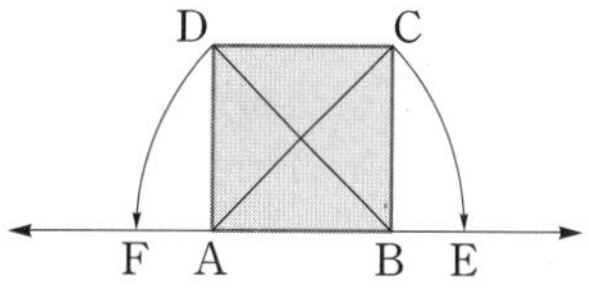

① 단계: $\overline{AE}$, $\overline{BF}$의 길이를 각각 구하기

한 변의 길이가 1인 정사각형의 대각선의 길이는 _______ 이므로

$\overline{AC}=\overline{BD}=$ _______

$\therefore$ $\overline{AE}=\overline{AC}=$ _______, $\overline{BF}=\overline{BD}=$ _______

② 단계: 두 점 A, B에 대응하는 수 구하기

점 E에 대응하는 수가 $3+\sqrt{2}$이므로 점 A에 대응하는 수는 _______

$\overline{AB}=$ _______ 이므로 점 B에 대응하는 수는 _______

③ 단계: 점 F에 대응하는 수 구하기

점 F에 대응하는 수는 _______

► Check List
- $\overline{AC}$, $\overline{BD}$의 길이를 알고, $\overline{AE}$, $\overline{BF}$의 길이를 바르게 구하였는가?
- 두 점 A, B에 대응하는 수를 바르게 구하였는가?
- 점 F에 대응하는 수를 바르게 구하였는가?

7 서술형

복사 용지의 규격은 종이의 낭비를 최소화하기 위해 닮은 도형의 성질을 이용하여 정해진다. A5 용지는 A4 용지를 반으로 자른 것으로 A4 용지와 A5 용지는 서로 닮음인 직사각형이다. 이때 오른쪽 그림과 같이 A4 용지의 세로의 길이를 $2a$라 할 때, A4 용지의 가로의 길이를 a를 이용하여 나타내기 위한 풀이 과정을 쓰고 답을 구하시오.

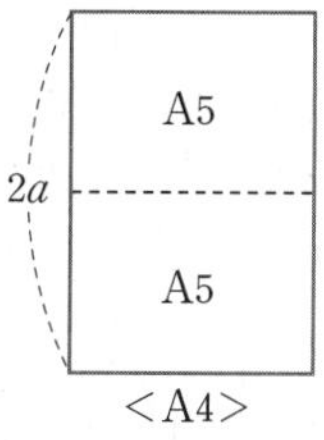

① 단계: A4 용지의 가로의 길이를 x로 놓고, A5 용지의 변의 길이를 a와 x로 나타내기

② 단계: A4 용지와 A5 용지가 닮은 도형임을 이용하여 비례식 세우기

③ 단계: A4 용지의 가로의 길이 구하기

► Check List
- A5 용지의 변의 길이를 문자로 바르게 나타내었는가?
- 닮음비를 이용하여 식을 바르게 세웠는가?
- A4 용지의 가로의 길이를 바르게 구하였는가?

2 근호를 포함한 식의 계산

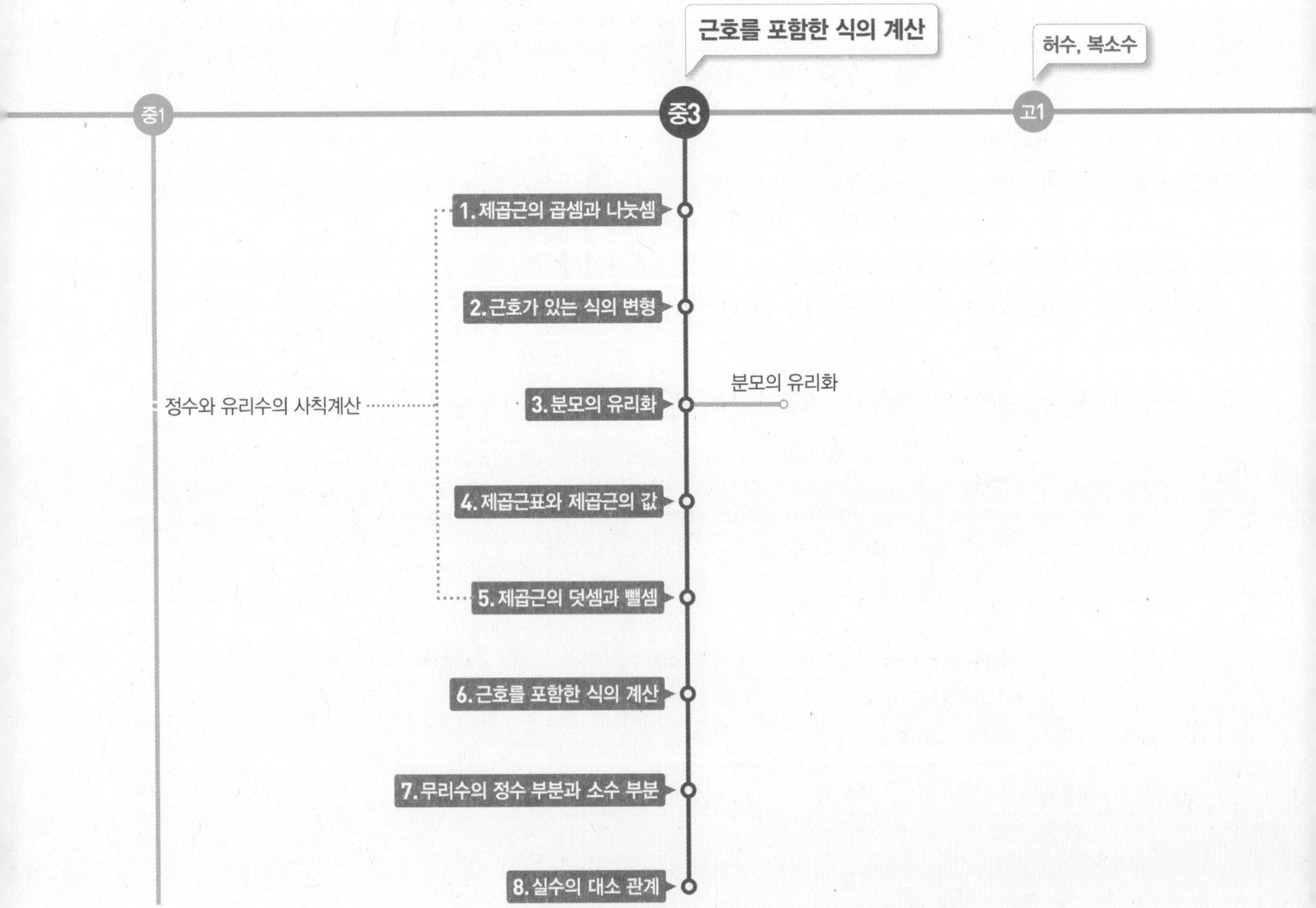
근호를 포함한 식의 계산
허수, 복소수
중1
중3
고1
1. 제곱근의 곱셈과 나눗셈
2. 근호가 있는 식의 변형
정수와 유리수의 사칙계산
3. 분모의 유리화
분모의 유리화
4. 제곱근표와 제곱근의 값
5. 제곱근의 덧셈과 뺄셈
6. 근호를 포함한 식의 계산
7. 무리수의 정수 부분과 소수 부분
8. 실수의 대소 관계

근호를 포함한 식의 계산

×

$$\sqrt{2}\times\sqrt{3}=\sqrt{2\times3}$$

$(\sqrt{2}\times\sqrt{3})^2 = 2\times3$ 　 $(\sqrt{2\times3})^2 = 2\times3$

제곱의 결과가 같으면

↓

$\sqrt{2}\times\sqrt{3}$ 　 $\sqrt{2\times3}$

두 수는 같은 수

÷

$$\frac{\sqrt{2}}{\sqrt{3}}=\sqrt{\frac{2}{3}}$$

$\left(\frac{\sqrt{2}}{\sqrt{3}}\right)^2 = \frac{2}{3}$ 　 $\left(\sqrt{\frac{2}{3}}\right)^2 = \frac{2}{3}$

제곱의 결과가 같으면

↓

$\frac{\sqrt{2}}{\sqrt{3}}$ 　 $\sqrt{\frac{2}{3}}$

두 수는 같은 수

↓

각각의 근호를
하나의 근호처럼 생각한다.

+

$$3\sqrt{2}+2\sqrt{2}=(3+2)\sqrt{2}$$

$$\underbrace{(\sqrt{2}+\sqrt{2}+\sqrt{2})}_{3\sqrt{2}}+\underbrace{(\sqrt{2}+\sqrt{2})}_{2\sqrt{2}}=\underbrace{\sqrt{2}+\sqrt{2}+\sqrt{2}+\sqrt{2}+\sqrt{2}}_{5\sqrt{2}}$$

$\sqrt{2}$를 문자처럼 생각

↓

$3a+2a=5a$

−

$$3\sqrt{2}-2\sqrt{2}=(3-2)\sqrt{2}$$

$$\underbrace{(\sqrt{2}+\sqrt{2}+\sqrt{2})}_{3\sqrt{2}}-\underbrace{(\sqrt{2}+\sqrt{2})}_{2\sqrt{2}}=\sqrt{2}$$

$\sqrt{2}$를 문자처럼 생각

↓

$3a-2a=a$

↓

근호를 포함한 수($\sqrt{2}$)를
문자(a)처럼 생각한다.

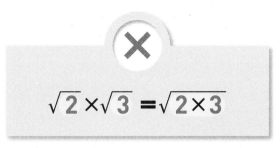

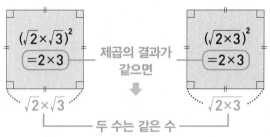

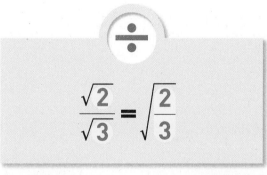

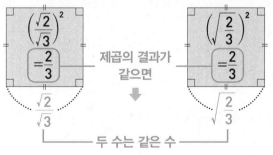

개념 이해 1

제곱근의 곱셈과 나눗셈

$a>0$, $b>0$이고 m, n이 유리수일 때

(1) 제곱근의 곱셈

① $\sqrt{a}\times\sqrt{b}=\sqrt{ab}$ 예) $\sqrt{2}\times\sqrt{5}=\sqrt{2\times5}=\sqrt{10}$

② $m\sqrt{a}\times n\sqrt{b}=mn\sqrt{ab}$ 예) $3\sqrt{2}\times4\sqrt{3}=3\times4\times\sqrt{2\times3}=12\sqrt{6}$

근호 밖의 수끼리

$$m\sqrt{a}\times n\sqrt{b}=mn\sqrt{ab}$$

근호 안의 수끼리

(2) 제곱근의 나눗셈

① $\sqrt{a}\div\sqrt{b}=\dfrac{\sqrt{a}}{\sqrt{b}}=\sqrt{\dfrac{a}{b}}$ 예) $\sqrt{10}\div\sqrt{2}=\dfrac{\sqrt{10}}{\sqrt{2}}=\sqrt{\dfrac{10}{2}}=\sqrt{5}$

② $m\sqrt{a}\div n\sqrt{b}=\dfrac{m\sqrt{a}}{n\sqrt{b}}=\dfrac{m}{n}\sqrt{\dfrac{a}{b}}$ 예) $4\sqrt{6}\div2\sqrt{2}=\dfrac{4\sqrt{6}}{2\sqrt{2}}=\dfrac{4}{2}\times\sqrt{\dfrac{6}{2}}=2\sqrt{3}$

근호 밖의 수끼리

$$m\sqrt{a}\div n\sqrt{b}=\frac{m}{n}\sqrt{\frac{a}{b}}$$

근호 안의 수끼리

$\sqrt{a}\times\sqrt{b}$ 와 $\sqrt{a\times b}$의 비교

$a>0$, $b>0$일 때

$(\sqrt{a}\times\sqrt{b})^2=(\sqrt{a}\times\sqrt{b})\times(\sqrt{a}\times\sqrt{b})=(\sqrt{a}\times\sqrt{a})\times(\sqrt{b}\times\sqrt{b})=(\sqrt{a})^2\times(\sqrt{b})^2=a\times b$

이때 $\sqrt{a}\times\sqrt{b}>0$이므로 $\sqrt{a}\times\sqrt{b}$는 $a\times b$의 양의 제곱근이다.

$\therefore \sqrt{a}\times\sqrt{b}=\sqrt{a\times b}$

개념확인

1. 다음 □ 안에 알맞은 수를 써넣으시오.

(1) $\sqrt{3}\times\sqrt{5}=\sqrt{3\times\square}=\sqrt{\square}$

(2) $4\sqrt{3}\times3\sqrt{5}=4\times\square\times\sqrt{3\times\square}$

$=\square\sqrt{\square}$

2. 다음 식을 간단히 하시오.

(1) $\sqrt{2}\times\sqrt{3}$

(2) $\sqrt{2}\times\sqrt{5}\times\sqrt{7}$

(3) $-\sqrt{5}\times2\sqrt{3}$

(4) $4\sqrt{3}\times2\sqrt{\dfrac{7}{3}}$

3. 다음 □ 안에 알맞은 수를 써넣으시오.

(1) $\sqrt{15}\div\sqrt{3}=\dfrac{\sqrt{15}}{\sqrt{3}}=\sqrt{\dfrac{\square}{3}}=\sqrt{\square}$

(2) $8\sqrt{15}\div2\sqrt{5}=\dfrac{8\sqrt{15}}{2\sqrt{5}}=\dfrac{\square}{2}\times\sqrt{\dfrac{\square}{5}}$

$=\square\sqrt{\square}$

4. 다음 식을 간단히 하시오.

(1) $\dfrac{\sqrt{12}}{\sqrt{4}}$

(2) $\sqrt{72}\div\sqrt{8}$

(3) $-9\sqrt{14}\div3\sqrt{7}$

(4) $\sqrt{\dfrac{10}{3}}\div\sqrt{\dfrac{2}{3}}$

개념 적용

제곱근의 곱셈

1 $2\sqrt{5}\times(-6\sqrt{6})\times\sqrt{\frac{1}{3}}$을 간단히 하면?

① $-12\sqrt{10}$ ② $-12\sqrt{5}$ ③ $\sqrt{15}$
④ $12\sqrt{10}$ ⑤ $12\sqrt{15}$

$a>0$, $b>0$이고 m, n은 유리수일 때
$m\sqrt{a}\times n\sqrt{b}=mn\sqrt{ab}$

1-1 다음 식을 간단히 하면?

$$3\sqrt{2}\times\left(-\sqrt{\frac{3}{7}}\right)\times(-2\sqrt{7})$$

① $-6\sqrt{6}$ ② $-6\sqrt{3}$ ③ $3\sqrt{3}$
④ $6\sqrt{3}$ ⑤ $6\sqrt{6}$

제곱근의 나눗셈

2 다음 중 옳지 <u>않은</u> 것은?

① $\frac{\sqrt{12}}{\sqrt{6}}=\sqrt{2}$ ② $\sqrt{75}\div\sqrt{3}=5$
③ $4\sqrt{21}\div(-\sqrt{7})=-4\sqrt{3}$ ④ $10\sqrt{24}\div5\sqrt{8}=3\sqrt{2}$
⑤ $\frac{\sqrt{14}}{\sqrt{2}}\div\frac{\sqrt{7}}{\sqrt{10}}=\sqrt{10}$

$a>0$, $b>0$이고 m, n은 유리수일 때
$m\sqrt{a}\div n\sqrt{b}=\frac{m}{n}\sqrt{\frac{a}{b}}$

2-1 오른쪽 그림의 삼각형과 직사각형의 넓이가 같을 때, x의 값을 구하시오.

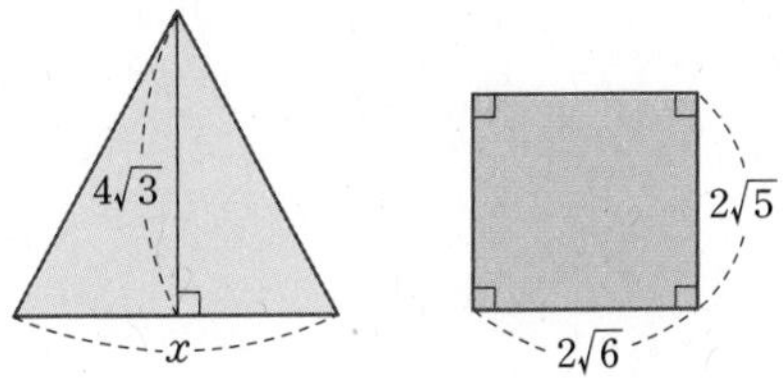

▶ 제곱근의 곱셈을 이용하여 각각의 도형의 넓이를 구한 후, 제곱근의 나눗셈을 이용하여 x의 값을 구한다.

근호가 있는 식의 변형

근호 안에 제곱인 인수가 있으면 근호 밖으로 꺼내 근호 안의 수를 간단히 한다.

$a>0$, $b>0$일 때

(1) $\sqrt{a^2b}=\sqrt{a^2}\sqrt{b}=a\sqrt{b}$

예 $\sqrt{32}=\sqrt{4^2\times 2}=\sqrt{4^2}\times\sqrt{2}=4\sqrt{2}$

(2) $\sqrt{\dfrac{a}{b^2}}=\dfrac{\sqrt{a}}{\sqrt{b^2}}=\dfrac{\sqrt{a}}{b}$

예 $\sqrt{\dfrac{3}{25}}=\sqrt{\dfrac{3}{5^2}}=\dfrac{\sqrt{3}}{\sqrt{5^2}}=\dfrac{\sqrt{3}}{5}$

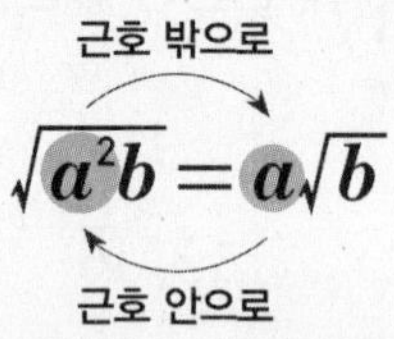

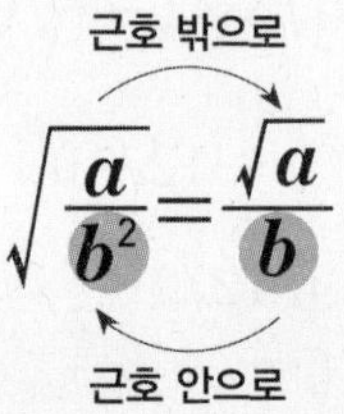

근호 밖의 수를 근호 안으로 넣기

$a>0$, $b>0$일 때

(1) $a\sqrt{b}=\sqrt{a^2}\sqrt{b}=\sqrt{a^2b}$ 　 예 $2\sqrt{5}=\sqrt{2^2}\times\sqrt{5}=\sqrt{2^2\times 5}=\sqrt{20}$

(2) $\dfrac{\sqrt{a}}{b}=\dfrac{\sqrt{a}}{\sqrt{b^2}}=\sqrt{\dfrac{a}{b^2}}$ 　 예 $\dfrac{\sqrt{3}}{2}=\dfrac{\sqrt{3}}{\sqrt{2^2}}=\sqrt{\dfrac{3}{2^2}}=\sqrt{\dfrac{3}{4}}$

개념확인

1. 다음은 주어진 수를 $a\sqrt{b}$의 꼴로 변형하는 과정이다. □ 안에 알맞은 수를 써넣으시오.

(단, b는 가장 작은 자연수이다.)

(1) $\sqrt{24}=\sqrt{\square^2\times 6}=\sqrt{\square^2}\times\sqrt{6}=\square\sqrt{6}$

(2) $\sqrt{\dfrac{6}{49}}=\sqrt{\dfrac{6}{\square^2}}=\dfrac{\sqrt{6}}{\sqrt{\square^2}}=\dfrac{\sqrt{6}}{\square}$

2. 다음 수를 $a\sqrt{b}$의 꼴로 나타내시오.

(단, b는 가장 작은 자연수이다.)

(1) $\sqrt{27}$ 　 (2) $-\sqrt{50}$

(3) $\sqrt{\dfrac{3}{100}}$ 　 (4) $-\sqrt{\dfrac{13}{81}}$

3. 다음은 주어진 수를 $\sqrt{a}$의 꼴로 변형하는 과정이다. □ 안에 알맞은 수를 써넣으시오.

(1) $3\sqrt{6}=\sqrt{\square^2}\times\sqrt{6}=\sqrt{\square^2\times 6}=\sqrt{\square}$

(2) $\dfrac{\sqrt{5}}{6}=\dfrac{\sqrt{5}}{\sqrt{\square^2}}=\sqrt{\dfrac{5}{\square^2}}=\sqrt{\dfrac{5}{\square}}$

4. 다음 수를 $\sqrt{a}$ 또는 $-\sqrt{a}$의 꼴로 나타내시오.

(1) $2\sqrt{2}$ 　 (2) $-3\sqrt{7}$

(3) $\dfrac{\sqrt{5}}{2}$ 　 (4) $-\dfrac{\sqrt{10}}{7}$

! $-a\sqrt{b}$의 경우에 '$-$부호'는 근호 밖에 그대로 둔다.

개념 적용

근호가 있는 식의 변형

1 **다음 보기 중 옳은 것을 모두 고르시오.**

보기

ㄱ. $\sqrt{80}=4\sqrt{5}$ ㄴ. $-5\sqrt{3}=-\sqrt{50}$

ㄷ. $\sqrt{\frac{28}{18}}=\frac{\sqrt{7}}{3}$ ㄹ. $\sqrt{0.08}=\frac{\sqrt{2}}{5}$

$a>0$, $b>0$일 때
$\sqrt{a^2b}=a\sqrt{b}$, $\sqrt{\frac{a}{b^2}}=\frac{\sqrt{a}}{b}$

1-1 다음을 만족하는 자연수 a, b, c의 합 $a+b+c$의 값을 구하시오.
(단, b와 c는 서로소이다.)

$\sqrt{98}=7\sqrt{a}$ $\sqrt{\frac{112}{9}}=\frac{b\sqrt{7}}{c}$

1-2 오른쪽 그림과 같이 큰 정사각형의 각 변의 중점을 연결하여 작은 정사각형을 만들었다. 큰 정사각형의 넓이가 2000일 때, 작은 정사각형의 한 변의 길이를 $a\sqrt{b}$의 꼴로 나타내시오.
(단, b는 가장 작은 자연수)

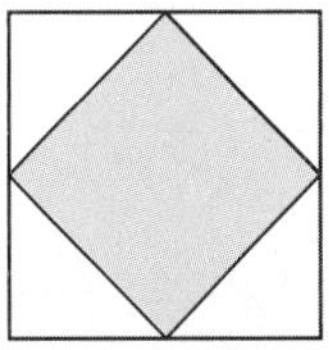

문자를 이용한 제곱근의 표현

2 **$\sqrt{3}=a$, $\sqrt{5}=b$일 때, $\sqrt{60}$을 a, b를 이용하여 나타내면?**

① ab ② $2ab$ ③ $3ab$
④ a^2b ⑤ ab^3

주어진 문자를 이용하여 제곱근 나타내기
① 근호 안의 수를 소인수분해한다.
② 제곱인 인수가 있으면 근호 밖으로 꺼낸다.
③ 주어진 문자를 이용하여 제곱근을 나타낸다.

2-1 $\sqrt{5}=a$일 때, $\sqrt{1.25}$를 a를 이용하여 나타내면?

① $\frac{a}{3}$ ② $\frac{a}{2}$ ③ a
④ $2a$ ⑤ $3a$

개념 이해 3

분모의 유리화

분수의 분모가 근호를 포함한 무리수일 때, 분모와 분자에 0이 아닌 같은 수를 곱하여 분모를 유리수로 고치는 것을 분모의 유리화라 한다.

$\dfrac{b}{\sqrt{a}}=\dfrac{b\sqrt{a}}{a}$ 유리화 $\dfrac{\sqrt{b}}{\sqrt{a}}=\dfrac{\sqrt{ab}}{a}$ 유리화

$a>0$이고 a, b, c가 유리수일 때

(1) $\dfrac{1}{\sqrt{a}}=\dfrac{\sqrt{a}}{\sqrt{a}\times\sqrt{a}}=\dfrac{\sqrt{a}}{a}$ 예 $\dfrac{1}{\sqrt{5}}=\dfrac{1\times\sqrt{5}}{\sqrt{5}\times\sqrt{5}}=\dfrac{\sqrt{5}}{5}$

(2) $\dfrac{b}{\sqrt{a}}=\dfrac{b\times\sqrt{a}}{\sqrt{a}\times\sqrt{a}}=\dfrac{b\sqrt{a}}{a}$ 예 $\dfrac{2}{\sqrt{5}}=\dfrac{2\times\sqrt{5}}{\sqrt{5}\times\sqrt{5}}=\dfrac{2\sqrt{5}}{5}$

(3) $\dfrac{\sqrt{b}}{\sqrt{a}}=\dfrac{\sqrt{b}\times\sqrt{a}}{\sqrt{a}\times\sqrt{a}}=\dfrac{\sqrt{ab}}{a}$ (단, $b>0$) 예 $\dfrac{\sqrt{5}}{\sqrt{2}}=\dfrac{\sqrt{5}\times\sqrt{2}}{\sqrt{2}\times\sqrt{2}}=\dfrac{\sqrt{10}}{2}$

(4) $\dfrac{b}{c\sqrt{a}}=\dfrac{b\times\sqrt{a}}{c\sqrt{a}\times\sqrt{a}}=\dfrac{b\sqrt{a}}{ac}$ (단, $c\neq0$) 예 $\dfrac{2}{3\sqrt{3}}=\dfrac{2\times\sqrt{3}}{3\sqrt{3}\times\sqrt{3}}=\dfrac{2\sqrt{3}}{9}$

> 분모를 유리화하는 간단한 방법
>
> 분모의 근호 안에 제곱인 인수가 있으면 제곱인 인수를 근호 밖으로 꺼낸 다음 분모를 유리화하면 간단하다.
>
> 또한 분모를 유리화한 후에는 반드시 약분이 되는지 확인한다.
>
> 예 $\dfrac{3}{\sqrt{12}}=\dfrac{3}{2\sqrt{3}}=\dfrac{3\times\sqrt{3}}{2\sqrt{3}\times\sqrt{3}}=\dfrac{3\sqrt{3}}{6}=\dfrac{\sqrt{3}}{2}$

분모의 유리화를 왜 할까?

분모의 유리화에서 화(化)는 '되다'라는 의미로 분모가 무리수일 때 유리수가 되게 하는 것을 말한다.

그렇다면 분모의 유리화는 왜 할까? 분모가 유리수인 것이 무리수인 것보다 그 값을 더 명확하게 표현할 수 있기 때문이다.

예를 들어 $\dfrac{1}{\sqrt{2}}$의 분모를 유리화하면 $\dfrac{1}{\sqrt{2}}=\dfrac{1\times\sqrt{2}}{\sqrt{2}\times\sqrt{2}}=\dfrac{\sqrt{2}}{2}$이다.

$\sqrt{2}=1.414\cdots$임을 이용하여 $\dfrac{1}{\sqrt{2}}$과 $\dfrac{\sqrt{2}}{2}$의 값을 각각 계산하면

$$\dfrac{1}{\sqrt{2}}=1\div\sqrt{2}=1\div1.414\cdots$$

$$\dfrac{\sqrt{2}}{2}=\sqrt{2}\div2=1.414\cdots\div2=0.707\cdots$$

$\dfrac{1}{\sqrt{2}}$보다 $\dfrac{\sqrt{2}}{2}$ 값이 더 명확하게 표현되는 것을 알 수 있다.

개념확인

1. 다음은 주어진 수의 분모를 유리화하는 과정이다. □ 안에 알맞은 수를 써넣으시오.

(1) $\dfrac{1}{\sqrt{3}}=\dfrac{1\times\square}{\sqrt{3}\times\square}=\square$

(2) $\dfrac{\sqrt{7}}{\sqrt{6}}=\dfrac{\sqrt{7}\times\square}{\sqrt{6}\times\square}=\square$

(3) $\dfrac{5}{2\sqrt{2}}=\dfrac{5\times\square}{2\sqrt{2}\times\square}=\square$

2. 다음 수의 분모를 유리화하시오.

(1) $\dfrac{3}{\sqrt{2}}$ (2) $\dfrac{\sqrt{2}}{\sqrt{7}}$ (3) $\dfrac{3}{2\sqrt{5}}$

3. 다음은 $\dfrac{\sqrt{3}}{\sqrt{8}}$의 분모를 유리화하는 과정이다. □ 안에 알맞은 수를 써넣으시오.

$$\dfrac{\sqrt{3}}{\sqrt{8}}=\dfrac{\sqrt{3}}{\square\sqrt{2}}=\dfrac{\sqrt{3}\times\sqrt{\square}}{\square\sqrt{2}\times\sqrt{\square}}=\dfrac{\sqrt{\square}}{\square}$$

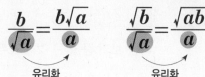

개념 적용

분모의 유리화

1 다음 중 분모를 유리화한 것으로 옳지 <u>않은</u> 것은?

① $\dfrac{8}{\sqrt{3}}=\dfrac{8\sqrt{3}}{3}$ ② $\dfrac{10}{\sqrt{5}}=2\sqrt{5}$ ③ $\dfrac{4\sqrt{3}}{\sqrt{2}}=\dfrac{\sqrt{6}}{2}$

④ $\dfrac{7}{3\sqrt{2}}=\dfrac{7\sqrt{2}}{6}$ ⑤ $\dfrac{5}{2\sqrt{7}}=\dfrac{5\sqrt{7}}{14}$

· $\dfrac{b}{\sqrt{a}}=\dfrac{b\times\sqrt{a}}{\sqrt{a}\times\sqrt{a}}=\dfrac{b\sqrt{a}}{a}$ (단, $a>0$)

· $\dfrac{\sqrt{b}}{\sqrt{a}}=\dfrac{\sqrt{b}\times\sqrt{a}}{\sqrt{a}\times\sqrt{a}}=\dfrac{\sqrt{ab}}{a}$ (단, $a>0$, $b>0$)

1-1 $\dfrac{5}{\sqrt{18}}=a\sqrt{2}$, $\dfrac{1}{2\sqrt{3}}=b\sqrt{3}$일 때, 두 유리수 a, b에 대하여 $a+b$의 값을 구하시오.

제곱근의 곱셈과 나눗셈의 혼합 계산

2 다음 식을 간단히 하시오.

$$\frac{4}{\sqrt{3}}\times\sqrt{2}\div\frac{3}{\sqrt{8}}$$

제곱근의 곱셈과 나눗셈의 혼합 계산의 순서
① 나눗셈은 역수의 곱셈으로 고친다.
② 앞에서부터 순서대로 계산한다.
③ 계산 결과는 분모를 유리화하여 나타낸다.

2-1 $\dfrac{7}{\sqrt{2}}\times\dfrac{\sqrt{5}}{6}\div\dfrac{\sqrt{3}}{12}$을 간단히 하면 $a\sqrt{30}$일 때, 유리수 a의 값을 구하시오.

2-2 오른쪽 그림과 같이 가로와 세로의 길이가 각각 $\sqrt{8}$, $\sqrt{12}$인 직육면체의 부피가 $48\sqrt{2}$일 때, h의 값을 구하시오.

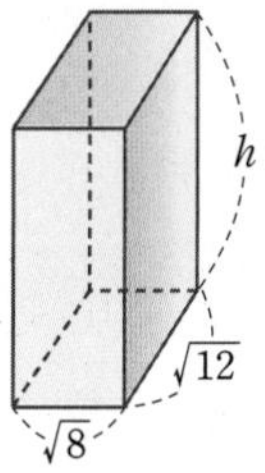

개념 이해 4

제곱근표와 제곱근의 값

(1) 제곱근표 : 1.00부터 99.9까지의 수에 대한 양의 제곱근의 값을 소수점 아래 넷째 자리에서 반올림하여 나타낸 표

(2) 제곱근표를 읽는 방법

처음 두 자리 수의 가로줄과 끝자리 수의 세로줄이 만나는 곳에 있는 수를 읽는다.

수	0	1	2	3	⋯
⋮					
3.1	1.761	1.764	1.766	1.769	⋯
3.2	1.789	1.792	1.794	1.797	⋯
⋮					

예 $\sqrt{3.13}$의 값은 1.769, $\sqrt{3.21}$의 값은 1.792

(3) 제곱근표에 없는 수의 제곱근의 값

제곱근표에 없는 수의 제곱근의 값은 $\sqrt{a^2b}=a\sqrt{b}$임을 이용하여 근호 안의 수를 제곱근표에 있는 수로 바꾸어 구한다.

① 근호 안의 수가 100보다 큰 수: $\sqrt{100a}=10\sqrt{a}$, $\sqrt{10000a}=100\sqrt{a}$, ⋯

② 근호 안의 수가 0보다 크고 1보다 작은 수: $\sqrt{\frac{a}{100}}=\frac{\sqrt{a}}{10}$, $\sqrt{\frac{a}{10000}}=\frac{\sqrt{a}}{100}$, ⋯

> 제곱근표에 없는 수의 제곱근의 값
>
> $\sqrt{3}$의 값은 1.732, $\sqrt{30}$의 값은 5.477일 때, 다음 수의 값을 구해 보자.
>
> (1) $\sqrt{300}=\sqrt{3\times100}=10\sqrt{3}=10\times1.732=17.32$
>
> (2) $\sqrt{0.3}=\sqrt{\frac{30}{100}}=\frac{\sqrt{30}}{10}=\frac{5.477}{10}=0.5477$

개념확인

1. 오른쪽 제곱근표를 이용하여 다음 수의 값 또는 x의 값을 구하시오.

(1) $\sqrt{6.73}$

(2) $\sqrt{6.95}$

(3) $\sqrt{x}=2.672$일 때, x의 값

(4) $\sqrt{x}=2.655$일 때, x의 값

수	2	3	4	5	6
6.7	2.592	2.594	2.596	2.598	2.600
6.8	2.612	2.613	2.615	2.617	2.619
6.9	2.631	2.632	2.634	2.636	2.638
7.0	2.650	2.651	2.653	2.655	2.657
7.1	2.668	2.670	2.672	2.674	2.676

2. $\sqrt{2}$의 값은 1.414, $\sqrt{20}$의 값은 4.472일 때, 다음 □ 안에 알맞은 수를 써넣으시오.

(1) $\sqrt{200}=\sqrt{\square\times2}=\square\sqrt{2}=\square$

(2) $\sqrt{0.2}=\sqrt{\frac{20}{\square}}=\frac{\sqrt{20}}{\square}=\square$

3. $\sqrt{5.6}$의 값은 2.366, $\sqrt{56}$의 값은 7.483일 때, 다음 제곱근의 값을 구하시오.

(1) $\sqrt{560}$

(2) $\sqrt{5600}$

(3) $\sqrt{0.56}$

(4) $\sqrt{0.056}$

! $\sqrt{a^2b}=a\sqrt{b}$임을 이용하여 주어진 수를 $a\sqrt{5.6}$ 또는 $a\sqrt{56}$의 꼴로 바꾸어 그 값을 구한다.

제곱근표의 이해

1 **오른쪽 제곱근표에서 $\sqrt{1.75}$의 값은 a이고, $\sqrt{b}$의 값은 1.257일 때, $1000a-100b$의 값을 구하시오.**

수	4	5	6	7	8
1.5	1.241	1.245	1.249	1.253	1.257
1.6	1.281	1.285	1.288	1.292	1.296
1.7	1.319	1.323	1.327	1.330	1.334

처음 두 자리 수의 가로줄과 끝자리 수의 세로줄이 만나는 곳에 있는 수를 읽는다.

1-1 오른쪽 제곱근표에서 $\sqrt{x}$의 값은 4.626, $\sqrt{y}$의 값은 4.909일 때, $x+y$의 값을 구하시오.

수	0	1	2	3	4
20	4.472	4.483	4.494	4.506	4.517
21	4.583	4.593	4.604	4.615	4.626
22	4.690	4.701	4.712	4.722	4.733
23	4.796	4.806	4.817	4.827	4.837
24	4.899	4.909	4.919	4.930	4.940

제곱근표에 없는 수의 제곱근의 값

2 **$\sqrt{7}$의 값은 2.646, $\sqrt{70}$의 값은 8.367일 때, 다음 중 옳은 것은?**

① $\sqrt{7000}=836.7$ ② $\sqrt{700}=26.46$ ③ $\sqrt{0.7}=0.2646$
④ $\sqrt{0.07}=0.8367$ ⑤ $\sqrt{0.007}=0.02646$

제곱근표에 없는 수의 제곱근의 값
(1) 근호 안의 수가 100보다 클 때
⇨ $\sqrt{100a}=10\sqrt{a}$, $\sqrt{10000a}=100\sqrt{a}$, …
(2) 근호 안의 수가 0보다 크고 1보다 작을 때
⇨ $\sqrt{\frac{a}{100}}=\frac{\sqrt{a}}{10}$, $\sqrt{\frac{a}{10000}}=\frac{\sqrt{a}}{100}$, …
임을 이용하여 구한다.

2-1 다음 중 $\sqrt{3.12}$의 값이 1.766임을 이용하여 그 값을 구할 수 없는 것은?

① $\sqrt{312}$ ② $\sqrt{31200}$ ③ $\sqrt{0.0312}$
④ $\sqrt{0.312}$ ⑤ $\sqrt{0.000312}$

개념 이해 5

제곱근의 덧셈과 뺄셈

근호 안의 수가 같을 때, 근호를 포함한 식의 덧셈과 뺄셈은 다항식의 덧셈과 뺄셈에서 동류항끼리 모아서 계산하는 것과 같이 근호 안의 수가 같은 것끼리 모아서 계산한다.

l, m, n은 유리수이고, $\sqrt{a}$는 무리수일 때

(1) $m\sqrt{a}+n\sqrt{a}=(m+n)\sqrt{a}$

예 $3\sqrt{2}+2\sqrt{2}=(3+2)\sqrt{2}=5\sqrt{2}$

(2) $m\sqrt{a}-n\sqrt{a}=(m-n)\sqrt{a}$

예 $3\sqrt{2}-2\sqrt{2}=(3-2)\sqrt{2}=\sqrt{2}$

(3) $m\sqrt{a}+n\sqrt{a}-l\sqrt{a}=(m+n-l)\sqrt{a}$

예 $3\sqrt{2}+2\sqrt{2}-\sqrt{2}=(3+2-1)\sqrt{2}=4\sqrt{2}$

$m\sqrt{a}+n\sqrt{a}=(m+n)\sqrt{a}$

$m\sqrt{a}-n\sqrt{a}=(m-n)\sqrt{a}$

근호를 포함한 식의 덧셈과 뺄셈

$mx+nx=(m+n)x$

다항식에서 동류항의 덧셈과 뺄셈

주의

$a>0$, $b>0$, $a\neq b$일 때

(1) $\sqrt{a}+\sqrt{b}\neq\sqrt{a+b}$

(2) $\sqrt{a}-\sqrt{b}\neq\sqrt{a-b}$

제곱근의 덧셈과 뺄셈

제곱근의 덧셈과 뺄셈은 근호 안의 수가 같은 것을 다항식의 동류항으로 생각하여 다항식의 덧셈, 뺄셈과 같은 방법으로 계산한다.

예 ① $5\sqrt{3}+3\sqrt{3}=8\sqrt{3}$ ↑ $5a+3a=8a$

② $6\sqrt{5}-4\sqrt{5}=2\sqrt{5}$ ↑ $6b-4b=2b$

개념확인

1. 다음 식을 간단히 하시오.

(1) $3\sqrt{2}+\sqrt{2}$

(2) $2\sqrt{3}-4\sqrt{3}$

(3) $4\sqrt{5}+3\sqrt{5}-2\sqrt{5}$

(4) $9\sqrt{6}+\sqrt{6}-3\sqrt{6}$

! 다음과 같이 실수하지 않도록 주의한다.
$\sqrt{2}+\sqrt{3}=\sqrt{2+3}=\sqrt{5}$ (×)
$\sqrt{5}-\sqrt{2}=\sqrt{5-2}=\sqrt{3}$ (×)

2. 다음 식을 간단히 하시오.

(1) $\sqrt{3}-4\sqrt{3}+3\sqrt{7}+4\sqrt{7}$

(2) $5\sqrt{2}+3\sqrt{2}+5\sqrt{3}-2\sqrt{3}$

! 다항식 $2a+b$를 더 이상 간단히 할 수 없듯이 $2\sqrt{3}+\sqrt{5}$와 같이 근호 안의 수가 다르면 더 이상 간단히 할 수 없다.

3. 다음 □ 안에 알맞은 수를 써넣으시오.

(1) $\sqrt{75}-\sqrt{48}=\square\sqrt{3}-\square\sqrt{3}$

$=(\square-\square)\sqrt{3}$

$=\square$

(2) $5\sqrt{7}-\sqrt{28}-\sqrt{32}+2\sqrt{2}$

$=5\sqrt{7}-\square\sqrt{7}-\square\sqrt{2}+2\sqrt{2}$

$=(5-\square)\sqrt{7}+(\square+2)\sqrt{2}$

$=\square\sqrt{7}-\square\sqrt{2}$

4. 다음 식을 간단히 하시오.

(1) $2\sqrt{3}+\sqrt{12}-\sqrt{27}$

(2) $2\sqrt{18}-\dfrac{2}{\sqrt{2}}$

개념 적용

제곱근의 덧셈과 뺄셈 (1)

1 $3\sqrt{3}-9\sqrt{2}+6\sqrt{2}+5\sqrt{3}=a\sqrt{2}+b\sqrt{3}$일 때, 유리수 a, b에 대하여 $a+b$의 값은?

① 1　② 2　③ 3　④ 4　⑤ 5

m, n은 유리수, $\sqrt{a}$는 무리수일 때
(1) $m\sqrt{a}+n\sqrt{a}=(m+n)\sqrt{a}$
(2) $m\sqrt{a}-n\sqrt{a}=(m-n)\sqrt{a}$

1-1 오른쪽 그림과 같이 넓이가 각각 175, 63인 두 정사각형 ABCD와 DEFG를 붙여 놓았을 때, $\overline{AG}$의 길이는? (단, 세 점 A, D, G는 일직선 상에 있다.)

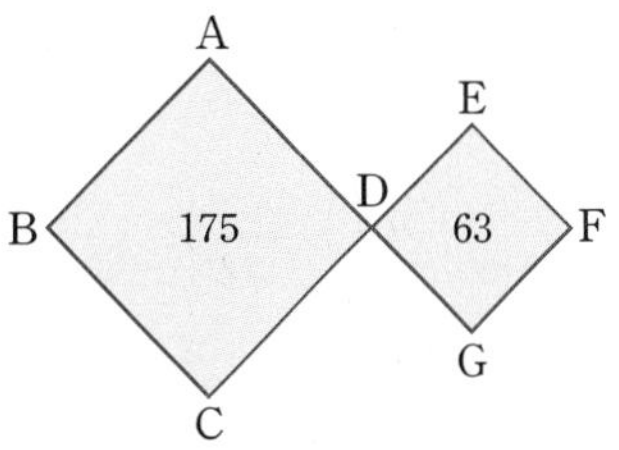

① $6\sqrt{7}$　② $7\sqrt{7}$　③ $8\sqrt{7}$　④ $9\sqrt{7}$　⑤ $10\sqrt{7}$

▶ 제곱근을 이용하여 두 정사각형의 한 변의 길이를 각각 구한 후에 $\overline{AG}$의 길이를 구한다.

제곱근의 덧셈과 뺄셈 (2)

2 $\sqrt{3}=a$라 할 때, $\sqrt{48}-\sqrt{12}+6\sqrt{3}$을 a를 이용하여 나타내면?

① $4a$　② $6a$　③ $8a$　④ $10a$　⑤ $12a$

① $\sqrt{a^2b}=a\sqrt{b}$임을 이용하여 근호 안의 수를 가장 작은 자연수로 만든다.
② 근호 안의 수가 같은 것을 다항식의 동류항으로 생각하여 덧셈과 뺄셈을 한다.
③ 주어진 문자를 이용하여 계산 결과를 나타낸다.

2-1 $\sqrt{2}=a$, $\sqrt{5}=b$라 할 때, $\sqrt{50}-\sqrt{45}-\sqrt{18}+\sqrt{20}$을 a, b를 이용하여 나타내면?

① $a-2b$　② $2a-b$　③ $a+2b$　④ $2a+b$　⑤ $2a+3b$

개념 이해

6 근호를 포함한 식의 계산

(1) 분배법칙을 이용한 식의 계산

$a>0,\ b>0,\ c>0$일 때

① $\sqrt{a}(\sqrt{b}\pm\sqrt{c})=\sqrt{a}\sqrt{b}\pm\sqrt{a}\sqrt{c}=\sqrt{ab}\pm\sqrt{ac}$ (복호동순)

예 $\sqrt{2}(\sqrt{3}+\sqrt{7})=\sqrt{2}\sqrt{3}+\sqrt{2}\sqrt{7}=\sqrt{6}+\sqrt{14}$

② $(\sqrt{a}\pm\sqrt{b})\sqrt{c}=\sqrt{a}\sqrt{c}\pm\sqrt{b}\sqrt{c}=\sqrt{ac}\pm\sqrt{bc}$ (복호동순)

예 $(\sqrt{3}+\sqrt{7})\sqrt{5}=\sqrt{3}\sqrt{5}+\sqrt{7}\sqrt{5}=\sqrt{15}+\sqrt{35}$

• 다항식의 분배법칙

$A(B+C)=AB+AC$

• 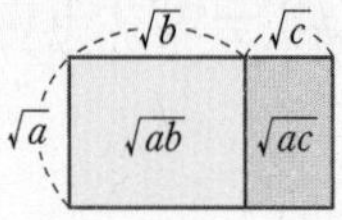

두 직사각형의 넓이의 합은 $\sqrt{ab}+\sqrt{ac}$이므로 $\sqrt{a}(\sqrt{b}+\sqrt{c})=\sqrt{ab}+\sqrt{ac}$

(2) 분모의 유리화를 이용한 식의 계산

분모에 근호를 포함한 무리수가 있으면 분모를 유리화하여 계산한다.

$a>0,\ b>0,\ c>0$일 때,

① $\dfrac{\sqrt{a}}{\sqrt{b}}=\dfrac{\sqrt{a}\times\sqrt{b}}{\sqrt{b}\times\sqrt{b}}=\dfrac{\sqrt{ab}}{b}$　　② $\dfrac{\sqrt{a}+\sqrt{b}}{\sqrt{c}}=\dfrac{(\sqrt{a}+\sqrt{b})\times\sqrt{c}}{\sqrt{c}\times\sqrt{c}}=\dfrac{\sqrt{ac}+\sqrt{bc}}{c}$

참고

분자, 분모가 약분이 되는 경우 약분을 한 다음 분모를 유리화하면 편리하다.

예 $\dfrac{\sqrt{15}}{\sqrt{6}}=\dfrac{\sqrt{3}\sqrt{5}}{\sqrt{2}\sqrt{3}}=\dfrac{\sqrt{5}}{\sqrt{2}}=\dfrac{\sqrt{10}}{2}$

약분　유리화

(3) 근호를 포함한 식의 혼합 계산

① 괄호가 있으면 분배법칙을 이용하여 괄호를 푼다.

② 근호 안의 수가 제곱인 인수를 가지면 근호 밖으로 꺼낸다.

③ 분모에 근호를 포함한 무리수가 있으면 분모를 유리화한다.

④ 곱셈, 나눗셈을 먼저 계산한다.

⑤ 근호 안의 수가 같은 것끼리 덧셈, 뺄셈을 한다.

근호를 포함한 식의 혼합 계산

$3\sqrt{3}(2-\sqrt{3})-\dfrac{6}{\sqrt{3}}+\sqrt{48}$

↓ 분배법칙을 이용하여 괄호를 푼다.

$=6\sqrt{3}-9-\dfrac{6}{\sqrt{3}}+\sqrt{48}$

↓ 분모를 유리화하고, 근호 안의 제곱인 인수를 근호 밖으로 꺼낸다.

$=6\sqrt{3}-9-2\sqrt{3}+4\sqrt{3}$

↓ 식을 간단히 한다.

$=8\sqrt{3}-9$

개념확인

1. 다음 식을 간단히 하시오.

(1) $\sqrt{2}(\sqrt{7}+\sqrt{3})$　　(2) $\sqrt{3}(\sqrt{10}-\sqrt{5})$

(3) $(2\sqrt{5}+\sqrt{6})\sqrt{2}$　　(4) $(4\sqrt{3}-\sqrt{10})\sqrt{6}$

2. 다음 수의 분모를 유리화하시오.

(1) $\dfrac{4-\sqrt{2}}{\sqrt{2}}$　　(2) $\dfrac{\sqrt{15}+\sqrt{6}}{\sqrt{3}}$

3. 다음을 계산하시오.

(1) $\left(\sqrt{18}-\dfrac{5}{\sqrt{2}}\right)\div\sqrt{3}$

(2) $\sqrt{3}(4-\sqrt{8})+5\sqrt{6}$

(3) $\sqrt{21}\div\sqrt{7}-16\div4\sqrt{3}$

(4) $\sqrt{5}\left(2+\dfrac{\sqrt{15}}{5}\right)-\sqrt{3}\left(2+\dfrac{\sqrt{15}}{3}\right)$

개념 적용

근호를 포함한 식의 계산

1 $\sqrt{2}(\sqrt{6}+\sqrt{2})+\sqrt{5}(3\sqrt{5}-\sqrt{15})$를 간단히 하면 $a\sqrt{3}+b$일 때, 유리수 a, b에 대하여 $a+b$의 값은?

① 10　② 11　③ 12　④ 13　⑤ 14

$a>0$, $b>0$, $c>0$일 때
$\sqrt{a}(\sqrt{b}+\sqrt{c})=\sqrt{ab}+\sqrt{ac}$
$\sqrt{a}(\sqrt{b}-\sqrt{c})=\sqrt{ab}-\sqrt{ac}$

1-1 다음 식을 간단히 하시오.

$$\frac{4\sqrt{3}-3}{\sqrt{3}}+\sqrt{2}(3\sqrt{6}-2\sqrt{2})$$

유리수가 되는 조건

2 $\sqrt{5}(\sqrt{5}-\sqrt{10})+3a-a\sqrt{2}$가 유리수가 되도록 하는 유리수 a의 값은?

① -8　② -5　③ -1　④ 5　⑤ 8

a, b가 유리수이고 $\sqrt{m}$이 무리수일 때, $a+b\sqrt{m}$이 유리수가 되는 조건
⇨ $b=0$

2-1 $6\sqrt{6}-5a-\sqrt{2}(\sqrt{2}+a\sqrt{3})$이 유리수가 되도록 하는 유리수 a의 값은?

① -6　② -3　③ 0　④ 3　⑤ 6

무리수의 정수 부분과 소수 부분

(1) 무리수는 순환하지 않는 무한소수로 나타내어지는 수이므로

정수 부분과 소수 부분으로 나눌 수 있다.
$0<$(소수 부분)<1

예 $\sqrt{2}=1.4142135\cdots=1+0.4142135\cdots$이므로
(정수 부분)$=1$, (소수 부분)$=0.4142135\cdots$

$\sqrt{2}=1.414\cdots=\boxed{1}+\boxed{0.414\cdots}$
$=\boxed{1}+\boxed{(\sqrt{2}-1)}$
정수 부분　소수 부분

(2) 양수인 무리수의 소수 부분은 무리수에서 정수 부분을 뺀 식으로 나타낸다.

예 $\sqrt{2}=1.4142135\cdots$에서 $\sqrt{2}$의 정수 부분이 1이므로 소수 부분은 $\sqrt{2}-1$

> 무리수의 정수 부분과 소수 부분
> $a>0$이고 n은 정수일 때, $n<\sqrt{a}<n+1$이면
> ① $\sqrt{a}$의 정수 부분 : n
> ② $\sqrt{a}$의 소수 부분 : $\sqrt{a}-n$
> (무리수 − 정수 부분)

표현하기 어려운 것을 간단하게 표현하는 수학적 방법

소수 2.23에서 정수 부분은 2이고 소수 부분은 0.23이다.
무리수 $\sqrt{5}=2.23606\cdots$도 순환하지 않는 무한소수이므로 정수 부분과 소수 부분으로 나눌 수 있다.
이때 정수 부분은 그 값을 2로 정확하게 알 수 있지만 소수 부분 $0.23606\cdots$은 소수점 아래 순환하지 않는 숫자가 무한히 계속되어 그 값을 정확하게 알기가 어렵다.
이런 이유로 (소수 부분)=(무리수)−(정수 부분)으로 표현한다.
즉, $\sqrt{5}$의 정수 부분이 2이므로 소수 부분은 $\sqrt{5}$에서 정수 부분을 뺀 $\sqrt{5}-2$가 된다.

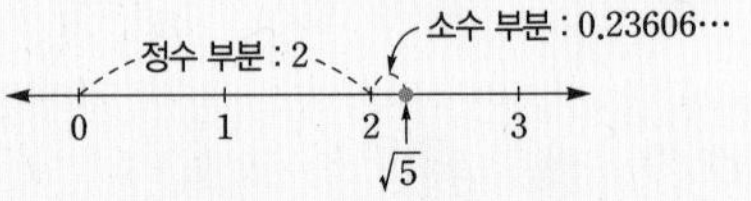

개념확인

1. 다음은 $\sqrt{3}$의 정수 부분과 소수 부분을 구하는 과정이다. □ 안에 알맞은 수를 써넣으시오.

> $\sqrt{1}<\sqrt{3}<\sqrt{4}$에서 $1<\sqrt{3}<2$이므로 $\sqrt{3}=1.\times\times\times$
> 따라서 $\sqrt{3}$의 정수 부분은 □, 소수 부분은 □이다.

2. 다음 무리수의 정수 부분을 구하시오.

(1) $\sqrt{11}$　(2) $\sqrt{20}$　(3) $1+\sqrt{3}$　(4) $4-\sqrt{2}$

3. 다음 무리수의 소수 부분을 구하시오.

(1) $\sqrt{15}$　(2) $\sqrt{32}$　(3) $3+\sqrt{6}$　(4) $5-\sqrt{5}$

개념 적용

무리수의 정수 부분과 소수 부분

1 $\sqrt{5}$의 정수 부분을 a, $\sqrt{18}$의 소수 부분을 b라 할 때, $a+b$의 값을 구하시오.

양수인 무리수에 대하여
(무리수)
=(정수 부분)+(소수 부분)
⇨ (소수 부분)
=(무리수)−(정수 부분)

1-1 $\sqrt{24}$의 정수 부분을 a, 소수 부분을 b라 할 때, $a-b$의 값을 구하시오.

1-2 $\sqrt{12}$의 정수 부분을 a, $3-\sqrt{3}$의 소수 부분을 b라 할 때, $a+b$의 값은?

① $1-\sqrt{3}$ ② $1+\sqrt{3}$ ③ $2-2\sqrt{3}$
④ $5-\sqrt{3}$ ⑤ $6-2\sqrt{3}$

1-3 $1+\sqrt{7}$의 소수 부분을 a, $\sqrt{28}$의 소수 부분을 b라 할 때, $a-b$의 값은?

① $-5+\sqrt{5}$ ② $3-2\sqrt{7}$ ③ $3-\sqrt{7}$
④ $5+\sqrt{5}$ ⑤ $3+\sqrt{7}$

8 실수의 대소 관계

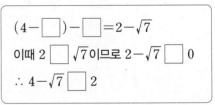

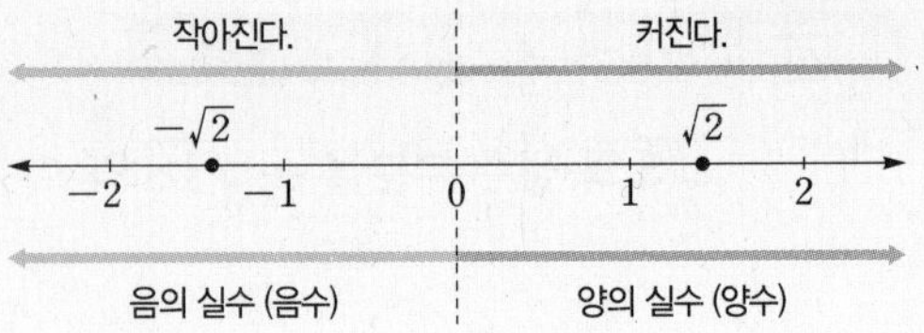

(1) 수직선 위에서 원점의 오른쪽에 있는 점에는 양의 실수(양수)가 대응하고, 왼쪽에 있는 점에는 음의 실수(음수)가 대응한다.

(2) 수직선 위에서 오른쪽에 있는 점에 대응하는 실수가 왼쪽에 있는 점에 대응하는 실수보다 크다.

(3) **실수의 대소 관계**

두 실수 a, b의 대소 관계는 $a-b$의 부호로 알 수 있다.

① $a-b>0$이면 $a>b$

② $a-b=0$이면 $a=b$

③ $a-b<0$이면 $a<b$

예) 두 수 $\sqrt{5}-1$과 2의 대소를 비교하면

$(\sqrt{5}-1)-2=\sqrt{5}-3=\sqrt{5}-\sqrt{9}<0$

$\therefore \sqrt{5}-1<2$

> **두 무리수 사이의 수**
>
> $\sqrt{2}$와 $\sqrt{3}$ 사이에 있는 수를 구하는 방법은 다음과 같다.
>
> [방법 1] $\sqrt{2}$와 $\sqrt{3}$의 평균을 이용한다. ➡ $\dfrac{\sqrt{2}+\sqrt{3}}{2}$
>
> [방법 2] $\sqrt{2}$와 $\sqrt{3}$의 차보다 작은 수를 $\sqrt{2}$에 더하거나 $\sqrt{3}$에서 뺀다.
>
> ➡ $\sqrt{2}+0.1$, $\sqrt{3}-0.1$, $\sqrt{2}+0.01$, $\sqrt{3}-0.01$, …

개념확인

1. 오른쪽은 두 수 $4-\sqrt{7}$과 2의 대소를 비교하는 과정이다. □ 안에 알맞은 수나 부등호를 써넣으시오.

❗ 두 실수 a, b의 대소 관계는 $a-b$의 부호를 조사한다.
➡ $a-b>0$이면 $a>b$
$a-b=0$이면 $a=b$
$a-b<0$이면 $a<b$

> $(4-\square)-\square=2-\sqrt{7}$
>
> 이때 $2\ \square\ \sqrt{7}$이므로 $2-\sqrt{7}\ \square\ 0$
>
> $\therefore 4-\sqrt{7}\ \square\ 2$

2. 다음 □ 안에 알맞은 부등호를 써넣으시오.

(1) $\sqrt{7}+1\ \square\ 3$

(2) $\sqrt{6}-1\ \square\ \sqrt{7}-1$

(3) $\sqrt{10}+\sqrt{3}\ \square\ 3+\sqrt{3}$

(4) $\sqrt{6}-3\ \square\ \sqrt{6}-\sqrt{8}$

3. 다음 중 두 수 $\sqrt{3}$과 $\sqrt{5}$ 사이에 있는 수이면 ○표, 그렇지 않으면 ×표를 ( ) 안에 써넣으시오.

(단, $\sqrt{3}$의 값은 1.7, $\sqrt{5}$의 값은 2.2로 계산한다.)

(1) $\sqrt{3}+0.1$ ( )

(2) $\sqrt{3}-0.1$ ( )

(3) $\sqrt{5}+0.1$ ( )

(4) $\sqrt{5}-0.1$ ( )

(5) $\dfrac{\sqrt{3}+\sqrt{5}}{2}$ ( )

(6) $\sqrt{5}-1$ ( )

개념 적용

실수의 대소 비교

1 **다음 중 두 수의 대소 관계가 옳은 것은?**

① $4>\sqrt{5}+2$　② $5-\sqrt{8}<2$　③ $7+\sqrt{5}>7+\sqrt{6}$
④ $\sqrt{3}-2>\sqrt{3}-\sqrt{5}$　⑤ $\sqrt{6}-3<\sqrt{6}-\sqrt{10}$

두 실수 a, b의 대소 관계는 $a-b$의 부호로 알 수 있다.
(1) $a-b>0$ ⇨ $a>b$
(2) $a-b=0$ ⇨ $a=b$
(3) $a-b<0$ ⇨ $a<b$

1-1 다음 세 수 a, b, c의 대소 관계를 바르게 나타낸 것은?

$a=\sqrt{2}+\sqrt{7}$　$b=1+\sqrt{7}$　$c=\sqrt{5}+1$

① $a<c<b$　② $b<a<c$　③ $b<c<a$
④ $c<a<b$　⑤ $c<b<a$

두 무리수 사이의 수 구하기

2 **다음 보기 중 두 수 $\sqrt{6}$과 $\sqrt{10}$ 사이에 있는 수를 모두 고르시오.**
(단, $\sqrt{6}$의 값은 2.449, $\sqrt{10}$의 값은 3.162로 계산한다.)

보기
ㄱ. $\sqrt{10}-1$　ㄴ. $\sqrt{6}+0.2$
ㄷ. $\sqrt{6}+2$　ㄹ. $\sqrt{10}-0.3$

두 무리수 a, b 사이에 있는 수 구하기 $(a<b)$
[방법 1] 평균을 이용한다.
[방법 2] a, b의 차보다 작은 수를 a에 더하거나 b에서 뺀다.

2-1 다음 중 두 수 $\sqrt{5}$와 $\sqrt{6}$ 사이에 있는 수가 아닌 것은?
(단, $\sqrt{5}$의 값은 2.236, $\sqrt{6}$의 값은 2.449로 계산한다.)

① $\dfrac{\sqrt{5}+\sqrt{6}}{2}$　② $\sqrt{5}+0.1$　③ $\sqrt{6}-1$
④ $\sqrt{6}-0.1$　⑤ $\sqrt{5}+0.02$

무리수의 소수 부분 표현하기

기본개념

무리수를 수직선 위에 나타내면 다음과 같다.

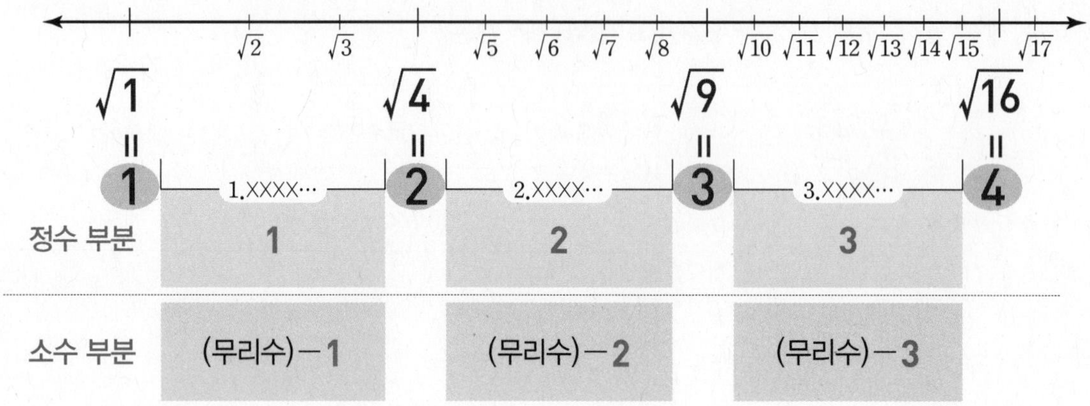

$$\sqrt{2} = 1.41421356\cdots = 1 + 0.41421356\cdots = 1 + \sqrt{2} - 1$$

($\sqrt{2}$: 무리수, 1: 정수 부분, $0.41421356\cdots$: 소수 부분, 1: 정수 부분, $\sqrt{2}-1$: 소수 부분)

$\sqrt{2}$의 정수 부분은 1로 간단히 표현할 수 있지만 소수 부분은 0.41421356…과 같이 무한히 계속되기 때문에 간단히 표현하기 어렵다. 하지만 정수 부분을 이용하면 ($\sqrt{2}$의 소수 부분)$=\sqrt{2}-1$과 같이 간단하면서도 정확하게 나타낼 수 있다.

즉, **(무리수)**=(정수 부분)+(소수 부분)이므로 (소수 부분)=**(무리수)**−(정수 부분)과 같이 표현한다.

위의 개념을 이용하여 $\sqrt{3}$의 정수 부분과 소수 부분을 구해보자.

$\sqrt{3}$은 정수가 아닌 무리수이므로 연속하는 두 정수 사이에 있다.

근호 안의 수가 제곱수이면 근호를 사용하지 않고 나타낼 수 있으므로 $\sqrt{3}$의 범위는 다음과 같다.

$$\sqrt{1} < \sqrt{3} < \sqrt{4} \Rightarrow \square < \sqrt{3} < \square$$

$\sqrt{(제곱수)}$ 꼴의 연속하는 두 정수

따라서 $\sqrt{3}$의 정수 부분은 $\square$이고, 소수 부분은 $\sqrt{3}-\square$이다.

답 1, 2, 1, 1

개념적용 1

$5-\sqrt{2}$의 정수 부분과 소수 부분을 구하시오.

1 $\sqrt{(\text{제곱수})}$ 꼴의 연속하는 두 정수를 찾는다.	제곱근의 대소 관계를 이용하여 $\sqrt{2}$의 범위를 구하면 $\sqrt{1}<\sqrt{2}<\square$ ➡ $\square<\sqrt{2}<\square$ $\sqrt{(\text{제곱수})}$ 꼴의 연속하는 두 정수
2 1을 이용하여 주어진 무리수의 범위를 구한다.	즉, $\square<-\sqrt{2}<\square$이므로 $5+(\square)<5-\sqrt{2}<5+(\square)$ ➡ $\square<5-\sqrt{2}<\square$
3 2의 범위로 정수 부분과 소수 부분을 구한다.	즉, $5-\sqrt{2}$는 정수 $\square$보다 크고 $\square$보다 작으므로 $5-\sqrt{2}=3.\times\times\times\times\cdots$ 따라서 $5-\sqrt{2}$의 정수 부분은 $\square$이고, 소수 부분은 $5-\sqrt{2}-\square=\square$이다.

답 **1** $\sqrt{4}$, 1, 2 **2** -2, -1, -2, -1, 3, 4 **3** 3, 4, 3, 3, $2-\sqrt{2}$

개념적용 2

무리수 $\sqrt{x}$의 정수 부분이 2일 때, x가 될 수 있는 자연수를 모두 구하시오.

1 주어진 정수 부분으로 무리수의 범위를 구한다.	무리수 $\sqrt{x}$의 정수 부분이 2이므로 $\sqrt{x}=2.\times\times\times\times\cdots$ 즉, $\sqrt{x}$는 정수 $\square$보다 크고 $\square$보다 작다.
2 1의 범위를 근호를 이용하여 나타낸다.	$\square<\sqrt{x}<\square$ ➡ $\sqrt{\square}<\sqrt{x}<\sqrt{\square}$ $\sqrt{(\text{제곱수})}$ 꼴의 연속하는 두 정수
3 2의 범위 안의 자연수를 구한다.	즉, x의 값의 범위는 $\square<x<\square$이고, 따라서 x가 될 수 있는 자연수는 $\square$, $\square$, $\square$, $\square$이다.

답 **1** 2, 3 **2** 2, 3, 4, 9 **3** 4, 9, 5, 6, 7, 8

기본 문제

정답과 풀이 14쪽

1 제곱근의 곱셈

오른쪽 그림과 같이 두 직사각형 ABCD와 EGHD가 겹쳐져 있다. 두 사각형 ABFE와 FGHC는 정사각형이고 그 넓이가 각각 5 cm^2, 12 cm^2일 때, 직사각형 EFCD의 넓이를 구하시오.

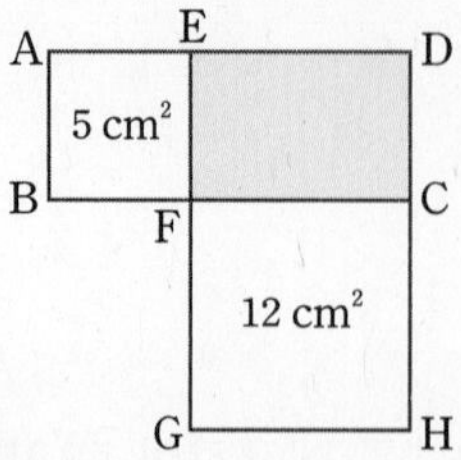

2 제곱근의 곱셈과 나눗셈

다음 중 옳지 않은 것은?

① $3\sqrt{6}\times2\sqrt{5}=6\sqrt{30}$
② $-5\sqrt{3}\times4\sqrt{7}=-20\sqrt{21}$
③ $\sqrt{\frac{7}{5}}\times\sqrt{\frac{25}{14}}=\frac{\sqrt{10}}{2}$
④ $-\sqrt{45}\div\sqrt{3}=-\sqrt{15}$
⑤ $(-4\sqrt{6})\div(-\sqrt{2})=2\sqrt{6}$

3 문자를 이용한 제곱근의 표현

$\sqrt{2}=a$, $\sqrt{3}=b$일 때, $\sqrt{216}$을 a, b를 이용하여 나타내면?

① $3ab$ ② $4ab$ ③ $5ab$
④ $6ab$ ⑤ $8ab$

4 제곱근의 곱셈과 나눗셈의 혼합 계산

$\frac{\sqrt{8}}{\sqrt{15}}\times\frac{\sqrt{6}}{2}\div\frac{\sqrt{3}}{3\sqrt{5}}$을 간단히 하면?

① $\frac{\sqrt{6}}{2}$ ② $\sqrt{3}$ ③ $2\sqrt{3}$
④ $2\sqrt{6}$ ⑤ $\frac{5\sqrt{3}}{2}$

5 근호를 포함한 식의 계산

$2\sqrt{50}-\frac{12}{\sqrt{18}}+\frac{1}{\sqrt{2}}=A\sqrt{2}$일 때, 유리수 A의 값은?

① 7 ② $\frac{15}{2}$ ③ 8
④ $\frac{17}{2}$ ⑤ 9

6 유리수가 되는 조건

$\sqrt{3}(\sqrt{3}+a)+\sqrt{12}(2-\sqrt{3})$이 유리수가 되도록 하는 유리수 a의 값을 구하시오.

7 무리수의 정수 부분과 소수 부분

$3+\sqrt{7}$의 정수 부분을 a, 소수 부분을 b라 할 때, $b-a$의 값은?

① $-7+\sqrt{7}$ ② $-3+\sqrt{7}$ ③ $2-\sqrt{7}$
④ $16-4\sqrt{7}$ ⑤ $20+\sqrt{7}$

8 실수의 대소 비교

다음 세 수 a, b, c의 대소 관계로 옳은 것은?

$a=\sqrt{5}-\sqrt{3}$ $b=2-\sqrt{3}$ $c=\sqrt{5}-1$

① $a<b<c$ ② $b<a<c$ ③ $b<c<a$
④ $c<a<b$ ⑤ $c<b<a$

개념 완성

발전 문제

1 $a=\frac{12}{\sqrt{5}}$, $b=\frac{48}{\sqrt{15}}$일 때, $\frac{b}{a}$의 값은?

① $\frac{2\sqrt{2}}{3}$ ② $\sqrt{3}$ ③ $\frac{4\sqrt{3}}{3}$ ④ $2\sqrt{3}$ ⑤ $4\sqrt{2}$

2 $\sqrt{\frac{27}{16}}$은 $\sqrt{3}$의 A배이고, $\sqrt{512}$는 $\sqrt{2}$의 B배일 때, AB의 값을 구하시오.

3 $\sqrt{5}$의 값이 2.236, $\sqrt{50}$의 값이 7.071일 때, 다음 중 옳지 <u>않은</u> 것은?

① $\sqrt{50000}=707.1$ ② $\sqrt{5000}=70.71$
③ $\sqrt{500}=22.36$ ④ $\sqrt{0.5}=0.7071$
⑤ $\sqrt{0.05}=0.2236$

4 오른쪽 그림에서 모눈 한 칸은 한 변의 길이가 1인 정사각형이고, $\overline{\mathrm{AD}}=\overline{\mathrm{AQ}}$, $\overline{\mathrm{BC}}=\overline{\mathrm{BP}}$이다. 두 점 P, Q에 대응하는 수를 각각 a, b라 할 때, $\sqrt{2}a+b$의 값을 구하시오.

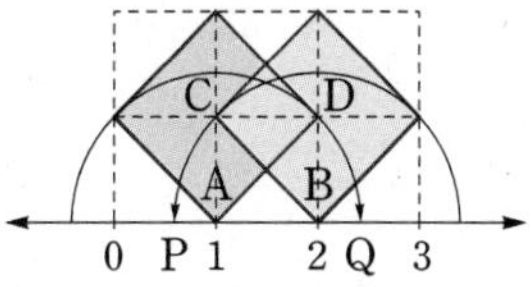

한 변의 길이가 1인 정사각형의 대각선의 길이는 $\sqrt{2}$이다.

5 $A=8(\sqrt{7}-k)-2\sqrt{7}+3k\sqrt{7}+10$이 유리수일 때, 유리수 k와 A의 값을 각각 구하시오.

a, b가 유리수이고 $\sqrt{m}$이 무리수일 때, $a+b\sqrt{m}$이 유리수가 되는 조건
⇨ $b=0$

6 $6+\sqrt{18}$의 정수 부분을 a, $8-\sqrt{a}$의 정수 부분을 b라 할 때, $a+b$의 값을 구하시오.

7 서술형

$A=\sqrt{15}+\sqrt{5}$, $B=3-\dfrac{1}{\sqrt{3}}$일 때, $\sqrt{5}A-3B$의 값을 구하기 위한 풀이 과정을 쓰고 답을 구하시오.

① 단계: B의 분모를 유리화하기

B에서 $\dfrac{1}{\sqrt{3}}$의 분모, 분자에 ______ 을 곱하면

$B=3-\dfrac{1}{\sqrt{3}}=$ ____________________

② 단계: $\sqrt{5}A-3B$의 값 구하기

$\sqrt{5}A-3B=$ ____________________

____

____

▶ Check List
- B의 분모를 바르게 유리화하였는가?
- $\sqrt{5}A-3B$의 값을 바르게 구하였는가?

8 서술형

다음 식을 간단히 하기 위한 풀이 과정을 쓰고 답을 구하시오.

$$\sqrt{27}-\frac{6+\sqrt{3}}{\sqrt{3}}-\sqrt{3}(5-\sqrt{12})$$

① 단계: 근호 안의 제곱인 인수를 근호 밖으로 꺼내기

____

____

② 단계: 분모를 유리화하기

____

____

③ 단계: 근호를 포함한 식의 계산하기

____

____

▶ Check List
- 근호 안의 수를 근호 밖으로 바르게 꺼내었는가?
- 분모의 유리화를 바르게 하였는가?
- 근호를 포함한 식의 계산을 바르게 계산하였는가?

II 식의 계산

1 다항식의 곱셈

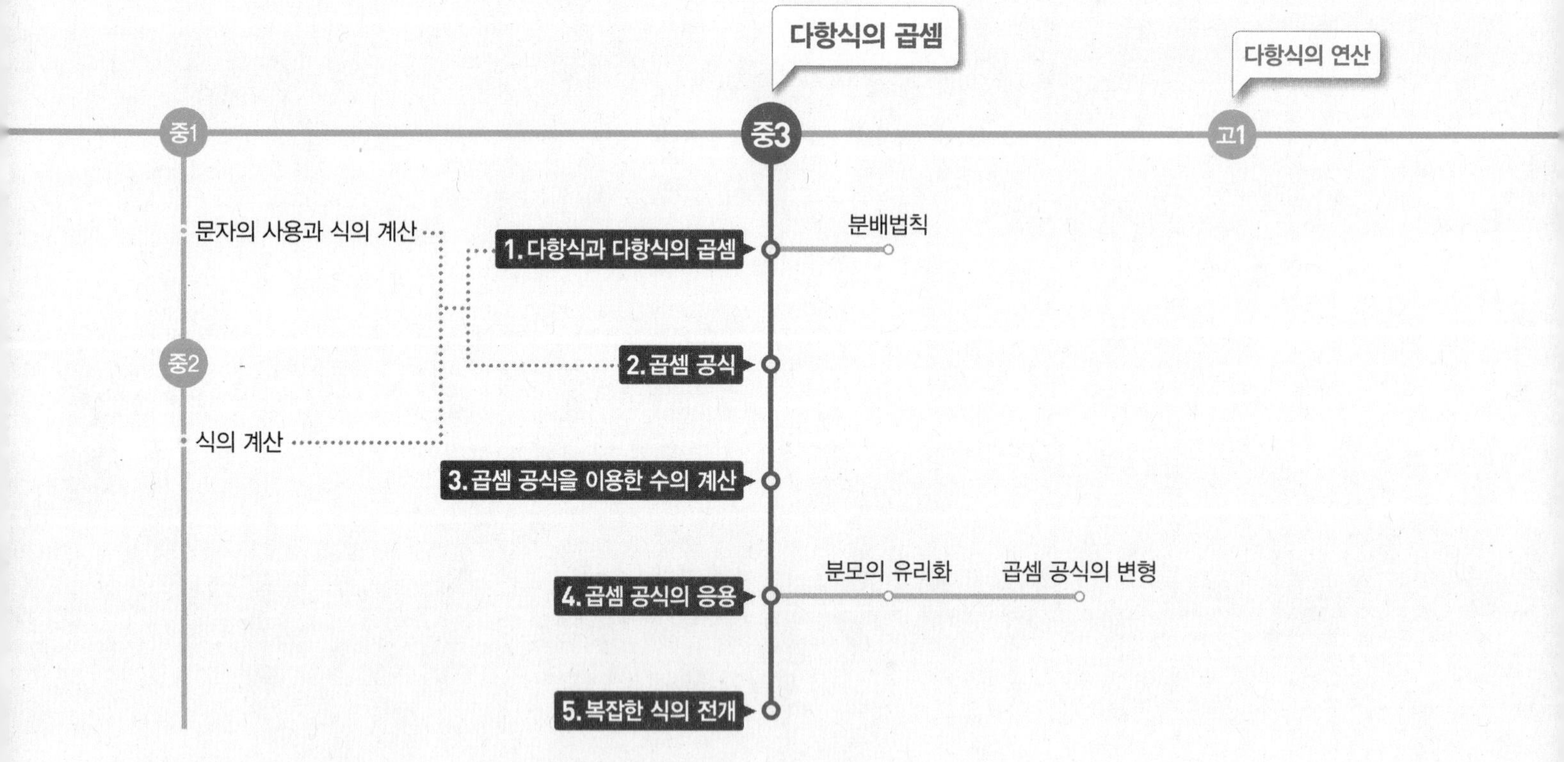
다항식의 곱셈
다항식의 연산
중1
중3
고1
문자의 사용과 식의 계산
1. 다항식과 다항식의 곱셈
분배법칙
중2
2. 곱셈 공식
식의 계산
3. 곱셈 공식을 이용한 수의 계산
4. 곱셈 공식의 응용
분모의 유리화
곱셈 공식의 변형
5. 복잡한 식의 전개

구구단처럼 외워 두면 유용한 곱셈 공식

A **B**

7×5 $=7+7+7+7+7$ $=35$

$(a+b)^2$

$=(a+b)(a+b)$

$=a(a+b)+b(a+b)$

$=a^2+ab+ba+b^2$

$=a^2+ab+ab+b^2$

$=a^2+2ab+b^2$

A에서 B로, B에서 A로,
자유자재로 바꾸어 활용할 수 있다.

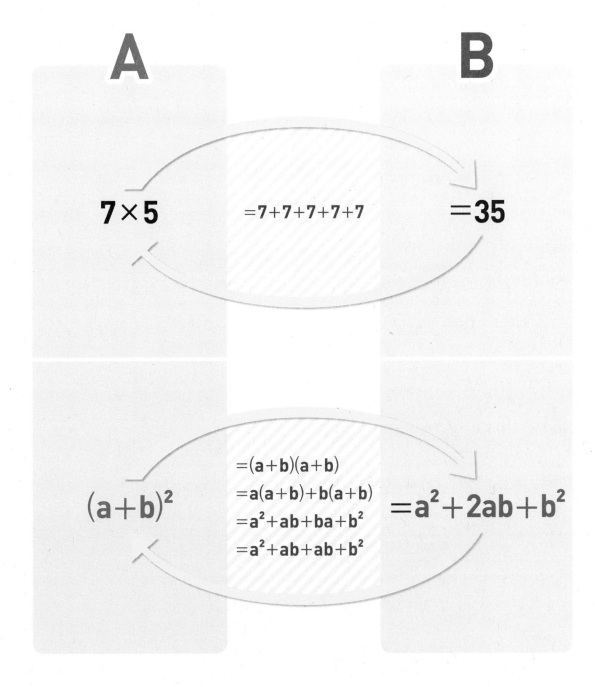

개념 이해 1

다항식과 다항식의 곱셈

(1) **전개:** 2개 이상의 '단항식과 다항식의 곱' 또는 '다항식과 다항식의 곱'을 하나의 다항식으로 나타내는 것

참고 전개하여 얻은 다항식을 전개식이라 한다.

전개(展開): 괄호를 열어 펼쳐 놓는 것

(2) **다항식의 곱셈:** 분배법칙을 이용하여 전개한 후, 동류항이 있으면 간단히 정리한다.

분배법칙: $a(b+c)=ab+ac$

$$(a+b)(c+d)=\underset{①}{ac}+\underset{②}{ad}+\underset{③}{bc}+\underset{④}{bd}$$

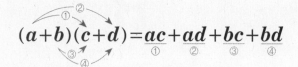

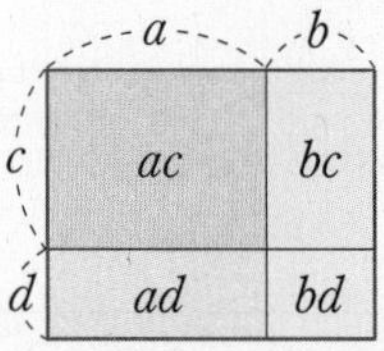

⇨ 큰 직사각형의 넓이는 $(a+b)(c+d)=\underline{ac+ad+bc+bd}$
4개의 직사각형의 넓이의 합

분배법칙을 이용한 (다항식)×(다항식)의 전개

중 1 과정에서 (단항식)×(다항식)을 학습하였다. 이때, 세 수 a, b, c에 대하여 분배법칙 $a(b+c)=ab+ac$가 성립한다. 이 원리를 이용하면 (다항식)×(다항식)도 전개할 수 있다.

$(a+b)(c+d)$에서 $c+d$를 한 문자 M으로 놓고 분배법칙을 이용하여 전개하면 다음과 같다.

$(a+b)(c+d)$
$=(a+b)M$ — $c+d$를 M으로 놓는다.
$=aM+bM$ — 분배법칙을 이용
$=a(c+d)+b(c+d)$ — M에 $c+d$를 대입
$=ac+ad+bc+bd$ — 분배법칙을 이용

같은 원리로 $(a+b)(c+d+e)=ac+ad+ae+bc+bd+be$와 같이 전개할 수 있다.

개념확인

1. 다음 식을 전개하시오.

(1) $x(a-b)$

(2) $2x(3a-b)$

(3) $-3x(a+2b)$

(4) $-2a(a-b+1)$

2. 다음 식을 전개하시오.

(1) $(x+1)(y+2)$

(2) $(2a+3)(3b-5)$

(3) $(x-y)(2x+y)$

(4) $(a-1)(a+b-4)$

개념 적용

다항식과 다항식의 곱셈 (1)

1 **다음 식을 전개하시오.**

(1) $(a+b)(x-2y+z)$

(2) $(x-3y)(2x+y-1)$

$(a+b)(c+d)$
$=ac+ad+bc+bd$

[참고]
하나의 항에 문자가 여러 개일 때에는 알파벳 순으로 쓴다.

1-1 다음 식을 전개하시오.

(1) $(a+2b-1)(a-3b)$

(2) $(2x+1)(3y-x-1)$

다항식과 다항식의 곱셈 (2)

2 **$(2x+y)(2x-3y-5)$를 전개했을 때, x^2의 계수를 A, xy의 계수를 B라 하자. 이때 $A+B$의 값은?**

① -2　② -1　③ 0
④ 1　⑤ 2

계수 구하는 방법
[방법 1] 분배법칙을 이용하여 정리한 후 주어진 항의 계수를 구한다.
[방법 2] 구하는 항의 계수가 나오는 항만 부분적으로 계산한다.

2-1 $(-x+3y+1)(4x-2y-3)$을 전개했을 때, xy의 계수는?

① 13　② 14　③ 15
④ 16　⑤ 17

개념 이해 2

곱셈 공식

(1) 합의 제곱

$$(a+b)^2=(a+b)(a+b)=a^2+ab+ab+b^2$$
$$=a^2+2ab+b^2$$

예 $(x+1)^2=x^2+2\times x\times 1+1^2=x^2+2x+1$

• $(a+b)^2\neq a^2+b^2$

(2) 차의 제곱

$$(a-b)^2=(a-b)(a-b)=a^2-ab-ab+b^2$$
$$=a^2-2ab+b^2$$

예 $(x-3)^2=x^2-2\times x\times 3+3^2=x^2-6x+9$

• $(a-b)^2\neq a^2-b^2$

(3) 합과 차의 곱

$$(a+b)(a-b)=a^2-ab+ab-b^2$$
$$=a^2-b^2$$

예 $(x+2)(x-2)=x^2-2^2=x^2-4$

전개식이 같은 식

• $(-a-b)^2=\{-(a+b)\}^2=(a+b)^2$

• $(-a+b)^2=\{-(a-b)\}^2=(a-b)^2$

• $(-a-b)(-a+b)$
$=\{-(a+b)\}\{-(a-b)\}$
$=(a+b)(a-b)$

(4) x의 계수가 1인 두 일차식의 곱

$$(x+a)(x+b)=x^2+bx+ax+ab$$
$$=x^2+(a+b)x+ab$$

예 $(x+1)(x+2)=x^2+(1+2)x+1\times 2=x^2+3x+2$

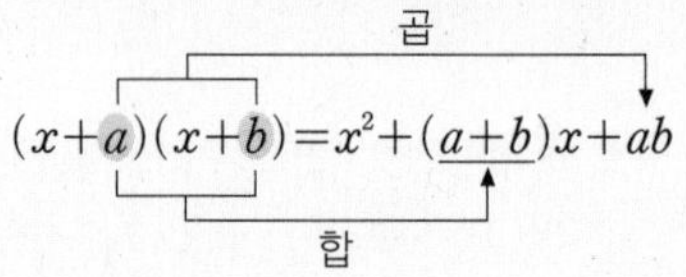

(5) x의 계수가 1이 아닌 두 일차식의 곱

$$(ax+b)(cx+d)=acx^2+adx+bcx+bd$$
$$=acx^2+(ad+bc)x+bd$$

예 $(3x+4)(2x+1)=(3\times 2)x^2+(3\times 1+4\times 2)x+4\times 1=6x^2+11x+4$

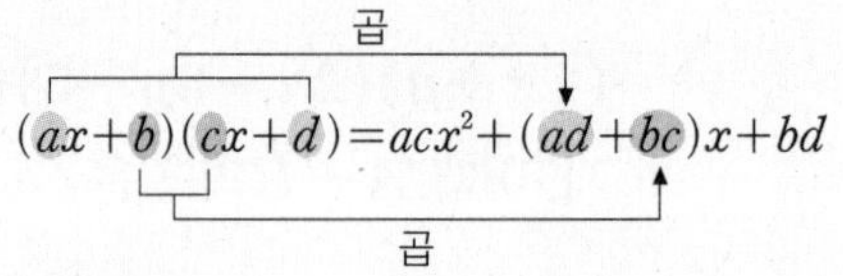

개념확인

1. 다음 식을 전개하시오.

(1) $(x+3)^2$

(2) $(2a-1)^2$

(3) $(-a+3b)^2$

(4) $(x+4)(x-4)$

(5) $(2a-b)(2a+b)$

(6) $(-5x+y)(5x+y)$

2. 다음 식을 전개하시오.

(1) $(x+3)(x+2)$

(2) $(a+5)(a-1)$

(3) $(a-7b)(a+3b)$

(4) $(2x+1)(3x+2)$

(5) $(4a-3)(3a+5)$

(6) $(3a-2b)(a-8b)$

개념 적용

곱셈 공식 – 합의 제곱, 차의 제곱

1 **다음 중 옳지 않은 것은?**

① $(x+4)^2=x^2+8x+16$　② $(5a-1)^2=25a^2-10a+1$

③ $\left(x+\frac{1}{2}y\right)^2=x^2+xy+\frac{1}{4}y^2$　④ $(-a-b)^2=a^2-2ab+b^2$

⑤ $(-4a+3b)^2=16a^2-24ab+9b^2$

- $(a+b)^2=(-a-b)^2$ $=a^2+2ab+b^2$
- $(a-b)^2=(-a+b)^2$ $=a^2-2ab+b^2$

1-1 $(2x-3y)^2+3(x+5y)^2=Ax^2+Bxy+Cy^2$일 때, $10A+B-C$의 값은?

① -8　② -4　③ 0

④ 4　⑤ 8

곱셈 공식 – 합과 차의 곱

2 **다음 중 옳지 않은 것은?**

① $(x+5)(x-5)=x^2-25$　② $(2a+3)(2a-3)=4a^2-9$

③ $\left(3y+\frac{1}{2}\right)\left(3y-\frac{1}{2}\right)=9y^2-\frac{1}{4}$　④ $(-4+x)(-4-x)=16-x^2$

⑤ $(-2a+7)(2a+7)=4a^2+49$

$(-a-b)(-a+b)$
$=(a+b)(a-b)$
$=a^2-b^2$

2-1 $(x-1)(x+1)(x^2+1)(x^4+1)=x^{\square}-1$일 때, □ 안에 알맞은 수는?

① 2　② 4　③ 6

④ 8　⑤ 10

곱셈 공식을 이용하여 미지수 구하기

3 **다음 식에서 상수 A, B의 값을 각각 구하시오. (단, $A>0$)**

(1) $(x+A)^2=x^2+Bx+16$

(2) $(x-A)^2=x^2+Bx+\frac{1}{64}$

곱셈 공식을 이용하여 좌변을 전개한 후 우변과 비교해 미지수의 값을 구한다.

3-1 $(2x+A)^2=4x^2+12x+B$일 때, 상수 A, B에 대하여 $A+B$의 값을 구하시오.

전개식이 같은 것 찾기

4 **다음 중 $(a+b)(a-b)$와 전개식이 같은 것은?**

① $(-a+b)(a+b)$　② $(a+b)(-a-b)$
③ $(-a+b)(-a-b)$　④ $(a-b)(-a-b)$
⑤ $(a-b)(-a+b)$

- $(-a+b)^2=(a-b)^2$
- $(-a-b)^2=(a+b)^2$
- $(a-b)(-a-b)$
  $=(-a+b)(a+b)$
  $=b^2-a^2$
- $(-a+b)(-a-b)$
  $=(a-b)(a+b)$
  $=a^2-b^2$

4-1 다음 중 $(x-y)^2$과 전개식이 같은 것은?

① $(x+y)^2$　② $-(x+y)^2$　③ $(-x-y)^2$
④ $(-x+y)^2$　⑤ $-(x-y)^2$

곱셈 공식 – 두 일차식의 곱

5 다음 중 식을 바르게 전개한 것은?

① $(y-2)(y+3)=y^2-y-6$
② $(-x+8)(x+1)=-x^2+9x+8$
③ $(2b+1)(3b-4)=6b^2+5b-4$
④ $(x+5y)(-x-2y)=-x^2-7xy-10y^2$
⑤ $\left(x-\frac{1}{2}y\right)\left(x+\frac{1}{4}y\right)=x^2-\frac{1}{4}x-\frac{1}{8}$

• $(x+a)(x+b)$
$=x^2+(a+b)x+ab$
• $(ax+b)(cx+d)$
$=acx^2+(ad+bc)x+bd$

5-1 다음 (가), (나)를 전개한 식에서 x의 계수의 합을 구하시오.

(가) $(x-7)(x+5)$ (나) $(-3x+2)(6x-3)$

▸ 주어진 식을 모두 전개하여 x의 항을 구하거나 x의 항이 나오는 부분만 전개하여 구한다.

전개식에서 미지수 구하기

6 $(2x-y)(x+Ay)=2x^2+Bxy-6y^2$일 때, $A+B$의 값은? (단, A, B는 상수)

① -17 ② -5 ③ 0
④ 5 ⑤ 17

곱셈 공식을 이용하여 좌변을 전개하고 좌변과 우변의 각 항을 비교하여 미지수의 값을 구한다.

6-1 $(2x+a)(-4x-1)$의 전개식에서 x의 계수가 -4일 때, 상수 a의 값은?

① -2 ② $-\frac{1}{2}$ ③ $\frac{1}{2}$
④ 2 ⑤ 4

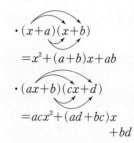

곱셈 공식과 도형의 넓이

7 **오른쪽 그림과 같은 직사각형에서 색칠한 부분의 넓이는?**

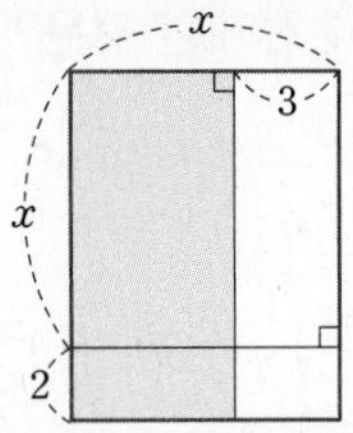

① x^2-5x+6 ② x^2-x-6
③ x^2+x-6 ④ x^2+x+6
⑤ x^2+5x+6

가로, 세로의 길이를 문자를 사용하여 나타내고 직사각형의 넓이를 구하는 공식을 이용하여 전개한다.

7-1 오른쪽 그림과 같이 한 변의 길이가 $3a$인 정사각형에서 색칠한 부분의 넓이를 구하시오.

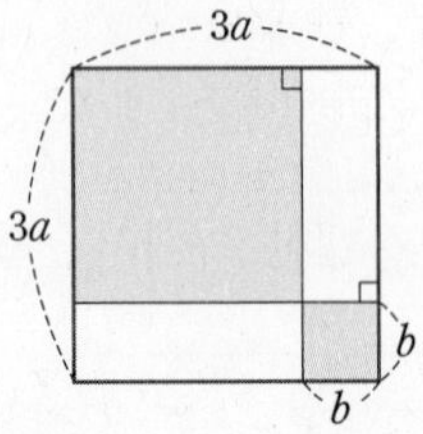

곱셈 공식에 관한 종합 문제

8 **다음 중 옳지 않은 것은?**

① $(x+5y)^2=x^2+10xy+25y^2$
② $(2x-3y)^2=4x^2-12xy+9y^2$
③ $(-x+1)(-x-1)=x^2-1$
④ $(x+5)(x-3)=x^2+2x-15$
⑤ $(2x+3)(3x-11)=6x^2+13x-33$

곱셈 공식
① $(a+b)^2=a^2+2ab+b^2$
② $(a-b)^2=a^2-2ab+b^2$
③ $(a+b)(a-b)=a^2-b^2$
④ $(x+a)(x+b)$
$=x^2+(a+b)x+ab$
⑤ $(ax+b)(cx+d)$
$=acx^2+(ad+bc)x+bd$

8-1 다음 식을 전개할 때, x의 계수가 가장 큰 것은?

① $(3x+1)^2$ ② $(4x-1)^2$ ③ $(2x+1)(x-4)$
④ $(3x+1)(x+2)$ ⑤ $(2x+1)(2x-1)$

개념 이해

3 곱셈 공식을 이용한 수의 계산

(1) 유리수의 계산

① **수의 제곱의 계산**

$(a+b)^2=a^2+2ab+b^2$ 또는 $(a-b)^2=a^2-2ab+b^2$

을 이용하면 편리하게 계산할 수 있다.

$(a+b)^2=a^2+2ab+b^2$

$(100+1)^2=100^2+2\times100\times1+1^2$

$=10201$

② **두 수의 곱의 계산**

$(a+b)(a-b)=a^2-b^2$ 또는

$(x+a)(x+b)=x^2+(a+b)x+ab$

를 이용하면 편리하게 계산할 수 있다.

$(a+b)(a-b)=a^2-b^2$

$(100+1)(100-1)=100^2-1^2$

$=9999$

(2) 근호를 포함한 식의 계산

$\sqrt{\ }$ 를 포함한 식의 곱셈도 다항식의 곱셈과 같은 방법으로 계산할 수 있다.

$a>0$, $b>0$일 때,

① $(\sqrt{a}+\sqrt{b})^2=(\sqrt{a})^2+2\sqrt{a}\sqrt{b}+(\sqrt{b})^2=a+2\sqrt{ab}+b$

② $(\sqrt{a}+\sqrt{b})(\sqrt{a}-\sqrt{b})=(\sqrt{a})^2-(\sqrt{b})^2=a-b$

$(a+b)(a-b)=a^2-b^2$

$(\sqrt{5}+\sqrt{3})(\sqrt{5}-\sqrt{3})=(\sqrt{5})^2-(\sqrt{3})^2$

$=5-3=2$

개념확인

1. 곱셈 공식을 이용하여 다음을 계산하시오.

(1) 51^2

(2) 499^2

(3) 49×51

(4) 104×98

2. 곱셈 공식을 이용하여 다음을 계산하시오.

(1) $(2\sqrt{2}-3\sqrt{3})^2$

(2) $(3+\sqrt{5})(3-\sqrt{5})$

(3) $(\sqrt{7}-3)(\sqrt{7}+4)$

(4) $(2\sqrt{3}-1)(5\sqrt{3}+2)$

개념 적용

곱셈 공식을 이용한 수의 계산 (1)

1 **다음 중 주어진 수를 계산할 때 이용하면 가장 편리한 곱셈 공식이 바르게 짝 지어지지 않은 것은?**

① 52^2 ⇨ $(a+b)^2=a^2+2ab+b^2$
② 298^2 ⇨ $(a-b)^2=a^2-2ab+b^2$
③ 104×97 ⇨ $(a+b)(a-b)=a^2-b^2$
④ 20.1×19.9 ⇨ $(a+b)(a-b)=a^2-b^2$
⑤ 402×403 ⇨ $(x+a)(x+b)=x^2+(a+b)x+ab$

(1) 수의 제곱의 계산
$(a+b)^2=a^2+2ab+b^2$
또는
$(a-b)^2=a^2-2ab+b^2$
을 이용한다.
(2) 두 수의 곱의 계산
$(a+b)(a-b)=a^2-b^2$
또는
$(x+a)(x+b)$
$=x^2+(a+b)x+ab$
를 이용한다.

1-1 다음 중 196×204를 계산할 때 이용하면 가장 편리한 곱셈 공식은?

① $(a+b)^2=a^2+2ab+b^2$
② $(a-b)^2=a^2-2ab+b^2$
③ $(a+b)(a-b)=a^2-b^2$
④ $(x+a)(x+b)=x^2+(a+b)x+ab$
⑤ $(ax+b)(cx+d)=acx^2+(ad+bc)x+bd$

곱셈 공식을 이용한 수의 계산 (2)

2 **곱셈 공식을 이용하여 $\frac{103\times105+1}{104}$을 계산하면?**

① $\frac{1}{105}$ ② $\frac{1}{104}$ ③ 103
④ 104 ⑤ 105

$(a+b)(a-b)=a^2-b^2$
또는
$(x+a)(x+b)$
$=x^2+(a+b)x+ab$
를 이용한다.

2-1 $999\times1001=10^a+b$일 때, $a+b$의 값은? (단, b는 가장 큰 음의 정수)

① 5 ② 6 ③ 7
④ 8 ⑤ 9

곱셈 공식을 이용한 근호를 포함한 식의 계산

3 $(\sqrt{6}+2)^2-(\sqrt{2}+3)(\sqrt{2}-3)$을 계산하면?

① $3-4\sqrt{2}$ ② $-13+6\sqrt{7}$ ③ $17+4\sqrt{6}$
④ $13+4\sqrt{5}$ ⑤ $19-2\sqrt{3}$

곱셈 공식
$(a+b)^2=a^2+2ab+b^2$,
$(a+b)(a-b)=a^2-b^2$
을 이용한다.

3-1 $(4-\sqrt{3})(a+3\sqrt{3})=-5+b\sqrt{3}$일 때, 유리수 a, b에 대하여 $a+b$의 값을 구하시오.

▸ 좌변을 곱셈공식을 이용하여 전개한 후 우변과 계수를 비교해 본다.

곱셈 공식을 이용한 식의 값 구하기

4 $x=\sqrt{5}$, $y=\dfrac{1}{\sqrt{5}}$일 때, $(2x+y)^2+(x-2y)^2$의 값은?

① $25-\sqrt{5}$ ② 26 ③ $25+\sqrt{5}$
④ 28 ⑤ $25+2\sqrt{5}$

곱셈 공식을 이용하여 주어진 식을 먼저 간단히 한 후 수를 대입한다.

4-1 $a^2=\dfrac{3}{4}$, $b^2=\dfrac{2}{9}$일 때, $(2a+3b)(2a-3b)$의 값을 구하시오.

개념 이해

4 곱셈 공식의 응용

(1) 곱셈 공식을 이용한 분모의 유리화

분모에 근호($\sqrt{\ }$)가 포함되어 있는 분수는 곱셈 공식 $(a+b)(a-b)=a^2-b^2$을 이용하여 다음과 같이 분모를 유리화한다.

① $\dfrac{c}{\sqrt{a}+\sqrt{b}}=\dfrac{c(\sqrt{a}-\sqrt{b})}{(\sqrt{a}+\sqrt{b})(\sqrt{a}-\sqrt{b})}=\dfrac{c(\sqrt{a}-\sqrt{b})}{(\sqrt{a})^2-(\sqrt{b})^2}=\dfrac{c(\sqrt{a}-\sqrt{b})}{a-b}$

(단, $a>0$, $b>0$, $a\neq b$)

② $\dfrac{c}{a+\sqrt{b}}=\dfrac{c(a-\sqrt{b})}{(a+\sqrt{b})(a-\sqrt{b})}=\dfrac{c(a-\sqrt{b})}{a^2-b}$ (단, $b>0$, $a^2\neq b$)

주의 분모에 근호가 포함되어 있는 분수의 계산은 항상 분모를 유리화하도록 한다.

분모의 유리화

① 분모의 항이 1개

⇨ 제곱근의 성질 이용

$\dfrac{1}{\sqrt{a}}=\dfrac{1\times\sqrt{a}}{\sqrt{a}\times\sqrt{a}}=\dfrac{\sqrt{a}}{a}$

② 분모의 항이 2개

⇨ 곱셈 공식 이용

$\dfrac{1}{\sqrt{a}+\sqrt{b}}$

$=\dfrac{1\times(\sqrt{a}-\sqrt{b})}{(\sqrt{a}+\sqrt{b})\times(\sqrt{a}-\sqrt{b})}$

$=\dfrac{\sqrt{a}-\sqrt{b}}{a-b}$

(2) 곱셈 공식의 변형

① $a^2+b^2=(a+b)^2-2ab$

② $a^2+b^2=(a-b)^2+2ab$

③ $(a+b)^2=(a-b)^2+4ab$

④ $(a-b)^2=(a+b)^2-4ab$

⑤ $a^2+\dfrac{1}{a^2}=\left(a+\dfrac{1}{a}\right)^2-2$

⑥ $a^2+\dfrac{1}{a^2}=\left(a-\dfrac{1}{a}\right)^2+2$

⑦ $\left(a+\dfrac{1}{a}\right)^2=\left(a-\dfrac{1}{a}\right)^2+4$

⑧ $\left(a-\dfrac{1}{a}\right)^2=\left(a+\dfrac{1}{a}\right)^2-4$

분모를 유리화할 때, 분모, 분자에 곱해야 할 수는 다음과 같다.

분모		곱해야 할 수
$\sqrt{a}+\sqrt{b}$	⇨	$\sqrt{a}-\sqrt{b}$
$\sqrt{a}-\sqrt{b}$	⇨	$\sqrt{a}+\sqrt{b}$
$a+\sqrt{b}$	⇨	$a-\sqrt{b}$
$a-\sqrt{b}$	⇨	$a+\sqrt{b}$

부호 반대

분모에 근호가 있는 분수의 분모를 유리화할 때 필요한 곱셈공식은?

분모의 유리화는 분모에 있는 무리수를 유리수로 바꾸는 것이다. 즉, 분모에 있는 근호($\sqrt{\ }$)를 없애는 것인데, 분모에 어떤 수를 곱하면 근호가 없어질까?

(1) 분모에 있는 $\sqrt{3}$을 분모, 분자에 곱하면 $\dfrac{1}{\sqrt{3}+1}=\dfrac{1\times\sqrt{3}}{(\sqrt{3}+1)\times\sqrt{3}}=\dfrac{\sqrt{3}}{3+\sqrt{3}}$ ➡ 분모의 유리화 (×)

(2) 분모와 같은 $\sqrt{3}+1$을 분모, 분자에 곱하면 $\dfrac{1}{\sqrt{3}+1}=\dfrac{1\times(\sqrt{3}+1)}{(\sqrt{3}+1)\times(\sqrt{3}+1)}=\dfrac{\sqrt{3}+1}{4+2\sqrt{3}}$ ➡ 분모의 유리화 (×)

(3) 분모에서 두 수의 합 $\sqrt{3}+1$을 두 수의 차 $\sqrt{3}-1$로 바꾸어 분모, 분자에 곱하면

$$\frac{1}{\sqrt{3}+1}=\frac{1\times(\sqrt{3}-1)}{(\sqrt{3}+1)\times(\sqrt{3}-1)}=\frac{\sqrt{3}-1}{(\sqrt{3})^2-1^2}=\frac{\sqrt{3}-1}{2}$$ ➡ 분모의 유리화 (○)

이처럼 곱셈 공식 $(a+b)(a-b)=a^2-b^2$을 이용하면 분모를 유리화할 수 있다.

개념확인

1. 다음은 분모를 유리화하는 과정이다. □ 안에 알맞은 수를 써넣으시오.

(1) $\dfrac{3}{\sqrt{5}+\sqrt{2}}=\dfrac{3\times(\square)}{(\sqrt{5}+\sqrt{2})(\square)}$

$=\square$

(2) $\dfrac{1+\sqrt{2}}{1-\sqrt{2}}=\dfrac{(1+\sqrt{2})(\square)}{(1-\sqrt{2})(\square)}$

$=\dfrac{\square}{\square}=\square$

2. 다음은 곱셈 공식의 변형을 이용하여 식의 값을 구하는 과정이다. □ 안에 알맞은 것을 써넣으시오.

(1) $a+b=1$, $ab=-2$일 때, a^2+b^2-ab의 값

$a^2+b^2-ab=(a+b)^2-\square$

$=1-(\square)=\square$

(2) $x=\sqrt{2}-1$, $y=\sqrt{2}+1$일 때, x^2+y^2의 값

$x+y=\square$, $xy=\square$이므로

$x^2+y^2=(x+y)^2-2xy$

$=(\square)^2-2\times(\square)=\square$

개념 적용

곱셈 공식을 이용한 분모의 유리화

1 $\frac{\sqrt{5}+2}{\sqrt{5}-2}$**의 분모를 유리화하여** $a+b\sqrt{5}$**의 꼴로 나타낼 때, 유리수** a**,** b**에 대하여** $a+b$**의 값은?**

① 11 ② 13 ③ 15
④ 17 ⑤ 20

$(a+b)(a-b)=a^2-b^2$을 이용하여 분모, 분자에 같은 수를 곱해 분모를 유리화한다.

1-1 다음 식을 간단히 하시오.

$$\frac{3}{2+\sqrt{3}}+\frac{2+\sqrt{3}}{2-\sqrt{3}}$$

1-2 $x=3-2\sqrt{2}$이고 x의 역수를 y라 할 때, $x+y$의 값은?

① -6 ② $-4\sqrt{2}$ ③ $6-4\sqrt{2}$
④ $4\sqrt{2}$ ⑤ 6

▸ y는 x의 역수이므로 $y=\frac{1}{x}$이다.

곱셈 공식을 변형하여 식의 값 구하기 (1)

2 $a-b=2$**,** $ab=7$**일 때, 다음 식의 값을 구하시오.**

(1) a^2+b^2 (2) $(a+b)^2$

$a-b$와 ab의 값이 주어질 때
(1) $a^2+b^2=(a-b)^2+2ab$
(2) $(a+b)^2=(a-b)^2+4ab$

2-1 $a+b=4$, $a^2+b^2=20$일 때, ab의 값을 구하시오.

2-2 $x+\frac{1}{x}=3$일 때, 다음 식의 값을 구하시오.

(1) $x^2+\frac{1}{x^2}$ (2) $\left(x-\frac{1}{x}\right)^2$

▶ $\left(x+\frac{1}{x}\right)^2$을 이용한다.

곱셈 공식을 변형하여 식의 값 구하기 (2)

3 $x^2-4x+1=0$일 때, 다음을 구하시오.

(1) $x+\frac{1}{x}$ (2) $x^2+\frac{1}{x^2}$

$x^2+ax+1=0(a\neq0)$
⇨ $x\neq0$이므로 양변을 x로 나누면
$x+a+\frac{1}{x}=0$
$\therefore x+\frac{1}{x}=-a$

3-1 $x^2+3x-1=0$일 때, $x^2-2+\frac{1}{x^2}$의 값을 구하시오.

분모의 유리화를 이용하여 식의 값 구하기

4 $x=\frac{1}{\sqrt{2}-1}$, $y=\frac{1}{\sqrt{2}+1}$일 때, $x^2+2xy+y^2$의 값을 구하시오.

① x, y의 분모를 유리화하여 간단히 한다.
② 곱셈 공식을 이용하여 주어진 식을 변형한다.
③ 변형한 식에 x, y의 값을 대입하여 식의 값을 구한다.

4-1 $x=\frac{1}{\sqrt{3}+\sqrt{2}}$, $y=\frac{1}{\sqrt{3}-\sqrt{2}}$일 때, x^2+y^2의 값은?

① $\frac{\sqrt{6}}{2}$ ② $6\sqrt{2}$ ③ 8
④ 10 ⑤ $12\sqrt{6}$

$x=a+\sqrt{b}$일 때, 식의 값 구하기

5 **$x=2-\sqrt{3}$일 때, 물음에 답하시오.**

(1) x^2-4x+1의 값을 구하시오.

(2) (1)의 결과를 이용하여 x^2-6x+5의 값을 구하시오.

$x=a+\sqrt{b}$일 때, 식의 값 구하기 (단, a, b는 유리수)
$x=a+\sqrt{b}$에서 $x-a=\sqrt{b}$
양변을 제곱하면 $(x-a)^2=b$
이 식을 전개하여 구하는 식의 값이 나오도록 변형한다.

5-1 $x=4+\sqrt{3}$일 때, x^2-8x+9의 값을 구하시오.

▸ $x=4+\sqrt{3}$의 양변을 제곱한 후 식을 변형한다.

5-2 $x=\dfrac{1}{\sqrt{5}+2}$일 때, x^2+4x의 값은?

① 5 ② 4 ③ 3
④ 2 ⑤ 1

▸ 먼저 분모를 유리화한 후 구하는 식의 값이 나오도록 변형한다.

5-3 $x=\dfrac{1}{3-2\sqrt{2}}$일 때, x^2-6x의 값을 구하시오.

5-4 $x=\dfrac{2}{3-\sqrt{7}}$일 때, x^2-6x-2의 값은?

① -4 ② -2 ③ 0
④ 2 ⑤ 4

복잡한 식의 전개

(1) 주어진 식에 공통부분이 있는 경우

주어진 식에 공통부분이 있는 경우, 공통부분을 한 문자로 바꾸어 전개하면 편리하다.

① 공통부분을 한 문자로 바꾼 후 전개한다. ─── 치환

② 바꾼 문자를 다시 원래의 식으로 바꾸고 전개한 후 간단히 한다.

주의 치환하는 문자는 식에 나오는 문자와 중복되지 않는 문자로 정한다.

$$(x+y-1)(x+y+2)$$
$$=(A-1)(A+2)$$ ⟩ $x+y=A$로 놓기(치환)
$$=A^2+A-2$$ ⟩ 전개
$$=(x+y)^2+(x+y)-2$$ ⟩ $A=x+y$를 대입
$$=x^2+2xy+y^2+x+y-2$$ ⟩ 전개하여 정리

(2) 주어진 식에 공통부분이 없는 경우

주어진 식에 공통부분이 없는 복잡한 다항식의 전개에서는 간단히 계산되는 것부터 곱셈 공식을 적용하거나, 공통부분이 생기는 두 식끼리 묶어서 전개한 후 다시 치환을 이용하여 전개한다.

먼저 전개(상수항의 합이 5)

$$(x-1)(x+2)(x+3)(x+6)=\{(x-1)(x+6)\}\{(x+2)(x+3)\}$$

먼저 전개(상수항의 합이 5)

$$=(x^2+5x-6)(x^2+5x+6)$$ ⟩ $x^2+5x=A$로 놓기(치환)
$$=(A-6)(A+6)$$ ⟩ 전개
$$=A^2-36$$ ⟩ $A=x^2+5x$를 대입
$$=(x^2+5x)^2-36$$ ⟩ 전개하여 정리
$$=x^4+10x^3+25x^2-36$$

개념확인

1. 다음은 $(a+2b-3c)(a+2b+3c)$를 전개하는 과정이다. ☐ 안에 알맞은 것을 써넣으시오.

$$(a+2b-3c)(a+2b+3c)$$
$$=(A-3c)(A+3c)$$ ⟩ ☐ $=A$로 놓기
$$=A^2-☐$$
$$=(☐)^2-9c^2$$
$$=a^2+☐+4b^2-9c^2$$

2. 다음은 $(x+1)(x+2)(x+3)(x+4)$를 전개하는 과정이다. ☐ 안에 알맞은 것을 써넣으시오.

$$(x+1)(x+2)(x+3)(x+4)$$
$$=\{(x+1)(☐)\}\{(x+2)(☐)\}$$
$$=(x^2+☐+4)(x^2+☐+6)$$ ⟩ ☐ $=A$ 로 놓기
$$=(A+4)(A+6)$$
$$=A^2+10A+24$$
$$=(☐)^2+10(☐)+24$$
$$=x^4+☐+35x^2+☐+24$$

개념 적용

공통부분이 있을 때의 전개

1 $(2x+1+\sqrt{5})(2x+1-\sqrt{5})$의 전개식에서 x의 계수와 상수항의 합은?

① -4 ② 0 ③ 4
④ $4+\sqrt{5}$ ⑤ $4+2\sqrt{5}$

공통부분이 있으면 공통부분을 한 문자로 바꾼 후 곱셈 공식을 이용하여 전개한다.

1-1 다음 식을 전개하시오.

(1) $(2x^2+x+1)(2x^2-x+1)$
(2) $(x-y+1)^2$

( )( )( )( ) 꼴의 전개

2 $(x-1)(x+2)(x+4)(x+7)$을 전개하시오.

괄호가 4개인 식은 공통부분이 생기도록 2개씩 짝을 지어서 전개한다.

2-1 다음 식을 전개하시오.

(1) $(x+3)(x+1)(x-2)(x-4)$
(2) $(x+2)(x+3)(x-2)(x-3)$

그림으로 이해하는 곱셈 공식

1. 합의 제곱 $(a+b)^2$

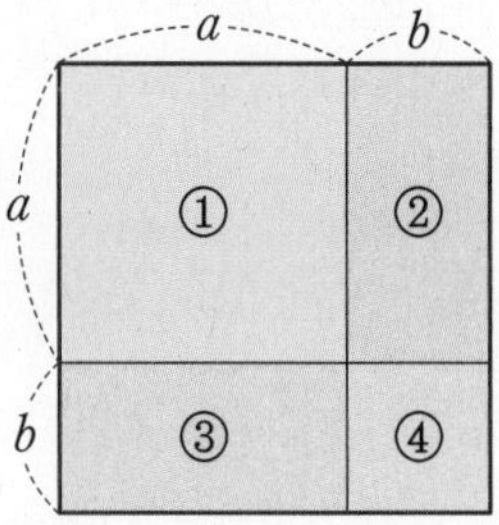

➡ 큰 정사각형의 넓이는

$(a+b)^2=$

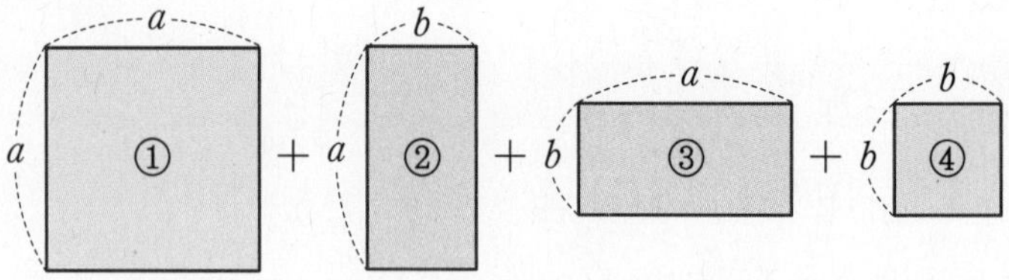

$= \square + \square + \square + \square$

$= \square + \square + \square$

답 a^2, ab, ab, b^2, a^2, $2ab$, b^2

2. 차의 제곱 $(a-b)^2$

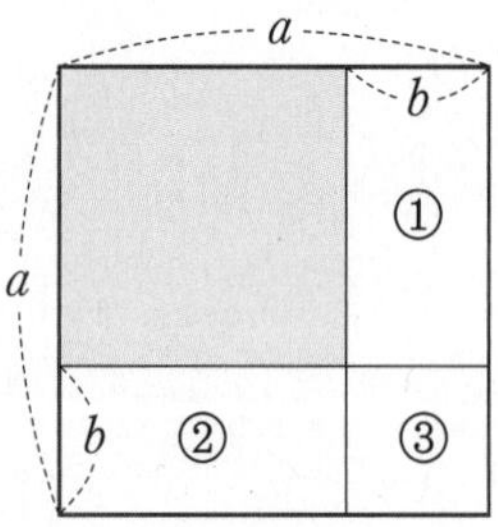

➡ 색칠한 정사각형의 넓이는

$(a-b)^2=$(큰 정사각형의 넓이)$-①-②-③$

$= \square - b(a-b) - b(a-b) - \square$

$= \square - ab + b^2 - ab + b^2 - \square$

$= \square - \square + \square$

답 a^2, b^2, a^2, b^2, a^2, $2ab$, b^2

3. 합과 차의 곱 $(a+b)(a-b)$

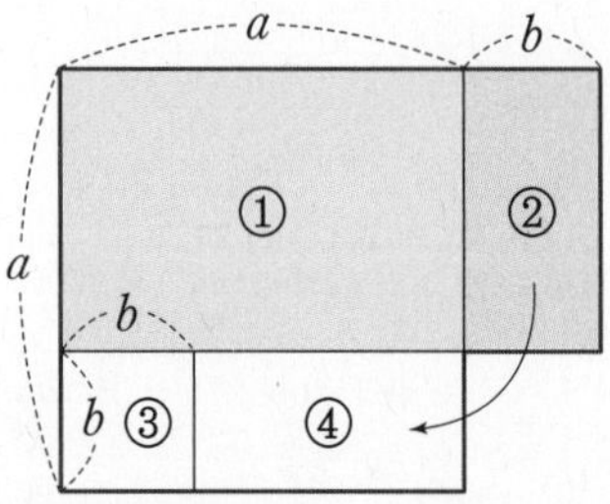

➡ 색칠한 직사각형의 넓이는

$(a+b)(a-b)=①+②$
$=①+④$ } ②=④ ➡ $b(a-b)$로 같다.

$=(①+③+④)-③$

$= \square - \square$

답 a^2, b^2

4. x의 계수가 1인 두 일차식의 곱 $(x+a)(x+b)$

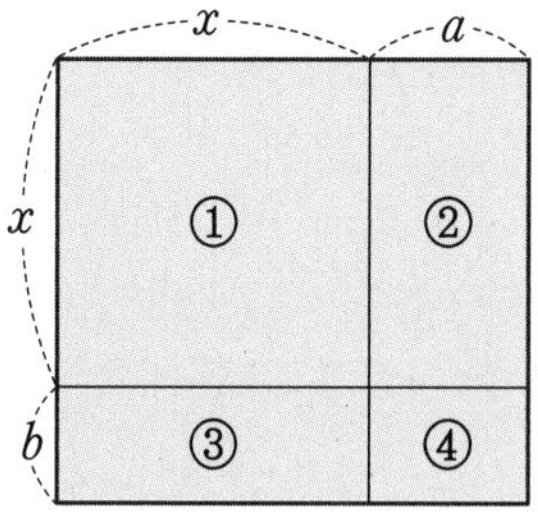

➡ 큰 직사각형의 넓이는

$(x+a)(x+b)$

$=①+②+③+④$

$=\square+\square+\square+\square$

$=\square+(\square)x+\square$

답 x^2, ax, bx, ab, x^2, $a+b$, ab

5. x의 계수가 1이 아닌 두 일차식의 곱 $(ax+b)(cx+d)$

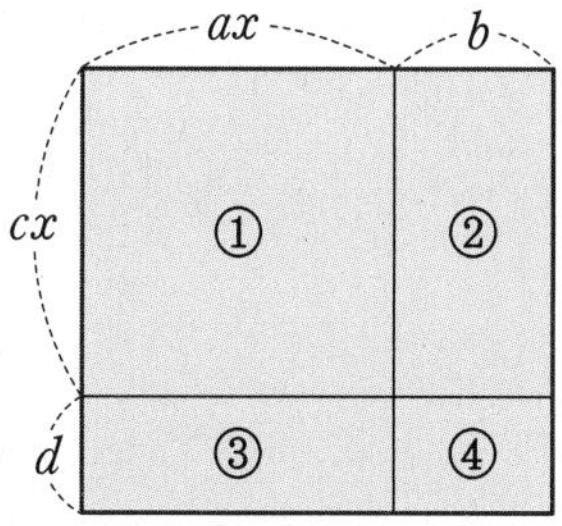

➡ 큰 직사각형의 넓이는

$(ax+b)(cx+d)$

$=①+②+③+④$

$=\square+\square+\square+\square$

$=\square x^2+(\square)x+\square$

답 acx^2, bcx, adx, bd, ac, $ad+bc$, bd

문제해결

오른쪽 그림과 같은 직사각형에서 색칠한 부분의 넓이는?

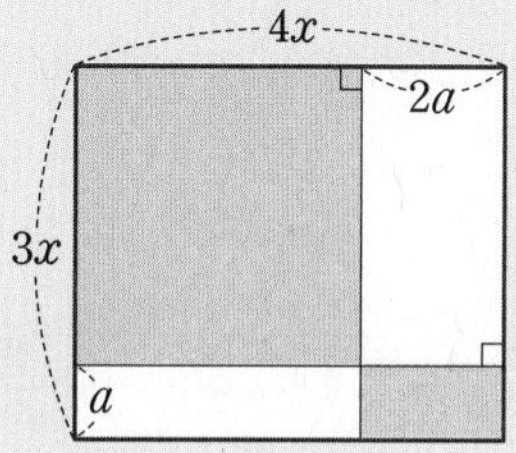

① $12x^2-10ax+2a^2$

② $12x^2-10ax+4a^2$

③ $12x^2-14ax+2a^2$

④ $12x^2+14ax+2a^2$

⑤ $12x^2+14ax+4a^2$

풀이

색칠한 큰 직사각형의 가로의 길이는 $4x-2a$이고 세로의 길이는 $3x-a$이므로 넓이는 $(4x-2a)(3x-a)=12x^2-10ax+2a^2$이다.

또, 색칠한 작은 직사각형의 가로의 길이는 $2a$이고 세로의 길이는 a이므로 넓이는 $2a\times a=2a^2$이다.

따라서 색칠한 부분의 넓이의 합은 $12x^2-10ax+2a^2+2a^2=12x^2-10ax+4a^2$

답 ②

기본 문제

1 다항식과 다항식의 곱셈 (2)

$(ax-3y+2)(2x+4y-1)$의 전개식에서 xy의 계수가 -2일 때, 상수 a의 값을 구하시오.

2 곱셈 공식 – 합과 차의 곱

다음 중 오른쪽 그림과 같은 직사각형에서 색칠한 부분의 넓이를 구할 때 이용되는 곱셈 공식은?

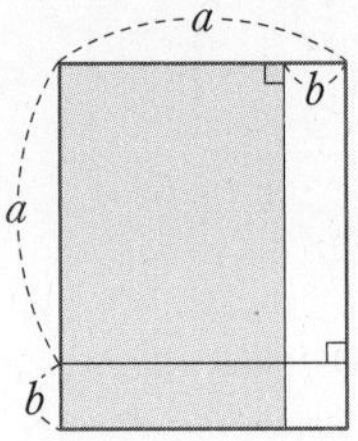

① $(a+b)^2=a^2+2ab+b^2$
② $(a-b)^2=a^2-2ab+b^2$
③ $(a+b)(a-b)=a^2-b^2$
④ $(x+a)(x+b)=x^2+(a+b)x+ab$
⑤ $(ax+b)(bx+a)=abx^2+(a^2+b^2)x+ab$

3 곱셈 공식을 이용하여 미지수 구하기

$(2x+A)^2=4x^2+Bx+16$일 때, 양수 A, B에 대하여 $A+B$의 값을 구하시오.

4 전개식이 같은 것 찾기

다음 중 옳은 것은?

① $(2a+b)^2=(2a-b)^2$
② $(a-b)^2=(b-a)^2$
③ $(-a-b)^2=(b-a)^2$
④ $(2a-b)^2=4a^2-b^2$
⑤ $(a-2b)^2=a^2+4b^2$

5 곱셈 공식 – 두 일차식의 곱

$-2(x+1)(x-3)+(x-2)(x+4)$를 간단히 하면?

① $-2x^2-6x-6$　② $-2x^2+4x-4$
③ $-x^2-6x-4$　④ $-x^2-4x+2$
⑤ $-x^2+6x-2$

6 전개식에서 미지수 구하기

$(x-a)(x+5)=x^2+bx-10$일 때, 상수 a, b의 값을 각각 구하시오.

7 곱셈 공식에 관한 종합 문제

다음 중 옳은 것은?

① $(-x-2y)^2=-x^2-4xy-4y^2$
② $(3x-5y)^2=9x^2-25y^2$
③ $(2x+1)(3x-2)=6x^2-x-2$
④ $(2x+y)(2x-y)=2x^2-y^2$
⑤ $(x-3)(x+4)=x^2-x-12$

8 곱셈 공식을 이용한 수의 계산 (1)

다음 중 103^2을 계산할 때 이용하면 가장 편리한 곱셈 공식은?

① $(a+b)^2=a^2+2ab+b^2$
② $(a-b)^2=a^2-2ab+b^2$
③ $(a+b)(a-b)=a^2-b^2$
④ $(x+a)(x+b)=x^2+(a+b)x+ab$
⑤ $(ax+b)(cx+d)=acx^2+(ad+bc)x+bd$

9 곱셈 공식을 이용한 근호를 포함한 식의 계산

$\sqrt{24}\left(\frac{1}{\sqrt{3}}-\sqrt{6}\right)-\frac{a}{\sqrt{2}}(\sqrt{32}-2)$가 유리수가 되도록 하는 유리수 a의 값을 구하시오.

10 곱셈 공식을 이용한 분모의 유리화

$\frac{\sqrt{7}+\sqrt{5}}{\sqrt{7}-\sqrt{5}}-\frac{\sqrt{7}-\sqrt{5}}{\sqrt{7}+\sqrt{5}}$를 간단히 하시오.

11 곱셈 공식을 변형하여 식의 값 구하기 (1)

$a^2+b^2=21$, $a-b=3$일 때, ab의 값은?

① -6　② -5　③ 0
④ 3　⑤ 6

12 분모의 유리화를 이용하여 식의 값 구하기

$x=\frac{\sqrt{6}+\sqrt{3}}{\sqrt{6}-\sqrt{3}}$일 때, $x+\frac{1}{x}$의 값을 구하시오.

발전 문제

1 네 상수 a, b, c, d에 대하여 $a+b=4$, $c+d=3$, $ad=bc=2$일 때, $ac+bd$의 값을 구하시오.

$a+b$, $c+d$의 곱을 이용하면 구하려는 식 $ac+bd$를 이끌어 낼 수 있다.

2 오른쪽 그림과 같이 가로의 길이가 $5a+2$, 세로의 길이가 $4a-3$인 직사각형 모양의 화단 안에 폭이 3으로 일정한 길을 만들었다. 길을 제외한 화단의 넓이는?

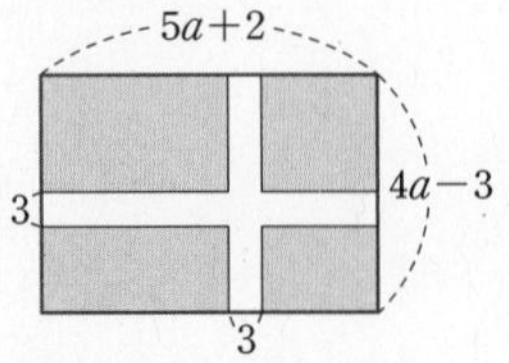

① $9a^2-4a-6$ ② $10a^2+12a+6$
③ $20a^2-40a$ ④ $20a^2-34a+6$
⑤ $25a^2-12a$

3 $(x-1)(x+1)(x^2+1)(x^4+1)=255$일 때, 자연수 x의 값을 구하시오.

주어진 식의 좌변을 앞에서부터 곱셈 공식을 이용하여 전개한다.

4 자연수 m을 3으로 나누면 2가 남고, 자연수 n을 3으로 나누면 1이 남는다고 한다. 이때 두 자연수의 곱 mn을 3으로 나눈 나머지를 구하시오.

5 $\dfrac{1}{\sqrt{2}+1}+\dfrac{1}{\sqrt{3}+\sqrt{2}}+\dfrac{1}{\sqrt{4}+\sqrt{3}}+\cdots+\dfrac{1}{\sqrt{100}+\sqrt{99}}$의 값을 구하시오.

분모의 유리화를 통해 그 규칙성을 파악한다.

6 서술형

$(1+3x+x^2+ax^3)(b+5x+2x^2)$의 전개식에서 x^4의 계수가 12, x^3의 계수가 23일 때, 상수 a, b의 값을 각각 구하기 위한 풀이 과정을 쓰고 답을 구하시오.

① 단계: 전개식에서 x^4의 계수 구하기

$(1+3x+x^2+ax^3)(b+5x+2x^2)$의 전개식에서 x^4의 계수는

$x^2\times$ _____ $+$ _____ $\times 5x=($ _______ $)x^4$

② 단계: a의 값 구하기

즉, _______ $=12$이므로 $a=$ _____

③ 단계: 전개식에서 x^3의 계수 구하기

x^3의 계수는 _____ $\times 2x^2+x^2\times$ _____ $+ax^3\times$ _____ $=($ _______ $)x^3$

④ 단계: b의 값 구하기

즉, _______ $=23$이므로 $2b=$ _____ $\therefore b=$ _____

► Check List
- 전개식에서 x^4의 계수를 바르게 구하였는가?
- a의 값을 바르게 구하였는가?
- 전개식에서 x^3의 계수를 바르게 구하였는가?
- b의 값을 바르게 구하였는가?

7 서술형

$(ax-4)(3x+1)$을 전개하면 x의 계수가 -5이고, $(x-4)(5x+b)$를 전개하면 x의 계수가 -13일 때, 두 상수 a, b의 합 $a+b$의 값을 구하기 위한 풀이 과정을 쓰고 답을 구하시오.

① 단계: a에 대한 식 세우고 a의 값 구하기

② 단계: b에 대한 식 세우고 b의 값 구하기

③ 단계: $a+b$의 값 구하기

► Check List
- a에 대한 식을 세우고 a의 값을 바르게 구하였는가?
- b에 대한 식을 세우고 b의 값을 바르게 구하였는가?
- $a+b$의 값을 바르게 구하였는가?

2 다항식의 인수분해

중1

소인수분해

중3

다항식의 인수분해

1. 인수분해 — 인수분해
2. 완전제곱식을 이용한 인수분해 — $(a+b)^2$ $(a-b)^2$
3. 합과 차의 곱을 이용한 인수분해 — $(a+b)(a-b)$
4. x^2의 계수가 1인 이차식의 인수분해
5. x^2의 계수가 1이 아닌 이차식의 인수분해
6. 복잡한 식의 인수분해 (1)
7. 복잡한 식의 인수분해 (2)
8. 인수분해 공식의 활용

고1

인수분해

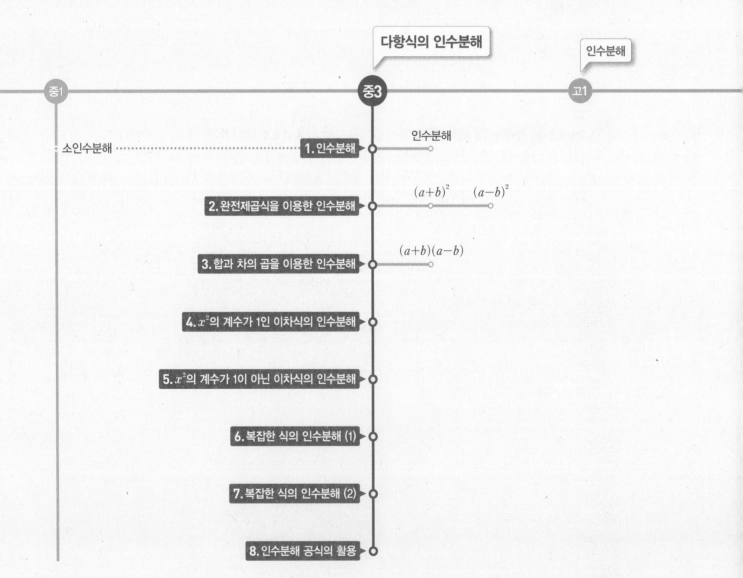

소인수분해 같은 다항식의 인수분해

소인수분해	인수분해	

12　　　　　x^2+2x-3

분해

$2^2 \times 3$　　　　　$(x+3)(x-1)$

구조

×	1	2	2^2
1	1	2	2^2
3	3	2×3	$2^2 \times 3$

↳ 12의 약수

(x²+2x-3) ← 이차식

$(x+3)$　　$(x-1)$

일차식 × 일차식

문제 해결

➡ **약수를 빠짐없이 구함**
　12의 약수 = 파란색 칸에 들어 있는 수

➡ **약수의 개수를 쉽게 구함**
　12의 약수의 개수 = 파란색 칸의 개수

➡ **방정식의 해를 구함**
　이차방정식 $x^2+2x-3=0$의 해는
　$x=-3$, $x=1$

➡ **함수의 그래프를 쉽게 그림**
　이차함수 $y=x^2+2x-3$의 그래프

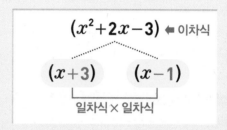

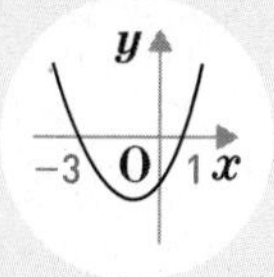

※ 이차방정식은 3단원에서, 이차함수는 4단원에서 배울 예정

분해하면 구조가 보이고,
구조를 알면 문제 해결이 쉬워진다.

개념 이해 1

인수분해

(1) 인수분해의 뜻

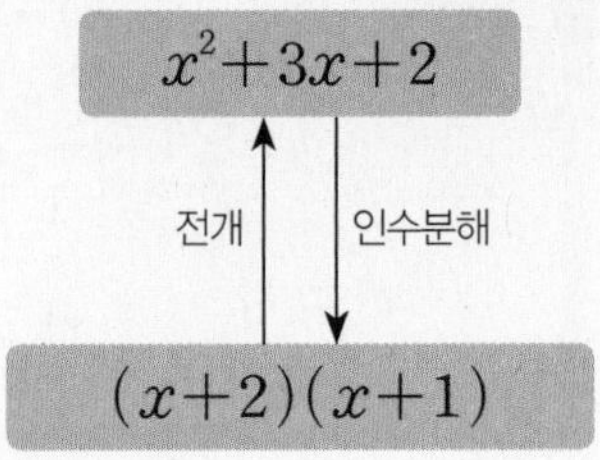

① **인수:** 하나의 다항식을 두 개 이상의 다항식의 곱으로 나타낼 때, 곱해진 각각의 식을 처음 다항식의 인수라고 한다.

② **인수분해:** 하나의 다항식을 두 개 이상의 인수의 곱으로 나타내는 것을 다항식을 인수분해한다고 한다.

참고 모든 다항식에서 1과 자기 자신도 그 다항식의 인수이다.

(2) 공통인수를 이용한 인수분해

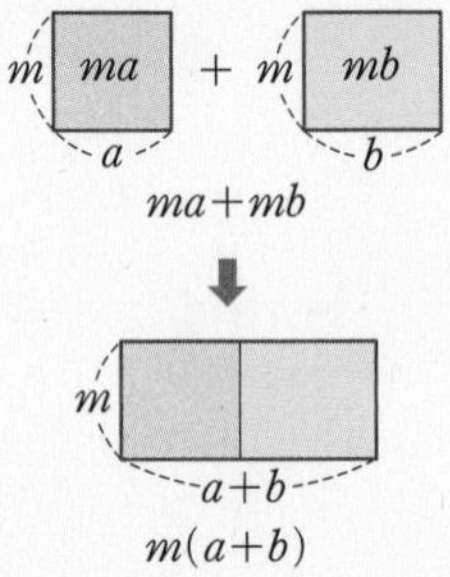

① **공통인수:** 다항식의 각 항에 공통으로 들어 있는 인수

② **공통인수를 이용한 인수분해:** 다항식의 각 항에 공통인수가 있을 때에는 분배법칙을 이용하여 공통인수로 묶어 내어 인수분해한다.

$$ma+mb=m\times a+m\times b=m(a+b)$$

공통인수

주의 다항식을 인수분해할 때는 공통인수를 모두 묶어 내야 한다.

$3a^2-6a=a(3a-6)$ (×)　$3a^2-6a=3(a^2-2a)$ (×)　$3a^2-6a=3a(a-2)$ (○)

수의 소인수분해와 식의 인수분해의 원리는 같아.

일반적으로 분해란 여러 부분이 결합되어 이루어진 것을 낱낱으로 나누는 것이지만 수학에서의 분해는 대개 '곱의 꼴로 나타내는 것'이다. 자연수를 소수의 곱으로 분해한 소인수분해처럼 다항식도 다항식의 곱으로 분해할 수 있는데, 이를 인수분해라 하고 그 결과는 반드시 곱의 꼴이다.
다항식을 인수분해하면 차수가 낮은 식의 곱으로 나타나는데, 이렇게 수나 식을 인수의 형태로 분해하면 수학적인 구조와 특징을 쉽게 알 수 있어 문제를 빠르게 해결할 수 있다.

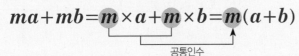

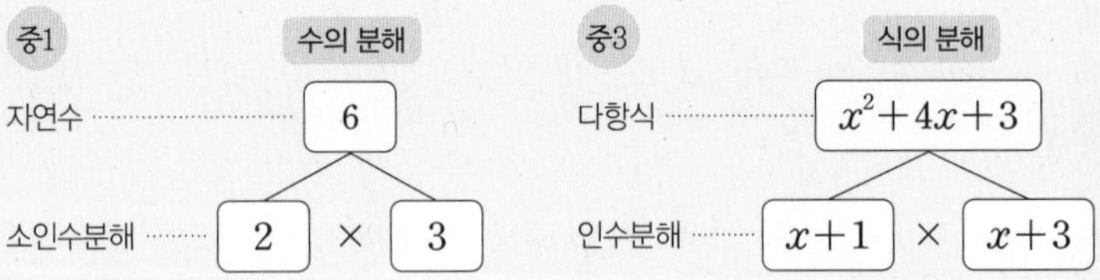

개념확인

1. 다음 **보기** 중 다항식 $a(a+b)$의 인수인 것을 모두 고르시오.

보기				
ㄱ. 1	ㄴ. b	ㄷ. $a+b$	ㄹ. a^2+b	ㅁ. $a(a+b)$

2. 다음은 어떤 다항식을 인수분해한 것인지 구하시오.

(1) $4(a-b)$　(2) $(a+3)^2$
(3) $(x-2)(x+2)$　(4) $(x+2)(x-3)$

3. 다음 식을 인수분해하시오.

(1) $x-2xy$　(2) $5x^2+10x$
(3) $ab(a+b)-ab$　(4) $9a^2b-6ab^2+3ab$

개념 적용

인수분해의 뜻

1 **다음 식에 대한 설명 중 옳지 않은 것은?**

$$a^3-4ab \underset{㉡}{\overset{㉠}{\rightleftarrows}} a(a^2-4b)$$

① ㉠의 과정을 인수분해라고 한다. ② ㉡의 과정을 전개라고 한다.
③ a^3과 $-4ab$의 공통인수는 a이다. ④ ㉡의 과정에서 분배법칙이 이용된다.
⑤ a, a^2, a^2-4b는 모두 a^3-4ab의 인수이다.

• 인수분해
하나의 다항식을 두 개 이상의 인수의 곱으로 나타내는 것
• 전개
다항식과 다항식의 곱을 하나의 다항식으로 나타내는 것

1-1 다음 중 다항식 $x(x-3)(x+4)$의 인수가 아닌 것은?

① x ② $x-3$ ③ $x+4$
④ $x(x+4)$ ⑤ $(x+3)(x-4)$

공통인수를 이용한 인수분해

2 **두 다항식 x^2-xy, $xy-y^2$의 공통인수는?**

① x ② $x+y$ ③ $x-y$
④ $x(x-y)$ ⑤ $(x-y)(x+y)$

공통인수
다항식의 각 항에 공통으로 들어 있는 인수

2-1 다항식 $a(x-1)+b(1-x)$를 인수분해하면?

① $(a+b)(x-1)$ ② $(a+b)(1-x)$ ③ $(a-b)(x-1)$
④ $(a-b)(1-x)$ ⑤ $(a-b)(x+1)$

2-2 다음은 진희, 석민, 민건이가 다항식 $3x^2+6xy-9x$를 각각 인수분해한 것이다. 세 학생 중 바르게 인수분해하지 않은 학생을 모두 말하고, 그 이유를 설명하시오.

진희	석민	민건
$3x^2+6xy-9x$ $=3(x^2+2xy-3x)$	$3x^2+6xy-9x$ $=x(3x+6y-9)$	$3x^2+6xy-9x$ $=3x(x+2y-3)$

▶ 인수분해를 할 때, 공통인수가 남지 않도록 모두 묶어 낸다.

개념 이해

2 완전제곱식을 이용한 인수분해

(1) **완전제곱식:** 다항식의 제곱으로 된 식 또는 이 식에 상수를 곱한 식

➡ (다항식)^2, (상수)×(다항식)^2

예 $(x+1)^2$, $2(a-3b)^2$

(2) **완전제곱식을 이용한 인수분해**

① $a^2+2ab+b^2=(a+b)^2$　　예 $x^2+6x+9=x^2+2\times x\times 3+3^2=(x+3)^2$

② $a^2-2ab+b^2=(a-b)^2$　　예 $x^2-4x+4=x^2-2\times x\times 2+2^2=(x-2)^2$

참고 $a^2\pm 2ab+b^2$을 인수분해하는 방법

① 공통인수가 있는지 확인한다.

② $a^2=a\times a$, $b^2=b\times b$인 a, b를 찾는다.

③ 가운데 항이 $2ab$임을 확인한다.

④ 가운데 항의 부호에 따라 인수분해한다.

예 $9x^2+\boxed{30xy}+25y^2$

$(3x)^2$　　$(5y)^2$

$\boxed{2\times 3x\times 5y}$

$\therefore 9x^2+30xy+25y^2=(3x+5y)^2$

다항식 x^2+ax+b가 완전제곱식이 될 조건 (단, $b>0$)

(1) 상수항은 x의 계수의 $\frac{1}{2}$의 제곱이어야 한다. ➡ $b=\left(\frac{1}{2}a\right)^2$

x^2+4x+b가 완전제곱식이 되려면 $b=\left(\frac{4}{2}\right)^2=4$

(2) x의 계수가 상수항의 제곱근의 2배이어야 한다. ➡ $a=\pm 2\sqrt{b}$

x^2+ax+9가 완전제곱식이 되려면 $a=\pm 2\sqrt{9}=\pm 6$

개념확인

1. 다음은 다항식을 인수분해하는 과정이다. □ 안에 알맞은 것을 써넣으시오.

(1) $x^2+8x+16$
$=x^2+2\times x\times \square+\square^2$
$=(x+\square)^2$

(2) $4x^2-12xy+9y^2$
$=(2x)^2-2\times\square\times\square+(\square)^2$
$=(\square-\square)^2$

2. 다음 식을 인수분해하시오.

(1) x^2-6x+9　　(2) $4x^2+4x+1$

(3) $a^2+4ab+4b^2$　　(4) $9a^2-24ab+16b^2$

3. 다음 식이 완전제곱식이 되도록 □ 안에 알맞은 수를 써넣으시오.

(1) $x^2+14x+\square$　　(2) $x^2-18xy+\square y^2$

! x^2의 계수가 1인 이차식이 완전제곱식이 되기 위한 조건
➡ (상수항)$=\left\{\frac{(x\text{의 계수})}{2}\right\}^2$

4. 다음 식이 완전제곱식이 되도록 □ 안에 알맞은 수를 써넣으시오.

(1) $x^2+\square x+25$

(2) $x^2+\square xy+36y^2$

! x^2의 계수가 1인 이차식이 완전제곱식이 되기 위한 조건
➡ (x의 계수)$=\pm 2\sqrt{(\text{상수항})}$

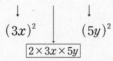

개념 적용

완전제곱식을 이용한 인수분해 (1)

1 **다음 중 인수분해한 것이 옳지 않은 것은?**

① $x^2+14x+49=(x+7)^2$　② $a^2-10ab+25b^2=(a-5b)^2$

③ $16a^2+8a+1=(4a+1)^2$　④ $4x^2-12x+9=(4x-3)^2$

⑤ $x^2-x+\frac{1}{4}=\left(x-\frac{1}{2}\right)^2$

완전제곱식을 이용한 인수분해
- $a^2+2ab+b^2=(a+b)^2$
- $a^2-2ab+b^2=(a-b)^2$

1-1 다음 **보기** 중 완전제곱식으로 인수분해되는 것을 모두 고르시오.

보기
ㄱ. $x^2+\frac{2}{3}x+\frac{1}{9}$　ㄴ. x^2+6x-9
ㄷ. $2x^2-10x+50$　ㄹ. $16x^2-24xy+9y^2$

1-2 다항식 $2x^2-24x+72$가 $a(bx+c)^2$으로 인수분해될 때, 상수 a, b, c에 대하여 $a+b+c$의 값은?

① -3　② 3　③ 6
④ 9　⑤ 12

▸ 다항식을 인수분해할 때에는 먼저 공통인수가 있는지 확인한다.

완전제곱식을 이용한 인수분해 (2)

2 **다음 중 다항식 $4ax^2-8ax+4a$의 인수가 아닌 것은?**

① a　② $x-1$　③ $x+1$
④ $a(x-1)$　⑤ $a(x-1)^2$

인수
인수분해했을 때, 곱해진 각각의 식

2-1 다음 중 다항식 $9x^2+12x+4$의 인수인 것은?

① $x+2$　② $x+4$　③ $2x+1$
④ $2x+3$　⑤ $3x+2$

완전제곱식 만들기

3 **두 다항식 $x^2+16x+a$, $16x^2-24x+b$가 모두 완전제곱식이 될 때, 상수 a, b에 대하여 $a+b$의 값을 구하시오.**

다항식 x^2+ax+b가 완전제곱식이 될 조건
⇨ $a=\pm2\sqrt{b}$ 또는 $b=\left(\frac{a}{2}\right)^2$

3-1 다음 식이 완전제곱식이 되도록 □ 안에 알맞은 수를 써넣으시오.

(1) $4x^2-2x+\square$ (2) $9x^2+\square xy+25y^2$

3-2 다음은 재민이와 정희의 대화이다. 재민이의 마지막 질문에 대한 답을 말하시오.

재민: $x^2-10x+\square$가 완전제곱식이 되려면 □ 안의 수는 얼마이어야 하지?
정희: 일차항의 계수에 $\frac{1}{2}$을 곱한 후 제곱하면 되지~
그러면 $\left(\frac{-10}{2}\right)^2$이니까 25가 되네.
재민: 그렇구나. 그런데 왜 $\frac{1}{2}$을 곱한 후 제곱해야 하는 거야?

근호가 있는 식을 간단히 하기

4 **$-2<x<2$일 때, $\sqrt{x^2+4x+4}-\sqrt{x^2-4x+4}$를 간단히 하면?**

① -4 ② 0 ③ 4
④ $-2x$ ⑤ $2x$

근호 안의 식을 완전제곱식의 꼴로 인수분해한 후
$\sqrt{a^2}=\begin{cases} a & (a\ge0) \\ -a & (a<0)\end{cases}$임을 이용하여 근호를 없앤다.

4-1 $0<x<1$일 때, $\sqrt{x^2-2x+1}+\sqrt{x^2}$을 간단히 하시오.

개념 이해 3

합과 차의 곱을 이용한 인수분해

$a^2-b^2=(a+b)(a-b)$

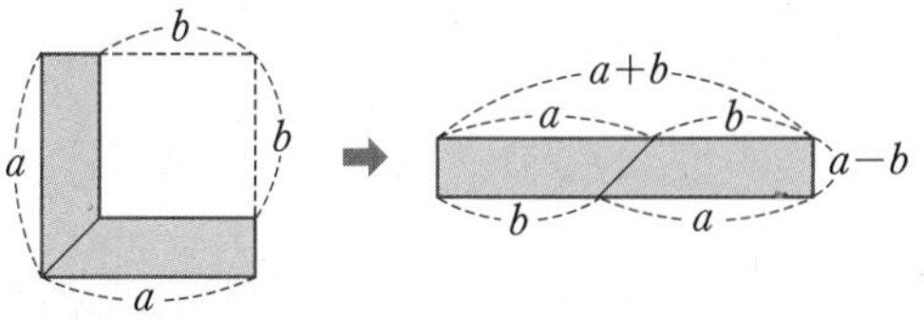

a^2-b^2 = $(a+b)(a-b)$

예) $x^2-4=x^2-2^2=(x+2)(x-2)$

$9a^2-25=(3a)^2-5^2=(3a+5)(3a-5)$

참고 $-a^2+b^2$의 인수분해

[방법 1] $b^2-a^2=(b+a)(b-a)$

[방법 2] $-(a^2-b^2)=-(a+b)(a-b)$

➡ 어느 방법으로 인수분해해도 그 결과는 같다.

수의 범위에 따른 다항식 x^2-2의 인수분해

(1) 유리수 범위에서 인수분해

x^2-2는 더이상 인수분해되지 않는다.

(2) 실수 범위에서 인수분해

$x^2-2=x^2-(\sqrt{2})^2=(x+\sqrt{2})(x-\sqrt{2})$

➡ 수의 범위에 대한 특별한 조건이 없는 경우에는 유리수의 범위에서 더이상 인수분해할 수 없을 때까지 계속한다.

개념확인

1. 다음 식을 인수분해하시오.

(1) x^2-1 (2) a^2-4

(3) $4x^2-9$ (4) $2a^2-32$

❗ 인수분해할 때, 공통인수가 있으면 먼저 공통인수로 묶어 준다.

2. 다음 식을 인수분해하시오.

(1) $x^2-\frac{1}{4}$ (2) $4a^2-\frac{9}{25}$

(3) $\frac{1}{9}-x^2$ (4) $3a^2-\frac{3}{16}$

3. 다음은 주어진 다항식을 인수분해하는 과정이다. □ 안에 알맞은 것을 써넣으시오.

(1) $x^4-y^4=(\square)^2-(\square)^2$
$=(x^2+y^2)(\square)$
$=(x^2+y^2)(\square)(\square)$

(2) $a^4-16=(\square)^2-\square^2$
$=(a^2+4)(\square)$
$=(a^2+4)(\square)(\square)$

개념 적용

합과 차의 곱을 이용한 인수분해 (1)

1 $25x^2-9y^2=(ax+by)(ax-by)$일 때, 자연수 a, b에 대하여 ab의 값은?

① 5 ② 10 ③ 15
④ 20 ⑤ 25

합과 차의 곱을 이용한 인수분해
⇨ $a^2-b^2=(a+b)(a-b)$

1-1 다음 식을 인수분해하시오.

(1) $5x^2-45$ (2) $-4x^2+\frac{1}{81}$

▸ 공통인수가 있으면 먼저 공통인수로 묶어 준다.

1-2 다음 중 바르게 인수분해한 것은?

① $-a^2-4=(-a-2)(-a+2)$ ② $x^2-\frac{1}{x^2}=\left(x-\frac{1}{x}\right)^2$
③ $ab^2-9a=a(b+3)(b-3)$ ④ $\frac{x^2}{16}-y^2=\left(\frac{x}{16}+y\right)\left(\frac{x}{16}-y\right)$
⑤ $-75x^2+27y^2=-3(5x+3)(5x-3)$

합과 차의 곱을 이용한 인수분해 (2)

2 다음 중 다항식 a^4-1의 인수가 아닌 것은?

① $a-1$ ② $a+1$ ③ a^2-1
④ a^2+1 ⑤ a^2-a

유리수의 범위에서 더 이상 인수분해할 수 없을 때까지 계속한다.

2-1 다음 중 다항식 $2x^4-162y^4$의 인수가 아닌 것은?

① $x-3y$ ② $x+3y$ ③ $2(x+3y)$
④ x^2-3y^2 ⑤ $2(x^2+9y^2)$

x^2의 계수가 1인 이차식의 인수분해

x^2의 계수가 1인 이차식 $x^2+(a+b)x+ab$를 인수분해하는 방법

① 곱했을 때 상수항이 되는 두 정수를 모두 찾는다.

② ①의 두 정수 중 합이 x의 계수가 되는 두 정수 a, b를
찾는다.

③ $(x+a)(x+b)$의 꼴로 나타낸다.

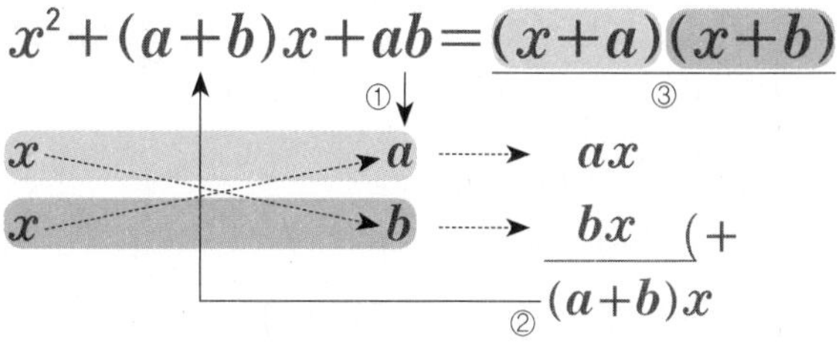

참고 · 상수항이 양수일 때 ➡ 부호가 같은 두 수의 곱
· 상수항이 음수일 때 ➡ 부호가 다른 두 수의 곱

$$x^2+(a+b)x+ab=\underset{③}{\underline{(x+a)(x+b)}}$$

x^2의 계수가 1인 이차식의 인수분해

x^2+5x+4를 인수분해할 때,

① 곱이 4인 두 정수를 모두 찾는다.

② ①의 두 정수 중 합이 5가 되는 두 정수를 찾는다.

➡ 오른쪽 표에서 곱이 4인 두 정수 중 합이 5인 것은
1, 4이므로 $x^2+5x+4=(x+1)(x+4)$

[참고] 합이 5가 되는 두 정수는 무수히 많으므로 먼저
곱이 4인 두 정수를 찾는 것이 편리하다.

곱이 4인 두 정수		두 정수의 합
1, 4	⇨	5
2, 2	⇨	4
−1, −4	⇨	−5
−2, −2	⇨	−4

개념확인

1. 다음은 주어진 다항식을 인수분해하는 과정이다. ☐ 안에 알맞은 것을 써넣으시오.

(1) x^2-5x+6

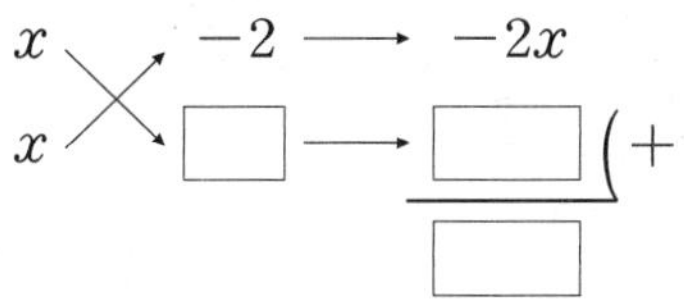

$$x \diagdown -2 \longrightarrow -2x$$
$$x \diagup \boxed{} \longrightarrow \underline{\boxed{}}\ (+$$
$$\boxed{}$$

$$=(x-2)(\boxed{})$$

(2) x^2-2x-3

$$x \diagdown \boxed{} \longrightarrow \boxed{}$$
$$x \diagup -3 \longrightarrow \underline{-3x}\ (+$$
$$\boxed{}$$

$$=(\boxed{})(x-3)$$

2. 다음 식을 인수분해하시오.

(1) x^2+6x+5

(2) x^2-2x-8

(3) $x^2-8x+15$

(4) x^2+x-12

3. 다음 식을 인수분해하시오.

(1) $x^2+6xy+8y^2$

(2) $x^2-9xy+14y^2$

(3) $x^2-3xy-10y^2$

(4) $x^2+3xy-18y^2$

❗ 인수분해한 식을 쓸 때, 문자 y를 빼놓지 않도록 한다.

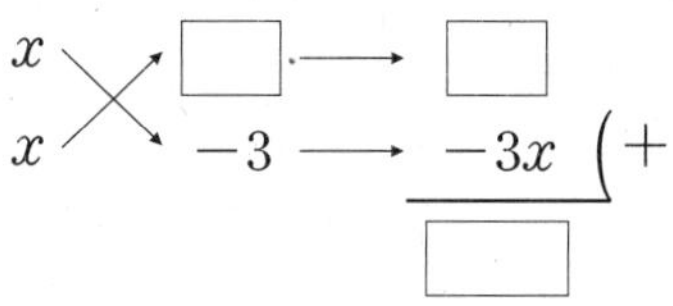

개념 적용

x^2의 계수가 1인 이차식의 인수분해

1 다항식 $x^2-5x-36$은 x의 계수가 1인 두 일차식의 곱으로 인수분해된다. 이때 두 일차식의 합은?

① $2x-13$ ② $2x-5$ ③ $2x+5$
④ $2x+13$ ⑤ $2x+15$

x^2의 계수가 1인 이차식의 인수분해
⇨ $x^2+(a+b)x+ab$
$=(x+a)(x+b)$

1-1 $x^2+4x-12=(x+a)(x+b)$일 때, 상수 a, b에 대하여 $a-b$의 값을 구하시오. (단, $a>b$)

계수 또는 상수항을 잘못 봤을 때 바르게 인수분해하기

2 x^2의 계수가 1인 어떤 이차식을 인수분해하는데 윤희는 x의 계수를 잘못 보아 $(x-2)(x+9)$로 인수분해하였고, 태은이는 상수항을 잘못 보아 $(x+1)(x+2)$로 인수분해하였다. 처음 이차식을 바르게 인수분해하면?

① $(x-1)(x+3)$ ② $(x-2)(x-4)$ ③ $(x-2)(x-5)$
④ $(x-3)(x-6)$ ⑤ $(x-3)(x+6)$

계수 또는 상수항을 잘못 보고 푼 경우의 인수분해에서 잘못 본 수를 제외한 나머지 값은 제대로 본 것이다.
(1) 상수항을 잘못 본 경우
x^2+ax+b
제대로 본 수 ↲ ↳ 잘못 본 수
(2) 일차항의 계수를 잘못 본 경우
x^2+cx+d
잘못 본 수 ↲ ↳ 제대로 본 수
⇨ (1), (2) 에서 처음 이차식은
x^2+ax+d

2-1 다음 대화를 읽고 물음에 답하시오.

> 선생님: 다음 x^2의 계수가 1인 이차식을 인수분해해 볼까요?
> 석민: $(x-1)(x-3)$입니다.
> 진희: 저는 $(x-1)(x+5)$가 나왔는데요.
> 선생님: 하하.. 석민이는 상수항을, 진희는 x의 계수를 잘못 봤군요.

(1) 선생님이 처음에 제시한 이차식을 구하시오.
(2) (1)에서 구한 이차식을 바르게 인수분해하시오.

개념 이해 5

x^2의 계수가 1이 아닌 이차식의 인수분해

x^2의 계수가 1이 아닌 이차식 $acx^2+(ad+bc)x+bd$를 인수분해하는 방법

① 곱하여 x^2의 계수가 되는 두 수 a, c를 세로로 나열한다.

② 곱하여 상수항이 되는 두 수 b, d를 세로로 나열한다.

③ ①, ②의 수를 대각선끼리 곱하여 합한 것이 x의 계수가 되는 a, b, c, d를 찾는다.

④ $(ax+b)(cx+d)$의 꼴로 나타낸다.

참고 $ac>0$일 때, a, c가 모두 양수인 경우만 생각한다.

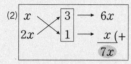

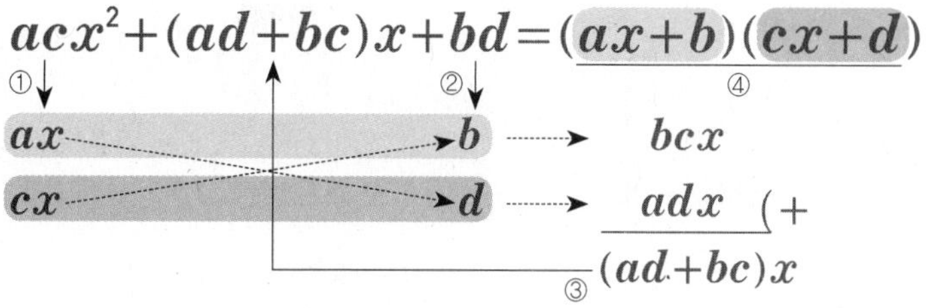

x^2의 계수가 1이 아닌 이차식의 인수분해

$2x^2+7x+3$을 인수분해할 때, $ac=2$인 양의 정수 a, c와 $bd=3$인 정수 b, d를 구하여 $ad+bc$의 값이 7이 되는 네 수를 찾는다.

(1) x ╲╱ 1 → $2x$, $2x$ ╱╲ 3 → $3x$ (+ ; $5x$

(2) x ╲╱ 3 → $6x$, $2x$ ╱╲ 1 → x (+ ; $7x$

(3) x ╲╱ -1 → $-2x$, $2x$ ╱╲ -3 → $-3x$ (+ ; $-5x$

(4) x ╲╱ -3 → $-6x$, $2x$ ╱╲ -1 → $-x$ (+ ; $-7x$

➡ 따라서 (2)일 때, $ad+bc=7$이 되므로 $2x^2+7x+3=(x+3)(2x+1)$

개념확인

1. 다음은 다항식을 인수분해하는 과정이다. □ 안에 알맞은 것을 써넣으시오.

(1) $6x^2-5x-6$

$2x$ ╲╱ □ → □x

□x ╱╲ 2 → $4x$ (+

□x

$=($□$)($□$)$

(2) $2x^2+3xy-9y^2$

x ╲╱ □y → □xy

□x ╱╲ $-3y$ → $-3xy$ (+

□xy

$=($□$)($□$)$

2. 다음 식을 인수분해하시오.

(1) $2x^2+x-3$

(2) $3x^2-x-2$

(3) $3x^2+2xy-8y^2$

(4) $10x^2-xy-3y^2$

개념 적용

x^2의 계수가 1이 아닌 이차식의 인수분해

1 **다음 중 다항식 $6x^2+11x-7$의 인수를 모두 고르면? (정답 2개)**

① $2x-1$ ② $2x+1$ ③ $3x-7$
④ $3x-1$ ⑤ $3x+7$

x^2의 계수가 1이 아닌 이차식의 인수분해
⇨ $acx^2+(ad+bc)x+bd=(ax+b)(cx+d)$

1-1 다음 중 다항식 $8x^2-14x+5$의 인수를 모두 고르면? (정답 2개)

① $2x-5$ ② $2x-1$ ③ $2x+5$
④ $4x-5$ ⑤ $4x+5$

1-2 $2x^2-5x-12=(2x+a)(bx+c)$일 때, 세 정수 a, b, c에 대하여 $a+b+c$의 값을 구하시오.

인수분해 공식 종합

2 **다음 중 인수분해한 것이 옳지 않은 것은?**

① $x^2-6x+9=(x-3)^2$ ② $4x^2-1=(2x+1)(2x-1)$
③ $x^2+2x-15=(x-3)(x+5)$ ④ $5x^2+2x-3=(x-1)(5x+3)$
⑤ $12x^2+7x-10=(3x-2)(4x+5)$

(1) $a^2+2ab+b^2=(a+b)^2$
(2) $a^2-2ab+b^2=(a-b)^2$
(3) $a^2-b^2=(a+b)(a-b)$
(4) $x^2+(a+b)x+ab=(x+a)(x+b)$
(5) $acx^2+(ad+bc)x+bd=(ax+b)(cx+d)$

2-1 다음 다항식 중 $x-2$를 인수로 갖지 않는 것은?

① x^2-4 ② x^2+x-6 ③ x^2-4x+4
④ $2x^2-5x+2$ ⑤ $5x^2+9x-2$

두 다항식의 공통인수 구하기

3 **다음 중 두 다항식 $x^2+3x-18$, $3x^2-5x-12$의 공통인수는?**

① $x-4$ ② $x-3$ ③ $x+3$
④ $x+6$ ⑤ $3x-4$

두 다항식의 공통인수 구하기
① 두 다항식을 각각 인수분해한다.
② 공통으로 들어 있는 인수를 찾는다.

3-1 다음 중 두 다항식 $x^2-7x-18$, $5x^2+6x-8$의 공통인수는?

① $x-9$ ② $x-2$ ③ $x+2$
④ $5x-4$ ⑤ $5x+2$

3-2 다음 세 다항식의 1이 아닌 공통인수를 구하시오.

$2x^2+x-1$, $3x^2+5x+2$, $8x^2+3x-5$

인수가 주어진 이차식의 미지수의 값 구하기

4 **$2x^2+ax-3$이 $x+3$으로 나누어떨어질 때, 상수 a의 값은?**

① -5 ② -3 ③ 1
④ 3 ⑤ 5

$mx+n$이 이차식 ax^2+bx+c의 인수이면
ax^2+bx+c
$=(mx+n)(\square x+\triangle)$
⇨ 주어진 인수의 x의 계수 m과 x^2의 계수 a로부터 나머지 인수의 x의 계수 □를 먼저 구한다.

4-1 $2x+1$이 $6x^2-ax-5$의 인수일 때, 상수 a의 값은?

① -7 ② -3 ③ 3
④ 7 ⑤ 11

개념 이해 6

복잡한 식의 인수분해 (1)

(1) 공통인수가 있는 다항식의 인수분해

공통인수가 있으면 공통인수로 묶은 후 인수분해 공식을 이용한다.

(2) 공통부분이 있는 다항식의 인수분해

공통부분이 있는 다항식은 치환을 이용하여 다음과 같은 순서로 인수분해한다.

① 공통부분을 한 문자로 치환한다.

② 인수분해 공식을 이용하여 ①에서 얻은 식을 인수분해한다.

③ 치환된 문자에 원래의 식을 대입하여 정리한다.

( )( )( )( )+k 꼴의 인수분해

$(x+1)(x+2)(x-3)(x-4)+6$을 인수분해하여 보자.

$(x+1)(x+2)(x-3)(x-4)+6$

$=\{(x+1)(x-3)\}\{(x+2)(x-4)\}+6$ ← 공통부분이 생기도록 일차식을 2개씩 묶는다.

$=(x^2-2x-3)(x^2-2x-8)+6$ ← 묶은 일차식끼리 전개한다.

$=(A-3)(A-8)+6$ ← $x^2-2x=A$로 놓는다.(치환)

$=A^2-11A+30=(A-6)(A-5)$ ← 전개하여 간단히 정리한 후 인수분해한다.

$=(x^2-2x-6)(x^2-2x-5)$ ← A에 x^2-2x를 대입한다.

개념확인

1. 다음 식을 인수분해하시오.

(1) x^3-x

(2) $x^2y-3xy+2y$

❗ 분배법칙을 이용하여 공통인수로 묶을 수 있다. ➡ $AB+AC=A(B+C)$

2. 다음은 다항식 $(x-2y)(x-2y+3)-10$을 인수분해하는 과정이다. □ 안에 알맞은 것을 써넣으시오.

$x-2y=A$로 놓으면

$(x-2y)(x-2y+3)-10=A(A+\square)-10=A^2+\square A-10$

$=(A-2)(\square)$

$=(x-2y-2)(\square)$

❗ 공통부분을 한 문자로 치환한 다음 인수분해 공식을 이용한다.

3. 다음 식을 인수분해하시오.

(1) $(x+y)^2-2(x+y)+1$

(2) $(x+2)^2-(x+2)-2$

❗ 치환하여 인수분해한 다음에는 치환된 문자에 원래의 식을 대입하여 정리해야 한다.

개념 적용

공통인수로 묶어 인수분해하기

1 $(x-3)^2-(2x-5)(x-3)=(x-3)(ax+b)$일 때, 상수 a, b에 대하여 $a+b$의 값은?

① -2　② -1　③ 0
④ 1　⑤ 2

공통인수가 있으면 공통인수로 묶은 후 인수분해 공식을 이용한다.

1-1 다음 중 $a^2(a-1)-4(a-1)$의 인수가 아닌 것을 모두 고르면? (정답 2개)

① a　② $a-2$　③ $a-1$
④ $a+1$　⑤ $a+2$

치환을 이용한 인수분해 (1)

2 다항식 $2(3x-5)^2+12(3x-5)+18$을 인수분해하면?

① $2(3x-2)^2$　② $3(3x-1)^2$　③ $4(3x-5)^2$
④ $(3x-2)(3x+1)$　⑤ $(3x-1)(3x+2)$

공통부분이 있는 다항식의 인수분해
① 공통부분을 치환
② 인수분해
③ 치환된 문자에 원래의 식을 대입하여 정리

2-1 다음 중 다항식 $3(x+y)^2-4(x+y)-15$의 인수를 모두 고르면? (정답 2개)

① $x-y-3$　② $x-y+5$　③ $x+y-3$
④ $3x+3y-5$　⑤ $3x+3y+5$

2-2 다항식 $(x-2)^2-3(x-2)-28$이 x의 계수가 1인 두 일차식의 곱으로 인수분해될 때, 두 일차식의 합은?

① $2x-7$　② $2x-5$　③ $2x-1$
④ $2x+3$　⑤ $2x+5$

치환을 이용한 인수분해 (2)

3 **다음 중 다항식 $(x-y-3)(x-y+5)+7$의 인수를 모두 고르면? (정답 2개)**

① $x-y-4$ ② $x-y-2$ ③ $x-y+4$
④ $x+y+2$ ⑤ $x+y+4$

공통부분을 한 문자로 치환하여 식을 전개한 후 인수분해 공식을 이용한다.

3-1 다음 식을 인수분해하면?

$$2(x+2y)(x+2y-1)-24$$

① $(x+2y+3)(x+2y+4)$ ② $2(x+2y-4)(x+2y-3)$
③ $2(x+2y-4)(x+2y+3)$ ④ $2(x+2y-3)(x+2y+4)$
⑤ $2(x+2y+3)(x+2y+4)$

3-2 다항식 $(3x+1)^2-(x-2)^2$이 x의 계수가 자연수인 두 일차식의 곱으로 인수분해될 때, 두 일차식의 합을 구하시오.

▸ 공통부분이 2개이면 각각을 서로 다른 문자로 치환한다.

( )( )( )( )$+k$ 꼴의 인수분해

4 **다음 식을 인수분해하시오.**

$$x(x+1)(x+2)(x+3)-15$$

( )( )( )( )$+k$ 꼴의 인수분해
① 공통부분이 생기도록 일차식을 2개씩 묶어 전개한다.
② 공통부분을 한 문자로 치환하여 인수분해한다.

4-1 다음 중 다항식 $(x-1)(x+1)(x-2)(x+2)-18$의 인수를 모두 고르면? (정답 2개)

① $x+2$ ② x^2-7 ③ x^2-2
④ x^2+2 ⑤ x^2+7

개념 이해

7 복잡한 식의 인수분해 (2)

(1) 항이 4개인 식의 인수분해

① 공통인수가 있는 경우

➡ 공통인수가 드러나도록 2개의 항씩 묶어 인수분해한다.

② A^2-B^2의 꼴로 나타낼 수 있는 경우

➡ 3개의 항과 1개의 항으로 묶어 A^2-B^2의 꼴로 변형한 후 인수분해한다.

항이 4개인 식의 인수분해
① 공통인수가 있을 때
⇨ (2항)+(2항)
② 제곱의 차의 꼴로 나타낼 수 있을 때
⇨ (3항)+(1항)
또는 (1항)+(3항)

(2) 항이 5개 이상인 식의 인수분해

항이 5개 이상이고 문자가 2개 이상이면 한 문자에 대하여 내림차순으로 정리한 후 인수분해한다.

내림차순으로 정리한다.
차수가 높은 항부터 낮은 항의 순서로 나열하는 것

① 문자가 여러 개이고 차수가 다른 경우

➡ 차수가 가장 낮은 문자에 대하여 내림차순으로 정리한다.

② 문자가 여러 개이고 차수가 같은 경우

➡ 어느 한 문자에 대하여 내림차순으로 정리한다.

예 $x^2+2y^2+3xy+2x+3y+1$

$=x^2+(3y+2)x+2y^2+3y+1$

$=x^2+(3y+2)x+(2y+1)(y+1)$

$x \quad 2y+1 \longrightarrow (2y+1)x$

$x \quad y+1 \longrightarrow (y+1)x$ (+

$(3y+2)x$

$=(x+2y+1)(x+y+1)$

➡ x에 대하여 내림차순으로 정리하면 x 이외의 문자는 상수 취급하여 x에 대한 이차식의 인수분해 공식을 적용한다.

개념확인

1. 다음은 주어진 다항식을 인수분해하는 과정이다. □ 안에 알맞은 것을 써넣으시오.

(1) $xy+1+x+y=y(x+\square)+(x+\square)$
$=(x+\square)(y+\square)$

(2) $x^2+2x+1-y^2=(x^2+2x+1)-y^2$
$=(x+\square)^2-y^2$
$=(x+y+\square)(x-\square+1)$

2. 다음 식을 인수분해하시오.

(1) $ax-ay-bx+by$

(2) x^2-y^2+2y-1

3. 다음은 다항식 $x^2+xy+y-x-2$를 인수분해하는 과정이다. □ 안에 알맞은 것을 써넣으시오.

$x^2+xy+y-x-2=xy+y+x^2-x-2=y(\square)+(x^2-x-2)$
$=y(\square)+(\square)(x+1)$
$=\square$

개념 적용

항이 4개인 식의 인수분해

1 **다항식 $xy+1-x-y$를 인수분해하면?**

① $(x-1)(y-1)$ ② $(x-1)(y+1)$ ③ $(x+1)(y-1)$
④ $(x+1)(y+1)$ ⑤ $-(x+1)(y+1)$

- 2개의 항씩 묶어 공통인수를 찾아 인수분해한다.
- 2개의 항씩 묶어 공통부분이 생기지 않으면 3개의 항으로 완전제곱식을 만들 수 있는지 알아본다.

1-1 다음 두 다항식의 1이 아닌 공통인수를 구하시오.

$xy-xz-y+z$, $xz+x-z-1$

1-2 다음 중 다항식 $9x^2-4y^2+6x+1$의 인수를 모두 고르면? (정답 2개)

① $3x-2y-1$ ② $3x-2y+1$ ③ $3x+2y-1$
④ $3x+2y+1$ ⑤ $3x-4y+1$

항이 5개 이상인 식의 인수분해

2 **$x^2+xy-5x-2y+6=(x+a)(x+by+c)$일 때, 상수 a, b, c에 대하여 $a+b+c$의 값은?**

① -7 ② -4 ③ 1
④ 3 ⑤ 5

- 문자가 여러 개이고 차수가 다르다.
  ⇨ 차수가 가장 낮은 문자에 대하여 내림차순으로 정리한다.
- 문자가 여러 개이고 차수가 같다.
  ⇨ 어느 한 문자에 대하여 내림차순으로 정리한다.

2-1 다항식 $x^2+y^2+2xy+x+y-2$가 x의 계수가 1인 두 일차식의 곱으로 인수분해될 때, 두 일차식의 합은?

① $2x-2y+1$ ② $2x-y+1$ ③ $2x+y-1$
④ $2x+2y-1$ ⑤ $2x+2y+1$

인수분해 공식의 활용

(1) **수의 계산:** 인수분해 공식을 이용할 수 있도록 수의 모양을 바꾸어 계산한다.

① 공통인수를 이용하여 계산한다. ➡ $ma+mb=m(a+b)$

$13\times17-13\times7=13(17-7)=13\times10=130$

② 완전제곱식을 이용하여 계산한다. ➡ $a^2\pm2ab+b^2=(a\pm b)^2$

$19^2+2\times19\times11+11^2=(19+11)^2=30^2=900$

③ 합과 차의 곱을 이용하여 계산한다. ➡ $a^2-b^2=(a+b)(a-b)$

$25^2-15^2=(25+15)(25-15)=40\times10=400$

복잡한 수를 계산할 때, 주어진 식을 인수분해 공식을 이용하여 정리한 후 계산하면 편리하다.

(2) **식의 값:** 주어진 식을 인수분해한 후 수나 식을 대입하여 식의 값을 구한다.

a^2-b^2의 꼴을 포함한 수의 계산

두 항씩 묶어서 인수분해 공식 $a^2-b^2=(a+b)(a-b)$를 이용하여 계산한다.

예 $1^2-2^2+3^2-4^2+5^2-6^2=(1^2-2^2)+(3^2-4^2)+(5^2-6^2)$
$=(1+2)(1-2)+(3+4)(3-4)+(5+6)(5-6)$
$=3\times(-1)+7\times(-1)+11\times(-1)$
$=-3-7-11=-21$

개념확인

1. 인수분해 공식을 이용하여 다음을 계산하시오.

(1) $19\times7+19\times3$

(2) $9.3^2+2\times9.3\times0.7+0.7^2$

(3) $51^2-2\times51+1$

(4) 65^2-35^2

2. 다음 식의 값을 구하시오.

(1) $x=998$일 때, x^2+4x+4의 값

(2) $x=1+\sqrt{5}$일 때, x^2-2x+1의 값

❗ 주어진 식에 수를 직접 대입하는 것보다 주어진 식을 인수분해한 다음 대입하는 것이 계산하기에 더 편리하다.

3. $x=2+\sqrt{3}$, $y=2-\sqrt{3}$일 때, 다음 식의 값을 구하시오.

(1) x^2-4x+4

(2) $x^2+2xy+y^2$

개념 적용

인수분해 공식을 이용하여 수를 계산하기

1 **인수분해 공식을 이용하여 다음을 계산할 때, $B-A$의 값을 구하시오.**

$$A=\sqrt{59^2+2\times59+1}$$
$$B=10.5^2-2\times10.5\times0.5+0.5^2$$

수의 계산에서 많이 이용되는 인수분해 공식
(1) $ma+mb=m(a+b)$
(2) $a^2\pm2ab+b^2=(a\pm b)^2$
(3) $a^2-b^2=(a+b)(a-b)$

1-1 인수분해 공식을 이용하여 $2\times93^2-2\times7^2$을 계산할 때, 다음 중 이용되는 인수분해 공식을 모두 고르면? (정답 2개)

① $ma+mb=m(a+b)$
② $a^2+2ab+b^2=(a+b)^2$
③ $a^2-2ab+b^2=(a-b)^2$
④ $a^2-b^2=(a+b)(a-b)$
⑤ $x^2+(a+b)x+ab=(x+a)(x+b)$

1-2 다음 중 25^4-1의 약수가 아닌 것은?

① 2 ② 12 ③ 13
④ 20 ⑤ 39

▸ 인수분해를 이용하여 약수를 찾는다.

인수분해 공식을 이용하여 식의 값 구하기

2 **$x=2\sqrt{5}-6$, $y=\sqrt{5}+3$일 때, $x^2-4xy+4y^2$의 값을 구하시오.**

인수분해 공식을 이용하여 식의 값을 계산하는 순서
① 구하려는 식을 인수분해한다.
② 주어진 문자의 값을 인수분해한 식에 대입하여 계산한다.

2-1 $x=3-2\sqrt{2}$, $y=3+2\sqrt{2}$일 때, x^2-y^2의 값을 구하시오.

2-2 $x^2-y^2=4\sqrt{5}$, $x-y=2$일 때, $x+y$의 값은?

① $\sqrt{5}$　　② $2\sqrt{5}$　　③ $2\sqrt{5}-2$
④ $2\sqrt{5}+2$　　⑤ 4

2-3 $x=\dfrac{1}{\sqrt{2}+1}$, $y=\dfrac{1}{\sqrt{2}-1}$일 때, $2x^2-4xy+2y^2$의 값을 구하시오.

▶ 먼저 x, y의 분모를 유리화한다.

도형에의 활용

3 **오른쪽 그림과 같이 반지름의 길이가 72.5 m인 원 모양의 광장에 반지름의 길이가 7.5 m인 원 모양의 분수대를 설치한 후 잔디를 심으려고 한다. 잔디를 심어야 하는 부분의 넓이를 인수분해 공식을 이용하여 구하시오.**

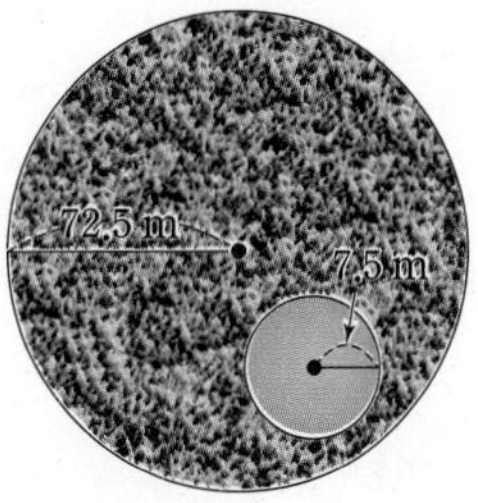

도형의 둘레, 넓이, 부피를 나타내는 다항식을 인수분해하여 다항식의 곱으로 나타낸다.

3-1 다음 그림에서 두 널빤지 (가), (나)의 넓이가 같을 때, 널빤지 (나)의 가로의 길이를 구하시오.

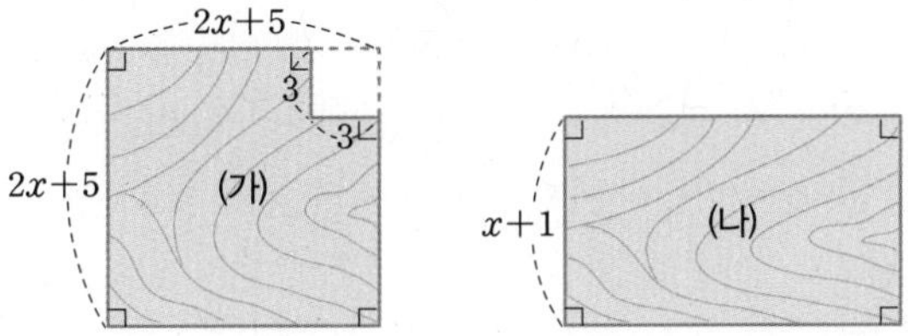

인수분해하는 생각의 순서

다항식의 전개와 인수분해는 서로 반대 개념이므로 다항식의 전개를 할 수 있으면 인수분해를 쉽게 할 수 있을 것 같아 보이지만 실제로는 그렇지 않은 경우가 많다. 따라서 인수분해 하는 방법을 익히고 연습해야 한다. 하지만 일일이 그 방법을 익히는 데는 어려움이 따르므로 아래와 같이 인수분해하는 생각의 순서를 따라가면 그 수고가 줄어들 것이다.

아래의 순서를 따라가면 중학수학에서 다루는 다항식을 모두 인수분해할 수 있다.

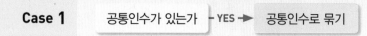

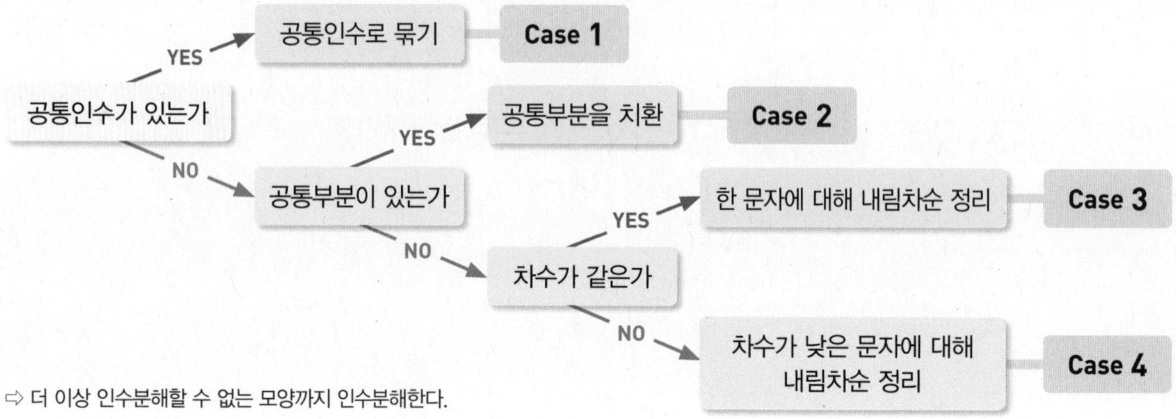

⇨ 더 이상 인수분해할 수 없는 모양까지 인수분해한다.

Case 1 공통인수가 있는가 –YES→ 공통인수로 묶기

공통인수로 묶을 때 공통인수가 한 눈에 보이는 경우와 그렇지 않은 경우가 있다.

❶ 공통인수가 한눈에 보이는 경우 ➡ 공통인수로 묶는다.

x^2y-3xy^2+2xy —(공통인수 xy로 묶기)→ $xy(x-3y+2)$

적용 $x^2y-3xy+2y$ —(공통인수 y로 묶기)→ $y(x^2-\square+2)$

—(괄호 안의 식을 인수분해)→ $y(x-1)(\square)$

❷ 공통인수가 한눈에 보이지 않는 경우 ➡ 식을 적당히 정리하여 공통인수로 묶는다.

$ax-bx+a-b$ —(공통인수가 보이도록 식을 정리)→ $a(x+1)-b(x+1)$

—(공통인수 $x+1$로 묶기)→ $(a-b)(x+1)$

적용 $xy+1-x-y$ —(공통인수가 보이도록 식을 정리)→ $x(\square)-(y-1)$

—(공통인수 $y-1$로 묶기)→ $(x-1)(\square)$

답 ❶ $3x$, $x-2$ ❷ $y-1$, $y-1$

Case 2

공통인수가 있는가 – NO → 공통부분이 있는가 – YES → 공통부분을 치환

공통부분이 있는 경우 공통부분을 한 문자로 치환한 후 인수분해 공식을 적용한다.

$(x+y)^2-(x+y)-2$ —($x+y$를 t로 치환)→ t^2-t-2

—(인수분해 공식을 적용)→ $(t-2)(t+1)$

—(t를 $x+y$로 바꾸기)→ $(x+y-2)(x+y+1)$

적용 $3(x+y)^2-4(x+y)-15$ —($x+y$를 t로 치환)→ $3t^2-$ ☐ -15

—(인수분해 공식을 적용)→ $(t-3)($ ☐ $)$

—(t를 $x+y$로 바꾸기)→ $(x+y-3)($ ☐ $)$

답 $4t$, $3t+5$, $3x+3y+5$

Case 3

공통인수가 있는가 – NO → 공통부분이 있는가 – NO → 차수가 같은가 – YES → 한 문자에 대해 내림차순 정리

차수가 같은 경우 어느 한 문자에 대해 내림차순으로 정리한 후 인수분해 공식을 적용한다.
주로 x, y인 경우 x에 대해 a, b인 경우 a에 대해 내림차순으로 정리

$x^2+y^2+2xy+x+y-2$ —(x에 대해 내림차순으로 정리)→ $x^2+(2y+1)x+y^2+y-2$

—(y에 대한 식을 인수분해)→ $x^2+(2y+1)x+(y+2)(y-1)$

—(전체를 인수분해)→ $(x+y+2)(x+y-1)$

적용 $a^2-5a-5b+2ab+b^2+4$ —(a에 대해 내림차순으로 정리)→ $a^2+($ ☐ $)a+$ ☐

—(b에 대한 식을 인수분해)→ $a^2+(2b-5)a+(b-1)($ ☐ $)$

—(전체를 인수분해)→ $(a+b-1)($ ☐ $)$

답 $2b-5$, b^2-5b+4, $b-4$, $a+b-4$

Case 4

공통인수가 있는가 – NO → 공통부분이 있는가 – NO → 차수가 같은가 – NO → 차수가 낮은 문자에 대해 내림차순 정리

차수가 다른 경우 차수가 낮은 문자에 대해 내림차순으로 정리한 후 인수분해 공식을 적용한다.

$x^2+xy+y-x-2$ —(y에 대해 내림차순으로 정리)→ $y(x+1)+(x^2-x-2)$

—(x에 대한 식을 인수분해)→ $y(x+1)+(x-2)(x+1)$

—(공통인수로 묶기)→ $(x+1)(x+y-2)$

적용 $a^2+ab-5a-2b+6$ —(b에 대해 내림차순으로 정리)→ $b($ ☐ $)+(a^2-5a+6)$

—(a에 대한 식을 인수분해)→ $b(a-2)+($ ☐ $)(a-3)$

—(공통인수 묶기)→ $(a-2)($ ☐ $)$

답 $a-2$, $a-2$, $a+b-3$

기본 문제

1 인수분해의 뜻

다음 중 다항식 $(x-1)(x+1)$의 인수가 아닌 것은?

① 1 ② $x-1$ ③ $x+1$
④ x^2-x ⑤ $(x-1)(x+1)$

2 완전제곱식을 이용한 인수분해 (1)

다음 중 완전제곱식으로 나타낼 수 없는 것은?

① $a^2-12a+36$ ② $16a^2-8a+1$
③ $x^2-x+\frac{1}{4}$ ④ $9a^2+24ab+16b^2$
⑤ $36x^2+12xy+4y^2$

3 완전제곱식 만들기

다음은 선생님과 윤희가 나눈 대화이다. 윤희의 대답 중 잘못된 부분을 찾아 바르게 고치시오.

> 선생님: 다항식 $4x^2-12x+\square$가 완전제곱식이 되려면 $\square$ 안에 어떤 수가 들어가야 할까?
>
> 윤희: -12의 $\frac{1}{2}$의 제곱이니까 $\left(\frac{-12}{2}\right)^2=(-6)^2=36$이에요.

4 합과 차의 곱을 이용한 인수분해 (1)

다항식 $3a^2-\frac{1}{3}b^2$을 인수분해하면?

① $\frac{1}{9}(a+b)(a-b)$ ② $\frac{1}{3}(a+b)(a-b)$
③ $\frac{1}{9}(3a+b)(3a-b)$ ④ $\frac{1}{3}(3a+b)(3a-b)$
⑤ $(3a+b)(3a-b)$

5 x^2의 계수가 1인 이차식의 인수분해

다항식 $x^2-5x-24$가 x의 계수가 1인 두 일차식의 곱으로 인수분해될 때, 두 일차식의 합은?

① $2x-5$ ② $2x-3$ ③ $2x-1$
④ $2x+3$ ⑤ $2x+5$

6 x^2의 계수가 1이 아닌 이차식의 인수분해

이차식 $(2x+1)(x-2)-3$의 인수인 것은?

① $x-2$ ② $x+1$ ③ $2x+1$
④ $2x+5$ ⑤ $3x+4$

7 인수분해 공식 종합

오른쪽 표와 같은 규칙으로 다음 표를 완성하려고 한다. ㉠에 알맞은 다항식을 구하시오.

×	A	B
C	AC	BC
D	AD	BD

×		$x+2$
$3x-1$	$3x^2-7x+2$	
	㉠	$x^2-5x-14$

8 두 다항식의 공통인수 구하기

다음 중 두 다항식 $6x^2+x-2$, $8x^2-10x+3$의 공통인수는?

① $x-1$ ② $2x-1$ ③ $2x+1$
④ $3x+2$ ⑤ $4x-3$

9 인수가 주어진 이차식의 미지수의 값 구하기

다항식 $4x^2-axy+3y^2$이 $2x-y$를 인수로 가질 때, 상수 a의 값은?

① -8 ② -3 ③ 3
④ 5 ⑤ 8

10 공통인수로 묶어 인수분해하기

다항식 $a^2(a+2)-b^2(a+2)$를 바르게 인수분해한 것은?

① $(a+2)(a^2+b^2)$ ② $(a+2)(a+b)^2$
③ $(a+2)^2(a-b)$ ④ $(a+2)(a-b)^2$
⑤ $(a+2)(a+b)(a-b)$

11 치환을 이용한 인수분해 (1)

$4(x+2)^2-24(x+2)+36=a(x+b)^2$일 때, 상수 a, b에 대하여 $a+b$의 값은?

① 1 ② 3 ③ 5
④ 7 ⑤ 9

12 ( )( )( )( )$+k$ 꼴의 인수분해

$(x-5)(x-3)(x+1)(x+3)+36=(x^2-ax-b)^2$일 때, 상수 a, b에 대하여 $a+b$의 값은?

① 3 ② 5 ③ 7
④ 9 ⑤ 11

13 항이 4개인 식의 인수분해

다음 중 다항식 $a^2+8a+16-9b^2$의 인수를 모두 고르면? (정답 2개)

① $a+3b+3$ ② $a+3b-3$ ③ $a+3b+4$
④ $a-3b+4$ ⑤ $a-3b-4$

14 인수분해 공식을 이용하여 수를 계산하기

인수분해 공식을 이용하여 다음을 계산하시오.

$$30\times 51^2-30\times 49^2$$

15 인수분해 공식을 이용하여 수를 계산하기

다음을 계산하는 데 가장 알맞은 인수분해 공식은?

$$10^2-20^2+30^2-40^2+\cdots+90^2-100^2$$

① $a^2+2ab+b^2=(a+b)^2$
② $a^2-2ab+b^2=(a-b)^2$
③ $a^2-b^2=(a+b)(a-b)$
④ $x^2+(a+b)x+ab=(x+a)(x+b)$
⑤ $acx^2+(ad+bc)x+bd=(ax+b)(cx+d)$

16 인수분해 공식을 이용하여 식의 값 구하기

$x^2-y^2+2y-1=25$, $x+y=6$일 때, $x-y$의 값은?

① 3 ② 4 ③ 5
④ 6 ⑤ 7

17 도형에의 활용

아래 그림과 같이 바닥의 넓이가 각각 $6a^2+a-1$, $6a+3$인 직사각형 모양의 회의실과 휴게실을 합쳐 수학교실을 만들려고 한다. 다음 물음에 답하시오.

(단, 벽의 두께는 무시한다.)

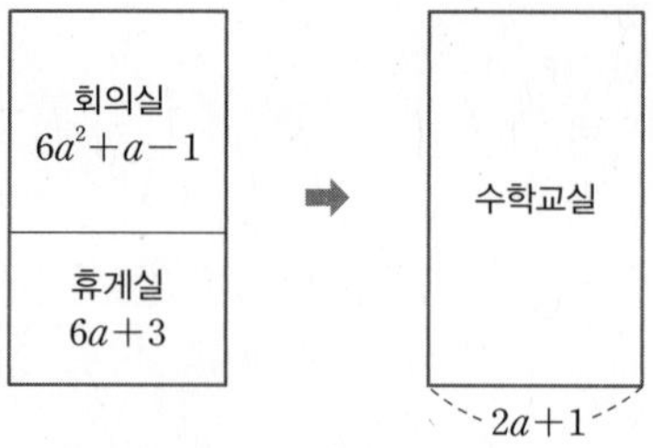

(1) 회의실과 휴게실의 바닥의 넓이의 합은 $6a^2+$ (가) $a+$ (나) 이다. (가), (나)에 들어갈 수를 차례로 구하시오.

(2) 수학교실 바닥은 가로의 길이가 $2a+1$인 직사각형 모양이라 할 때, 세로의 길이를 구하시오.

발전 문제

1 다음 두 식이 모두 완전제곱식이 될 때, 상수 a, b에 대하여 $a+b$의 값을 구하시오.

$$25x^2+40x+a, \qquad 2x^2-8x+b$$

x^2의 계수가 1인 다항식이 완전제곱식이 될 상수항의 조건은

$(\text{상수항})=\left(\dfrac{\text{일차항의 계수}}{2}\right)^2$

임을 이용한다.
이때 x^2의 계수가 1이 아니면 x^2의 계수로 식을 묶어서 x^2의 계수가 1의 형태가 되도록 한다.

2 x^2의 계수가 1인 어떤 이차식을 인수분해하는데 용화는 x의 계수를 잘못 보아 $(x+2)(x-6)$으로 인수분해하였고, 민정이는 상수항을 잘못 보아 $(x+6)(x-7)$로 인수분해하였다. 처음 이차식을 바르게 인수분해하시오.

3 다음 그림에서 두 두형 ㈎, ㈏의 넓이가 같을 때, 도형 ㈏의 가로의 길이는?

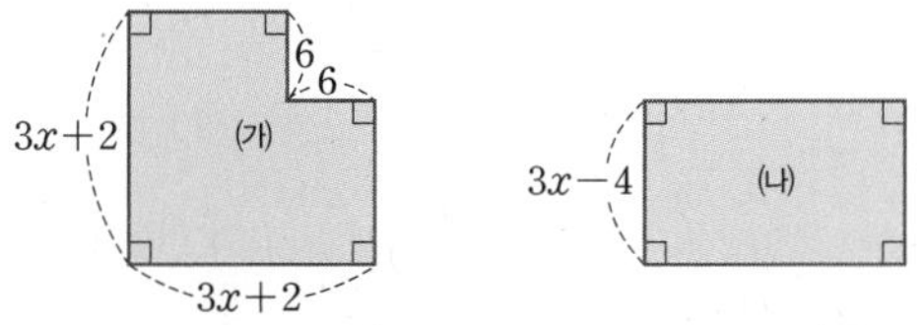

① $2x+6$　　② $2x+8$　　③ $3x+4$
④ $3x+6$　　⑤ $3x+8$

4 1보다 큰 자연수 n에 대하여 n^3-n은 3의 배수임을 설명하시오.

5 다항식 $x^2-5x-5y+2xy+y^2+4$가 x의 계수가 1인 두 일차식의 곱으로 인수분해될 때, 두 일차식의 합을 구하시오.

어느 한 문자에 대하여 내림차순으로 정리해 본다.

6 $-1<x<5$일 때, $\sqrt{x^2+2x+1}-\sqrt{x^2-10x+25}$를 간단히 하기 위한 풀이 과정을 쓰고 답을 구하시오.

서술형

① 단계: 근호 안의 식을 인수분해하기

x^2+2x+1을 인수분해하면 ________

$x^2-10x+25$를 인수분해하면 ________

② 단계: 근호 안의 식 $x+1$, $x-5$의 부호 알기

$-1<x<5$이므로 $x+1$ ____ 0, $x-5$ ____ 0

③ 단계: 주어진 식을 간단히 하기

$\sqrt{x^2+2x+1}-\sqrt{x^2-10x+25}=\sqrt{\quad\quad}-\sqrt{\quad\quad}$

$=$ ________________

$=$ ________________

$=$ ________________

► Check List
- 근호 안의 식을 바르게 인수분해하였는가?
- $x+1$, $x-5$의 부호를 바르게 구하였는가?
- 주어진 식을 제곱근의 성질을 이용하여 근호를 없앤 후 간단히 나타내었는가?

7 다항식 $(x+y)(x+y-3)+2$가 x의 계수가 1인 두 일차식의 곱으로 인수분해될 때, 두 일차식의 합을 구하기 위한 풀이 과정을 쓰고 답을 구하시오.

서술형

① 단계: 공통부분을 A로 치환하여 인수분해하기

② 단계: 치환한 문자에 원래의 식 대입하기

③ 단계: 두 일차식의 합 구하기

► Check List
- 치환하여 바르게 인수분해하였는가?
- 치환한 문자에 원래의 식을 바르게 대입하였는가?
- 두 일차식의 합을 바르게 구하였는가?

III 이차방정식

1 이차방정식과 그 풀이

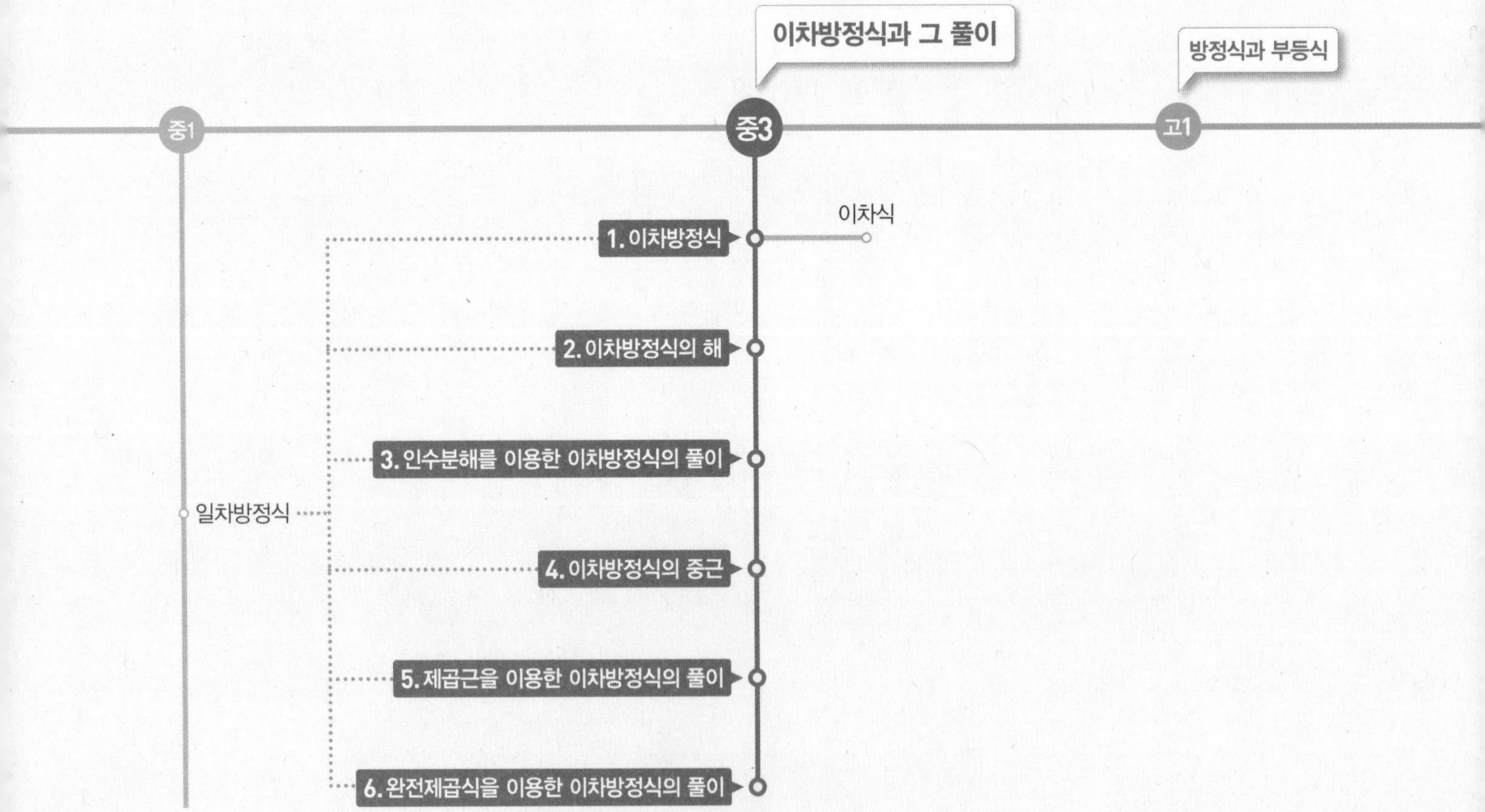
이차방정식과 그 풀이
방정식과 부등식
중1
중3
고1
이차식
1. 이차방정식
2. 이차방정식의 해
3. 인수분해를 이용한 이차방정식의 풀이
일차방정식
4. 이차방정식의 중근
5. 제곱근을 이용한 이차방정식의 풀이
6. 완전제곱식을 이용한 이차방정식의 풀이

이차방정식을 풀어가는 생각의 순서

이차방정식

$$ax^2+bx+c=0$$

인수분해가 되는가?

YES

$$(x-\square)(x-\triangle)=0$$

$AB=0$이면
$A=0$ 또는 $B=0$

$$x=\square \text{ 또는 } x=\triangle$$

NO 완전제곱식을 이용

$$(x-\blacksquare)^2=\blacktriangle$$

제곱근을 이용

$$x=\blacksquare\pm\sqrt{\blacktriangle}$$

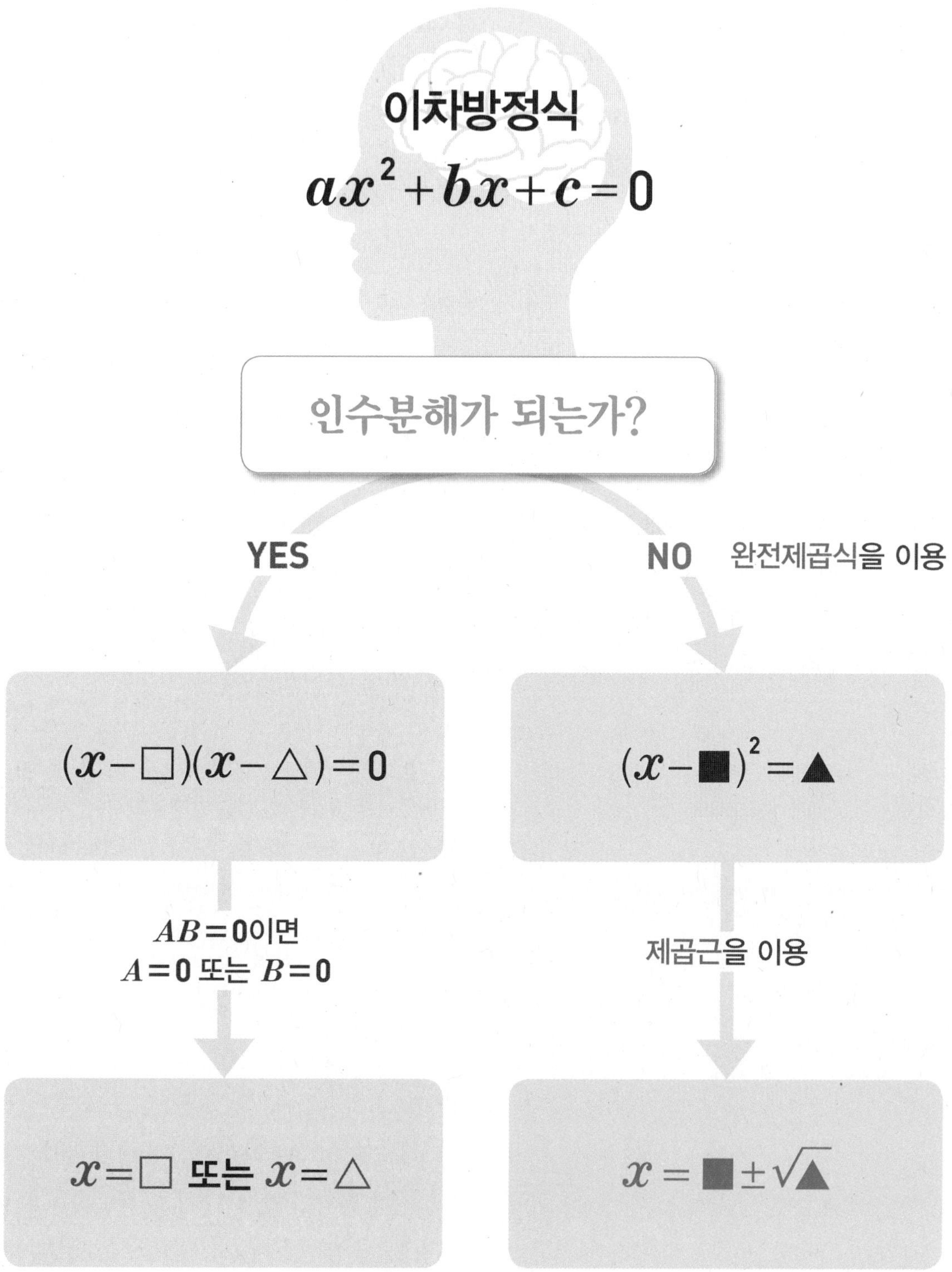

개념 이해 1 이차방정식

(1) **x에 대한 이차방정식:** 등식의 우변의 모든 항을 좌변으로 이항하여 정리한 식이

$(x$에 대한 이차식$)=0$

의 꼴로 나타내어지는 방정식

x^2-x-2 ➡ 이차식

$x^2-x-2=0$ ➡ 이차방정식

(2) **이차방정식의 일반형:** $ax^2+bx+c=0$ (a, b, c는 상수, $a\neq0$)

예 $x^2-5=0$, $x^2+2x+1=0$ ➡ 이차방정식이다.

$2x-1=0$, $x^2+2=x^2-x$ ➡ 이차방정식이 아니다.

> x에 대한 이차방정식
> 등식 $x(x-2)=24$에서 좌변의 괄호를 풀면 $x^2-2x=24$
> 상수항을 좌변으로 이항하면 $x^2-2x-24=0$
> 이와 같이 등식의 모든 항을 좌변으로 이항하여 정리하였을 때,
> $(x$에 대한 이차식$)=0$
> 의 꼴로 나타내어지는 방정식을 x에 대한 이차방정식이라 한다.

$ax^2+bx+c=0$ (a, b, c는 상수)은 이차방정식일까?

어떤 방정식이 이차방정식이 되려면 등식의 모든 항을 좌변으로 이항하였을 때, 좌변이 이차식이어야 하므로 반드시 이차항이 존재해야 한다. 따라서 방정식 $ax^2+bx+c=0$(a, b, c는 상수)이 이차방정식이 되려면 $a\neq0$의 조건이 필요하다. 만약 $a=0$, $b=2$, $c=1$이면

$$0\times x^2+2x+1=0 \rightarrow 2x+1=0 \text{ (일차방정식)}$$

과 같이 이차항이 사라져 이차방정식이 아니다. 따라서 이차항의 계수가 문자로 주어진 경우 0이 되지 않도록 해야 한다.

개념확인

1. 다음 중 이차방정식인 것은 ○표, 이차방정식이 아닌 것은 ×표를 ( ) 안에 써넣으시오.

(1) $x^2-4x+3=0$ ( )

(2) $4x-2=0$ ( )

(3) $3x^2+x+2$ ( )

(4) $x(x-1)=0$ ( )

(5) $x^2+3x=1+2x^2$ ( )

(6) $(x-1)^2=x^2+x$ ( )

2. 다음 이차방정식을 $ax^2+bx+c=0$의 꼴로 나타낼 때, 상수 a, b, c의 값을 각각 구하시오. (단, a는 가장 작은 자연수)

(1) $-x^2+x=3(x-1)$

(2) $(x+4)(x-2)=x-3$

3 다음 이차방정식을 $4x^2+bx+c=0$의 꼴로 나타낼 때, 상수 b, c의 값을 각각 구하시오.

$$4x(x-3)=-3(3x-2)$$

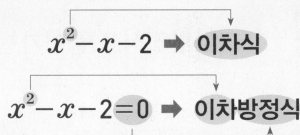

개념 적용

익힘북 55쪽 | 정답과 풀이 33쪽

이차방정식

1 다음 중 이차방정식이 <u>아닌</u> 것은?

① $x^2-2=0$
② $6x^2=37$
③ $x^2-x=-x^2+3x$
④ $(x+1)(x-3)=4x$
⑤ $(3x-2)^2=9x^2+6$

x에 대한 이차방정식
등식의 우변에 있는 모든 항을 좌변으로 이항하여 정리하였을 때,
(x에 대한 이차식)$=0$
의 꼴로 나타내어지는 방정식

1-1 다음 **보기** 중 이차방정식인 것을 모두 고른 것은?

보기		
ㄱ. $x^2+x-1=0$	ㄴ. x^2-1	ㄷ. $x^2-2x=x^2$
ㄹ. $(x-2)(x+2)=0$	ㅁ. $2x^2+x=x^2$	ㅂ. x^2+2x-3

① ㄱ, ㅁ
② ㄴ, ㅂ
③ ㄴ, ㄷ, ㄹ
④ ㄱ, ㄹ, ㅁ
⑤ ㄱ, ㄷ, ㅁ, ㅂ

1-2 $2x^2+2x=ax^2+2x-5$가 이차방정식이 되도록 하는 상수 a의 조건을 구하시오.

이차방정식의 일반형

2 **이차방정식 $(x-1)(x+1)=2x^2+3x-5$를 $ax^2+bx+c=0$의 꼴로 나타낼 때, 상수 a, b, c에 대하여 $a+b+c$의 값은? (단, a는 가장 작은 자연수)**

① -3
② 0
③ 2
④ 4
⑤ 8

이차방정식의 일반형
a, b, c는 상수이고 $a\neq0$일 때,
$ax^2+bx+c=0$

2-1 이차방정식 $(2x-1)^2=4$를 $ax^2+bx-3=0$의 꼴로 나타낼 때, 상수 a, b에 대하여 ab의 값은?

① -16
② -10
③ -2
④ 4
⑤ 10

개념 이해

2 이차방정식의 해

(1) **이차방정식의 해 또는 근:** 이차방정식 $ax^2+bx+c=0$을 참이 되게 하는 미지수 x의 값

$x=p$가 이차방정식 $ax^2+bx+c=0$의 해이다.
⬇
$ap^2+bp+c=0$

(2) **이차방정식을 푼다:** 이차방정식의 해를 모두 구하는 것

이차방정식의 해

x의 값이 -2, -1, 0, 1일 때, 이차방정식 $x^2+x-2=0$을 풀어 보면

x	좌변	우변	참/거짓
-2	$(-2)^2+(-2)-2=0$	0	참
-1	$(-1)^2+(-1)-2=-2$	0	거짓
0	$0^2+0-2=-2$	0	거짓
1	$1^2+1-2=0$	0	참

즉, 이차방정식 $x^2+x-2=0$은 $x=-2$ 또는 $x=1$일 때 참이므로 해는 $x=-2$ 또는 $x=1$이다.
이때 x의 값에 대하여 특별한 조건이 없을 때에는 x의 값은 실수 전체로 생각한다.

개념확인

1. 다음 **보기** 중 $x=2$를 해로 가지는 이차방정식을 모두 고르시오.

보기

ㄱ. $x^2-2x=0$　　ㄴ. $x(x-3)=2$
ㄷ. $3x^2-4x-4=0$　　ㄹ. $x^2=6x-3$

2. 다음 [　] 안의 수가 주어진 이차방정식의 해이면 ○표, 해가 아니면 ×표를 (　) 안에 써넣으시오.

(1) $2x^2+x-3=0$ [1]　(　　)
(2) $x^2-4x-5=0$ [-1]　(　　)
(3) $(x-1)^2-8=0$ [-2]　(　　)
(4) $2x^2-x-1=0$ $\left[\frac{1}{2}\right]$　(　　)

3. x의 값이 -2, -1, 0, 1일 때, 다음 이차방정식을 푸시오.

$$x^2+3x=-2$$

이차방정식의 해

1 **다음 중 [ ] 안의 수가 주어진 이차방정식의 해가 아닌 것은?**

① $x^2-x-2=0$ [2]
② $x^2+3x=0$ [-3]
③ $2x^2-5x+2=0$ $\left[\frac{1}{2}\right]$
④ $-3x^2+x+2=0$ [-1]
⑤ $2(x-3)^2=8$ [5]

이차방정식의 해의 의미
방정식 해
$ax^2+bx+c=0 \xleftarrow{\text{대입}} x=a$
⬇
$aa^2+ba+c=0$ (참)

1-1 다음 중 $x=3$을 해로 가지는 이차방정식은?

① $x^2=3$
② $x^2+5x+6=0$
③ $(x-2)(x+2)=5$
④ $2x^2-6x+3=0$
⑤ $x^2-3x-9=0$

1-2 x의 값이 -1 이상 4 이하의 정수일 때, 이차방정식 $x^2-3x-4=0$을 푸시오.

한 근이 주어질 때, 미지수의 값 구하기

2 **이차방정식 $x^2+ax-12=0$의 한 근이 $x=3$일 때, 상수 a의 값을 구하시오.**

이차방정식의 한 근이 $x=a$이다.
⇨ $x=a$를 이차방정식에 대입하면 등식이 성립한다.

2-1 이차방정식 $x^2+6x+a=0$의 한 해가 $x=-2$일 때, 상수 a의 값을 구하시오.

2-2 이차방정식 $2x^2+3x-1=0$의 한 근이 $x=p$일 때, $2p^2+3p$의 값을 구하시오.

개념 이해 3

인수분해를 이용한 이차방정식의 풀이

(1) 두 수 또는 두 식 A, B에 대하여 $AB=0$이면 $A=0$ 또는 $B=0$

$A=0$ 또는 $B=0$
➡ A가 0이거나 B가 0이다.
또는 A, B 둘 다 0이다.

> $AB=0$이면 $A=0$ 또는 $B=0$
> 두 수 또는 두 식 A, B에 대하여 $AB=0$이면 다음의 세 가지 중에서 어느 하나가 성립한다.
> (1) $A=0$, $B=0$ (2) $A=0$, $B\neq0$ (3) $A\neq0$, $B=0$
> 이를 종합하여 다음과 같이 나타낼 수 있다.
> $AB=0$이면 $A=0$ 또는 $B=0$

(2) 인수분해를 이용한 이차방정식의 풀이

$$2x^2+3x=2$$
① $ax^2+bx+c=0(a>0)$으로 이차방정식을 정리한다.
$$2x^2+3x-2=0$$
② $(px-q)(rx-s)=0$으로 좌변을 인수분해한다.
$$(2x-1)(x+2)=0$$
③ 이차방정식의 해는 $x=\frac{q}{p}$ 또는 $x=\frac{s}{r}$이다.
$$x=\frac{1}{2} \text{ 또는 } x=-2$$

참고 $(px-q)(rx-s)=0$ ➡ $px-q=0$ 또는 $rx-s=0$ ➡ $x=\frac{q}{p}$ 또는 $x=\frac{s}{r}$

이차방정식의 차수를 낮추면 문제 해결이 쉬워져!

수학에서는 복잡한 문제를 좀 더 간단한 문제로 고쳐서 해결하는 경우가 있다. 예를 들어 연립방정식 $\begin{cases}2x+y=1\\x-y=2\end{cases}$는 미지수를 1개로 줄여서 문제를 해결한다. 이와 같은 맥락으로 이차방정식은 차수를 낮추면 식이 간단해진다. 두 식의 곱이 0이 되는 경우 적어도 하나의 식은 0이므로 다음과 같이 이차방정식 $x^2+4x+3=0$을 2개의 일차방정식으로 바꿀 수 있다.

$$\underbrace{(x+1)(x+3)=0}_{\text{이차방정식}} \rightarrow \underbrace{x+1=0}_{\text{일차방정식}} \text{ 또는 } \underbrace{x+3=0}_{\text{일차방정식}}$$

따라서 $x=-1$ 또는 $x=-3$이다. 즉 이차방정식의 차수를 낮추면 식이 간단해져 문제 해결이 쉬워진다.

개념확인

1. 다음 이차방정식을 푸시오.
(1) $x(x-2)=0$
(2) $(x+3)(x-5)=0$
(3) $(x+4)(x+1)=0$
(4) $(3x-2)(2x-3)=0$

2. 다음 이차방정식을 푸시오.
(1) $x^2+8x=0$
(2) $4x^2-49=0$
(3) $x^2+2x-8=0$
(4) $6x^2-5x+1=0$

3. 다음 이차방정식을 푸시오.
(1) $x^2-4x=12$
(2) $3x^2-25=10x$
(3) $x(2x-3)=20$
(4) $(x-2)(x+2)=12$

개념 적용

인수분해를 이용한 이차방정식의 풀이

1 **이차방정식 $x^2=4x+12$를 풀면?**

① $x=-6$ 또는 $x=-2$ ② $x=-6$ 또는 $x=2$
③ $x=-2$ 또는 $x=6$ ④ $x=2$ 또는 $x=6$
⑤ $x=\frac{1}{2}$ 또는 $x=4$

① 주어진 이차방정식을 $ax^2+bx+c=0$의 꼴로 정리한다.
② 좌변을 인수분해한다.
③ $AB=0$이면 $A=0$ 또는 $B=0$임을 이용하여 해를 구한다.

1-1 다음 이차방정식 중 해가 $x=-5$ 또는 $x=\frac{1}{2}$인 것을 모두 고르면? (정답 2개)

① $\left(x+\frac{1}{2}\right)(x-5)=0$ ② $(x+5)\left(x-\frac{1}{2}\right)=0$
③ $(x+5)\left(x+\frac{1}{2}\right)=0$ ④ $(x+5)(2x-1)=0$
⑤ $(2x-1)(x-5)=0$

1-2 다음 두 이차방정식의 공통인 근을 구하시오.

$x^2+3x-4=0$ $2x^2+7x-4=0$

한 근이 주어질 때, 다른 한 근 구하기

2 **이차방정식 $x^2+ax+3=0$의 한 근이 $x=1$일 때, 이 이차방정식의 다른 한 근을 구하시오. (단, a는 상수)**

이차방정식의 한 근이 $x=k$일 때, 다른 한 근 구하기
① $x=k$를 주어진 이차방정식에 대입하여 미지수의 값을 구한다.
② 이차방정식을 완성한 후, 인수분해를 이용하여 풀어 다른 한 근을 구한다.

2-1 이차방정식 $x^2-4x+a=0$의 한 근이 $x=-4$일 때, 상수 a의 값과 이차방정식의 다른 한 근을 구하시오.

개념 이해

4 이차방정식의 중근

(1) **이차방정식의 중근:** 이차방정식의 두 근이 중복되어 서로 같을 때, 이 근을 중근이라 한다.

$$x^2+2x+1=0$$
① 좌변을 인수분해한다.
$$(x+1)(x+1)=0$$
② 이차방정식의 해를 구한다.
$$x=-1 \text{ 또는 } x=-1$$
③ 이차방정식의 두 근이 중복되어 서로 같다.
$$x=-1 \text{ (중근)}$$

(2) **이차방정식이 중근을 가질 조건:** 이차방정식이 (완전제곱식)=0의 꼴로 인수분해가 되면 중근을 갖는다. 즉, 이차항의 계수가 1인 이차방정식 $x^2+ax+b=0$이 다음 조건을 만족하면 중근을 갖는다.

$$(\text{상수항})=\left\{\frac{(\text{일차항의 계수})}{2}\right\}^2 \Rightarrow b=\left(\frac{a}{2}\right)^2$$

이차방정식이 중근을 가질 조건 확인하기

이차항의 계수가 1인 이차방정식 $x^2+ax+b=0$에 대하여 $b=\left(\frac{a}{2}\right)^2$이면

$$x^2+ax+b=x^2+ax+\left(\frac{a}{2}\right)^2=\left(x+\frac{a}{2}\right)^2=0$$

$\therefore x=-\frac{a}{2}$ (중근)

즉, 이차방정식 $x^2+ax+b=0$은 $b=\left(\frac{a}{2}\right)^2$일 때 중근을 갖는다.

(완전제곱식)$=k$ 꼴일 때에는 무조건 중근을 가질까?

이차방정식 $x^2-4x+4=0$, 즉 $(x-2)^2=0$에서 $x-2=0$이므로 $x=2$(중근)이다. 하지만 섣불리 완전제곱식만 보고 이차방정식이 중근을 갖는다고 생각하면 안된다. 예를 들어 $(x-2)^2=1$에서 제곱해서 1이 되는 수는 1, -1이므로 $x-2=1$ 또는 $x-2=-1$, 즉 $x=3$ 또는 $x=1$이다. 따라서 (완전제곱식)$=k$ 꼴에서 $k=0$인

(완전제곱식)$=0$

일 때에만 이차방정식이 중근을 갖는다.

개념확인

1. 다음 이차방정식을 푸시오.

(1) $(x-5)^2=0$

(2) $(3x+1)^2=0$

(3) $x^2+6x+9=0$

(4) $4x^2-4x+1=0$

2. 다음 이차방정식이 중근을 갖도록 하는 상수 k의 값을 구하시오. (단, $k>0$)

(1) $x^2-8x+k=0$

(2) $x^2+kx+25=0$

개념 적용

이차방정식의 중근

1 **다음 이차방정식 중 중근을 갖지 않는 것은?**

① $x^2+4x+4=0$ ② $x^2+6x+9=0$ ③ $4x^2-12x+9=0$
④ $x^2+4x+3=0$ ⑤ $25x^2-10x+1=0$

이차방정식이 $a(x-m)^2=0$의 꼴로 인수분해되면 중근 $x=m$을 갖는다.

1-1 다음 **보기**의 이차방정식 중에서 중근을 갖는 것을 모두 고른 것은?

보기

ㄱ. $2x^2-x=2x$ ㄴ. $x^2+x+\frac{1}{4}=0$
ㄷ. $(x-1)(x-2)=1-x$ ㄹ. $3x(3x-2)=-1$

① ㄱ, ㄹ ② ㄴ, ㄷ ③ ㄴ, ㄹ
④ ㄱ, ㄴ, ㄷ ⑤ ㄴ, ㄷ, ㄹ

이차방정식이 중근을 가질 조건

2 **이차방정식 $x^2-6x+2a-3=0$이 중근을 가질 때, 상수 a의 값을 구하시오.**

이차방정식 $x^2+ax+b=0$이 중근을 가질 조건
⇨ $b=\left(\frac{a}{2}\right)^2$

2-1 이차방정식 $x^2+14x-5m+4=0$이 중근을 가질 때, 상수 m의 값을 구하시오.

2-2 이차방정식 $(x+4)^2=a$가 중근을 가질 때, 상수 a의 값과 그 때의 중근을 구하시오.

개념 이해 5

제곱근을 이용한 이차방정식의 풀이

(1) 이차방정식 $x^2=k(k\geq 0)$의 해

$$x^2=k \Rightarrow x=\pm\sqrt{k}$$

참고 이차방정식 $x^2=k$에서

① $k>0$일 때, $x=\pm\sqrt{k}$
② $k=0$일 때, $x^2=0$에서 $x=0$ (중근)
(①, ② 모두) 해를 갖는다.
③ $k<0$일 때, 제곱해서 음수가 되는 수는 없으므로 해를 갖지 않는다.

(2) 이차방정식 $(x+p)^2=k(k\geq 0)$의 해

$$(x+p)^2=k \Rightarrow x+p=\pm\sqrt{k}$$
$$\Rightarrow x=-p\pm\sqrt{k}$$

제곱근을 이용한 이차방정식의 풀이

이차방정식의 형태	$x^2=k$의 꼴	$ax^2=k$의 꼴	$(x+p)^2=k$의 꼴	$a(x+p)^2=k$의 꼴
이차방정식의 예	$x^2=5$	$2x^2=6$	$(x+1)^2=3$	$2(x-1)^2=4$
이차방정식의 풀이	$x=\pm\sqrt{5}$	양변을 2로 나누면 $x^2=3$ $\therefore x=\pm\sqrt{3}$	$x+1=\pm\sqrt{3}$ $\therefore x=-1\pm\sqrt{3}$	양변을 2로 나누면 $(x-1)^2=2$ $x-1=\pm\sqrt{2}$ $\therefore x=1\pm\sqrt{2}$

개념확인

1. 다음 이차방정식을 푸시오.

(1) $x^2=2$　　(2) $x^2-25=0$

(3) $2x^2-6=0$　　(4) $4x^2-49=0$

2. 다음 이차방정식을 푸시오.

(1) $(x+2)^2=16$　　(2) $(x-4)^2=5$

(3) $(x+3)^2-8=0$　　(4) $(x-1)^2-12=0$

3. 다음 이차방정식을 푸시오.

(1) $3(x+1)^2=12$　　(2) $2(x-3)^2=6$

(3) $4(x-2)^2-20=0$　　(4) $\frac{1}{2}(x+5)^2-9=0$

! 양변에 적당한 수를 곱하거나 나누어 x^2의 계수를 1로 만든 후, 제곱근을 이용하여 푼다.

개념 적용

제곱근을 이용한 이차방정식의 풀이

1 이차방정식 $4(x-3)^2=20$의 해가 $x=A\pm\sqrt{B}$일 때, 유리수 A, B에 대하여 $A-B$의 값은?

① -6　② -2　③ 3　④ 7　⑤ 11

$a(x-p)^2=k(ak>0)$의 해
⇨ $(x-p)^2=\frac{k}{a}$
⇨ $x-p=\pm\sqrt{\frac{k}{a}}$
⇨ $x=p\pm\sqrt{\frac{k}{a}}$

1-1 이차방정식 $3(x-1)^2-6=0$의 두 근의 합은?

① $-2\sqrt{2}$　② -2　③ -1　④ 2　⑤ $2\sqrt{2}$

1-2 이차방정식 $(x+a)^2=b$의 두 근이 $x=-2\pm\sqrt{6}$일 때, 유리수 a, b에 대하여 $a+b$의 값은?

① 2　② 5　③ 8　④ 12　⑤ 15

▸ $(x+a)^2=b(b\geq0)$의 해
⇨ $x+a=\pm\sqrt{b}$
⇨ $x=-a\pm\sqrt{b}$

1-3 이차방정식 $3(x-a)^2=b$의 해가 $x=4\pm\sqrt{3}$일 때, 유리수 a, b에 대하여 ab의 값을 구하시오.

1-4 이차방정식 $(x+4)^2=q$의 한 근이 $x=-4+\sqrt{7}$일 때, 유리수 q의 값과 다른 한 근을 구하시오.

▸ 이차방정식 $(x+a)^2=b$를 풀면 $x=-a\pm\sqrt{b}$이므로 한 근이 $x=-a+\sqrt{b}$일 때, 다른 한 근은 $x=-a-\sqrt{b}$이다.

개념 이해 6

완전제곱식을 이용한 이차방정식의 풀이

이차방정식 $ax^2+bx+c=0$에서 좌변을 인수분해할 수 없을 때에는 완전제곱식을 이용하여 해를 구할 수 있다.

$$4x^2-8x-16=0$$

① 양변을 4로 나누어 x^2의 계수를 1로 만든다.

$$x^2-2x-4=0$$

② 상수항 -4를 우변으로 이항한다.

$$x^2-2x=4$$

③ 양변에 $\left\{\frac{(\text{일차항의 계수})}{2}\right\}^2=\left(\frac{-2}{2}\right)^2=1$을 더한다.

$$x^2-2x+1=4+1$$

④ (완전제곱식)=(상수)의 꼴로 정리한다.

$$(x-1)^2=5$$

⑤ 제곱근을 이용하여 해를 구한다.

$$x=1\pm\sqrt{5}$$

개념확인

1. 다음은 완전제곱식을 이용하여 이차방정식을 푸는 과정이다. □ 안에 알맞은 수를 써넣으시오.

(1) $x^2-6x+3=0$

➡ $x^2-6x=-3$

➡ $x^2-6x+\square=\square$

➡ $(x-\square)^2=\square$

➡ $x=\square\pm\sqrt{\square}$

(2) $2x^2-4x-7=0$

➡ $x^2-2x-\frac{7}{2}=0$

➡ $x^2-2x=\square$

➡ $x^2-2x+\square=\square$

➡ $(x-\square)^2=\square$

➡ $x=\square\pm\frac{\square}{2}$

2. 다음 이차방정식을 완전제곱식을 이용하여 푸시오.

(1) $x^2+4x+2=0$

(2) $3x^2+6x-1=0$

개념 적용

완전제곱식의 꼴로 고치기

1 **이차방정식 $2x^2-8x+1=0$을 $(x+p)^2=q$의 꼴로 나타낼 때, 상수 p, q에 대하여 pq의 값은?**

① -14 ② -7 ③ 1
④ 7 ⑤ 14

이차방정식 $ax^2+bx+c=0$을 완전제곱식 $(x+p)^2=q$의 꼴로 고치는 방법
① 이차항의 계수를 1로 만든다.
② 상수항을 우변으로 이항한다.
③ 양변에 $\left\{\frac{(\text{일차항의 계수})}{2}\right\}^2$을 더한다.
④ $(x+p)^2=q$의 꼴로 고친다.

1-1 이차방정식 $x^2+6x+3=0$을 $(x+p)^2=q$의 꼴로 나타낼 때, 상수 p, q에 대하여 $p+q$의 값을 구하시오.

완전제곱식을 이용한 이차방정식의 풀이

2 **이차방정식 $x^2+10x-7=0$의 해가 $x=a\pm b\sqrt{2}$일 때, 유리수 a, b에 대하여 $a+b$의 값을 구하시오. (단, $b>0$)**

① 이차방정식을 $(x+p)^2=q$의 꼴로 고친다.
② 제곱근을 이용하여 해를 구한다.
③ 주어진 해와 비교하여 미지수 a, b의 값을 구한다.

2-1 다음은 이차방정식 $x^2-8x+4=0$의 해를 구하는 과정을 다섯 장의 카드에 각각 적은 것이다. 각 카드의 기호를 풀이 순서대로 나열하시오.

(가) $x-4=\pm2\sqrt{3}$

(나) $x=4\pm2\sqrt{3}$

(다) $(x-4)^2=12$

(라) $x^2-8x=-4$

(마) $x^2-8x+16=-4+16$

2-2 이차방정식 $2x^2-6x-2=0$의 두 근의 차를 구하시오.

기본 문제

1 이차방정식

다음 중 이차방정식인 것을 모두 고르면? (정답 2개)

① $2x^2-3x+1=0$　② $3x(x+1)=3x^2$
③ $x(x-3)=x(x+1)$　④ $x^2-2=4x+x^2$
⑤ $x^3-2x^2+2=x^3-1$

2 이차방정식의 해

다음 중 [　] 안의 수가 주어진 이차방정식의 해인 것은?

① $x^2-5x=0$ [-5]
② $x^2-4x-12=0$ [-6]
③ $x^2-x-12=0$ [3]
④ $2x^2-3x-20=0$ [4]
⑤ $3x^2+6x-5=0$ [-2]

3 한 근이 주어질 때, 미지수의 값 구하기

이차방정식 $x^2+3x-7=0$의 한 근을 $x=a$라 할 때, a^2+3a-4의 값은?

① -3　② -1　③ 1
④ 3　⑤ 5

4 한 근이 주어질 때, 다른 한 근 구하기

이차방정식 $ax^2+(a-1)x+1=0$의 한 근이 3이고 다른 한 근이 b일 때, $3ab$의 값은? (단, a는 상수)

① -2　② 1　③ 2
④ 3　⑤ 6

5 인수분해를 이용한 이차방정식의 풀이

이차방정식 $x^2-7x-8=0$의 두 근 중 작은 근이 이차방정식 $2x^2+ax-3=0$의 한 근일 때, 상수 a의 값은?

① -3　② -2　③ -1
④ 1　⑤ 2

6 인수분해를 이용한 이차방정식의 풀이

다음 두 이차방정식의 공통인 근을 구하시오.

$$x^2-9=0 \qquad 3x^2-11x+6=0$$

7 이차방정식의 중근

다음 이차방정식 중 중근을 갖지 않는 것은?

① $x^2+10x+25=0$ ② $x^2=14x-49$
③ $x^2=4$ ④ $-16x^2=-8x+1$
⑤ $9x^2+30x+25=0$

8 이차방정식이 중근을 가질 조건

이차방정식 $x^2-10x+k=0$이 중근을 가질 때, 이차방정식 $kx^2=5x$의 해를 구하시오. (단, k는 상수)

9 제곱근을 이용한 이차방정식의 풀이

다음 이차방정식 중 해가 유리수인 것은?

① $x^2=18$ ② $x^2-45=0$
③ $3x^2-27=0$ ④ $(x-2)^2=5$
⑤ $2(x-3)^2-12=0$

10 제곱근을 이용한 이차방정식의 풀이

x에 대한 이차방정식 $(x-a)^2=4$의 한 근이 1일 때, 다른 한 근은? (단, $a>0$)

① -3 ② -1 ③ 2
④ 4 ⑤ 5

11 완전제곱식을 이용한 이차방정식의 풀이

다음은 완전제곱식을 이용하여 이차방정식 $2x^2-4x-3=0$을 푸는 과정이다. (가)~(라)에 알맞은 수를 구하시오.

① 양변을 2로 나누면 ➡ $x^2-2x-\frac{3}{2}=0$
② 상수항을 우변으로 이항하면
➡ $x^2-2x=$ (가)
③ 좌변을 완전제곱식으로 만들면
➡ $x^2-2x+1=$ (나), $(x-1)^2=$ (나)
④ 제곱근을 이용하여 해를 구하면
➡ $x=$ (다) $\pm\frac{\sqrt{\text{(라)}}}{2}$

12 완전제곱식을 이용한 이차방정식의 풀이

이차방정식 $x^2+8x+k=0$을 완전제곱식을 이용하여 풀었더니 해가 $x=-4\pm\sqrt{11}$이었다. 이때 상수 k의 값은?

① -10 ② -6 ③ -2
④ 5 ⑤ 8

개념 완성

발전 문제

1 이차방정식 $x^2-3x+2=0$의 한 근이 a일 때, $a^2+\frac{4}{a^2}$의 값을 구하시오.

곱셈 공식의 변형
$x^2+\frac{1}{x^2}=\left(x+\frac{1}{x}\right)^2-2$
를 이용한다.

2 오른쪽 표에서 가로, 세로의 합이 서로 같을 때, x의 값은? (단, $x>-2$)

		6
x^2	$x+2$	1
		8

① 1 ② 2 ③ 3 ④ 4 ⑤ 5

3 두 이차방정식 $x^2+ax+14=0$, $3x^2+16x+b=0$의 공통인 해가 $x=-7$일 때, 두 이차방정식의 또 다른 해의 합을 구하시오.

4 이차방정식 $x^2-2ax+4a-4=0$이 중근을 갖도록 하는 상수 a의 값은?

① 1 ② 2 ③ 3 ④ 4 ⑤ 5

이차항의 계수가 1인 이차방정식 $x^2+px+q=0$이 중근을 가질 조건
➡ $q=\left(\frac{p}{2}\right)^2$

5 이차방정식 $3(x-4)^2-8=0$의 근이 $x=a\pm b\sqrt{6}$일 때, 유리수 a, b에 대하여 $3ab$의 값은?

① 6 ② 7 ③ 8 ④ 9 ⑤ 10

주어진 근이 제곱근을 포함하므로 제곱근을 이용한 이차방정식의 풀이 방법으로 a, b의 값을 구한다.

6 이차방정식 $(x+3)(x+5)=9$를 $(x+a)^2=b$의 꼴로 나타낼 때, 상수 a, b에 대하여 $a+b$의 값은?

① 6 ② 8 ③ 10 ④ 12 ⑤ 14

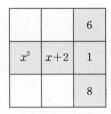

7 서술형

이차방정식 $x^2+ax-3=0$의 한 해가 $x=3$이고, 다른 한 해가 이차방정식 $3x^2-6x+b=0$의 한 해일 때, 상수 a, b에 대하여 ab의 값을 구하기 위한 풀이 과정을 쓰고 답을 구하시오.

① 단계: a의 값 구하기

$x=3$을 $x^2+ax-3=0$에 대입하면

____________ $\therefore a=$______

② 단계: 이차방정식 $x^2+ax-3=0$의 다른 한 해 구하기

a의 값을 $x^2+ax-3=0$에 대입하면

____

이차방정식을 풀면 ____________

따라서 다른 한 해는 ________이다.

③ 단계: b의 값 구하기

다른 한 해를 $3x^2-6x+b=0$에 대입하면

____________ $\therefore b=$______

④ 단계: ab의 값 구하기

$ab=$________

► Check List
- a의 값을 바르게 구하였는가?
- 이차방정식을 풀어 또 다른 해를 바르게 구하였는가?
- b의 값을 바르게 구하였는가?
- ab의 값을 바르게 구하였는가?

8 서술형

이차방정식 $x^2+8x+24-m=0$이 중근 $x=n$을 가질 때, 상수 m에 대하여 mn의 값을 구하기 위한 풀이 과정을 쓰고 답을 구하시오.

① 단계: m의 값 구하기

____

____

② 단계: n의 값 구하기

____

____

③ 단계: mn의 값 구하기

____

____

► Check List
- m의 값을 바르게 구하였는가?
- n의 값을 바르게 구하였는가?
- mn의 값을 바르게 구하였는가?

2 이차방정식의 활용

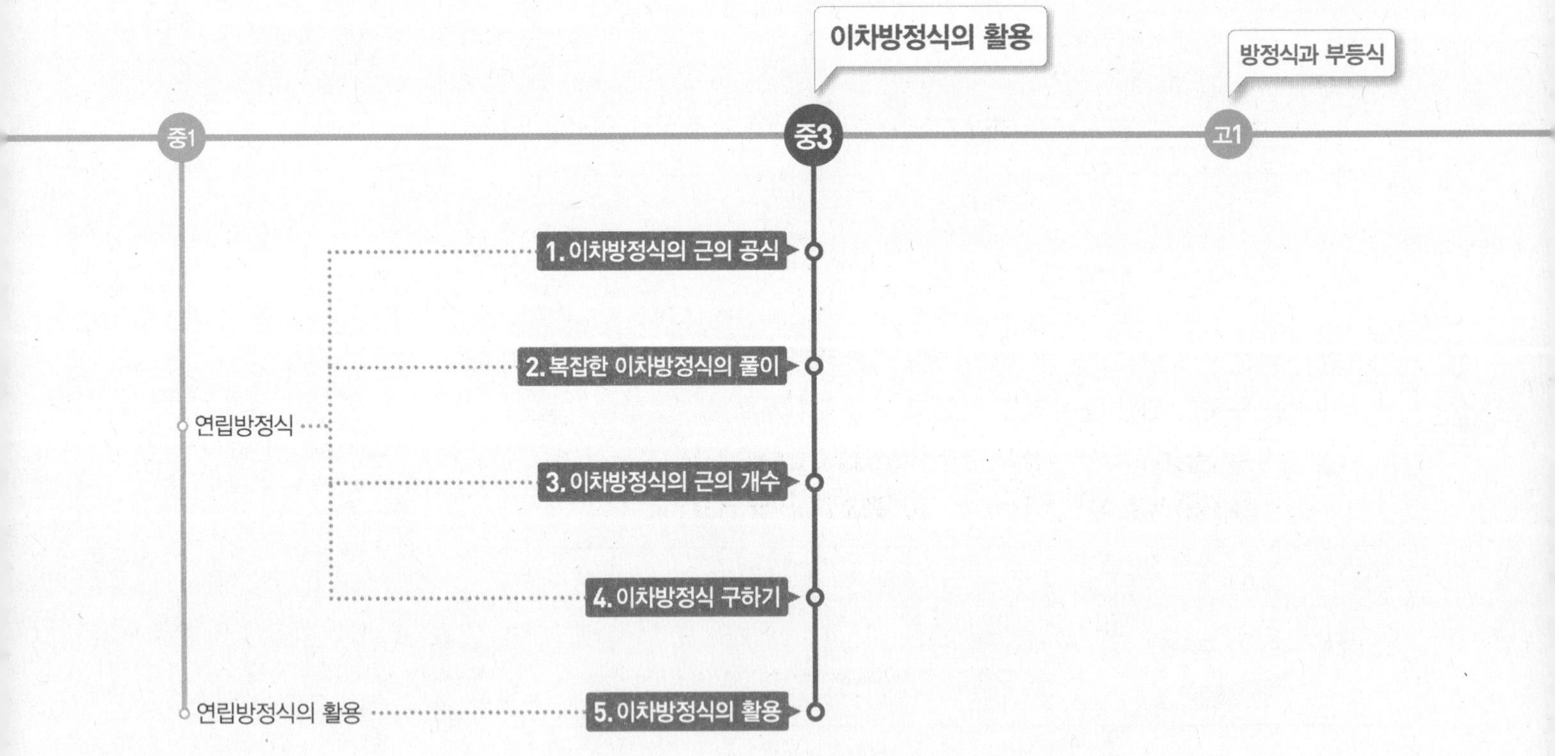

이차방정식의 활용
방정식과 부등식
중1
중3
고1
1. 이차방정식의 근의 공식
2. 복잡한 이차방정식의 풀이
연립방정식
3. 이차방정식의 근의 개수
4. 이차방정식 구하기
연립방정식의 활용
5. 이차방정식의 활용

근의 공식 – 계수로 근을 표현하다.

일차방정식

$$\blacksquare x + \blacktriangle = 0$$

등식의 성질을 이용

$$x = -\frac{\blacktriangle}{\blacksquare}$$

이차방정식

$$\blacksquare x^2 + \blacktriangle x + \bigstar = 0$$

완전제곱식과 제곱근을 이용

$$x = \frac{-\blacktriangle \pm \sqrt{\blacktriangle^2 - 4\blacksquare\bigstar}}{2\blacksquare}$$

일차방정식처럼 이차방정식도 계수로 근을 표현할 수 있다.

개념 이해 1

이차방정식의 근의 공식

(1) 근의 공식

이차방정식 $ax^2+bx+c=0$의 근은

$$x=\frac{-b\pm\sqrt{b^2-4ac}}{2a}\ (\text{단, } b^2-4ac\geq 0)$$

예 $2x^2-2x-3=0$의 해를 근의 공식으로 구하면 $a=2$, $b=-2$, $c=-3$이므로

$$x=\frac{-(-2)\pm\sqrt{(-2)^2-4\times2\times(-3)}}{2\times2}=\frac{2\pm\sqrt{28}}{4}=\frac{2\pm2\sqrt{7}}{4}=\frac{1\pm\sqrt{7}}{2}$$

근의 공식 확인하기

$2x^2+2x-3=0$		$ax^2+bx+c=0(a\neq0)$
	양변을 x^2의 계수로 나눈다.	
$x^2+x-\frac{3}{2}=0$		$x^2+\frac{b}{a}x+\frac{c}{a}=0$
	상수항을 우변으로 이항한다.	
$x^2+x=\frac{3}{2}$		$x^2+\frac{b}{a}x=-\frac{c}{a}$
	양변에 $\left\{\frac{(x\text{의 계수})}{2}\right\}^2$을 더한다.	
$x^2+x+\left(\frac{1}{2}\right)^2=\frac{3}{2}+\left(\frac{1}{2}\right)^2$		$x^2+\frac{b}{a}x+\left(\frac{b}{2a}\right)^2=-\frac{c}{a}+\left(\frac{b}{2a}\right)^2$
	좌변을 완전제곱식으로 나타내고, 우변을 정리한다.	
$\left(x+\frac{1}{2}\right)^2=\frac{7}{4}$		$\left(x+\frac{b}{2a}\right)^2=\frac{b^2-4ac}{4a^2}$
	제곱근을 이용한다.	
$x+\frac{1}{2}=\pm\frac{\sqrt{7}}{2}$		$x+\frac{b}{2a}=\pm\frac{\sqrt{b^2-4ac}}{2a}$
	이차방정식의 근을 구한다.	
$\therefore x=\frac{-1\pm\sqrt{7}}{2}$		$\therefore x=\frac{-b\pm\sqrt{b^2-4ac}}{2a}$

(2) 일차항의 계수가 짝수인 경우

이차방정식 $ax^2+2b'x+c=0$의 근은

$$x=\frac{-b'\pm\sqrt{b'^2-ac}}{a}\ (\text{단, } b'^2-ac\geq 0)$$

예 $2x^2-2x-3=0$에서 일차항의 계수가 짝수이므로 위의 공식으로 해를 구하면 $a=2$, $b'=-1$, $c=-3$이므로

$$x=\frac{-(-1)\pm\sqrt{(-1)^2-2\times(-3)}}{2}=\frac{1\pm\sqrt{7}}{2}$$

즉, 위의 (1)의 예에서 구한 결과와 일치한다.

일차항의 계수가 짝수인 경우 근의 공식 확인하기

이차방정식 $ax^2+2b'x+c=0$의 해를 근의 공식으로 구하면

$$x=\frac{-2b'\pm\sqrt{(2b')^2-4ac}}{2a}=\frac{-2b'\pm\sqrt{4b'^2-4ac}}{2a}=\frac{-2b'\pm2\sqrt{b'^2-ac}}{2a}=\frac{-b'\pm\sqrt{b'^2-ac}}{a}$$

개념확인

1. 다음 이차방정식을 근의 공식을 이용하여 푸시오.

(1) $x^2+x-4=0$

(2) $x^2-3x-2=0$

(3) $2x^2+7x+2=0$

(4) $4x^2-5x-1=0$

2. 다음 이차방정식을 근의 공식을 이용하여 푸시오.

(1) $x^2+2x-1=0$

(2) $x^2-4x-3=0$

개념 적용

근의 공식을 이용한 이차방정식의 풀이

1 **이차방정식 $x^2-5x+3=0$의 근이 $x=\frac{5\pm\sqrt{A}}{B}$일 때, 유리수 A, B에 대하여 $A-B$의 값은?**

① 9 ② 10 ③ 11
④ 12 ⑤ 13

이차방정식 $ax^2+bx+c=0$의 근의 공식
⇨ $x=\frac{-b\pm\sqrt{b^2-4ac}}{2a}$
(단, $b^2-4ac\geq0$)

1-1 이차방정식 $3x^2+4x-2=0$의 근이 $x=\frac{-2\pm\sqrt{A}}{3}$일 때, 유리수 A의 값은?

① 10 ② 15 ③ 20
④ 24 ⑤ 30

▸ 이차방정식의 근의 공식을 이용할 때 x의 계수가 짝수임을 확인해 본다.

1-2 이차방정식 $2x^2=3x+4$의 근이 $x=\frac{A\pm\sqrt{B}}{4}$일 때, 유리수 A, B에 대하여 $A+B$의 값을 구하시오.

근의 공식을 이용하여 미지수의 값 구하기

2 **이차방정식 $5x^2+2x+k=0$의 근이 $x=\frac{-1\pm\sqrt{6}}{5}$일 때, 유리수 k의 값은?**

① -3 ② -2 ③ -1
④ 1 ⑤ 2

근의 공식을 이용하여 이차방정식의 해를 구한 후, 주어진 해와 비교하여 미지수의 값을 구한다.

2-1 이차방정식 $3x^2+7x+m=0$의 근이 $x=\frac{n\pm\sqrt{37}}{6}$일 때, 유리수 m, n에 대하여 $m-n$의 값은?

① -6 ② -2 ③ 3
④ 8 ⑤ 11

개념 이해 2

복잡한 이차방정식의 풀이

복잡한 이차방정식은 다음과 같은 방법으로 $ax^2+bx+c=0$의 꼴로 정리한 후 해를 구한다.

계수를 정수로 고치기
⬇
괄호를 풀고 정리하기
⬇
인수분해 이용하기 또는 근의 공식 이용하기
⬇
해 구하기

(1) 괄호가 있는 경우

분배법칙, 곱셈 공식 등을 이용하여 괄호를 푼다.

예 괄호가 있는 이차방정식 $(x+2)^2=x+7$에서 괄호를 풀면 $x^2+4x+4=x+7$이므로

$x^2+3x-3=0 \quad \therefore x=\dfrac{-3\pm\sqrt{21}}{2}$

(2) 계수가 분수나 소수인 경우

① 계수가 분수일 때, 양변에 분모의 최소공배수를 곱하여 계수를 정수로 고친다.

예 $\dfrac{1}{4}x^2-\dfrac{1}{2}x-3=0$ $\times 4$

$x^2-2x-12=0$

$\therefore x=1\pm\sqrt{13}$

② 계수가 소수일 때, 양변에 10, 100, …을 곱하여 계수를 정수로 고친다.

예 $x^2+0.3x-0.1=0$ $\times 10$

$10x^2+3x-1=0$

$(2x+1)(5x-1)=0 \quad \therefore x=-\dfrac{1}{2}$ 또는 $x=\dfrac{1}{5}$

(3) 공통부분이 있는 이차방정식의 풀이

① (공통부분)$=A$로 놓은 후, $aA^2+bA+c=0$의 꼴로 고친다.

② A에 대한 이차방정식을 풀어 A의 값을 구한다.

③ A의 값을 (공통부분)$=A$에 대입하여 x의 값을 구한다.

예 이차방정식 $(x-1)^2+4(x-1)-12=0$에서

$x-1=A$로 놓으면 $A^2+4A-12=0$, $(A+6)(A-2)=0$

$\therefore A=-6$ 또는 $A=2$

따라서 $x-1=-6$ 또는 $x-1=2$이므로 $x=-5$ 또는 $x=3$

개념확인

1. 다음 이차방정식을 푸시오.

(1) $x^2=3(4x-3)$

(2) $2x(x-1)=x+9$

(3) $\dfrac{1}{2}x^2+3x+1=0$

(4) $0.3x^2+0.2x-0.5=0$

2. 다음 이차방정식을 푸시오.

(1) $(x+1)^2-4(x+1)-5=0$

(2) $2(x+4)^2+5(x+4)+3=0$

개념 적용

괄호가 있는 이차방정식의 풀이

1 **이차방정식 $3(x-2)^2=7x^2-6$의 두 근의 합은?**

① -7 ② -6 ③ -5
④ -4 ⑤ -3

괄호를 풀고 $ax^2+bx+c=0$의 꼴로 정리한 후, 인수분해 또는 근의 공식을 이용하여 이차방정식을 푼다.

1-1 이차방정식 $(x-2)(x-3)=4$를 풀면?

① $x=\frac{5\pm\sqrt{17}}{2}$ ② $x=5\pm\sqrt{17}$ ③ $x=\frac{-5\pm\sqrt{7}}{2}$
④ $x=-5\pm\sqrt{17}$ ⑤ $x=\frac{5\pm\sqrt{7}}{4}$

1-2 이차방정식 $(2x+1)(x-3)=4(x^2-1)$의 근이 $x=\frac{-5\pm\sqrt{B}}{A}$일 때, 유리수 A, B의 값을 각각 구하시오.

계수가 분수인 이차방정식의 풀이

2 **이차방정식 $\frac{3}{2}x^2-\frac{1}{3}x-\frac{1}{6}=0$의 근이 $x=\frac{A\pm\sqrt{B}}{9}$일 때, 유리수 A, B에 대하여 $A+B$의 값은?**

① 11 ② 13 ③ 15
④ 17 ⑤ 19

양변에 분모의 최소공배수를 곱하여 계수를 정수로 고친 후, 이차방정식을 풀어 주어진 근과 비교한다.

2-1 이차방정식 $\frac{1}{2}x^2-ax+1=0$의 근이 $x=3\pm\sqrt{b}$일 때, 유리수 a, b에 대하여 $a+b$의 값을 구하시오.

계수가 소수인 이차방정식의 풀이

3 **이차방정식 $0.5x^2=0.4x+1.2$의 두 근을 a, b라 할 때, $5a+b$의 값은? (단, $a<b$)**

① -5 ② -4 ③ -3
④ -2 ⑤ -1

양변에 10의 거듭제곱을 곱하여 계수를 정수로 고친 후, 이차방정식을 풀어 두 근을 각각 구한다.

3-1 이차방정식 $0.3x^2+0.4x-0.1=0$의 해가 $x=\frac{-2\pm\sqrt{A}}{3}$일 때, 유리수 A의 값은?

① 2 ② 3 ③ 5
④ 6 ⑤ 7

3-2 이차방정식 $0.2x^2-x+\frac{1}{10}=0$의 근이 $x=\frac{5\pm\sqrt{B}}{A}$일 때, 유리수 A, B에 대하여 $A+B$의 값을 구하시오.

공통부분이 있는 이차방정식의 풀이

4 **이차방정식 $(x+5)^2+3(x+5)-28=0$의 해는?**

① $x=-1$(중근) ② $x=-12$ 또는 $x=-1$
③ $x=-12$ 또는 $x=1$ ④ $x=12$ 또는 $x=-1$
⑤ $x=12$ 또는 $x=1$

공통부분을 한 문자 A로 놓고 A에 대한 이차방정식을 풀어 해를 구한다.

4-1 $3(x+y)^2-5(x+y)-2=0$일 때, $x+y$의 값은? (단, $x+y>0$)

① 1 ② 2 ③ 3
④ 4 ⑤ 5

개념 이해 3

이차방정식의 근의 개수

이차방정식 $ax^2+bx+c=0$의 근의 개수는 근의 공식 $x=\frac{-b\pm\sqrt{b^2-4ac}}{2a}$에서 b^2-4ac의 부호로 알 수 있다.

(1) $b^2-4ac>0$이면 서로 다른 두 근을 갖는다. ➡ 근이 2개

(2) $b^2-4ac=0$이면 한 개의 근(중근)을 갖는다. ➡ 근이 1개

(3) $b^2-4ac<0$이면 근이 없다. ➡ 근이 0개

이차방정식 $ax^2+bx+c=0$이 해를 가질 조건
➡ $b^2-4ac\geq0$

이차방정식의 근의 개수 확인하기

이차방정식 $ax^2+bx+c=0$의 근은 $x=\frac{-b\pm\sqrt{b^2-4ac}}{2a}$이므로

b^2-4ac의 부호	$b^2-4ac>0$	$b^2-4ac=0$	$b^2-4ac<0$
근의 개수	$x=\frac{-b+\sqrt{b^2-4ac}}{2a}$ 또는 $x=\frac{-b-\sqrt{b^2-4ac}}{2a}$ 이므로 서로 다른 두 근을 갖는다.	$x=-\frac{b}{2a}$이므로 한 개의 근(중근)을 갖는다.	근호 안에는 음수가 될 수 없으므로 근이 없다.
예	$x^2+x-3=0$의 근의 개수는 $b^2-4ac=1^2-4\times1\times(-3)>0$ 이므로 서로 다른 두 근을 갖는다.	$x^2+2x+1=0$의 근의 개수는 $b^2-4ac=2^2-4\times1\times1=0$ 이므로 중근을 갖는다.	$x^2-2x+5=0$의 근의 개수는 $b^2-4ac=(-2)^2-4\times1\times5<0$ 이므로 근이 없다.

참고 일차항의 계수가 짝수, 즉 $ax^2+2b'x+c=0$일 때에는 $x=\frac{-b'\pm\sqrt{b'^2-ac}}{a}$이므로 b'^2-ac의 부호를 이용해도 된다.

개념확인

1. 다음 이차방정식의 근의 개수를 구하시오.

(1) $x^2+x-5=0$

(2) $x^2-6x+9=0$

(3) $3x^2+2x+1=0$

(4) $2x^2+5x+3=0$

2. 이차방정식 $x^2-4x+a=0$의 근의 개수가 다음과 같을 때, 상수 a의 값 또는 a의 값의 범위를 구하시오.

(1) 서로 다른 두 근

(2) 중근

(3) 근을 갖지 않는다.

개념 적용

이차방정식의 근의 개수

1 **다음 이차방정식 중 서로 다른 두 근을 갖는 것은?**

① $4x^2+4x+1=0$ ② $9x^2+6x-1=0$ ③ $x^2-4x+7=0$
④ $3x^2-x+1=0$ ⑤ $x^2-8x+16=0$

이차방정식 $ax^2+bx+c=0$에서
(1) $b^2-4ac>0$: 서로 다른 두 근
(2) $b^2-4ac=0$: 중근
(3) $b^2-4ac<0$: 근이 없다.

1-1 다음 이차방정식 중 중근을 갖는 것은?

① $4x^2-12x+9=0$ ② $4x^2-4x-3=0$ ③ $x^2+x-1=0$
④ $x^2-10x+26=0$ ⑤ $3x^2+x+2=0$

1-2 이차방정식 $x^2-2x+k=0$이 서로 다른 두 근을 가질 때, 다음 중 상수 k의 값으로 적당하지 <u>않은</u> 것은?

① -3 ② -2 ③ -1
④ 0 ⑤ 1

이차방정식이 중근을 가질 조건

2 **이차방정식 $2x^2+8x+k+1=0$이 중근을 가질 때, 상수 k의 값은?**

① 1 ② 3 ③ 5
④ 7 ⑤ 9

이차방정식이 중근을 가질 조건
$ax^2+bx+c=0(a\neq0)$에서 $b^2-4ac=0$

2-1 이차방정식 $3x^2-6x+k-1=0$이 중근을 가질 때, 상수 k의 값과 그 중근을 각각 구하시오.

개념 이해 4

이차방정식 구하기

(1) 이차방정식 구하기

① 두 근이 α, β이고 x^2의 계수가 a인 이차방정식 ➡ $a(x-\alpha)(x-\beta)=0$

② 중근이 γ이고 x^2의 계수가 a인 이차방정식 ➡ $a(x-\gamma)^2=0$

③ 두 근의 합이 m, 두 근의 곱이 n이고 x^2의 계수가 a인 이차방정식

➡ $a(x^2-mx+n)=0$

(m: 두 근의 합, n: 두 근의 곱)

참고 두 근이 α, β이고 x^2의 계수가 a인 이차방정식은
$a(x-\alpha)(x-\beta)=0$, 즉 $a\{x^2-(\alpha+\beta)x+\alpha\beta\}=0$
이므로 두 근의 합과 곱을 각각 m, n이라 하면 위의 이차방정식은 $a(x^2-mx+n)=0$으로 나타낼 수 있다.

(2) 계수가 유리수인 이차방정식의 근

계수가 유리수인 이차방정식에서 한 근이 $p+q\sqrt{m}$이면 다른 한 근은 $p-q\sqrt{m}$이다.
(단, p, q는 유리수, $\sqrt{m}$은 무리수)

무리수 부분의 부호만 반대인 두 근을 갖기 위한 이차방정식의 조건

이차방정식 $x^2-2x-11=0$의 두 근은 $x=1\pm2\sqrt{3}$이다. 이처럼 계수가 유리수인 이차방정식에서 한 근이 $p+q\sqrt{m}$이면 다른 한 근은 $p-q\sqrt{m}$ (단, p, q는 유리수, $\sqrt{m}$은 무리수)이다. 즉, 무리수 부분의 부호만 반대이다. 하지만 이차방정식의 계수에 무리수가 존재하면 이는 성립하지 않을 수 있다. 예를 들어 이차방정식 $x^2+2\sqrt{5}x+4=0$의 두 근은 $x=-\sqrt{5}\pm\sqrt{(\sqrt{5})^2-1\times4}=-\sqrt{5}\pm1$, 즉 $x=1-\sqrt{5}$ 또는 $x=-1-\sqrt{5}$이다. 이처럼 이차방정식의 계수에 무리수가 존재하는 경우 한 근이 $p+q\sqrt{m}$이라 해도 다른 한 근이 $p-q\sqrt{m}$이 아닐 수 있다.
따라서 계수가 유리수일 때에만 이차방정식의 한 근이 $p+q\sqrt{m}$이면 다른 한 근은 $p-q\sqrt{m}$이다.

개념확인

1. 다음 이차방정식을 구하시오.

(1) 두 근이 2, -3이고, x^2의 계수가 1인 이차방정식

(2) $x=3$을 중근으로 하고, x^2의 계수가 2인 이차방정식

(3) 두 근의 합이 3, 두 근의 곱이 -4이고, x^2의 계수가 -1인 이차방정식

2. 이차방정식 $ax^2+bx+c=0$의 한 근이 다음과 같을 때, 다른 한 근을 구하시오. (단, a, b, c는 유리수)

(1) $1+\sqrt{3}$

(2) $3-4\sqrt{2}$

(3) $-4+2\sqrt{5}$

(4) $-5-\sqrt{7}$

3. 한 근이 $3+\sqrt{5}$이고 모든 계수가 유리수인 이차방정식을 구하시오. (단, x^2의 계수는 1이다.)

개념 적용

이차방정식 구하기

1 **이차방정식 $x^2+ax+b=0$의 해가 $x=2$ 또는 $x=4$일 때, 이차방정식 $bx^2+ax+1=0$의 해를 구하시오. (단, a, b는 상수)**

두 근이 α, β이고 x^2의 계수가 a인 이차방정식
⇨ $a(x-\alpha)(x-\beta)=0$

1-1 이차방정식 $4x^2+ax+b=0$의 두 근이 $-\frac{3}{2}$, $\frac{1}{2}$일 때, 상수 a, b에 대하여 $a+b$의 값은?

① -3　② -1　③ 0
④ 1　⑤ 3

1-2 이차방정식 $x^2-3x-6=0$의 두 근의 합을 m, 두 근의 곱을 n이라 할 때, m, n을 두 근으로 하고 x^2의 계수가 1인 이차방정식을 구하시오.

한 근이 무리수일 때, 이차방정식 구하기

2 **이차방정식 $x^2+ax+b=0$의 한 근이 $4+\sqrt{7}$일 때, 유리수 a, b의 값을 각각 구하시오.**

계수가 유리수인 이차방정식의 한 근이 $p+q\sqrt{m}$이면 다른 한 근은 $p-q\sqrt{m}$이다.
(단, p, q는 유리수, $\sqrt{m}$은 무리수)

2-1 x^2의 계수가 3이고 $-2+\sqrt{3}$을 한 근으로 하는 이차방정식을 구하시오.
(단, 이차방정식의 계수는 모두 유리수이다.)

▸ 두 근의 합이 m, 두 근의 곱이 n이고 x^2의 계수가 a인 이차방정식 ⇨ $a(x^2-mx+n)=0$

이차방정식의 활용

이차방정식의 활용 문제를 푸는 순서

미지수 정하기 문제의 뜻을 파악하고, 구하려는 값을 미지수 x로 놓는다.

↓

방정식 세우기 문제의 뜻에 따라 x에 대한 이차방정식을 세운다.

↓

방정식 풀기 이차방정식을 풀어 해를 구한다.

↓

문제의 조건에 맞는 답 고르기 구한 해 중에서 문제의 뜻에 맞는 것을 답으로 택한다.

주의 길이, 넓이, 높이 등을 구하는 문제에서 음수는 답이 될 수 없다.
즉, 이차방정식을 풀어서 구한 해가 모두 답이 되는 것은 아니므로 구한 해 중에서 문제의 뜻에 맞는 것만 답으로 택한다.

이차방정식의 활용 문제 풀기

가로의 길이가 세로의 길이보다 3 m만큼 더 긴 직사각형 모양의 텃밭의 넓이가 70 m^2일 때, 이 텃밭의 가로의 길이를 구하시오.

(1) 미지수 정하기	구하려고 하는 가로의 길이를 x m로 놓는다.
(2) 방정식 세우기	수량 사이의 관계를 찾아 방정식을 세우면 세로의 길이는 $(x-3)$ m이고, 넓이가 70 m^2이므로 (가로의 길이)×(세로의 길이)=70에서 $x(x-3)=70$
(3) 방정식 풀기	$x^2-3x=70$에서 $x^2-3x-70=0$이므로 좌변을 인수분해하면 $(x+7)(x-10)=0$ $\therefore x=-7$ 또는 $x=10$
(4) 답 구하기	$x-3>0$에서 $x>3$이므로 $x=10$ 따라서 텃밭의 가로의 길이는 10 m이다.

개념확인

1. 다음은 연속하는 두 자연수의 곱이 156일 때, 이 두 자연수를 구하는 과정이다. □ 안에 알맞은 것을 써넣으시오.

> 연속하는 두 자연수를 x, □이라 하면
> 두 자연수의 곱이 156이므로
> $x\times($□$)=156$
> 이 식을 정리하여 풀면
> x^2+□$-156=0$, $(x+13)(x-$□$)=0$
> $\therefore x=$□$(\because x>0)$
> 따라서 구하는 두 자연수는 □, □이다.

❗ 수의 활용에서 조건에 맞게 미지수 놓기
① 연속하는 세 자연수: $x-1$, x, $x+1$
② 연속하는 두 홀수 (짝수): x, $x+2$
③ 합이 a인 두 수: x, $a-x$
④ 차가 a인 두 수: x, $x+a$

2. 오른쪽 그림과 같이 한 변의 길이가 x cm인 정사각형의 가로의 길이를 3 cm 짧게 하고, 세로의 길이를 2 cm 길게 하였더니 넓이가 50 cm^2인 직사각형이 되었다. x의 값을 구하시오.

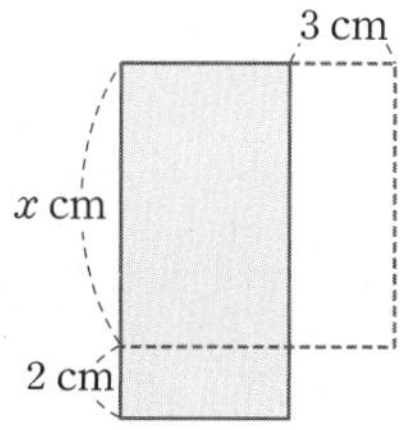

개념 적용

✎ 식이 주어진 경우 이차방정식의 활용

1 **자연수 1에서 n까지의 합은 $\frac{n(n+1)}{2}$이다. 합이 171이 되려면 1부터 어떤 자연수까지 더해야 하는가?**

① 18　② 19　③ 20
④ 21　⑤ 22

① 주어진 공식을 이용하여 n에 대한 이차방정식을 세운다.
② 이차방정식을 풀어 n의 값을 구한다.
③ 문제의 조건에 맞는 값을 택해 답을 구한다.

1-1 n각형의 모든 대각선의 개수는 $\frac{n(n-3)}{2}$이다. 대각선이 모두 44개인 다각형은 몇각형인지 구하시오.

✎ 수에 대한 이차방정식의 활용

2 **연속하는 세 자연수의 제곱의 합이 245일 때, 이 세 자연수를 구하시오.**

(1) 연속하는 두 자연수
⇨ x, $x+1$
(2) 연속하는 세 자연수
⇨ x, $x+1$, $x+2$ 또는 $x-1$, x, $x+1$

2-1 어떤 자연수를 제곱해야 할 것을 잘못하여 2배를 하였더니 제곱한 것보다 48만큼 작아졌다고 한다. 이 자연수는?

① 2　② 4　③ 6
④ 8　⑤ 10

2-2 오른쪽 그림은 어느 해 11월의 달력이다. 위, 아래로 이웃하는 두 날짜의 수를 각각 제곱하여 합한 값이 169가 될 때, 두 날짜를 구하시오.

11월

일	월	화	수	목	금	토
						1
2	3	4	5	6	7	8
9	10	11	12	13	14	15
16	17	18	19	20	21	22
23	24	25	26	27	28	29
30						

▶ 위, 아래로 이웃하는 두 날짜의 수를 각각 x, $x+7$로 놓고 이차방정식을 세워 본다.

실생활에 대한 이차방정식의 활용

3 **사과 180개를 몇 명의 학생들에게 똑같이 남김없이 나누어 주려고 한다. 한 학생이 받는 사과의 수는 학생 수보다 3만큼 작다고 할 때, 학생 수는?**

① 10명 ② 13명 ③ 15명
④ 18명 ⑤ 21명

① 구하고자 하는 값을 미지수 x로 놓는다.
② 문제의 뜻에 맞게 이차방정식을 세운다.
③ 이차방정식을 푼다.
④ 주어진 조건에 맞는 해를 택해 답을 구한다.

3-1 어떤 학생이 하루 동안 친구들에게 받은 문자 메시지의 수는 보낸 문자 메시지의 수보다 5건이 많고, 받은 문자 메시지의 수와 보낸 문자 메시지의 수의 곱은 126이다. 이때 이 학생이 하루 동안 보낸 문자 메시지는 몇 건인지 구하시오.

3-2 형과 동생의 나이의 차는 6살이고 형의 나이의 제곱은 동생 나이의 제곱의 2배보다 56살만큼 크다고 한다. 이때 형의 나이로 가능한 것을 모두 고르면? (정답 2개)

① 8살 ② 12살 ③ 16살
④ 20살 ⑤ 24살

도형에 대한 이차방정식의 활용

4 **아랫변의 길이와 높이가 같은 사다리꼴의 윗변의 길이는 4 cm이고 넓이는 48 cm^2일 때, 이 사다리꼴의 높이는?**

① 4 cm ② 6 cm ③ 8 cm
④ 10 cm ⑤ 12 cm

(사다리꼴의 넓이)
$=\frac{1}{2}\times\{$(윗변의 길이)
+(아랫변의 길이)$\}\times$(높이)
임을 이용하여 이차방정식을 세운다.

4-1 오른쪽 그림에서 $\overline{DE}/\!/\overline{BC}$이고 $\overline{AE}=(x+3)$ cm, $\overline{BC}=8$ cm, $\overline{DE}=x$ cm, $\overline{EC}=(x-3)$ cm일 때, x의 값을 구하시오.

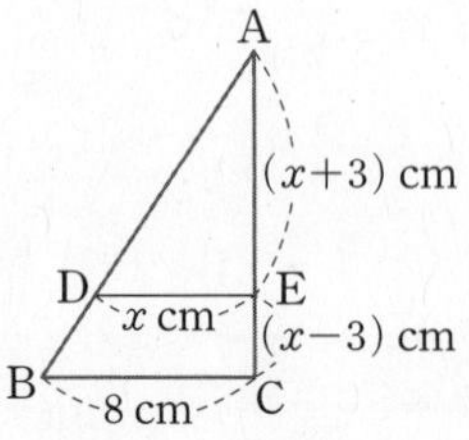

▸ △ADE∽△ABC임을 이용한다.

4-2 가로, 세로의 길이가 각각 20 m, 15 m인 직사각형 모양의 잔디 광장에 폭이 일정한 보행자 도로를 만들려고 한다. 도로를 제외한 잔디 광장의 넓이가 150 m^2일 때, 이 도로의 폭을 구하시오.

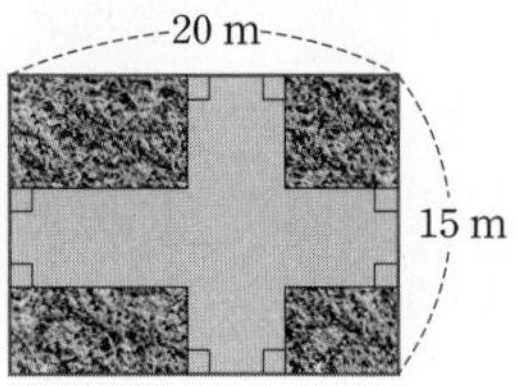

4-3 오른쪽 그림과 같이 직각이등변삼각형 ABC의 세 변에 각각 점 D, E, F를 잡아 넓이가 24 cm^2인 직사각형 DECF를 만들었다. 이때 $\overline{CF}$의 길이를 구하시오.
(단, $\overline{CF}>\overline{AF}$)

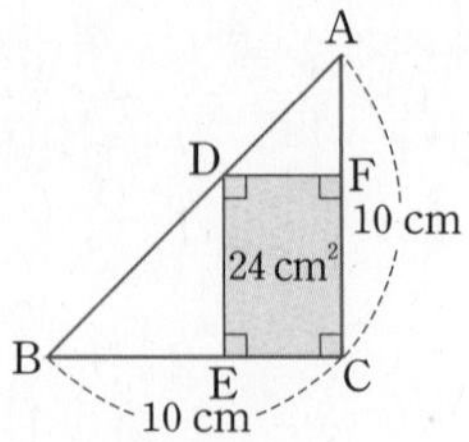

▸ △ABC가 직각이등변삼각형이고 △ADF와 서로 닮음임을 이용한다.

원에 대한 이차방정식의 활용

5 **반지름의 길이가 6 cm인 원 모양의 피자가 있다. 이 피자의 반지름의 길이를 x cm 만큼 늘였더니 넓이가 28π cm^2만큼 늘어났다. 이때 x의 값은?**

① 1　　② 2　　③ 3
④ 4　　⑤ 5

반지름의 길이가 r cm인 원의 넓이
⇨ πr^2 cm^2

5-1 오른쪽 그림과 같이 반지름의 길이가 5 m인 원 모양의 씨름장을 부상 방지를 위하여 모래를 더 깔아 반지름의 길이를 x m만큼 늘였더니 원의 넓이가 처음 원의 넓이의 2배가 되었다. 이때 x의 값을 구하시오.

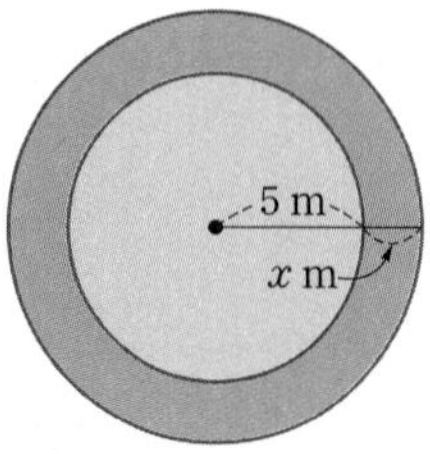

쏘아 올린 물체에 대한 이차방정식의 활용

6 **지면에서 초속 60 m로 똑바로 위로 쏘아 올린 물체의 x초 후의 높이는 $(-5x^2+60x)$ m라 한다. 이 물체의 높이가 160 m가 되는 때는 물체를 쏘아 올린 지 몇 초 후인지 구하시오.**

쏘아 올린 물체의 높이가 h m가 되는 때는 가장 높이 올라간 때를 제외하고 올라갈 때, 내려올 때의 두 번이다.

6-1 지면으로부터 초속 30 m로 똑바로 위로 쏘아 올린 물체의 t초 후의 높이를 h m라 하면 $h=30t-5t^2$인 관계가 성립한다. 이 물체가 지면에 다시 떨어지는 것은 쏘아 올린 지 몇 초 후인가?

① 3초　　② 4초　　③ 5초
④ 6초　　⑤ 7초

▸ 물체가 지면에 떨어지면 높이가 0이 된다.

개념 특강

계수만을 이용하여 두 근의 합과 곱 구하기

이차방정식 $ax^2+bx+c=0$의 두 근을 직접 구하지 않고 계수만을 이용하여 두 근의 합과 곱을 구할 수 있다.

방법 1. 근의 공식 이용하기

이차방정식 $ax^2+bx+c=0$의 두 근 α, β $(\alpha>\beta)$에 대하여

$$\alpha=\frac{-b+\sqrt{b^2-4ac}}{2a},\ \beta=\frac{-b-\sqrt{b^2-4ac}}{2a}$$

$\alpha+\beta$	$=\frac{-b+\sqrt{b^2-4ac}}{2a}+\frac{-b-\sqrt{b^2-4ac}}{2a}=-\frac{2b}{2a}$	$=-\frac{b}{a}$
$\alpha\beta$	$=\frac{-b+\sqrt{b^2-4ac}}{2a}\times\frac{-b-\sqrt{b^2-4ac}}{2a}=\frac{4ac}{4a^2}$	$=\frac{c}{a}$

방법 2. 이차방정식 만들기

두 근이 α, β이고 x^2의 계수가 a인 이차방정식은 $a(x-\alpha)(x-\beta)=0$이므로

$$ax^2+bx+c=a(x-\alpha)(x-\beta)=a\{x^2-(\alpha+\beta)x+\alpha\beta\}=ax^2-a(\alpha+\beta)x+a\alpha\beta$$

$\alpha+\beta$	일차항의 계수를 비교하면 $b=-a(\alpha+\beta)$ ➡ $\alpha+\beta=-\frac{b}{a}$	$=-\frac{b}{a}$
$\alpha\beta$	상수항을 비교하면 $c=a\alpha\beta$ ➡ $\alpha\beta=\frac{c}{a}$	$=\frac{c}{a}$

적용 1. 계수로 두 근의 합과 곱 구하기

이차방정식 $x^2-2x-1=0$의 두 근을 α, β라 할 때, 다음 식의 값을 구하시오.

❶ $\alpha+\beta=-\dfrac{\square}{1}=\square$

❷ $\alpha\beta=\dfrac{\square}{1}=\square$

❸ $\alpha^2+\beta^2=(\alpha+\beta)^2-\square$
$=2^2-2\times(\square)=\square$

❹ $\dfrac{1}{\alpha}+\dfrac{1}{\beta}=\dfrac{\square}{\alpha\beta}=\dfrac{\square}{-1}=\square$

❺ $\dfrac{\alpha}{\beta}+\dfrac{\beta}{\alpha}=\dfrac{\square}{\alpha\beta}=\dfrac{\square}{-1}=\square$

❻ $(\alpha-\beta)^2=(\alpha+\beta)^2-4\times\square$
$=2^2-4\times(\square)=\square$

답 ❶ -2, 2 ❷ -1, -1 ❸ $2\alpha\beta$, -1, 6 ❹ $\alpha+\beta$, 2, -2 ❺ $\alpha^2+\beta^2$, 6, -6 ❻ $\alpha\beta$, -1, 8

적용 2. 두 근의 합과 곱으로 계수 구하기

1 이차방정식 $2x^2+ax+b=0$의 두 근이 1, 2일 때, 두 상수 a, b의 값을 구하시오.

❶ 두 근의 합 $=-\dfrac{\square}{2}=1+2=3$ $\therefore a=\square$

❷ 두 근의 곱 $=\dfrac{\square}{2}=1\times2=2$ $\therefore b=\square$

2 이차방정식 $x^2+ax+b=0$의 한 근이 $2+\sqrt{3}$일 때, 유리수 a, b의 값을 구하시오.

❶ 다른 근 구하기

이차방정식의 계수가 유리수이므로 이차방정식 $x^2+ax+b=0$의 한 근이 $2+\sqrt{3}$

➡ 다른 근은 $\square$

❷ 두 근의 합 $=-\dfrac{\square}{1}=(2+\sqrt{3})+(2-\sqrt{3})=4$ $\therefore a=\square$

❸ 두 근의 곱 $=\dfrac{\square}{1}=(2+\sqrt{3})(2-\sqrt{3})=1$ $\therefore b=\square$

답 **1** ❶ a, -6 ❷ b, 4 **2** ❶ $2-\sqrt{3}$ ❷ a, -4 ❸ b, 1

개념 완성 기본 문제

1 근의 공식을 이용한 이차방정식의 풀이

이차방정식 $2x^2-10x+5=0$의 근이 $x=\frac{p\pm\sqrt{q}}{2}$일 때, 유리수 p, q에 대하여 $p+q$의 값은?

① 16 ② 17 ③ 18
④ 19 ⑤ 20

2 근의 공식을 이용한 이차방정식의 풀이

이차방정식 $x^2+6x-2=0$의 두 근 중 작은 근은?

① $-3-\sqrt{11}$ ② $\frac{-3-\sqrt{11}}{2}$
③ $\frac{-3+\sqrt{11}}{2}$ ④ $\frac{6-\sqrt{11}}{2}$
⑤ $6+\sqrt{11}$

3 계수가 분수인 이차방정식의 풀이

이차방정식 $\frac{1}{3}x^2-ax+\frac{1}{6}=0$의 근이 $x=\frac{3\pm\sqrt{b}}{2}$일 때, 유리수 a, b의 값을 각각 구하시오.

4 공통부분이 있는 이차방정식의 풀이

$(x-y)^2+4(x-y)+4=0$일 때, $x-y$의 값은?

① -4 ② -2 ③ 0
④ 2 ⑤ 4

5 이차방정식의 근의 개수

다음 이차방정식 중 근이 없는 것은?

① $x^2-2x+1=0$ ② $x^2-4x+5=0$
③ $2x^2+4x-1=0$ ④ $3x^2-5x-2=0$
⑤ $9x^2+6x+1=0$

6 이차방정식의 근의 개수

이차방정식 $x^2+3x+3k+1=0$이 해를 갖도록 하는 상수 k의 값 중 가장 큰 정수를 구하시오.

7 이차방정식이 중근을 가질 조건

이차방정식 $2x^2+6x+2k-1=0$이 중근을 갖도록 하는 상수 k의 값은?

① $-\frac{7}{2}$ ② $-\frac{11}{4}$ ③ $-\frac{11}{2}$
④ $\frac{11}{4}$ ⑤ $\frac{11}{2}$

8 이차방정식이 중근을 가질 조건

이차방정식 $x^2+6x+k-1=0$이 중근을 가질 때, 이차방정식 $x^2+(k-4)x+k-2=0$의 두 근의 합은? (단, k는 상수)

① -8 ② -6 ③ -4
④ -2 ⑤ 0

9 이차방정식 구하기

두 근이 $-\frac{1}{2}$, $\frac{1}{3}$이고 x^2의 계수가 6인 이차방정식이 $6x^2+ax+b=0$일 때, 상수 a, b에 대하여 $a-b$의 값은?

① -2 ② -1 ③ 0
④ 1 ⑤ 2

10 이차방정식 구하기

이차방정식 $x^2+ax+b=0$의 두 근의 차가 4이고, 큰 근은 작은 근의 3배일 때, 상수 a, b에 대하여 $a+b$의 값은?

① 1 ② 2 ③ 3
④ 4 ⑤ 5

11 한 근이 무리수일 때, 이차방정식 구하기

이차방정식 $2x^2-ax+b=0$의 한 근이 $4+\sqrt{3}$일 때, 유리수 a, b에 대하여 $a+b$의 값은?

① 24 ② 32 ③ 38
④ 42 ⑤ 46

12 수에 대한 이차방정식의 활용

어떤 자연수를 제곱해야 할 것을 잘못하여 2배를 하였더니 제곱한 것보다 35만큼 작아졌다. 이때, 어떤 자연수는?

① 5 ② 6 ③ 7
④ 8 ⑤ 9

13 실생활에 대한 이차방정식의 활용

다음은 동현이와 연정이가 같이 책을 읽고 있던 도중에 주고 받은 대화 내용이다. 동현이는 현재 몇 쪽을 읽고 있는가?

> 연정: 동현아! 너 지금 몇 쪽 읽고 있어?
> 동현: 음... 나는 지금 홀수 쪽을 읽고 있는데 이 쪽수와 그 옆면의 쪽수를 곱하면 506이야!

① 17쪽 ② 19쪽 ③ 21쪽
④ 23쪽 ⑤ 25쪽

14 도형에 대한 이차방정식의 활용

가로의 길이가 세로의 길이보다 4 cm 긴 직사각형 모양의 종이가 있다. 오른쪽 그림과 같이 밑변의 길이가 4 cm인 평행사변형 모양으로 잘라 내었더니 남은 종이의 넓이가 81 cm^2이었다. 처음 종이의 가로의 길이는?

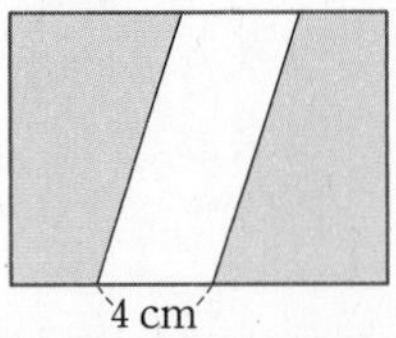

① 10 cm ② 11 cm ③ 12 cm
④ 13 cm ⑤ 14 cm

15 도형에 대한 이차방정식의 활용

오른쪽 그림과 같이 가로, 세로의 길이가 각각 10 cm, 8 cm인 직사각형의 가로와 세로의 길이를 같은 길이만큼 늘였더니 새로 생긴 직사각형의 넓이와 처음 직사각형의 넓이의 비가 3 : 2가 되었을 때, 늘어난 길이는?

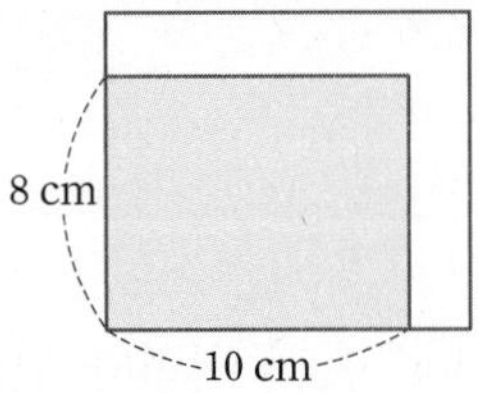

① 1 cm ② 2 cm ③ 3 cm
④ 4 cm ⑤ 5 cm

16 도형에 대한 이차방정식의 활용

오른쪽 그림과 같이 한 변의 길이가 12 cm인 정사각형 모양의 종이의 네 귀퉁이에서 크기가 같은 정사각형을 잘라내고 그 나머지로 윗면이 없는 직육면체 모양의 상자를 만들려고 한다. 상자의 밑넓이가 64 cm^2가 되도록 하려면 잘라내는 정사각형의 한 변의 길이는 몇 cm인지 구하시오.

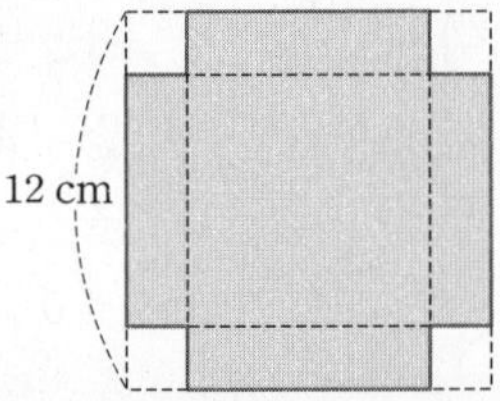

17 쏘아 올린 물체에 대한 이차방정식의 활용

지면에서 초속 45 m로 똑바로 위로 쏘아 올린 물체의 t초 후의 높이는 $(45t-5t^2)$ m라 한다. 이 물체의 지면으로부터의 높이가 100 m가 되는 것은 쏘아 올린 지 몇 초 후인지 구하시오.

18 쏘아 올린 물체에 대한 이차방정식의 활용

농구 경기에서 키가 2 m인 어떤 선수가 골대를 향해 농구공을 던질 때, 농구공을 던진 지 t초 후 지면으로부터 농구공의 높이는 $(2-5t^2+9t)$ m이다. 농구공은 던진 지 몇 초 후에 지면에 떨어지는지 구하시오.

개념 완성 발전 문제

1 이차방정식 $x^2+8x-5=0$과 일차부등식 $3x+7<-5$를 동시에 만족하는 x의 값을 구하시오.

이차방정식의 해 중에서 일차부등식을 만족하는 것을 찾는다.

2 이차방정식 $\frac{(x+1)(x-3)}{4}=\frac{x(x+2)}{3}$의 해가 $x=a\pm2\sqrt{b}$일 때, 유리수 a, b에 대하여 $a+b$의 값은?

① 1　② 3　③ 5
④ 7　⑤ 9

3 오른쪽 그림과 같은 직사각형 ABCD에서 $\overline{AB}$를 한 변으로 하는 정사각형 ABEF를 제외한 직사각형 DFEC가 직사각형 ABCD와 닮은 도형일 때, x의 값을 구하시오.

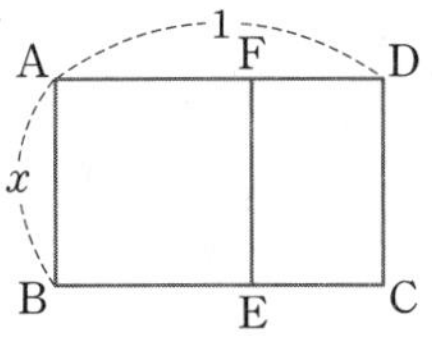

직사각형 DFCE의 가로, 세로의 길이를 x로 나타내고 닮음비를 이용한다.

4 오른쪽 그림과 같이 가로의 길이가 70 m, 세로의 길이가 50 m인 직사각형 모양의 콘서트장에 폭이 각각 일정한 길을 만들려고 한다. 길을 제외한 부분의 넓이가 1800 m^2가 되게 할 때, x의 값을 구하시오.

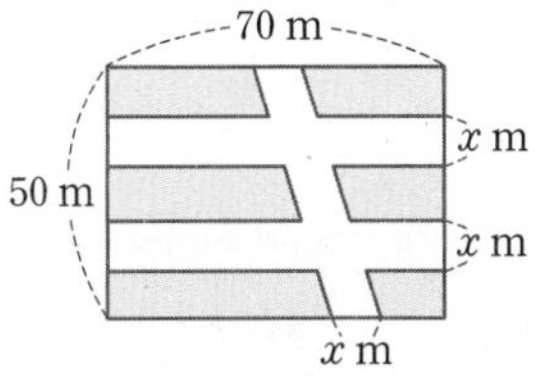

5 오른쪽 그림과 같이 길이가 15 cm인 $\overline{AB}$ 위에 한 변의 길이가 각각 10 cm, 5 cm인 정사각형이 놓여 있다. 선분 CB 위의 점 P와 꼭짓점 G를 선분으로 연결하였더니 △PQC : □ACQG=1 : 10이 되었다. $\overline{BP}$의 길이를 구하시오.

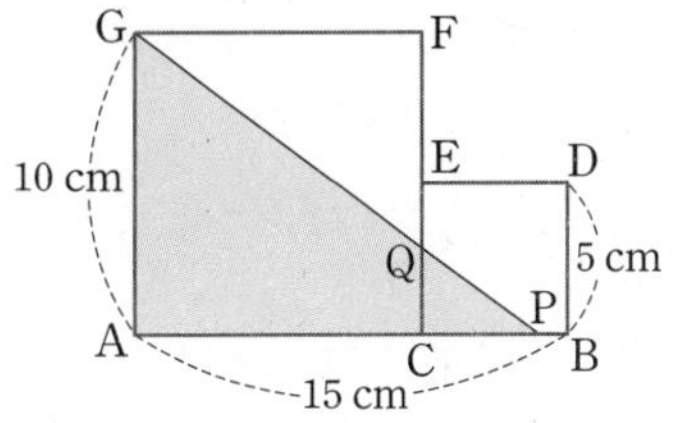

닮음비가 $m : n$이면 두 도형의 넓이의 비는 $m^2 : n^2$이다.

6
서술형

이차방정식 $x^2+ax+b=0$을 동현이는 상수항을 잘못 보고 풀어서 두 근이 -3, 5가 나왔고, 연정이는 일차항의 계수를 잘못 보고 풀어서 두 근이 -8, 3이 나왔다. 처음 이차방정식의 올바른 근을 구하기 위한 풀이 과정을 쓰고 답을 구하시오.
(단, a, b는 상수)

① 단계: 처음 이차방정식의 x의 계수 구하기
두 근이 -3, 5이고 x^2의 계수가 1인 이차방정식은
________________이므로 처음 이차방정식의 x의 계수 a는
________이다.

② 단계: 처음 이차방정식의 상수항 구하기
두 근이 -8, 3이고 x^2의 계수가 1인 이차방정식은
________________이므로 처음 이차방정식의 상수항 b는
________이다.

③ 단계: 처음 이차방정식의 올바른 근 구하기
처음 이차방정식은 ____________이고, 이 이차방정식을 풀면
____

Check List
- 동현이는 a의 값을 바르게 보았음을 이용하여 처음 이차방정식의 x의 계수를 바르게 구하였는가?
- 연정이는 b의 값을 바르게 보았음을 이용하여 처음 이차방정식의 상수항을 바르게 구하였는가?
- 처음 이차방정식을 풀어 올바른 근을 바르게 구하였는가?

7
서술형

오른쪽 그림과 같이 세 반원으로 이루어진 도형에서 $\overline{AC}=10$ cm이고, 색칠한 부분의 넓이가 6π cm^{2}일 때, $\overline{BC}$의 길이를 구하기 위한 풀이 과정을 쓰고 답을 구하시오. (단, $\overline{AB}<\overline{BC}$)

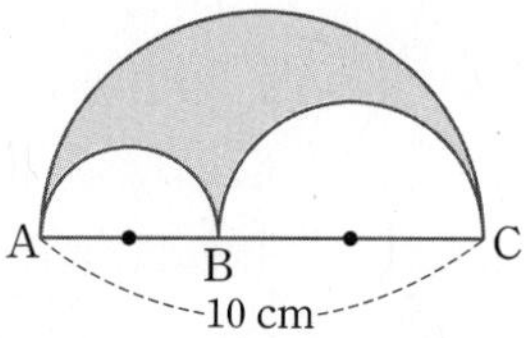

① 단계: 미지수를 정하고 이차방정식 세우기

____

____

② 단계: 이차방정식의 해 구하기

____

____

③ 단계: $\overline{BC}$의 길이 구하기

____

____

Check List
- 미지수를 정하고 이차방정식을 바르게 세웠는가?
- 이차방정식의 해를 바르게 구하였는가?
- $\overline{BC}$의 길이를 바르게 구하였는가?

1 이차함수와 그 그래프

IV 이차함수

1 이차함수와 그 그래프

이차함수와 그 그래프

유리함수와 무리함수

중2

중3

고1

일차함수

1. 이차함수 — 이차함수의 함숫값

2. 이차함수 $y=x^2$의 그래프 — 포물선

3. 이차함수 $y=ax^2$의 그래프

4. 이차함수 $y=ax^2+q$의 그래프 — 축의 방정식

5. 이차함수 $y=a(x-p)^2$의 그래프

6. 이차함수 $y=a(x-p)^2+q$의 그래프

7. 이차함수의 그래프의 평행이동과 대칭이동

8. 이차함수 $y=ax^2+bx+c$의 그래프

9. 이차함수 $y=ax^2+bx+c$의 그래프와 a, b, c의 부호

10. 이차함수의 식 구하기

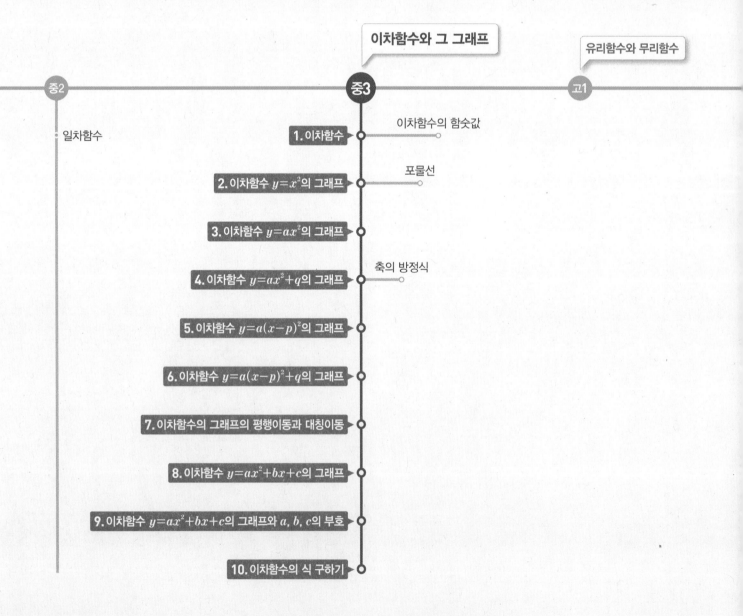

x^2이 만들어 내는 그래프의 변화

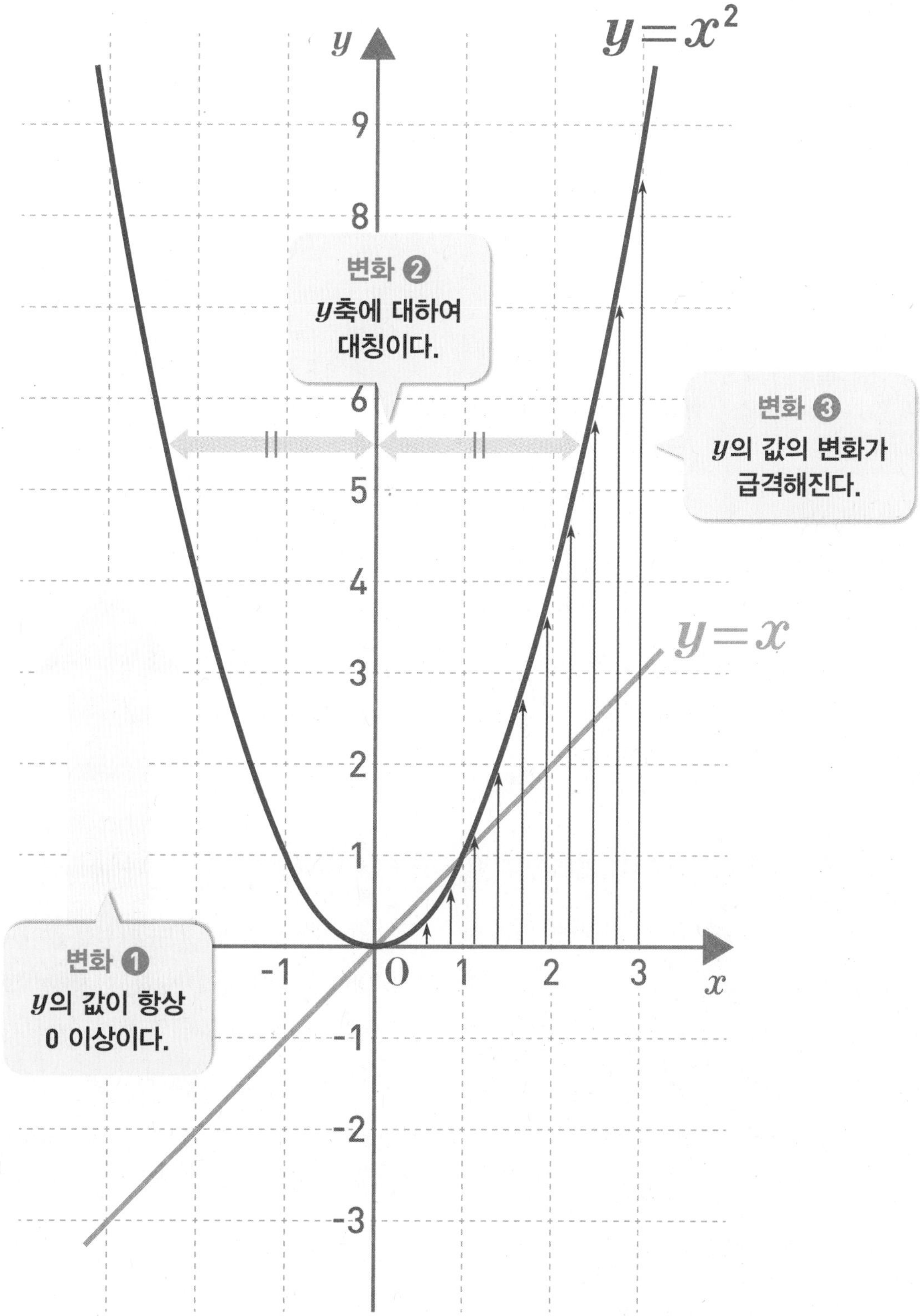

y=x²
y=x
변화 ❶
y의 값이 항상
0 이상이다.
변화 ❷
y축에 대하여
대칭이다.
변화 ❸
y의 값의 변화가
급격해진다.

개념 이해 1

이차함수

(1) 이차함수

함수 $y=f(x)$에서 y가 x에 대한 이차식

$$y=ax^2+bx+c\ (a,\ b,\ c\text{는 상수},\ a\neq 0)$$

로 나타내어질 때, 이 함수를 x에 대한 이차함수라 한다.

예 $y=x^2+2x-3$ ➡ x^2+2x-3은 x에 대한 이차식이므로 이차함수이다.
$y=x-3$ ➡ $x-3$은 x에 대한 일차식이므로 이차함수가 아니다.

$y=ax^2+bx+c$ ➡ 이차함수

$y=ax^2+bx+c$에서 $a=0$이면 $y=bx+c$가 되어 이차함수가 아니다. 따라서 y가 x에 대한 이차함수가 되려면 $a\neq 0$이어야 한다.

> 이차함수
>
> 오른쪽 그림과 같이 가로의 길이가 3 cm, 세로의 길이가 4 cm인 직사각형에서 가로의 길이와 세로의 길이를 각각 x cm만큼 늘여 새로 만들어진 직사각형의 넓이를 y cm²라 하자.
> y를 x에 대한 식으로 나타내면 $y=(x+3)(x+4)=x^2+7x+12$
> 이 식과 같이 $y=$(x에 대한 이차식)으로 나타내어질 때, y를 x에 대한 이차함수라 한다.

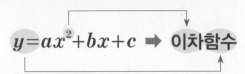

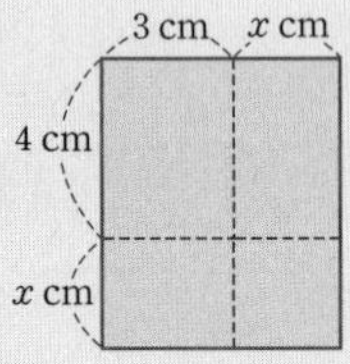

(2) 이차함수의 함숫값

이차함수 $f(x)=ax^2+bx+c$에 대하여 $x=p$일 때의 함숫값은

$$f(p)=ap^2+bp+c$$

$$f(x)=x^2+x+2 \xrightarrow{x=1\text{ 대입}} f(1)=1^2+1+2=4$$

$x=1$일 때의 함숫값

개념확인

1. 다음 중 y가 x에 대한 이차함수인 것은 ○표를, 아닌 것은 ×표를 ( ) 안에 써넣으시오.

(1) $y=5x+2$ ( )

(2) $y=-2x^2$ ( )

(3) $y=4x^2+x-3$ ( )

(4) $y=\dfrac{3}{x^2}$ ( )

(5) $y=(2x+1)^2-x^2$ ( )

(6) $y=(x+1)^2-x^2$ ( )

2. 다음을 y를 x에 대한 식으로 나타내고, 이차함수인지 말하시오.

(1) 반지름의 길이가 x cm인 원의 넓이 y cm²

(2) 한 모서리의 길이가 x cm인 정육면체의 부피 y cm³

3. 이차함수 $f(x)=x^2+x-1$에 대하여 다음 함숫값을 구하시오.

(1) $f(0)$

(2) $f(-1)$

(3) $f(2)$

익힘북 75쪽 | 정답과 풀이 47쪽

이차함수

1 **다음 중 이차함수인 것은?**

① $y=3x-1$ ② $y=\frac{1}{2}x^2-4x+3$ ③ $y=x^2-2x^3$

④ $y=\frac{2}{x^2}+1$ ⑤ $y=(x-3)^2-x^2$

이차함수인 것 찾기
(1) 괄호가 있으면 괄호를 풀어 $y=(x$에 대한 식)으로 정리한다.
(2) 우변이 x에 대한 이차식인지 확인한다.

1-1 다음 중 y가 x에 대한 이차함수인 것을 모두 고르면? (정답 2개)

① 한 자루에 500원 하는 연필 x자루의 값 y원
② 밑변의 길이가 x cm, 높이가 5 cm인 삼각형의 넓이 y cm^2
③ 가로의 길이가 x cm, 세로의 길이가 $(x+1)$ cm, 높이가 2 cm인 직육면체의 부피 y cm^3
④ 자동차가 시속 x km로 2시간 동안 이동한 거리 y km
⑤ 꼭짓점의 개수가 x인 다각형의 대각선의 총 개수 y

1-2 다음 중 $y=4x^2+1-x(ax+2)$가 x에 대한 이차함수가 되기 위한 상수 a의 값이 될 수 없는 것은?

① -5 ② -2 ③ 1
④ 4 ⑤ 7

이차함수의 함숫값

2 **이차함수 $f(x)=-x^2+2x+4$에 대하여 $f(-2)+f(1)$의 값을 구하시오.**

이차함수
$f(x)=ax^2+bx+c$에서
$x=k$일 때의 함숫값
➡ $f(k)=ak^2+bk+c$

2-1 이차함수 $f(x)=2x^2-3x-1$에서 $f(a)=1$일 때, 정수 a의 값을 구하시오.

개념 이해

2 이차함수 $y=x^2$의 그래프

(1) 포물선

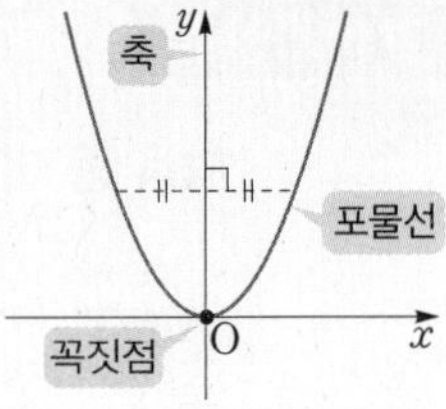

이차함수 $y=x^2$, $y=-x^2$의 그래프와 같은 모양의 곡선을 포물선이라 한다.

① 축: 포물선은 선대칭도형으로 그 대칭축을 포물선의 축이라 한다.

② 꼭짓점: 포물선과 축의 교점을 포물선의 꼭짓점이라 한다.

(2) 이차함수 $y=x^2$과 $y=-x^2$의 그래프

	$y=x^2$	$y=-x^2$
꼭짓점의 좌표	원점 O(0, 0)	원점 O(0, 0)
축의 방정식	$x=0$ (y축에 대하여 대칭)	$x=0$ (y축에 대하여 대칭)
그래프의 모양	아래로 볼록한 포물선	위로 볼록한 포물선
그래프의 증가 · 감소	• $x>0$일 때, x의 값이 증가하면 y의 값도 증가한다. • $x<0$일 때, x의 값이 증가하면 y의 값은 감소한다.	• $x>0$일 때, x의 값이 증가하면 y의 값은 감소한다. • $x<0$일 때, x의 값이 증가하면 y의 값도 증가한다.
y의 값의 범위	$y\geq0$	$y\leq0$

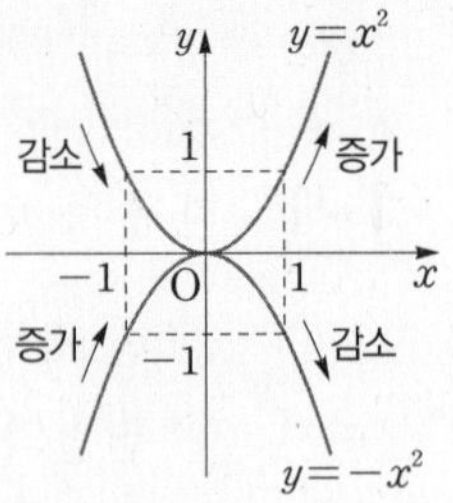

참고 $y=x^2$의 그래프는 제1, 2사분면을 지나고, $y=-x^2$의 그래프는 제3, 4사분면을 지난다. 이때 두 그래프는 x축에 대하여 서로 대칭이다.

이차함수 $y=x^2$의 그래프 확인하기

$y=x^2$에 대하여 대응표를 완성하면 다음과 같다.

x	$\cdots$	-3	-2	-1	0	1	2	3	$\cdots$
x^2	$\cdots$	9	4	1	0	1	4	9	$\cdots$

위의 표를 이용하여 이차함수 $y=x^2$의 그래프를 좌표평면 위에 나타내면 오른쪽 그림과 같고, x의 값을 연속적으로 주어 실수 전체일 때는 원점을 지나는 곡선이 된다.

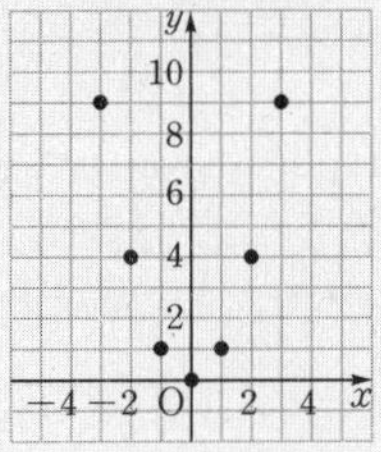

x의 값이 정수일 때, $y=x^2$의 그래프

➡

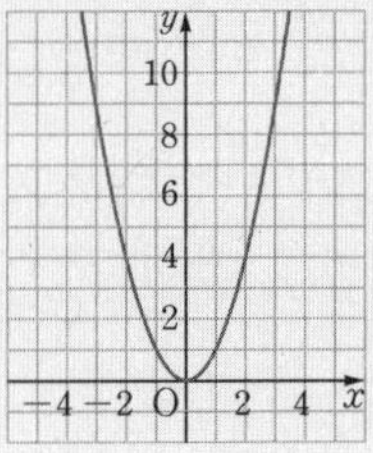

x의 값이 실수 전체일 때, $y=x^2$의 그래프

개념확인

1. 이차함수 $y=x^2$의 그래프에 대하여 다음 □ 안에 알맞은 것을 써넣으시오.

(1) 꼭짓점의 좌표는 (□, □)이고, □축에 대하여 대칭이다.

(2) □로 볼록한 포물선이다.

(3) $x>0$일 때, x의 값이 증가하면 y의 값도 □한다.

2. 이차함수 $y=-x^2$의 그래프에 대하여 다음 □ 안에 알맞은 것을 써넣으시오.

(1) 꼭짓점의 좌표는 (□, □)이고, □로 볼록한 포물선이다.

(2) $x>0$일 때, x의 값이 증가하면 y의 값은 □한다.

(3) $y=x^2$의 그래프와 □축에 대하여 서로 대칭이다.

개념 적용

이차함수 $y=x^2$, $y=-x^2$의 그래프가 지나는 점

1 다음 중 이차함수 $y=x^2$의 그래프 위의 점이 아닌 것은?

① $(-3, 9)$ ② $(-2, 4)$ ③ $(1, 1)$
④ $(3, 9)$ ⑤ $(4, 12)$

점 (a, b)가 그래프 위의 점이다.
➡ 그래프가 점 (a, b)를 지난다.
➡ 그래프의 식 $y=f(x)$에 $x=a$, $y=b$를 대입하면 등식이 성립한다.

1-1 이차함수 $y=-x^2$의 그래프가 두 점 $(2, a)$, $(b, -25)$를 지날 때, $a+b$의 값을 구하시오. (단, $b>0$)

이차함수 $y=x^2$, $y=-x^2$의 그래프의 성질

2 이차함수 $y=x^2$의 그래프에 대한 다음 설명 중 옳지 않은 것은?

① 원점을 지나고 아래로 볼록한 포물선이다.
② 원점 이외의 점들은 모두 x축보다 위쪽에 있다.
③ $x<0$일 때, x의 값이 증가하면 y의 값도 증가한다.
④ 제1, 2사분면을 지난다.
⑤ 이차함수 $y=-x^2$의 그래프와 x축에 대하여 서로 대칭이다.

이차함수 $y=x^2$, $y=-x^2$의 그래프
x^2의 값과 $-x^2$의 값은 절댓값이 같고 부호가 서로 다르므로 $y=x^2$의 그래프와 $y=-x^2$의 그래프는 x축에 대하여 서로 대칭이다.

2-1 이차함수 $y=-x^2$의 그래프에 대한 다음 설명 중 옳은 것을 모두 고르면? (정답 2개)

① 원점을 지나고 위로 볼록한 포물선이다.
② x축에 대하여 대칭이다.
③ 제2, 3사분면을 지난다.
④ 원점 이외의 점들은 모두 x축보다 아래쪽에 있다.
⑤ $x<0$일 때, x의 값이 증가하면 y의 값은 감소한다.

개념 이해

3 이차함수 $y=ax^2$의 그래프

(1) 원점을 꼭짓점으로 하고, y축을 축으로 하는 포물선이다.

(2) y축에 대하여 대칭이다.

(3) $a>0$이면 아래로 볼록하고, $a<0$이면 위로 볼록하다.

(4) a의 절댓값이 클수록 그래프의 폭이 좁아진다.

(5) 이차함수 $y=-ax^2$의 그래프와 x축에 대하여 서로 대칭이다.

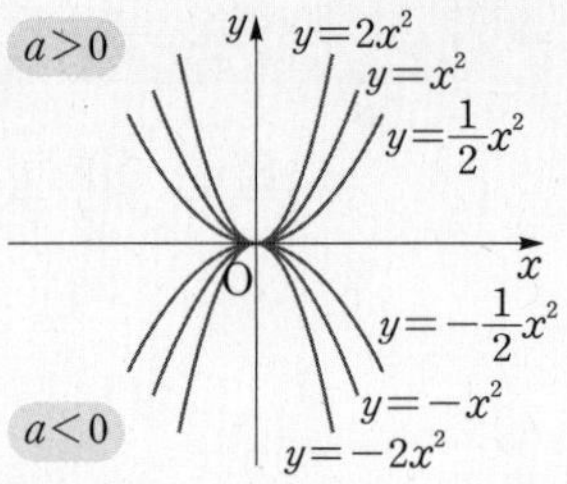

참고 이차함수 $y=ax^2$의 그래프에서 a의 부호는 그래프의 모양, 즉 볼록한 방향을 결정하고 a의 절댓값은 그래프의 폭을 결정한다.

이차함수 $y=ax^2$의 그래프

$y=ax^2$	a의 부호	그래프의 모양	a의 절댓값	그래프의 폭
$y=2x^2$	$+$	∪	2	
$y=-3x^2$	$-$	∩	3	폭이 가장 좁다.
$y=\frac{1}{3}x^2$	$+$	∪	$\frac{1}{3}$	폭이 가장 넓다.
$y=-\frac{1}{2}x^2$	$-$	∩	$\frac{1}{2}$	

개념확인

1. 다음 **보기**의 이차함수에 대하여 물음에 답하시오.

보기

ㄱ. $y=-2x^2$　　ㄴ. $y=2x^2$

ㄷ. $y=3x^2$　　ㄹ. $y=-4x^2$

ㅁ. $y=\frac{2}{3}x^2$　　ㅂ. $y=-\frac{1}{2}x^2$

(1) 그래프가 아래로 볼록한 것을 모두 고르시오.

(2) 그래프의 폭이 가장 넓은 것과 가장 좁은 것을 차례로 고르시오.

(3) 그래프가 x축에 대하여 서로 대칭인 두 이차함수를 고르시오.

2. 이차함수 $y=-3x^2$의 그래프에 대한 다음 설명 중 옳은 것은 ○표, 틀린 것은 ×표를 (　) 안에 써넣으시오.

(1) 위로 볼록한 포물선이다. (　　)

(2) 이차함수 $y=2x^2$의 그래프보다 폭이 넓다. (　　)

(3) $y=3x^2$의 그래프와 x축에 대하여 서로 대칭이다. (　　)

개념 적용

익힘북 77쪽 | 정답과 풀이 48쪽

이차함수 $y=ax^2$의 그래프가 지나는 점

1 다음 중 이차함수 $y=\frac{1}{2}x^2$의 그래프가 지나는 점이 <u>아닌</u> 것은?

① $(-4, 8)$ ② $\left(-1, \frac{1}{4}\right)$ ③ $(0, 0)$

④ $(2, 2)$ ⑤ $\left(3, \frac{9}{2}\right)$

점 (a, b)가 그래프 위의 점이다.
➡ 그래프가 점 (a, b)를 지난다.
➡ 그래프의 식에 $x=a$, $y=b$를 대입하면 등식이 성립한다.

1-1 이차함수 $y=-4x^2$의 그래프가 두 점 $\left(\frac{1}{2}, a\right)$, $(-1, b)$를 지날 때, $a+b$의 값을 구하시오.

이차함수 $y=ax^2$의 그래프의 모양

2 다음 이차함수 중 그 그래프가 위로 볼록하고 폭이 가장 좁은 것은?

① $y=-\frac{1}{2}x^2$ ② $y=-\frac{3}{2}x^2$ ③ $y=\frac{1}{3}x^2$

④ $y=-2x^2$ ⑤ $y=3x^2$

이차함수 $y=ax^2$의 그래프
(1) $a>0$이면 아래로 볼록하다.
(2) $a<0$이면 위로 볼록하다.
(3) a의 절댓값이 클수록 그래프의 폭이 좁아진다.
(4) a의 절댓값이 작을수록 그래프의 폭이 넓어진다.

2-1 이차함수 $y=ax^2$의 그래프가 오른쪽 그림과 같을 때, 상수 a의 값의 범위는?

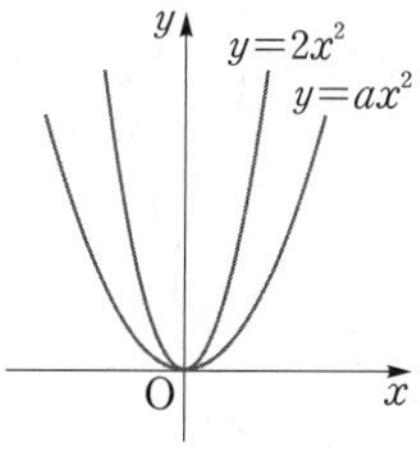

① $a<2$ ② $a>2$ ③ $0<a<2$

④ $1<a<2$ ⑤ $2<a<3$

이차함수 $y=ax^2$의 그래프의 성질

3 **다음 보기 중 이차함수 $y=2x^2$의 그래프에 대한 설명으로 옳은 것을 모두 고르시오.**

보기

ㄱ. y축에 대하여 대칭이다.
ㄴ. 위로 볼록한 포물선이다.
ㄷ. 점 $(-2, 4)$를 지난다.
ㄹ. 이차함수 $y=-x^2$의 그래프보다 폭이 넓다.
ㅁ. $x<0$일 때, x의 값이 증가하면 y의 값은 감소한다.

이차함수 $y=ax^2$의 그래프
(1) 원점을 꼭짓점으로 하는 포물선이다.
(2) y축에 대하여 대칭이다.
(3) $a>0$이면 아래로 볼록하고, $a<0$이면 위로 볼록하다.
(4) a의 절댓값이 클수록 그래프의 폭이 좁아진다.
(5) 이차함수 $y=-ax^2$의 그래프와 x축에 대하여 서로 대칭이다.

3-1 이차함수 $y=-\frac{1}{3}x^2$의 그래프에 대한 다음 설명 중 옳지 않은 것은?

① 꼭짓점의 좌표는 $(0, 0)$이다.
② 제3, 4사분면을 지난다.
③ 위로 볼록한 포물선이다.
④ 점 $(-3, -3)$을 지난다.
⑤ 이차함수 $y=3x^2$의 그래프와 x축에 대하여 서로 대칭이다.

이차함수 $y=ax^2$의 식

4 **오른쪽 그림과 같이 원점을 꼭짓점으로 하고, 점 $(4, -8)$을 지나는 포물선을 그래프로 하는 이차함수의 식을 구하시오.**

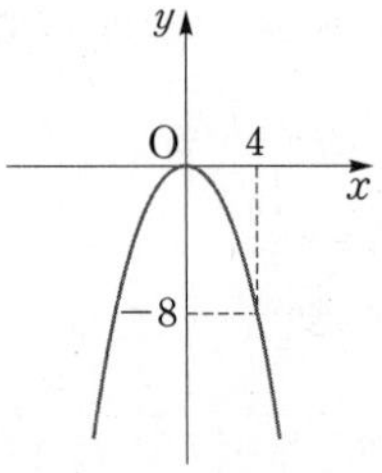

이차함수의 식 구하기
(1) 그래프의 꼭짓점의 좌표가 $(0, 0)$이면 이차함수의 식을 $y=ax^2$으로 놓는다.
(2) 그래프가 지나는 한 점의 좌표를 대입하여 a의 값을 구한다.

4-1 원점을 꼭짓점으로 하는 포물선이 두 점 $(-2, 8)$, $(a, 14)$를 지날 때, 양수 a의 값은?

① 2
② $\sqrt{5}$
③ $\sqrt{6}$
④ $\sqrt{7}$
⑤ $\sqrt{14}$

개념 이해 4

이차함수 $y=ax^2+q$의 그래프

(1) 이차함수 $y=ax^2+q$의 그래프는 $y=ax^2$의 그래프를 y축의 방향으로 q만큼 평행이동한 것이다.

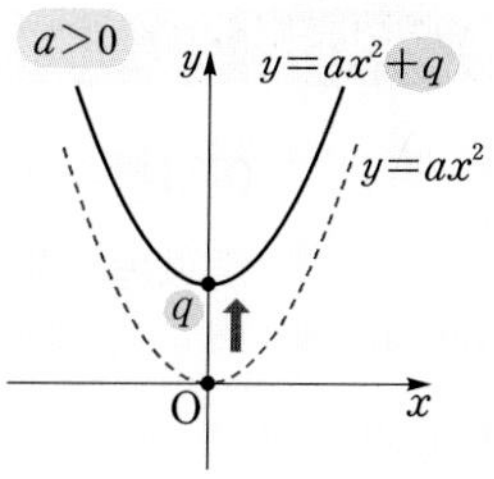

$$y=ax^2 \xrightarrow[q\text{만큼 평행이동}]{y\text{축의 방향으로}} y=ax^2+q$$

참고 $y=ax^2+q$에서

① $q>0$이면 y축의 양의 방향(위쪽)으로 이동

② $q<0$이면 y축의 음의 방향(아래쪽)으로 이동

➡ 그래프를 평행이동하여도 그래프의 모양과 폭은 변하지 않는다.

(2) **꼭짓점의 좌표:** $(0,\ q)$

(3) **축의 방정식:** $x=0$(y축)

예 이차함수 $y=2x^2+1$의 그래프

① 이차함수 $y=2x^2$의 그래프를 y축의 방향으로 1만큼 평행이동한 것이다.

② 꼭짓점의 좌표: $(0,\ 1)$

③ 축의 방정식: $x=0$

이차함수 $y=ax^2+q$의 그래프 확인하기

$y=x^2+3$에 대하여 대응표를 완성하면 다음과 같고, x^2+3의 값은 x^2의 값보다 항상 3만큼 크다.

x	…	-3	-2	-1	0	1	2	3	…
x^2	…	9	4	1	0	1	4	9	…
x^2+3	…	12	7	4	3	4	7	12	…

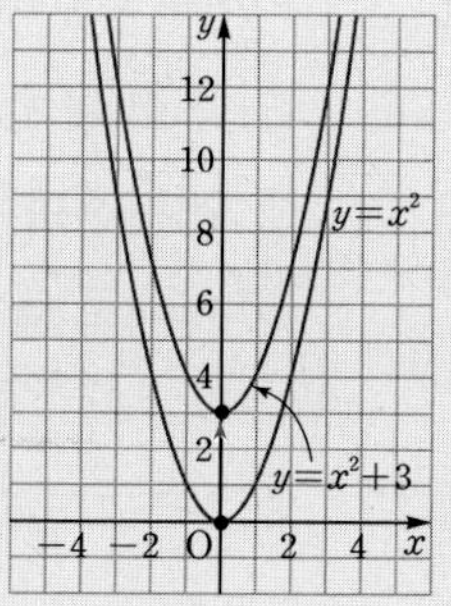

위의 표를 이용하여 두 이차함수 $y=x^2$, $y=x^2+3$의 그래프를 좌표평면 위에 나타내면 오른쪽 그림과 같고 $y=x^2+3$의 그래프는 $y=x^2$의 그래프를 y축의 방향으로 3만큼 평행이동한 것임을 알 수 있다. 따라서 이차함수 $y=x^2+3$의 그래프는 y축을 축으로 하고, 점 $(0,\ 3)$을 꼭짓점으로 하는 아래로 볼록한 포물선이다.

개념확인

1. 이차함수 $y=3x^2+2$의 그래프에 대하여 다음 □ 안에 알맞은 것을 써넣으시오.

(1) $y=3x^2$의 그래프를 □축의 방향으로 □만큼 평행이동한 것이다.

(2) □로 볼록한 포물선이다.

(3) 꼭짓점의 좌표는 (□, □)이고, 축의 방정식은 □이다.

2. 다음 이차함수의 그래프를 y축의 방향으로 [ ] 안의 수만큼 평행이동한 그래프의 식을 구하고, 꼭짓점의 좌표와 축의 방정식을 각각 구하시오.

(1) $y=-2x^2$ [3]

(2) $y=\frac{1}{3}x^2$ [-5]

개념 적용

이차함수 $y=ax^2+q$의 그래프가 지나는 점

1 **이차함수 $y=-3x^2$의 그래프를 y축의 방향으로 -2만큼 평행이동하면 점 $(1, k)$를 지날 때, k의 값을 구하시오.**

이차함수 $y=ax^2$의 그래프를 y축의 방향으로 q만큼 평행이동한 그래프의 식
⇒ $y=ax^2+q$

1-1 이차함수 $y=\frac{1}{2}x^2+k$의 그래프가 점 $(-2, 1)$을 지날 때, 이 그래프의 꼭짓점의 좌표를 구하시오. (단, k는 상수)

▸ 이차함수 $y=ax^2+q$의 그래프의 꼭짓점의 좌표는 $(0, q)$이다.

이차함수 $y=ax^2+q$의 그래프의 성질

2 **이차함수 $y=4x^2+1$의 그래프에 대한 다음 설명 중 옳지 <u>않은</u> 것은?**

① 축의 방정식은 $y=0$이다.
② 꼭짓점의 좌표는 $(0, 1)$이다.
③ 아래로 볼록한 포물선이다.
④ $y=4x^2$의 그래프를 y축의 방향으로 1만큼 평행이동한 것이다.
⑤ $y=-4x^2+3$의 그래프와 폭이 같다.

이차함수 $y=ax^2+q$의 그래프
(1) 이차함수 $y=ax^2$의 그래프를 y축의 방향으로 q만큼 평행이동한 것이다.
(2) 꼭짓점의 좌표 : $(0, q)$
(3) 축의 방정식 : $x=0$

2-1 다음 **보기** 중 이차함수 $y=-2x^2-1$의 그래프에 대한 설명으로 옳은 것을 모두 고르시오.

보기
ㄱ. 꼭짓점의 좌표는 $(-1, 0)$이다.
ㄴ. 점 $(2, -8)$을 지난다.
ㄷ. 제3, 4사분면을 지난다.
ㄹ. $x>0$일 때, x의 값이 증가하면 y의 값은 감소한다.
ㅁ. 이차함수 $y=-2x^2$의 그래프를 x축의 방향으로 -1만큼 평행이동한 것이다.

개념 이해 5

이차함수 $y=a(x-p)^2$의 그래프

(1) $y=a(x-p)^2$의 그래프는 $y=ax^2$의 그래프를 x축의 방향으로 p만큼 평행이동한 것이다.

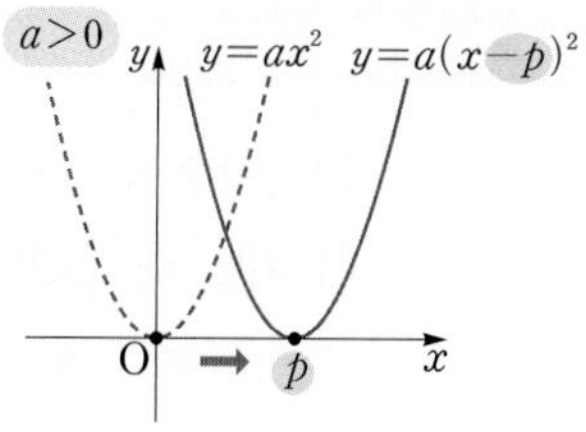

참고 $y=a(x-p)^2$에서

① $p>0$이면 x축의 양의 방향(오른쪽)으로 이동

② $p<0$이면 x축의 음의 방향(왼쪽)으로 이동

(2) **꼭짓점의 좌표:** $(p, 0)$

(3) **축의 방정식:** $x=p$

예 이차함수 $y=3(x-1)^2$의 그래프

① 이차함수 $y=3x^2$의 그래프를 x축의 방향으로 1만큼 평행이동한 것이다.

② 꼭짓점의 좌표: $(1, 0)$

③ 축의 방정식: $x=1$

$y=a(x-p)^2$에서 $a>0$이면

① $x<p$일 때, x의 값이 증가하면 y의 값은 감소한다.

② $x>p$일 때, x의 값이 증가하면 y의 값도 증가한다.

이차함수 $y=a(x-p)^2$의 그래프 확인하기

$y=(x-2)^2$에 대하여 대응표를 완성하면 다음과 같고, $x=-3$일 때 x^2의 값은 $x=-1$일 때 $(x-2)^2$의 값과 같다.

x	⋯	-3	-2	-1	0	1	2	3	⋯
x^2	⋯	9	4	1	0	1	4	9	⋯
$(x-2)^2$	⋯	25	16	9	4	1	0	1	⋯

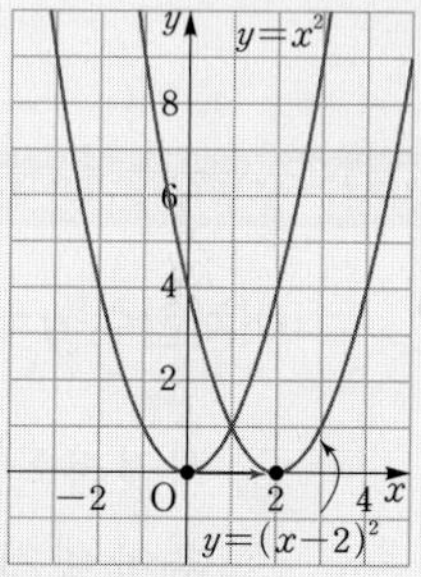

위의 표를 이용하여 두 이차함수 $y=x^2$, $y=(x-2)^2$의 그래프를 좌표평면 위에 나타내면 오른쪽 그림과 같고 $y=(x-2)^2$의 그래프는 $y=x^2$의 그래프를 x축의 방향으로 2만큼 평행이동한 것임을 알 수 있다.
따라서 이차함수 $y=(x-2)^2$의 그래프는 직선 $x=2$를 축으로 하고, 점 $(2, 0)$을 꼭짓점으로 하는 아래로 볼록한 포물선이다.

개념확인

1. 이차함수 $y=-2(x-3)^2$의 그래프에 대하여 다음 □ 안에 알맞은 것을 써넣으시오.

(1) $y=-2x^2$의 그래프를 □축의 방향으로 □만큼 평행이동한 것이다.

(2) 꼭짓점의 좌표는 (□, □)이고 축의 방정식은 □이다.

(3) $x<$□일 때, x의 값이 증가하면 y의 값도 증가한다.

2. 다음 이차함수의 그래프를 x축의 방향으로 [ ] 안의 수만큼 평행이동한 그래프의 식을 구하고, 꼭짓점의 좌표와 축의 방정식을 각각 구하시오.

(1) $y=-4x^2$ [-1]

(2) $y=\frac{1}{3}x^2$ [2]

개념 적용

이차함수 $y=a(x-p)^2$의 그래프가 지나는 점

1 **이차함수 $y=-2x^2$의 그래프를 x축의 방향으로 p만큼 평행이동하면 점 $(5, -8)$을 지날 때, p의 값을 모두 구하시오.**

이차함수 $y=ax^2$의 그래프를 x축의 방향으로 p만큼 평행이동한 그래프의 식
➡ $y=a(x-p)^2$

1-1 이차함수 $y=4(x-p)^2$의 그래프의 축의 방정식은 $x=-2$이고, 점 $(-3, k)$를 지날 때, k의 값을 구하시오. (단, p는 상수)

이차함수 $y=a(x-p)^2$의 그래프의 성질

2 **이차함수 $y=\frac{1}{2}(x+5)^2$의 그래프에 대한 다음 설명 중 옳은 것은?**

① 꼭짓점의 좌표는 $(5, 0)$이다.
② 축의 방정식은 $x=5$이다.
③ 점 $(-3, 4)$를 지난다.
④ $x>-5$일 때, x의 값이 증가하면 y의 값도 증가한다.
⑤ 이차함수 $y=\frac{1}{2}x^2$의 그래프를 x축의 방향으로 5만큼 평행이동한 것이다.

이차함수 $y=a(x-p)^2$의 그래프
(1) 이차함수 $y=ax^2$의 그래프를 x축의 방향으로 p만큼 평행이동한 것이다.
(2) 꼭짓점의 좌표: $(p, 0)$
(3) 축의 방정식: $x=p$

2-1 다음 **보기** 중 $y=-(x-2)^2$의 그래프에 대한 설명으로 옳지 않은 것을 모두 고르시오.

보기

ㄱ. 이차함수 $y=-x^2$의 그래프를 x축의 방향으로 2만큼 평행이동한 것이다.
ㄴ. 직선 $x=-2$를 축으로 한다.
ㄷ. 꼭짓점의 좌표는 $(0, 2)$이다.
ㄹ. $x>2$일 때, x의 값이 증가하면 y의 값도 증가한다.

개념 이해

6 이차함수 $y=a(x-p)^2+q$의 그래프

(1) 이차함수 $y=a(x-p)^2+q$의 그래프는 $y=ax^2$의 그래프를 x축의 방향으로 p만큼, y축의 방향으로 q만큼 평행이동한 것이다.

$$y=ax^2 \xrightarrow[y\text{축의 방향으로 } q\text{만큼 평행이동}]{x\text{축의 방향으로 } p\text{만큼 평행이동}} y=a(x-p)^2+q$$

(2) **꼭짓점의 좌표:** $(p,\ q)$

(3) **축의 방정식:** $x=p$

예) 이차함수 $y=2(x-1)^2+3$의 그래프

① 이차함수 $y=2x^2$의 그래프를 x축의 방향으로 1만큼, y축의 방향으로 3만큼 평행이동한 것이다.

② 꼭짓점의 좌표: $(1,\ 3)$

③ 축의 방정식: $x=1$

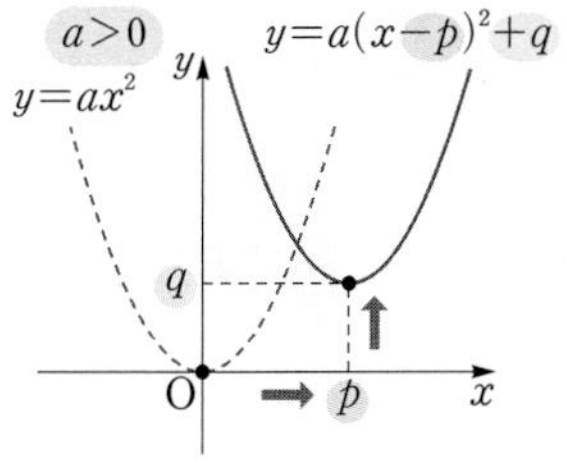

$y=a(x-p)^2+q$에서 $a>0$이면
① $x<p$일 때, x의 값이 증가하면 y의 값은 감소한다.
② $x>p$일 때, x의 값이 증가하면 y의 값도 증가한다.

이차함수 $y=a(x-p)^2+q$의 그래프 확인하기

$y=(x-2)^2+3$에 대하여 대응표를 완성하면 다음과 같다.

x	⋯	-3	-2	-1	0	1	2	3	⋯
x^2	⋯	9	4	1	0	1	4	9	⋯
$(x-2)^2$	⋯	25	16	9	4	1	0	1	⋯
$(x-2)^2+3$	⋯	28	19	12	7	4	3	4	⋯

위의 표를 이용하여 세 이차함수 $y=x^2$, $y=(x-2)^2$, $y=(x-2)^2+3$의 그래프를 좌표평면 위에 나타내면 오른쪽 그림과 같고 $y=(x-2)^2+3$의 그래프는 $y=x^2$의 그래프를 x축의 방향으로 2만큼, y축의 방향으로 3만큼 평행이동한 것임을 알 수 있다.

따라서 이차함수 $y=(x-2)^2+3$의 그래프는 직선 $x=2$를 축으로 하고, 점 $(2,\ 3)$을 꼭짓점으로 하는 아래로 볼록한 포물선이다.

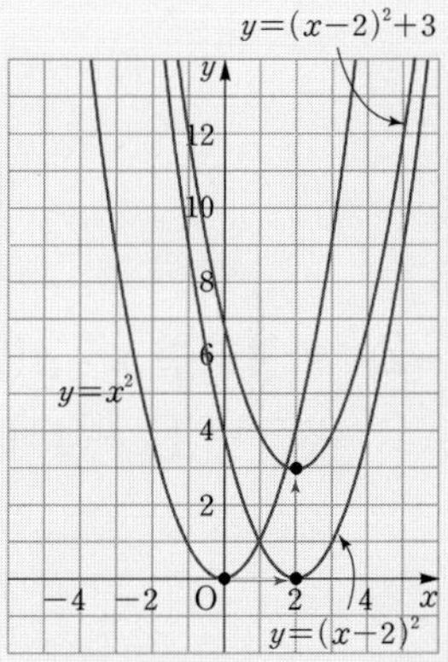

이차항의 계수가 이차함수의 그래프의 모양을 결정해.

오른쪽 그림과 같이 이차함수 $y=2x^2$의 그래프를 평행이동하여도 이차항의 계수인 2는 변하지 않는다.
이차함수의 그래프의 모양은 이차항의 계수가 결정하므로 이차항의 계수가 같은 세 이차함수의 그래프의 모양은 서로 같다.

$y=2x^2$

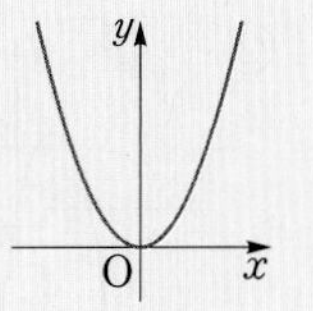

$y=2x^2+1$

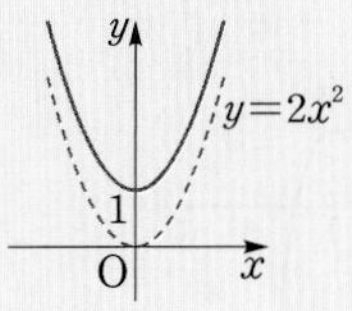

$y=2(x-1)^2+1$

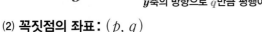

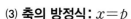

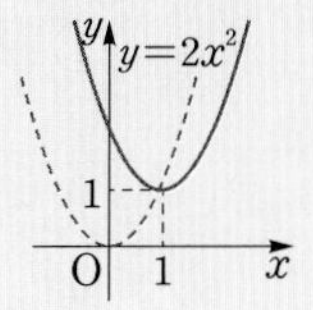

개념확인

1. 이차함수 $y=2(x+2)^2-1$의 그래프에 대하여 다음 □ 안에 알맞은 것을 써넣으시오.

(1) $y=2x^2$의 그래프를 x축의 방향으로 □만큼, y축의 방향으로 □만큼 평행이동한 것이다.

(2) 꼭짓점의 좌표는 (□, □)이고, 축의 방정식은 □이다.

(3) 점 (0, □)을 지나고 $x<$□일 때, x의 값이 증가하면 y의 값은 감소한다.

2. 다음 이차함수의 그래프를 [ ] 안의 수만큼 차례로 x축, y축의 방향으로 각각 평행이동한 그래프의 식을 구하고, 꼭짓점의 좌표와 축의 방정식을 각각 구하시오.

(1) $y=3x^2$ [-1, 4]

(2) $y=-\frac{1}{2}x^2$ [5, -7]

개념 적용

이차함수 $y=a(x-p)^2+q$의 그래프

1 **이차함수 $y=3x^2$의 그래프를 x축의 방향으로 -2만큼, y축의 방향으로 k만큼 평행이동한 그래프가 점 $(0, 8)$을 지날 때, k의 값을 구하시오.**

이차함수 $y=ax^2$의 그래프를 x축의 방향으로 p만큼, y축의 방향으로 q만큼 평행이동한 그래프의 식
➡ $y=a(x-p)^2+q$

1-1 이차함수 $y=\frac{1}{2}(x-p)^2+2p+3$의 그래프의 꼭짓점이 일차함수 $y=3x-1$의 그래프 위에 있을 때, 상수 p의 값을 구하시오.

1-2 이차함수 $y=a(x-p)^2+q$의 그래프는 꼭짓점의 좌표가 $(2, 5)$이고, 점 $(-1, -4)$를 지날 때, 상수 a, p, q에 대하여 $a+p+q$의 값을 구하시오.

1-3 다음 중 이차함수 $y=-2(x+1)^2+2$의 그래프는?

①
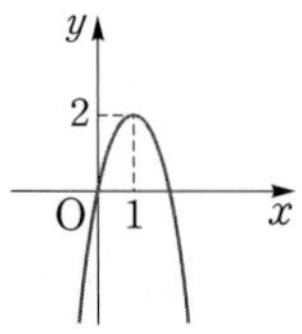

②
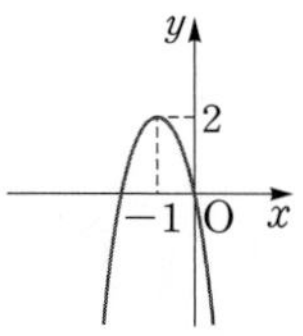

③
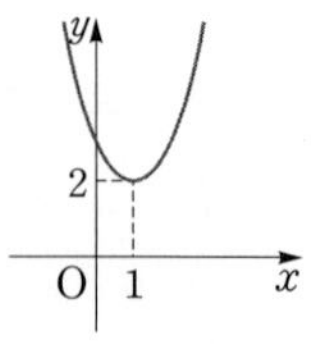

④
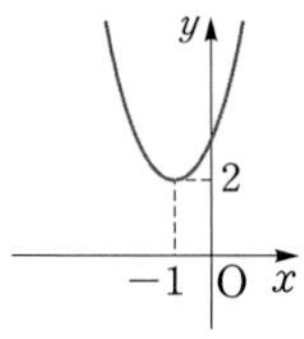

⑤
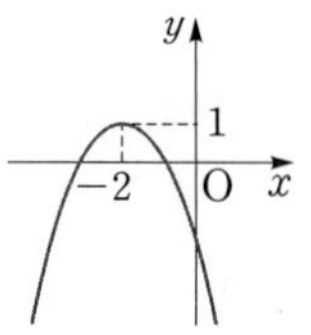

▶ 이차함수 $y=a(x-p)^2+q$의 그래프는 꼭짓점의 좌표 (p, q)와 y축 위를 지나는 점의 좌표를 알면 그래프를 비교적 정확하게 그릴 수 있다.

이차함수 $y=a(x-p)^2+q$의 그래프의 성질

2 **이차함수 $y=2(x-1)^2-3$의 그래프에 대한 다음 설명 중 옳지 않은 것은?**

① 꼭짓점의 좌표는 $(1,\ -3)$이다.
② 축의 방정식은 $x=1$이다.
③ 점 $(0,\ -2)$를 지난다.
④ $y=2x^2$의 그래프를 x축의 방향으로 1만큼, y축의 방향으로 -3만큼 평행이동한 것이다.
⑤ $x>1$일 때, x의 값이 증가하면 y의 값도 증가한다.

이차함수 $y=a(x-p)^2+q$의 그래프
(1) 이차함수 $y=ax^2$의 그래프를 x축의 방향으로 p만큼, y축의 방향으로 q만큼 평행이동한 것이다.
(2) 꼭짓점의 좌표 : $(p,\ q)$
(3) 축의 방정식 : $x=p$

2-1 이차함수 $y=-\frac{1}{3}(x+3)^2+2$의 그래프에 대한 다음 설명 중 옳은 것을 모두 고르면? (정답 2개)

① 꼭짓점의 좌표는 $(3,\ 2)$이다.
② 축의 방정식은 $x=3$이다.
③ 점 $(0,\ -1)$을 지난다.
④ $x<-3$일 때, x의 값이 증가하면 y의 값은 감소한다.
⑤ 제 2, 3, 4사분면을 지난다.

이차함수 $y=a(x-p)^2+q$의 그래프와 $a,\ p,\ q$의 부호

3 **이차함수 $y=a(x-p)^2+q$의 그래프가 오른쪽 그림과 같을 때, 상수 $a,\ p,\ q$의 부호는?**

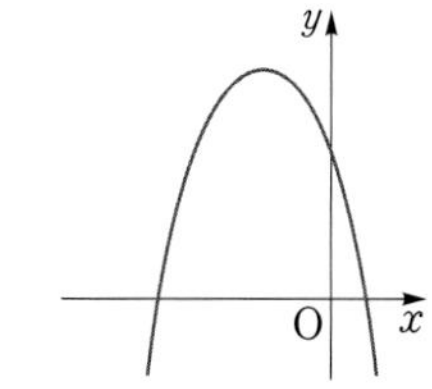

① $a>0,\ p>0,\ q>0$ ② $a>0,\ p<0,\ q<0$
③ $a<0,\ p>0,\ q<0$ ④ $a<0,\ p<0,\ q>0$
⑤ $a<0,\ p<0,\ q<0$

이차함수 $y=a(x-p)^2+q$에서 $a,\ p,\ q$의 부호 정하기
(1) a의 부호: 아래로 볼록하면 $a>0$, 위로 볼록하면 $a<0$
(2) $p,\ q$의 부호: 꼭짓점 $(p,\ q)$가 제1사분면 위에 있으면 $p>0,\ q>0$
제2사분면 위에 있으면 $p<0,\ q>0$
제3사분면 위에 있으면 $p<0,\ q<0$
제4사분면 위에 있으면 $p>0,\ q<0$

3-1 이차함수 $y=a(x-p)^2+q$의 그래프가 오른쪽 그림과 같을 때, 상수 $a,\ p,\ q$의 부호는?

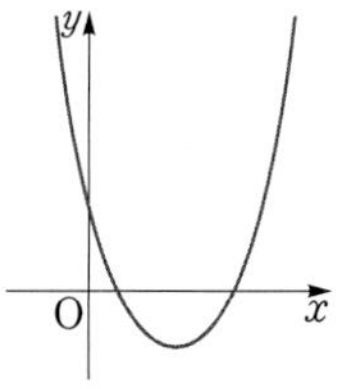

① $a>0,\ p>0,\ q>0$ ② $a>0,\ p>0,\ q<0$
③ $a>0,\ p<0,\ q>0$ ④ $a<0,\ p<0,\ q>0$
⑤ $a<0,\ p>0,\ q<0$

개념 이해 7

이차함수의 그래프의 평행이동과 대칭이동

(1) 이차함수 $y=a(x-p)^2+q$의 그래프의 평행이동

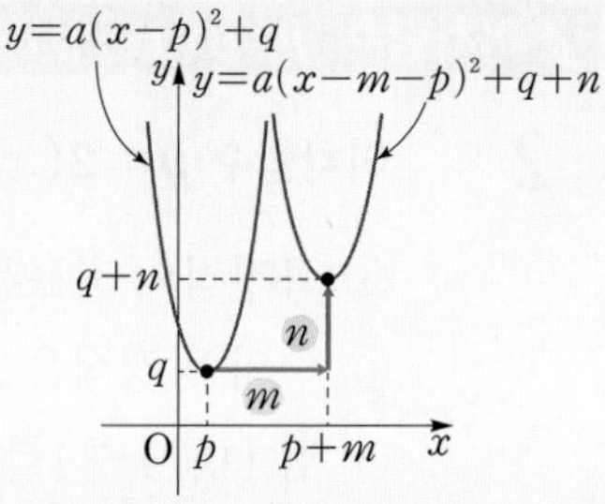

이차함수 $y=a(x-p)^2+q$의 그래프를 x축의 방향으로 m만큼, y축의 방향으로 n만큼 평행이동한 그래프의 식은 $y=a(x-m-p)^2+q+n$

$$y=a(x-p)^2+q$$

y 대신 $y-n$ 대입 ↓ x 대신 $x-m$ 대입

$$y-n=a(x-m-p)^2+q$$

$$\Rightarrow y=a(x-m-p)^2+q+n$$

이차함수 $y=a(x-p)^2+q$의 그래프의 평행이동 확인하기

$y=a(x-p)^2+q$의 그래프를 x축의 방향으로 m만큼, y축의 방향으로 n만큼 평행이동하면 꼭짓점의 좌표는 (p, q)에서 $(p+m, q+n)$이 되므로 식은 $y=a\{x-(p+m)\}^2+q+n$
즉, $y-n=a(x-m-p)^2+q$가 된다.
따라서 이차함수의 그래프를 x축의 방향으로 m만큼, y축의 방향으로 n만큼 평행이동한 그래프의 식은 x 대신 $x-m$, y 대신 $y-n$을 대입한 식과 같다.

(2) 이차함수 $y=a(x-p)^2+q$의 그래프의 대칭이동

이차함수 $y=a(x-p)^2+q$의 그래프를

① x축에 대하여 대칭이동한 그래프의 식은 y 대신 $-y$를 대입

$$\Rightarrow y=-a(x-p)^2-q$$

② y축에 대하여 대칭이동한 그래프의 식은 x 대신 $-x$를 대입

$$\Rightarrow y=a(x+p)^2+q$$

$y=a(x-p)^2+q$의 식에 x 대신 $-x$를 대입하면
$\Rightarrow y=a(-x-p)^2+q$
$=a\{(-(x+p))\}^2+q$
$=a(x+p)^2+q$

이차함수 $y=a(x-p)^2+q$의 그래프의 대칭이동 확인하기

(1) x축에 대하여 대칭이동: y 대신 $-y$를 대입
$-y=a(x-p)^2+q \Rightarrow y=-a(x-p)^2-q$

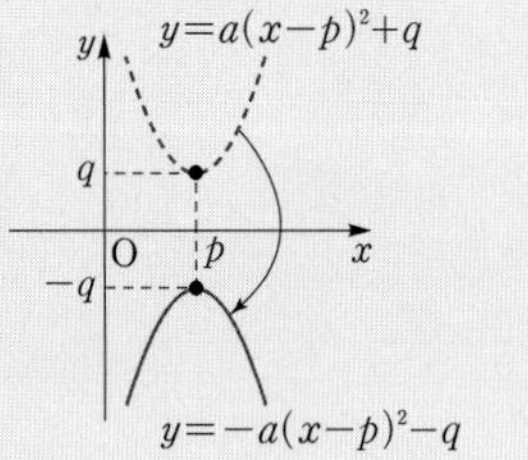

(2) y축에 대하여 대칭이동: x 대신 $-x$를 대입
$y=a(-x-p)^2+q \Rightarrow y=a(x+p)^2+q$

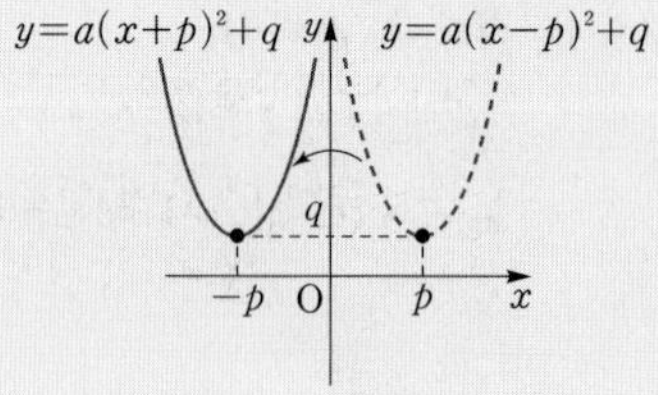

개념확인

1. 이차함수 $y=2(x+3)^2-5$의 그래프를 다음과 같이 평행이동한 그래프의 식을 구하시오.

(1) x축의 방향으로 1만큼 평행이동
(2) y축의 방향으로 -3만큼 평행이동
(3) x축의 방향으로 1만큼, y축의 방향으로 -3만큼 평행이동

2. 이차함수 $y=3(x-4)^2+1$의 그래프를 다음과 같이 대칭이동한 그래프의 식을 구하시오.

(1) x축에 대하여 대칭이동

(2) y축에 대하여 대칭이동

개념 적용

이차함수 $y=a(x-p)^2+q$의 그래프의 평행이동

1 **이차함수 $y=(x-1)^2+4$의 그래프를 x축의 방향으로 -2만큼, y축의 방향으로 5만큼 평행이동한 그래프에 대하여 다음을 구하시오.**

(1) 평행이동한 그래프의 식

(2) 평행이동한 그래프의 꼭짓점의 좌표

이차함수 $y=a(x-p)^2+q$의 그래프를 x축의 방향으로 m만큼, y축의 방향으로 n만큼 평행이동한 그래프의 식은 $y=a(x-m-p)^2+q+n$

1-1 이차함수 $y=-\frac{1}{3}(x+2)^2-3$의 그래프를 x축의 방향으로 m만큼, y축의 방향으로 n만큼 평행이동한 그래프의 식이 $y=-\frac{1}{3}(x-1)^2+2$일 때, $m+n$의 값을 구하시오.

이차함수 $y=a(x-p)^2+q$의 그래프의 대칭이동

2 **이차함수 $y=2(x-5)^2-1$의 그래프를 x축에 대하여 대칭이동한 그래프에 대하여 다음을 구하시오.**

(1) 대칭이동한 그래프의 식

(2) 대칭이동한 그래프의 꼭짓점의 좌표

이차함수 $y=a(x-p)^2+q$의 그래프를

(1) x축에 대하여 대칭이동한 그래프의 식
➡ $y=-a(x-p)^2-q$

(2) y축에 대하여 대칭이동한 그래프의 식
➡ $y=a(x+p)^2+q$

2-1 이차함수 $y=a(x+3)^2+2$의 그래프를 y축에 대하여 대칭이동한 그래프가 점 $(4,\ -3)$을 지날 때, 상수 a의 값을 구하시오.

개념 이해 **8**

이차함수 $y=ax^2+bx+c$의 그래프

(1) 이차함수 $y=ax^2+bx+c$의 그래프

① 이차함수 $y=ax^2+bx+c$의 그래프는 $y=a(x-p)^2+q$의 꼴로 고쳐서 그린 그래프와 같다.

$$y=ax^2+bx+c \Rightarrow y=a\left(x+\frac{b}{2a}\right)^2-\frac{b^2-4ac}{4a}$$

$$\Rightarrow y=a\left\{x-\left(-\frac{b}{2a}\right)\right\}^2-\frac{b^2-4ac}{4a}$$

$p=$(꼭짓점의 x좌표)　　$q=$(꼭짓점의 y좌표)

② 꼭짓점의 좌표: $(p, q) \Rightarrow \left(-\frac{b}{2a}, -\frac{b^2-4ac}{4a}\right)$

③ 축의 방정식: $x=p \Rightarrow x=-\frac{b}{2a}$

이차함수 $y=ax^2+bx+c$를 $y=a(x-p)^2+q$의 꼴로 고치기

$$\begin{aligned} y&=2x^2-4x+1 \\ &=2(x^2-2x)+1 \\ &=2\left\{x^2-2x+\left(\frac{-2}{2}\right)^2-\left(\frac{-2}{2}\right)^2\right\}+1 \\ &=2(x^2-2x+1)-2+1 \\ &=2(x-1)^2-1 \end{aligned}$$

$\Rightarrow$

$$\begin{aligned} y&=ax^2+bx+c=a\left(x^2+\frac{b}{a}x\right)+c \\ &=a\left\{x^2+\frac{b}{a}x+\left(\frac{b}{2a}\right)^2-\left(\frac{b}{2a}\right)^2\right\}+c \\ &=a\left\{x^2+\frac{b}{a}x+\left(\frac{b}{2a}\right)^2\right\}-\frac{b^2}{4a}+c \\ &=a\left(x+\frac{b}{2a}\right)^2-\frac{b^2-4ac}{4a} \end{aligned}$$

참고 $y=ax^2+bx+c$의 꼴을 일반형, $y=a(x-p)^2+q$의 꼴을 표준형이라 한다.

(2) 이차함수 $y=ax^2+bx+c$의 그래프와 x축, y축과의 교점

이차함수 $y=ax^2+bx+c$의 그래프에서

① x축과의 교점: $y=0$일 때의 x의 값을 구한다.

② y축과의 교점: $x=0$일 때의 y의 값을 구한다.

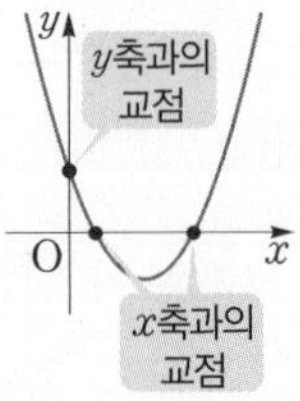

개념확인

1. 다음은 이차함수 $y=ax^2+bx+c$를 $y=a(x-p)^2+q$의 꼴로 고치는 과정이다. □ 안에 알맞은 수를 써넣고, 꼭짓점의 좌표와 축의 방정식을 각각 구하시오.

(1) $y=x^2+6x+7$
$=(x^2+6x+□-□)+7$
$=(x+□)^2-□$
- 꼭짓점의 좌표 : ____________
- 축의 방정식 : ____________

(2) $y=-3x^2+6x-1$
$=-3(x^2-□x+□-□)-1$
$=-3(x-□)^2+□$
- 꼭짓점의 좌표 : ____________
- 축의 방정식 : ____________

2. 다음 이차함수의 그래프와 x축, y축과의 교점의 좌표를 각각 구하시오.

(1) $y=x^2-3x-4$

(2) $y=2x^2+x-1$

개념 적용

이차함수 $y=ax^2+bx+c$의 그래프

1 **이차함수 $y=3x^2-6x+11$의 그래프의 꼭짓점의 좌표가 (a, b)이고, 축의 방정식이 $x=c$일 때, $a+b+c$의 값을 구하시오.**

이차함수 $y=ax^2+bx+c$의 그래프의 꼭짓점의 좌표와 축의 방정식을 구하려면 이차함수의 식을 $y=a(x-p)^2+q$의 꼴로 고친다.

1-1 이차함수 $y=-x^2+ax+5$의 그래프가 점 $(5, 0)$을 지날 때, 이 그래프의 꼭짓점의 좌표를 구하시오. (단, a는 상수)

▶ 이차함수의 그래프가 지나는 점을 이용하여 a의 값을 구한 후 $y=-(x-p)^2+q$의 꼴로 고친다.

1-2 이차함수 $y=\frac{1}{2}x^2-2kx-1$의 그래프의 축의 방정식이 $x=-3$일 때, 상수 k의 값을 구하시오.

이차함수 $y=ax^2+bx+c$의 그래프와 x축, y축과의 교점

2 **이차함수 $y=x^2-2x-8$의 그래프가 x축과 만나는 두 점의 좌표가 $(a, 0)$, $(b, 0)$이고, y축과 만나는 점의 좌표가 $(0, c)$일 때, $a+b+c$의 값은?**

① -6 ② -5 ③ -4
④ -3 ⑤ -2

이차함수 $y=ax^2+bx+c$의 그래프가
(1) x축과 만나는 점의 x좌표: $y=0$을 대입하면 이차방정식 $ax^2+bx+c=0$의 해
(2) y축과 만나는 점의 y좌표: $x=0$을 대입하면 상수항 c

2-1 이차함수 $y=-3x^2+5x+2$의 그래프는 x축과 두 점 A, B에서 만난다고 할 때, $\overline{AB}$의 길이를 구하시오.

▶ x축 위의 두 점 $(a, 0)$, $(b, 0)$ $(a<b)$ 사이의 거리는 $b-a$이다.

이차함수 $y=ax^2+bx+c$의 그래프의 성질

3 **다음 보기 중 이차함수 $y=x^2-6x+2$의 그래프에 대한 설명으로 옳은 것을 모두 고르시오.**

> **보기**
> ㄱ. 꼭짓점의 좌표는 $(3,\ 7)$이다.　　ㄴ. 축의 방정식은 $x=-3$이다.
> ㄷ. 점 $(-1,\ 9)$를 지난다.　　ㄹ. 제1, 2, 4사분면을 지난다.
> ㅁ. 이차함수 $y=x^2$의 그래프를 x축의 방향으로 -3만큼, y축의 방향으로 7만큼 평행이동한 것이다.

이차함수 $y=ax^2+bx+c$의 그래프 그리기
$y=ax^2+bx+c$를 $y=a(x-p)^2+q$의 꼴로 고친 후
(1) 꼭짓점의 좌표: $(p,\ q)$
(2) 그래프가 y축과 만나는 점의 좌표: $(0,\ c)$
임을 이용하여 그래프를 그린다.

3-1 다음 중 $y=-\frac{1}{4}x^2+2x-1$의 그래프에 대한 설명으로 옳지 않은 것은?

① 위로 볼록한 포물선이다.
② 꼭짓점의 좌표는 $(4,\ 3)$이다.
③ 축의 방정식은 $x=4$이다.
④ 점 $(6,\ 2)$를 지난다.
⑤ $x>4$일 때, x의 값이 증가하면 y의 값도 증가한다.

이차함수의 그래프에서 삼각형의 넓이

4 **오른쪽 그림과 같이 이차함수 $y=-x^2-x+6$의 그래프가 x축과 만나는 점을 각각 A, B라 하고, y축과 만나는 점을 C라 할 때, △ABC의 넓이를 구하시오.**

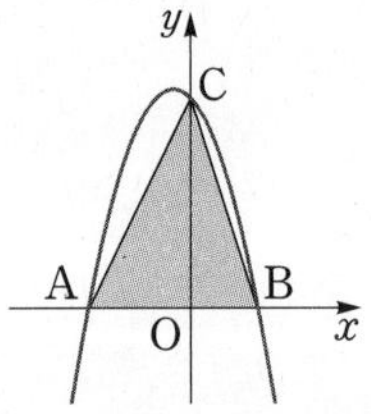

△ABC의 넓이 구하기

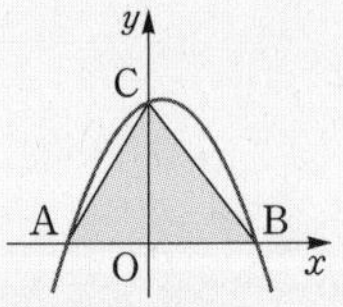

① 그래프와 x축과의 교점 A, B의 좌표를 구한다.
➡ $ax^2+bx+c=0$의 해를 $\alpha,\ \beta(\alpha<\beta)$라 하면 $\mathrm{A}(\alpha,\ 0),\ \mathrm{B}(\beta,\ 0)$
② 그래프와 y축과의 교점 C의 좌표를 구한다.
➡ $\mathrm{C}(0,\ c)$
③ △ABC의 넓이를 구한다.
➡ $\triangle\mathrm{ABC}=\frac{1}{2}\times\overline{\mathrm{AB}}\times\overline{\mathrm{OC}}$

4-1 오른쪽 그림과 같이 이차함수 $y=x^2-4x-5$의 그래프가 x축과 만나는 두 점을 각각 A, B라 하고, 꼭짓점을 C라 할 때, △ABC의 넓이를 구하시오.

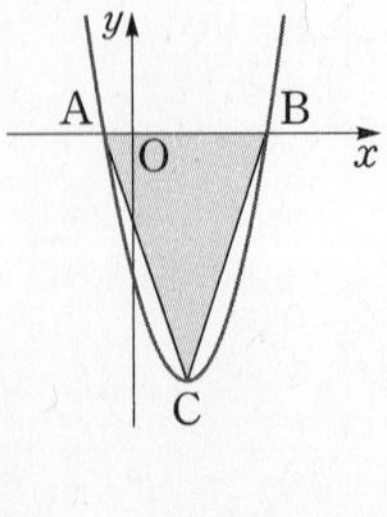

개념 이해

9 이차함수 $y=ax^2+bx+c$의 그래프와 a, b, c의 부호

이차함수 $y=ax^2+bx+c$의 그래프가 주어졌을 때, a, b, c의 부호는 다음과 같은 방법으로 알 수 있다.

(1) **a의 부호:** 그래프의 모양

① 아래로 볼록(∪)하면 $a>0$

② 위로 볼록(∩)하면 $a<0$

$y=ax^2+bx+c$에서

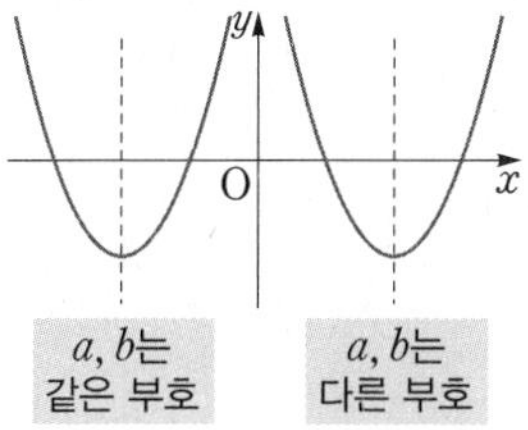

(2) **b의 부호:** 축의 위치

① 축이 y축의 왼쪽에 위치하면 a와 b는 서로 같은 부호 ➡ $ab>0$

② 축이 y축의 오른쪽에 위치하면 a와 b는 서로 다른 부호 ➡ $ab<0$

(3) **c의 부호:** y축과의 교점의 위치

① y축과의 교점이 원점의 위쪽에 위치하면 $c>0$

② y축과의 교점이 원점의 아래쪽에 위치하면 $c<0$

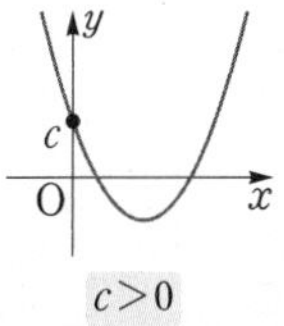

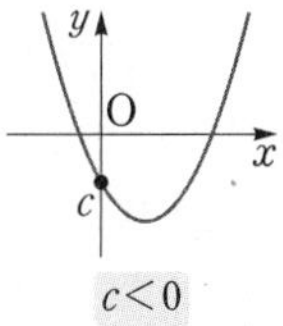

이차함수 $y=ax^2+bx+c$의 그래프에서 b의 부호 확인하기

$y=ax^2+bx+c=a\left(x+\frac{b}{2a}\right)^2-\frac{b^2-4ac}{4a}$에서 그래프의 축의 방정식이 $x=-\frac{b}{2a}$이므로

(1) 축이 y축의 왼쪽에 위치하면 $-\frac{b}{2a}<0$, 즉 $\frac{b}{a}>0$이므로 a, b는 서로 같은 부호이다.

(2) 축이 y축과 일치하면 $-\frac{b}{2a}=0$, 즉 $b=0$이다.

(3) 축이 y축의 오른쪽에 위치하면 $-\frac{b}{2a}>0$, 즉 $\frac{b}{a}<0$이므로 a, b는 서로 다른 부호이다.

개념확인

1. 이차함수 $y=ax^2+bx+c$의 그래프가 오른쪽 그림과 같을 때, 다음 □ 안에 알맞은 부등호를 써넣으시오.

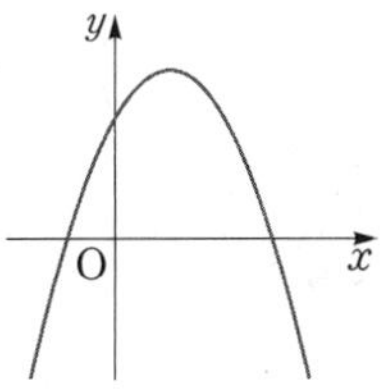

(1) 그래프가 위로 볼록하므로
a □ 0

(2) 축이 y축의 오른쪽에 있으므로 ab □ 0
$\therefore b$ □ 0

(3) y축과의 교점이 원점의 위쪽에 있으므로 c □ 0

2. 오른쪽 그림은 이차함수 $y=ax^2+bx+c$의 그래프이다. □ 안에 알맞은 부등호를 써넣으시오.

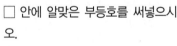

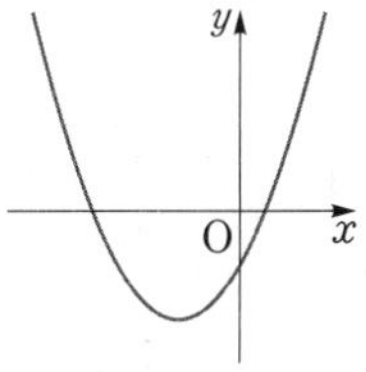

(1) a □ 0

(2) ab □ 0 $\quad\therefore b$ □ 0

(3) c □ 0

개념 적용

이차함수 $y=ax^2+bx+c$의 그래프와 a, b, c의 부호

1 **이차함수 $y=ax^2+bx+c$의 그래프가 오른쪽 그림과 같을 때, 다음 중 옳지 않은 것은? (단, a, b, c는 상수)**

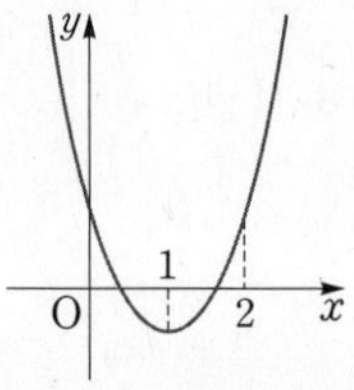

① $a>0$ ② $b<0$ ③ $c>0$
④ $a+b+c<0$ ⑤ $4a+2b+c<0$

이차함수 $y=ax^2+bx+c$의 그래프가
(1) 아래로 볼록: $a>0$
위로 볼록: $a<0$
(2) 축이 y축의 왼쪽에 위치
: $ab>0$
축이 y축의 오른쪽에 위치
: $ab<0$
(3) y축과의 교점이 원점의 위쪽에 위치: $c>0$
y축과의 교점이 원점의 아래쪽에 위치: $c<0$

1-1 이차함수 $y=ax^2+bx+c$의 그래프가 오른쪽 그림과 같을 때, 상수 a, b, c의 부호는?

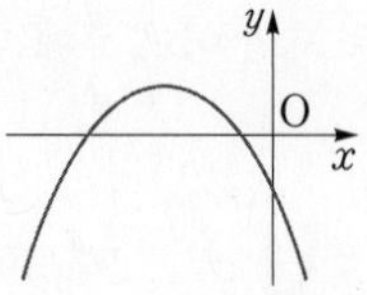

① $a>0$, $b>0$, $c>0$ ② $a>0$, $b>0$, $c<0$
③ $a<0$, $b>0$, $c>0$ ④ $a<0$, $b<0$, $c>0$
⑤ $a<0$, $b<0$, $c<0$

1-2 일차함수 $y=ax+b$의 그래프가 오른쪽 그림과 같을 때, 다음 중 이차함수 $y=x^2-ax+b$의 그래프로 적당한 것은? (단, a, b는 상수)

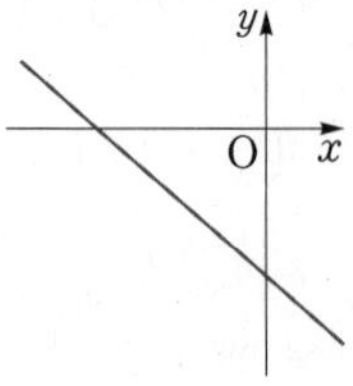

①
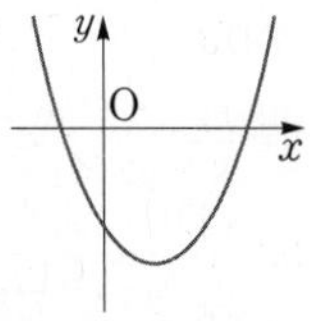

②
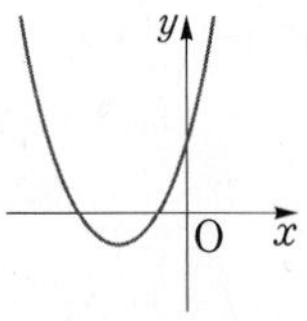

③
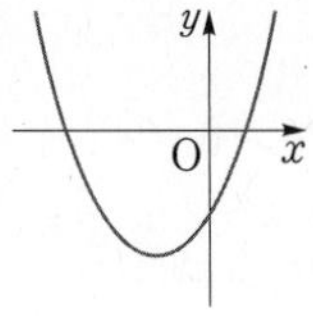

④
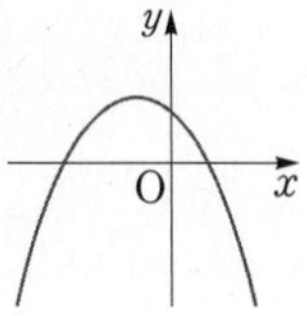

⑤
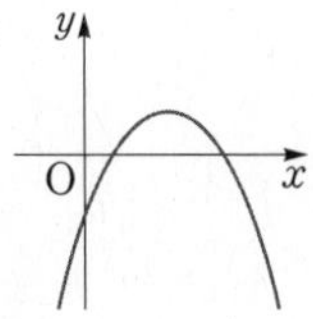

개념 이해

10 이차함수의 식 구하기

(1) 꼭짓점의 좌표 (p, q)와 그래프가 지나는 다른 한 점의 좌표를 알 때, 이차함수의 식 구하기

① 이차함수의 식을 $y=a(x-p)^2+q$로 놓는다.

② 위 ①의 식에 주어진 점의 좌표를 대입하여 a의 값을 구한다.

$$y=a(x-p)^2+q$$

- q ← 꼭짓점의 y좌표
- a ← 이차함수의 그래프가 지나는 점의 좌표를 대입하여 구한다.
- p ← 꼭짓점의 x좌표

㉮ 꼭짓점의 좌표가 $(2, 5)$이고, 점 $(1, 7)$을 지나는 이차함수의 식은
① $y=a(x-2)^2+5$로 놓는다.
② 위 ①의 식에 $x=1$, $y=7$을 대입하면 $7=a(1-2)^2+5$ $\quad\therefore a=2$
따라서 구하는 이차함수의 식은 $y=2(x-2)^2+5$이다.

(2) 축의 방정식 $x=p$와 그래프가 지나는 다른 두 점의 좌표를 알 때, 이차함수의 식 구하기

① 이차함수의 식을 $y=a(x-p)^2+q$로 놓는다.

② 위 ①의 식에 주어진 두 점의 좌표를 각각 대입하여 a, q의 값을 구한다.

㉮ 축의 방정식이 $x=2$이고, 두 점 $(1, -5)$, $(-1, 3)$을 지나는 이차함수의 식은
① $y=a(x-2)^2+q$로 놓는다.
② 위 ①의 식에 $(1, -5)$, $(-1, 3)$의 좌표를 각각 대입하면 $-5=a+q$, $3=9a+q$ $\quad\therefore a=1$, $q=-6$
따라서 구하는 이차함수의 식은 $y=(x-2)^2-6$이다.

(3) 그래프 위의 서로 다른 세 점의 좌표를 알 때, 이차함수의 식 구하기

① 이차함수의 식을 $y=ax^2+bx+c$로 놓는다.

② 위 ①의 식에 주어진 세 점의 좌표를 각각 대입하여 a, b, c의 값을 구한다.

㉮ 세 점 $(1, 2)$, $(2, 4)$, $(0, -2)$를 지나는 이차함수의 식은
① $y=ax^2+bx+c$로 놓는다.
② 위 ①의 식에 $(1, 2)$, $(2, 4)$, $(0, -2)$의 좌표를 각각 대입하면
$2=a+b+c$, $4=4a+2b+c$, $-2=c$ $\quad\therefore a=-1$, $b=5$, $c=-2$
따라서 구하는 이차함수의 식은 $y=-x^2+5x-2$이다.

주어진 세 점 중 두 점이 x축과의 교점 $(\alpha, 0)$, $(\beta, 0)$일 때, 이차함수의 식 구하기
① 이차함수의 식을 $y=a(x-\alpha)(x-\beta)$로 놓는다.
② 위 ①의 식에 나머지 한 점의 좌표를 대입하여 a의 값을 구한다.
㉮ x축과 두 점 $(-2, 0)$, $(1, 0)$에서 만나고, 점 $(-1, 4)$를 지나는 포물선을 그래프로 하는 이차함수의 식은
$y=a(x+2)(x-1)$로 놓고 $x=-1$, $y=4$를 대입하면 $4=a(-1+2)(-1-1)$에서 $a=-2$
$\therefore y=-2(x+2)(x-1)$

개념확인

1. 다음을 그래프로 하는 이차함수의 식을 $y=ax^2+bx+c$의 꼴로 나타내시오.
(1) 꼭짓점의 좌표가 $(-2, 1)$이고, 점 $(-1, 2)$를 지나는 포물선
(2) 직선 $x=-1$을 축으로 하고 두 점 $(-2, 1)$, $(1, -8)$을 지나는 포물선
(3) 세 점 $(0, 1)$, $(1, 2)$, $(-1, 4)$를 지나는 포물선
(4) x축과 두 점 $(1, 0)$, $(3, 0)$에서 만나고, 점 $(0, 9)$를 지나는 포물선

개념 적용

꼭짓점과 다른 한 점을 알 때, 이차함수의 식 구하기

1 **꼭짓점의 좌표가 $(-1, 2)$이고, 점 $(-2, 5)$를 지나는 포물선을 그래프로 하는 이차함수의 식을 $y=ax^2+bx+c$라 할 때, 상수 a, b, c에 대하여 $a+b-c$의 값을 구하시오.**

꼭짓점 (p, q)와 그래프 위의 다른 한 점의 좌표가 주어질 때
① 이차함수의 식을 $y=a(x-p)^2+q$로 놓는다.
② 다른 한 점의 좌표를 대입하여 a의 값을 구한다.

1-1 오른쪽 그림과 같은 포물선을 그래프로 하는 이차함수의 식을 $y=ax^2+bx+c$의 꼴로 나타내시오.

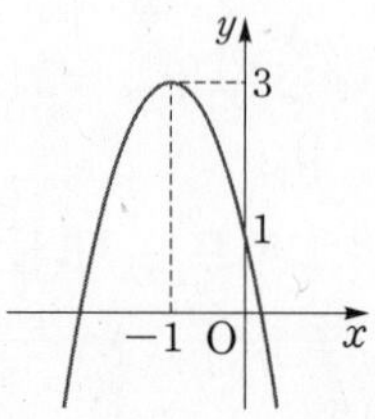

1-2 꼭짓점의 좌표가 $(2, 1)$이고, 점 $(4, 3)$을 지나는 포물선을 그래프로 하는 이차함수의 식은?

① $y=-x^2+2x-1$ ② $y=-\frac{1}{2}x^2+4x+1$ ③ $y=\frac{1}{2}x^2-2x+3$
④ $y=x^2-4x+3$ ⑤ $y=x^2+2x-3$

축의 방정식과 두 점을 알 때, 이차함수의 식 구하기

2 **직선 $x=-2$를 축으로 하고, 두 점 $(1, 9)$, $(-4, -1)$을 지나는 포물선을 그래프로 하는 이차함수의 식을 $y=ax^2+bx+c$라 할 때, 상수 a, b, c에 대하여 $a+b+c$의 값을 구하시오.**

축의 방정식 $x=p$와 그래프 위의 서로 다른 두 점의 좌표가 주어질 때
① 이차함수의 식을 $y=a(x-p)^2+q$로 놓는다.
② ①의 식에 서로 다른 두 점의 좌표를 각각 대입하여 연립방정식을 세운 후 a, q의 값을 구한다.

2-1 이차함수 $y=ax^2+bx+c$의 그래프가 오른쪽 그림과 같고 직선 $x=\frac{1}{2}$을 축으로 할 때, 상수 a, b, c에 대하여 $a+b+c$의 값을 구하시오.

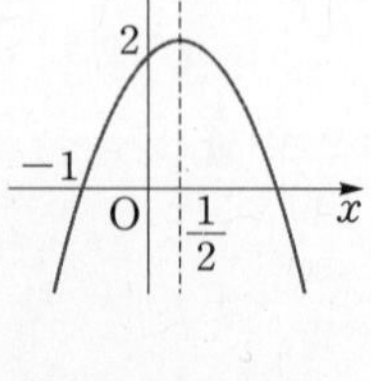

서로 다른 세 점을 알 때, 이차함수의 식 구하기

3 **세 점 $(3, 0)$, $(0, -6)$, $(-2, 10)$을 지나는 포물선을 그래프로 하는 이차함수의 식은?**

① $y=x^2+2x+3$　② $y=x^2+4x-6$　③ $y=2x^2-4x-6$
④ $y=2x^2+4x-8$　⑤ $y=3x^2-4x+9$

그래프 위의 서로 다른 세 점의 좌표가 주어질 때
① 이차함수의 식을 $y=ax^2+bx+c$로 놓는다.
② ①의 식에 세 점의 좌표를 각각 대입하여 연립방정식을 세운 후 a, b, c의 값을 구한다.

3-1 세 점 $(1, -4)$, $(-1, 8)$, $(0, 3)$을 지나는 포물선의 축의 방정식을 구하시오.

▸ 이차함수의 식 $y=ax^2+bx+c$를 $y=a(x-p)^2+q$의 꼴로 변형한다.

x축과의 두 교점과 다른 한 점을 알 때, 이차함수의 식 구하기

4 **오른쪽 그림과 같은 포물선을 그래프로 하는 이차함수의 식은?**

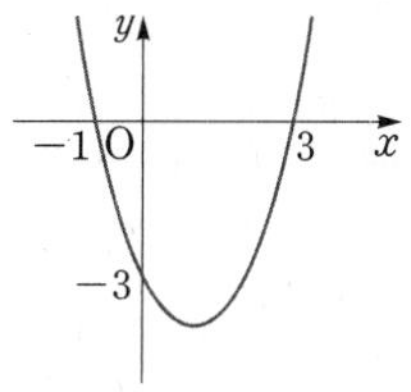

① $y=x^2-x+3$　② $y=x^2-2x-3$
③ $y=x^2+3x-3$　④ $y=2x^2-x+3$
⑤ $y=2x^2+2x+3$

x축과의 두 교점 $(\alpha, 0)$, $(\beta, 0)$과 그래프 위의 다른 한 점의 좌표가 주어질 때
① 이차함수의 식을 $y=a(x-\alpha)(x-\beta)$로 놓는다.
② ①의 식에 다른 한 점의 좌표를 대입하여 a의 값을 구한다.

4-1 세 점 $(2, 0)$, $(-3, 0)$, $(1, 8)$을 지나는 포물선이 y축과 만나는 점의 좌표는?

① $(0, 2)$　② $(0, 5)$　③ $(0, 9)$
④ $(0, 12)$　⑤ $(0, 15)$

개념 특강

표준형으로 고치면 최대, 최소가 보인다.

개념 1. 표준형으로 고치면 꼭짓점이 드러난다.

일반형	표준형
$y=-x^2+4x-3$	$y=-(x-2)^2+1$
$-$: 위로 볼록, -3: y절편	$-$: 위로 볼록, 2: 꼭짓점의 x좌표, 1: 꼭짓점의 y좌표

y절편이 -3이고 위로 볼록인 그래프

↓

꼭짓점의 위치를 정확히 알 수 없다.

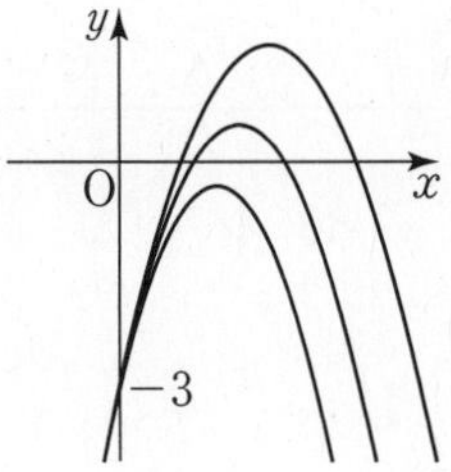

꼭짓점의 좌표가 $(2,\ 1)$이고 위로 볼록인 그래프

↓

꼭짓점의 위치를 정확히 알 수 있다.

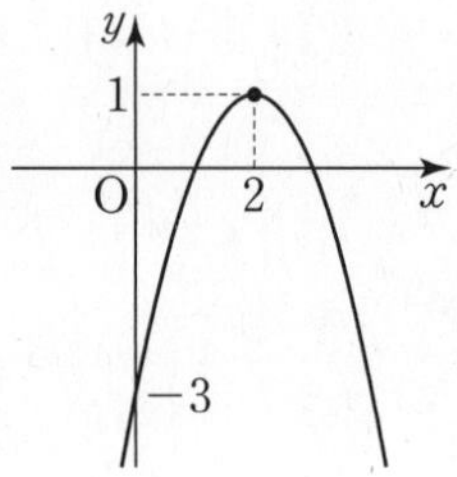

개념 2. 꼭짓점을 알면 최대, 최소가 드러난다.

어떤 함수의 y의 값 중에서 가장 큰 값을 그 함수의 최댓값, 가장 작은 값을 최솟값이라 한다.
따라서 이차함수의 그래프에서 꼭짓점의 y좌표에 주목하면 이차함수의 최댓값 또는 최솟값을 구할 수 있다.
이차함수 $y=a(x-p)^2+q$의 최대, 최소는 다음과 같다.

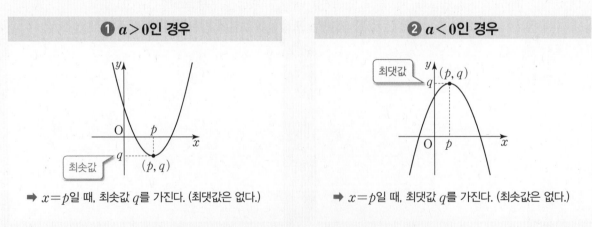

❶ $a>0$인 경우

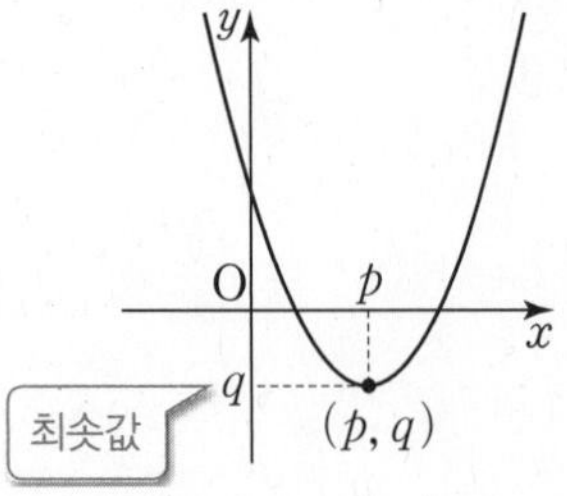

➡ $x=p$일 때, 최솟값 q를 가진다. (최댓값은 없다.)

❷ $a<0$인 경우

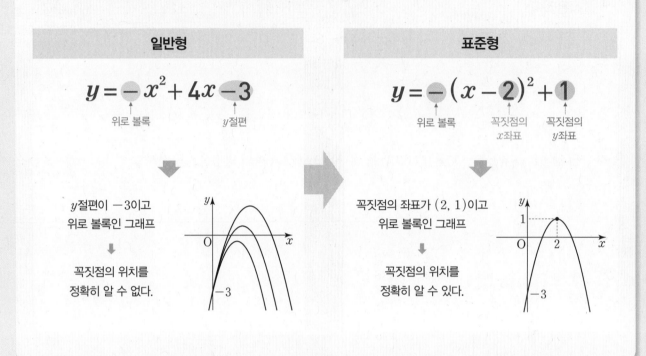

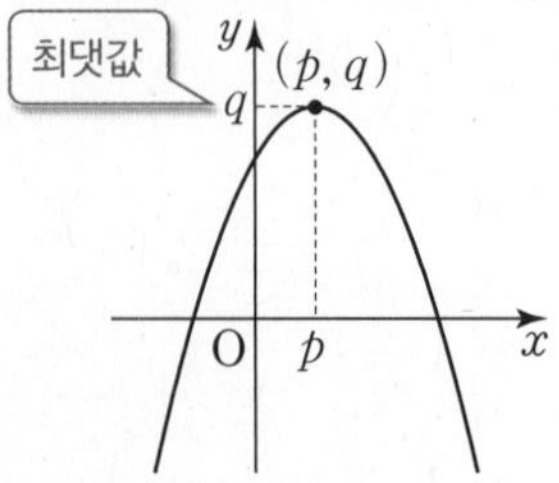

➡ $x=p$일 때, 최댓값 q를 가진다. (최솟값은 없다.)

|참고| 이차함수의 식이 $y=ax^2+bx+c$와 같이 일반형으로 주어진 경우 표준형 $y=a(x-p)^2+q$로 고쳐서 생각한다.

개념적용

1 이차함수 $y=2x^2-4x+1$의 최댓값 또는 최솟값을 구하시오.

2 이차함수 $y=-x^2-2x+1$의 최댓값 또는 최솟값을 구하시오.

1		2
$y=2x^2-4x+1$ $=2(x^2-2x)+1$ $=2(x^2-2x+1-1)+1$ $=2(x^2-2x+1)-\square$ $=2(x-\square)^2-1$	**1** 표준형으로 고친다.	$y=-x^2-2x+1$ $=-(x^2+2x)+1$ $=-(x^2+2x+1-1)+1$ $=-(x^2+2x+1)+\square$ $=-(x+\square)^2+2$
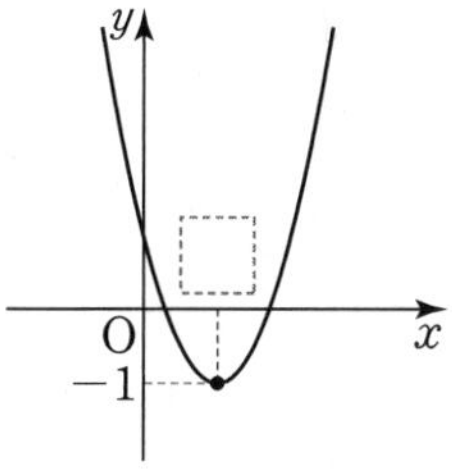	**2** 그래프를 그린다.	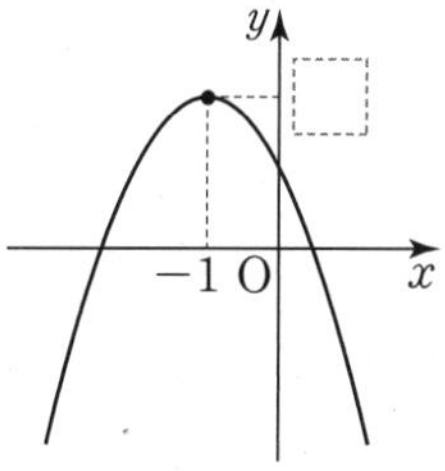
$x=\square$일 때, 최솟값 $\square$을 가진다. (최댓값은 없다.)	**3** 최댓값 또는 최솟값을 구한다.	$x=\square$일 때, 최댓값 $\square$를 가진다. (최솟값은 없다.)

답 **1** 1, 1, 1, 1, −1, **2** 2, 1, 2, −1, 2

MATH Reading

실생활에서의 이차함수의 최대, 최소

공중으로 비스듬히 던져 올린 물체가 그리는 곡선은 어떤 모양일까? 어떤 물체를 던지더라도 비스듬히 던져 올린 물체가 그리는 곡선은 언제나 이차함수의 그래프와 같다. 따라서 이차함수의 최댓값을 통해서 던져 올린 물체의 최고 높이를 구할 수 있다.

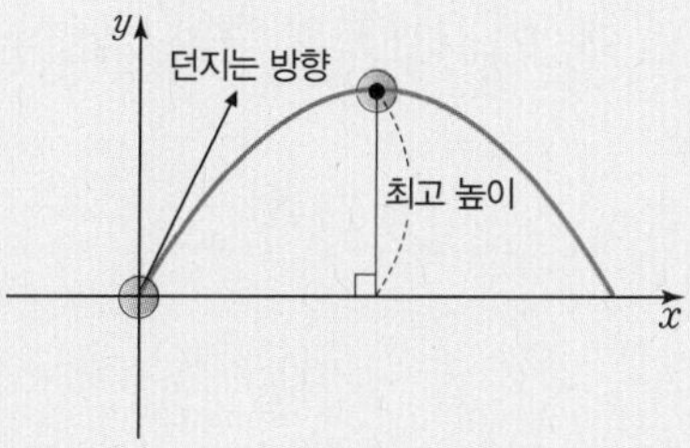

기본 문제

1 이차함수

다음 중 이차함수가 아닌 것을 모두 고르면? (정답 2개)

① $y=5x^2+x$
② $y=2x^3-(2x^3+x^2-7)$
③ $y=x^3+4$
④ $y=3(x-1)(x+2)$
⑤ $y=x(x+2)-x^2+1$

2 이차함수의 함숫값

다음 중 이차함수 $y=x^2+3x-2$에 대하여 그 함숫값으로 옳은 것은?

① $f(-2)=-5$
② $f(-1)=-3$
③ $f(0)=-1$
④ $f(1)=2$
⑤ $f(2)=6$

3 이차함수 $y=ax^2+q$의 그래프가 지나는 점

이차함수 $y=-\frac{1}{3}x^2+q$의 그래프가 점 $(3,\ -2)$를 지날 때, 이 그래프의 꼭짓점의 좌표는? (단, q는 상수)

① $(0,\ -2)$
② $(0,\ -1)$
③ $(0,\ 1)$
④ $(1,\ 0)$
⑤ $(2,\ 0)$

4 이차함수 $y=a(x-p)^2$의 그래프가 지나는 점

이차함수 $y=4(x-p)^2$의 그래프가 점 $(1,\ 16)$을 지날 때, 이 그래프의 축의 방정식을 구하시오.

(단, p는 양수)

5 이차함수 $y=a(x-p)^2$의 그래프의 성질

다음 **보기** 중 두 이차함수 $y=2x^2-4$, $y=2(x-4)^2$의 그래프에 대한 공통 설명으로 옳은 것을 모두 고르시오.

보기

ㄱ. 꼭짓점의 좌표는 $(0,\ -4)$이다.
ㄴ. 축의 방정식은 $x=4$이다.
ㄷ. 아래로 볼록한 포물선이다.
ㄹ. 이차함수 $y=x^2$의 그래프보다 폭이 좁다.
ㅁ. $x<4$일 때, x의 값이 증가하면 y의 값은 감소한다.

6 이차함수 $y=a(x-p)^2+q$의 그래프와 a, p, q의 부호

이차함수 $y=a(x-p)^2+q$의 그래프가 오른쪽 그림과 같을 때, 상수 a, p, q에 대하여 apq의 값을 구하시오.

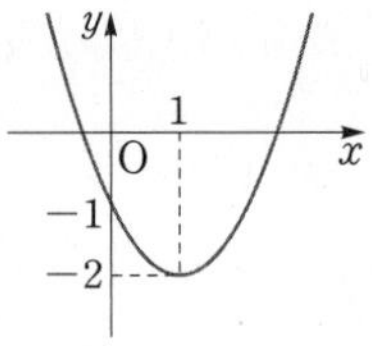

7 이차함수 $y=a(x-p)^2+q$의 그래프의 성질

이차함수 $y=-\frac{1}{2}(x-1)^2+2$의 그래프에 대한 설명으로 옳은 것을 모두 고르면? (정답 2개)

① 꼭짓점의 좌표는 $(-1,\ 2)$이다.
② 축의 방정식은 $x=-1$이다.
③ 점 $(3,\ 0)$을 지난다.
④ 이차함수 $y=-\frac{1}{2}x^2$의 그래프를 x축의 방향으로 1만큼, y축의 방향으로 2만큼 평행이동한 것이다.
⑤ $x<1$일 때, x의 값이 증가하면 y의 값은 감소한다.

8 이차함수 $y=ax^2+bx+c$의 그래프

이차함수 $y=-2x^2+4x+3$의 그래프는 이차함수 $y=-2x^2$의 그래프를 x축의 방향으로 a만큼, y축의 방향으로 b만큼 평행이동한 것이다. 이때 $a+b$의 값은?

① -6　② -4　③ 2
④ 4　⑤ 6

9 이차함수 $y=ax^2+bx+c$의 그래프와 x축, y축과의 교점

이차함수 $y=x^2-2x+a$의 그래프가 x축과 두 점에서 만나고 그 중 한 점의 좌표가 $(3, 0)$일 때, 나머지 한 점의 좌표는? (단, a는 상수)

① $(-2, 0)$　② $(-1, 0)$　③ $(0, 0)$
④ $(1, 0)$　⑤ $(2, 0)$

10 이차함수 $y=ax^2+bx+c$의 그래프의 성질

다음 중 이차함수 $y=-\frac{1}{2}x^2+2x-1$의 그래프에 대한 설명으로 옳지 않은 것은?

① 점 $(4, -1)$을 지난다.
② 꼭짓점의 좌표가 $(2, 1)$이다.
③ $x<2$일 때, x의 값이 증가하면 y의 값도 증가한다.
④ 아래로 볼록한 포물선이다.
⑤ 제1, 3, 4사분면을 지난다.

11 이차함수의 그래프에서 삼각형의 넓이

오른쪽 그림과 같이 이차함수 $y=\frac{3}{4}x^2+3x-1$의 그래프의 꼭짓점을 A, y축과의 교점을 B라 할 때, △AOB의 넓이를 구하시오. (단, O는 원점)

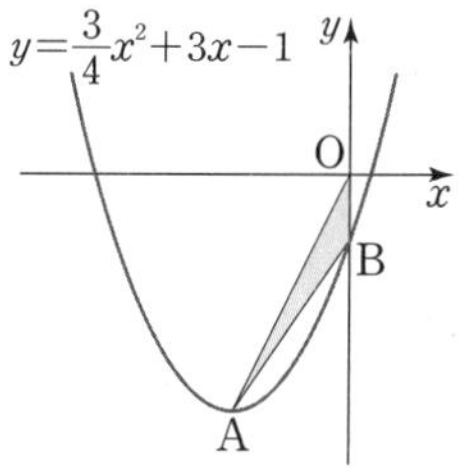

12 이차함수 $y=ax^2+bx+c$의 그래프와 a, b, c의 부호

이차함수 $y=ax^2+bx+c$의 그래프가 오른쪽 그림과 같을 때, 상수 a, b, c의 부호는?

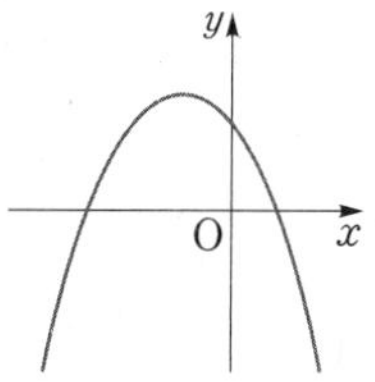

① $a>0,\ b>0,\ c>0$
② $a>0,\ b>0,\ c<0$　③ $a>0,\ b<0,\ c>0$
④ $a<0,\ b>0,\ c<0$　⑤ $a<0,\ b<0,\ c>0$

13 꼭짓점과 다른 한 점을 알 때, 이차함수의 식 구하기

오른쪽 그림과 같은 포물선을 그래프로 하는 이차함수의 식을 $y=ax^2+bx+c$의 꼴로 나타내시오.

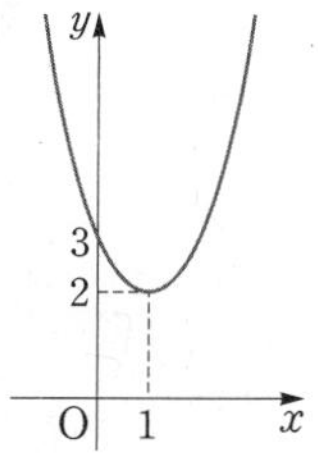

14 서로 다른 세 점을 알 때, 이차함수의 식 구하기

세 점 $(-2, 2)$, $(0, 2)$, $(1, -7)$을 지나는 포물선의 꼭짓점의 좌표는?

① $(-3, 2)$　② $(-2, 4)$　③ $(-1, 5)$
④ $(1, 3)$　⑤ $(2, 6)$

발전 문제

1 오른쪽 그림에서 네 점 A, B, C, D는 두 이차함수 $y=x^2$, $y=-x^2$의 그래프 위의 점이고, □ABCD는 정사각형이다. □ABCD의 네 변은 각각 x축, y축에 평행할 때, 점 D의 좌표를 구하시오. (단, 점 D는 제1사분면 위에 있다.)

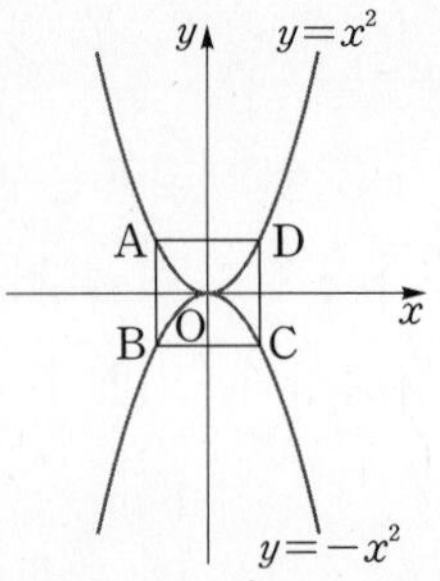

점 D의 좌표를 (a, a^2)으로 놓고 $\overline{AD}=\overline{CD}$임을 이용한다.

2 두 이차함수 $y=\frac{1}{3}(x-3)^2$, $y=\frac{1}{3}(x-3)^2+3$의 그래프가 각각 오른쪽 그림과 같을 때, 색칠한 부분의 넓이를 구하시오.

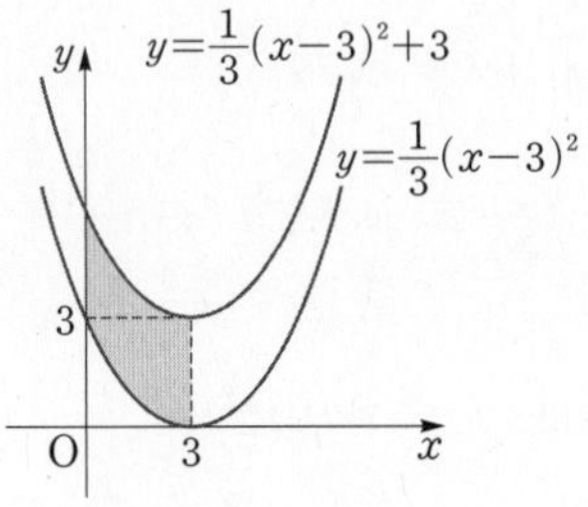

3 이차함수 $y=a(x-p)^2+q$의 그래프가 오른쪽 그림과 같을 때, 이차함수 $y=q(x+p)^2+a$의 그래프의 꼭짓점은 제몇 사분면 위에 있는지 구하시오. (단, a, p, q는 상수)

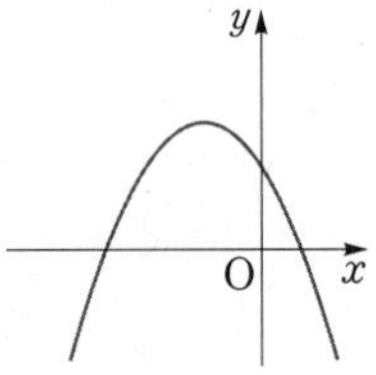

4 이차함수 $y=3(x+2)^2-4$의 그래프를 x축의 방향으로 3만큼, y축의 방향으로 1만큼 평행이동한 그래프가 점 $(-1, k)$를 지날 때, 상수 k의 값은?

① -16　② -9　③ -3
④ 4　⑤ 9

$y=a(x-p)^2+q$의 그래프를 x축의 방향으로 m, y축의 방향으로 n만큼 평행이동한 그래프의 식은 x 대신 $x-m$, y 대신 $y-n$을 대입한다.

5 이차함수 $y=2x^2+4mx+2m+1$의 그래프에서 $x<6$일 때는 x의 값이 증가하면 y의 값은 감소하고, $x>6$일 때는 x의 값이 증가하면 y의 값도 증가한다. 이때 이 그래프의 꼭짓점의 좌표를 구하시오. (단, m은 상수)

$y=a(x-p)^2+q$의 그래프는 직선 $x=p$를 기준으로 x의 값이 증가함에 따라 y의 값의 증감이 바뀐다.

6 서술형

$x=3$을 축으로 하고, 두 점 $(1,\ -3)$, $(4,\ 3)$을 지나는 포물선을 그래프로 하는 이차함수의 식을 $y=ax^2+bx+c$라 할 때, 상수 a, b, c에 대하여 $a+b+c$의 값을 구하기 위한 풀이 과정을 쓰고 답을 구하시오.

① 단계: 이차함수의 식을 $y=a(x-p)^2+q$의 꼴로 나타내기

이차함수의 식을 $y=a(x-$ ________ $)^2+q$라 놓고, 그래프가 지나는 두 점 $(1,\ -3)$, $(4,\ 3)$의 좌표를 대입하면

____

$\therefore a=$ ________, $q=$ ________

$\therefore y=$ ____________

② 단계: b, c의 값 각각 구하기

$y=$ ____________________ 이므로

$b=$ ________, $c=$ ________

③ 단계: $a+b+c$의 값 구하기

$a+b+c=$ ____________

Check List
- 이차함수의 식을 $y=a(x-p)^2+q$의 꼴로 바르게 나타내었는가?
- b, c의 값을 각각 바르게 구하였는가?
- $a+b+c$의 값을 바르게 구하였는가?

7 서술형

오른쪽 그림과 같이 이차함수 $y=x^2-x-6$의 그래프가 x축과 두 점 A, B에서 만나고 꼭짓점이 C일 때, △ABC의 넓이를 구하기 위한 풀이 과정을 쓰고 답을 구하시오.

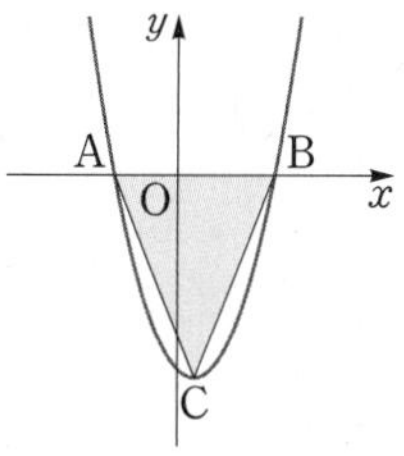

① 단계: 점 A, B의 좌표 각각 구하기

____

____

____

② 단계: 꼭짓점 C의 좌표 구하기

____

____

③ 단계: △ABC의 넓이 구하기

____

____

Check List
- 점 A, B의 좌표를 각각 바르게 구하였는가?
- 꼭짓점 C의 좌표를 바르게 구하였는가?
- △ABC의 넓이를 바르게 구하였는가?

13 $\frac{5}{2}$　14 7　15 6

2 이차방정식의 활용

개념적용익힘 익힘북 63~70쪽

1 ⑤　2 7　3 ④　4 -2
5 11　6 2　7 $a=-6$, $b=-11$
8 ②　9 $x=1\pm\sqrt{2}$　10 ④
11 ①　12 69　13 $\frac{2+\sqrt{10}}{3}$
14 ②　15 72　16 $\frac{1}{2}$
17 $x=\frac{3\pm\sqrt{2}}{2}$　18 $\frac{8}{7}$　19 50
20 ②　21 ②　22 ⑤　23 ①
24 $k=21$, $x=3$ (중근)
25 -4 또는 4
26 -2　27 $x=-1$ (중근)　28 33
29 15　30 ①　31 $3x^2-20x+25=0$
32 5　33 $x^2+4x-12=0$　34 4
35 -8　36 ④　37 ②　38 12명
39 ④　40 ①　41 ③　42 10
43 67　44 ①　45 ②　46 ④
47 1 cm　48 6 cm　49 ③
50 $-5+5\sqrt{5}$　51 2 cm　52 ②
53 ①　54 (1) 2초 또는 3초　(2) 5초
55 ④　56 $\frac{8+\sqrt{73}}{5}$초

개념완성익힘 익힘북 71~72쪽

1 ⑤　2 $\frac{1-\sqrt{13}}{2}$　3 -1
4 ②　5 ③　6 ①, ④　7 ②
8 ①　9 ③　10 ⑤　11 12초
12 ①, ③　13 3　14 -5　15 16 cm

대단원 마무리 익힘북 73~74쪽

1 ②　2 ④　3 ③　4 ②
5 2개　6 ⑤　7 -24
8 $x=-6$ 또는 $x=4$　9 ③　10 ③
11 5 cm 또는 10 cm　12 ⑤

Ⅳ 이차함수

1 이차함수와 그 그래프

개념적용익힘 익힘북 75~88쪽

1 ④　2 ③　3 ①, ②
4 (1) -1　(2) 8　5 12　6 3
7 ④　8 ③　9 $\frac{1}{4}$　10 ①, ⑤
11 ㄱ, ㄷ　12 ㄱ, ㄷ　13 ④　14 ⑤
15 50　16 -1　17 8　18 ②, ④
19 ①　20 ②, ④　21 ③　22 ⑤
23 ③　24 ①, ⑤　25 ②　26 ⑤
27 $\frac{1}{2}$　28 18　29 3　30 $(0, 7)$
31 2, -2　32 ④　33 ⑤　34 ⑤
35 ④　36 3　37 ③　38 2
39 ㄱ, ㄴ, ㅁ　40 ②, ⑤　41 ②
42 -3　43 ③　44 ①　45 $-\frac{3}{2}$
46 $a=\frac{3}{4}$, $p=4$, $q=-3$　47 ③
48 ③, ⑤　49 ③
50 $a<0$, $p<0$, $q<0$　51 ④
52 (1) $y=-(x+6)^2+1$
(2) $y=-(x+2)^2+3$
(3) $y=-(x+6)^2+3$
53 3　54 ④
55 (1) $y=-3(x-2)^2-1$　(2) -13
56 ④　57 $-\frac{1}{2}$　58 4
59 $x=-2$　60 ①
61 $(5, -4)$　62 ①　63 -3
64 ②　65 ③　66 ②　67 ㄱ, ㄹ
68 8　69 24　70 2 : 11　71 ①
72 제3사분면　73 ⑤　74 -10
75 -2　76 -3　77 ③　78 0
79 ②　80 ②　81 $(1, 7)$　82 ③
83 ④　84 $y=x^2+x-12$　85 5

개념완성익힘 익힘북 89~90쪽

1 ③, ⑤　2 ④　3 ③, ⑤　4 0
5 제2사분면　6 ⑤　7 ③
8 ②　9 $y=x^2-x+3$　10 4
11 -8　12 3

대단원 마무리 익힘북 91~92쪽

1 ③　2 ②　3 ②　4 ④
5 6　6 ④　7 ②　8 15
9 ④　10 ⑤　11 -1　12 ⑤

빠른 정답 찾기

개념북

실수와 그 연산

1 제곱근과 실수

개념확인 1 제곱근의 뜻 (개념북 10쪽)

1 (1) $1, -1$ (2) $5, -5$ (3) $7, -7$
(4) $10, -10$

2 (1) $16, 16, 4, -4$ (2) $\frac{1}{16}, \frac{1}{16}, \frac{1}{4}, -\frac{1}{4}$

3 (1) 0 (2) $8, -8$ (3) 없다.
(4) $0.6, -0.6$ (5) $\frac{7}{9}, -\frac{7}{9}$ (6) $\frac{3}{2}, -\frac{3}{2}$

개념적용 (개념북 11쪽)

1 ④, ⑤
1-1 ② 1-2 풀이 참조 1-3 ①

개념확인 2 제곱근의 표현 (개념북 12쪽)

1 (1) $\pm\sqrt{5}$ (2) $\pm\sqrt{11}$ (3) $\pm\sqrt{\frac{1}{7}}$ (4) $\pm\sqrt{2.5}$

2 (1) 6 (2) -4 (3) $\frac{5}{2}$ (4) 0.7 (5) $\pm\frac{4}{3}$
(6) 0.9

3 (1) $\pm\sqrt{6}, \sqrt{6}$ (2) $\pm\sqrt{\frac{7}{2}}, \sqrt{\frac{7}{2}}$

개념적용 (개념북 13쪽)

1 ② 1-1 ①, ③ 1-2 $\sqrt{30}$
2 $1, 36, \frac{9}{25}$ 2-1 ②

개념확인 3 제곱근의 성질 (개념북 14쪽)

1 (1) 5 (2) 3 (3) -10 (4) $\frac{4}{3}$ (5) $-\frac{1}{6}$
(6) $-\frac{3}{5}$

2 (1) 6 (2) 8 (3) -10 (4) $\frac{3}{7}$ (5) $-\frac{2}{5}$
(6) -0.3

3 (1) 9 (2) 0 (3) -7 (4) 13 (5) -4
(6) $-\frac{1}{9}$

개념적용 (개념북 15쪽)

1 ③ 1-1 ⑤
2 -5 2-1 ③ 2-2 ⑤

개념확인 4 $\sqrt{a^2}$의 성질 (개념북 16쪽)

1 (1) $>, 3a$ (2) $<, a$ (3) $<, -\frac{a}{2}$
(4) $>, -2a$

2 (1) $2x$ (2) $-9x$ (3) x

3 (1) $x+2$ (2) $-x+2$ (3) 4

개념적용 (개념북 17쪽)

1 ③ 1-1 ③ 1-2 ⑤
2 ② 2-1 ④

개념확인 5 제곱수 (개념북 18쪽)

1 (1) 7 (2) 12 (3) 13 (4) 15

2 (1) $3, 3, 3, 3$ (2) $16, 16, 4, 4$

개념적용 (개념북 19쪽)

1 ⑤ 1-1 ③
2 ③ 2-1 ①

개념확인 6 제곱근의 대소 관계 (개념북 20쪽)

1 (1) $<$ (2) $>$ (3) $<$ (4) $>$

2 (1) $>$ (2) $<$ (3) $<$ (4) $>$

3 (1) $2, 3$ (2) $4, 5, 6, 7, 8$

개념적용 (개념북 21쪽)

1 ② 1-1 ④
2 ② 2-1 ③

개념확인 7 무리수와 실수 (개념북 22쪽)

1 (1) 유 (2) 유 (3) 유 (4) 무 (5) 유 (6) 무

2 (1) ○ (2) × (3) ○

개념적용 (개념북 23쪽)

1 ①
1-1 ①, ③ 1-2 ⑤ 1-3 1개 1-4 ②

개념확인 8 실수와 수직선 (개념북 24쪽)

1 (1) $\sqrt{13}$ (2) $1+\sqrt{13}$

2 (1) ○ (2) × (3) ○ (4) ○

개념적용 (개념북 25쪽)

1 $2+\sqrt{5}, 2-\sqrt{5}$
1-1 $\mathrm{A}(2-\sqrt{2}), \mathrm{B}(3+\sqrt{2})$ 1-2 구간 D
2 ③ 2-1 ①

개념완성 기본 문제 (개념북 28~29쪽)

1 ①	2 ④	3 ②	4 ④
5 ⑤	6 ③	7 ④	8 ②
9 ④	10 3개	11 ⑤	12 3개

개념완성 발전 문제 (개념북 23~24쪽)

1 ③ 2 ⑤ 3 9 4 ①, ③
5 ④
6 ① $\sqrt{2}, \sqrt{2}, \sqrt{2}, \sqrt{2}$ ② $3, 1, 4$ ③ $4-\sqrt{2}$
7 ① 풀이 참조 ② $2a : x = x : a$ ③ $\sqrt{2a}$

2 근호를 포함한 식의 계산

개념확인 1 제곱근의 곱셈과 나눗셈 (개념북 34쪽)

1 (1) $5, 15$ (2) $3, 5, 12, 15$

2 (1) $\sqrt{6}$ (2) $\sqrt{70}$ (3) $-2\sqrt{15}$ (4) $8\sqrt{7}$

3 (1) $15, 5$ (2) $8, 15, 4, 3$

4 (1) $\sqrt{3}$ (2) 3 (3) $-3\sqrt{2}$ (4) $\sqrt{5}$

개념적용 (개념북 35쪽)

1 ① 1-1 ⑤
2 ④ 2-1 $2\sqrt{10}$

개념확인 2 근호가 있는 식의 변형 (개념북 36쪽)

1 (1) $2, 2, 2$ (2) $7, 7, 7$

2 (1) $3\sqrt{3}$ (2) $-5\sqrt{2}$ (3) $\frac{\sqrt{3}}{10}$ (4) $-\frac{\sqrt{13}}{9}$

3 (1) $3, 3, 54$ (2) $6, 6, 36$

4 (1) $\sqrt{8}$ (2) $-\sqrt{63}$ (3) $\sqrt{\frac{5}{4}}$ (4) $-\sqrt{\frac{10}{49}}$

개념적용 (개념북 37쪽)

1 ㄱ, ㄹ 1-1 9 1-2 $10\sqrt{10}$
2 ② 2-1 ②

개념확인 3 분모의 유리화 (개념북 38쪽)

1 (1) $\sqrt{3}, \sqrt{3}, \frac{\sqrt{3}}{3}$ (2) $\sqrt{6}, \sqrt{6}, \frac{\sqrt{42}}{6}$
(3) $\sqrt{2}, \sqrt{2}, \frac{5\sqrt{2}}{4}$

2 (1) $\frac{3\sqrt{2}}{2}$ (2) $\frac{\sqrt{14}}{7}$ (3) $\frac{3\sqrt{5}}{10}$

3 $2, 2, 2, 2, 6, 4$

개념적용 (개념북 39쪽)

1 ③ 1-1 1
2 $\frac{16\sqrt{3}}{9}$ 2-1 $\frac{7}{3}$ 2-2 $4\sqrt{3}$

개념확인 4 제곱근표와 제곱근의 값 (개념북 40쪽)

1 (1) 2.594 (2) 2.636 (3) 7.14 (4) 7.05

2 (1) $100, 10, 14.14$ (2) $100, 10, 0.4472$

3 (1) 23.66 (2) 74.83 (3) 0.7483
(4) 0.2366

개념적용 (개념북 41쪽)

1 1165 1-1 45.5
2 ② 2-1 ④

개념확인 5 제곱근의 덧셈과 뺄셈 (개념북 42쪽)

1 (1) $4\sqrt{2}$ (2) $-2\sqrt{3}$ (3) $5\sqrt{5}$ (4) $7\sqrt{6}$

2 (1) $-3\sqrt{3}+7\sqrt{7}$ (2) $8\sqrt{2}+3\sqrt{3}$

3 (1) $5, 4, 5, 4, \sqrt{3}$ (2) $2, 4, 2, -4, 3, 2$

4 (1) $\sqrt{3}$ (2) $5\sqrt{2}$

개념적용 (개념북 43쪽)

1 ⑤ 1-1 ③
2 ③ 2-1 ②

개념확인 6 근호를 포함한 식의 계산 (개념북 44쪽)

1 (1) $\sqrt{14}+\sqrt{6}$ (2) $\sqrt{30}-\sqrt{15}$
(3) $2\sqrt{10}+2\sqrt{3}$ (4) $12\sqrt{2}-2\sqrt{15}$

2 (1) $2\sqrt{2}-1$ (2) $\sqrt{5}+\sqrt{2}$

3 (1) $\frac{\sqrt{6}}{6}$ (2) $4\sqrt{3}+3\sqrt{6}$ (3) $-\frac{\sqrt{3}}{3}$
(4) $\sqrt{5}-\sqrt{3}$

개념적용 (개념북 45쪽)

1 ⑤ 1-1 $5\sqrt{3}$
2 ② 2-1 ⑤

개념확인 7 무리수의 정수 부분과 소수 부분 (개념북 46쪽)

1 $1, \sqrt{3}-1$

2 (1) 3 (2) 4 (3) 2 (4) 2

3 (1) $\sqrt{15}-3$ (2) $\sqrt{32}-5$ (3) $\sqrt{6}-2$
(4) $3-\sqrt{5}$

개념적용 (개념북 47쪽)

1 $3\sqrt{2}-2$
1-1 $8-2\sqrt{6}$ 1-2 ④ 1-3 ③

개념확인 8 실수의 대소 관계 (개념북 48쪽)

1 $\sqrt{7}, 2, <, <, <$

2 (1) $>$ (2) $<$ (3) $>$ (4) $<$

3 (1) ○ (2) × (3) × (4) ○ (5) ○ (6) ×

개념적용 (개념북 49쪽)

1 ④ 1-1 ⑤
2 ㄴ, ㄹ 2-1 ③

개념완성 기본 문제 (개념북 52쪽)

1 $2\sqrt{15}\ \mathrm{cm}^2$	2 ⑤	3 ④	
4 ③	5 ④	6 -4	7 ①
8 ②			

32 ④ 33 ① 34 3 35 6
36 ④ 37 ⑤ 38 ②, ③
39 $2+\sqrt{17}$, $2-\sqrt{17}$ 40 ③
41 $P(-1-\sqrt{13})$, $Q(1+\sqrt{10})$
42 (1) × (2) ○ (3) × 43 ①, ⑤
44 ㄴ, ㄹ

개념완성익힘 익힘북 11~12쪽

1 ② 2 ㄱ, ㄴ, ㅁ 3 ②
4 3개 5 ⑤ 6 ④ 7 ④
8 17 9 4개 10 ②, ⑤ 11 -27
12 12 13 1

2 근호를 포함한 식의 계산

개념적용익힘 익힘북 13~20쪽

1 ③ 2 $6\sqrt{35}$ 3 ② 4 ⑤
5 $2\sqrt{30}$ 6 ③ 7 ② 8 ③
9 $\sqrt{0.96}$, $\sqrt{\frac{6}{16}}$, $\sqrt{\frac{6}{25}}$ 10 ④
11 ② 12 ③ 13 ④ 14 ④
15 ⑤ 16 $\frac{1}{3}$ 17 $\frac{\sqrt{6}}{2}$
18 $\sqrt{30}$ cm 19 (1) 2.514 (2) 6.11
20 5939 21 11.67
22 (1) 0.4701 (2) 45.17 23 ③
24 ③ 25 ② 26 ⑤ 27 10
28 ⑤ 29 ⑤ 30 ② 31 ④
32 ③ 33 ③ 34 ② 35 ②
36 ③ 37 ④ 38 ⑤ 39 -2
40 ④ 41 $7-\sqrt{19}$ 42 1
43 ⑤ 44 ③ 45 ① 46 ③
47 ③ 48 ②

개념완성익힘 익힘북 21~22쪽

1 ⑤ 2 ③ 3 4 4 0.1549
5 ① 6 $\frac{\sqrt{15}}{5}$ 7 ② 8 ⑤
9 ② 10 $3ab$ 11 $3\sqrt{10}$ cm^2
12 0

대단원 마무리 익힘북 23~24쪽

1 ④ 2 4 3 ② 4 ②
5 ③ 6 ③ 7 $\frac{2}{3}$ 8 ④
9 ③ 10 $4-7\sqrt{6}$ 11 ① 12 ④

II 식의 계산

1 다항식의 곱셈

개념적용익힘 익힘북 25~36쪽

1 ② 2 ④ 3 $A=3$, $B=13$
4 ③ 5 ⑤ 6 -9 7 45
8 ③ 9 ⑤ 10 $28x$ 11 21
12 ③ 13 ⑤ 14 ③ 15 ①
16 ② 17 ① 18 ③, ④ 19 ②
20 ④ 21 ㄴ과 ㅁ, ㄷ과 ㄹ 22 ④
23 ㄴ, ㄹ 24 -5 25 ③ 26 -9
27 -19 28 ① 29 ② 30 ④
31 ① 32 ③ 33 ② 34 ④
35 $2x^2+14x+44$ 36 22 37 ③
38 ③ 39 ③ 40 ②
41 (1) ㄷ (2) ㄴ (3) ㄱ (4) ㄹ 42 ③
43 ④ 44 ④ 45 1584 46 102.01
47 ④ 48 ② 49 ④ 50 -2
51 $-\sqrt{3}-\sqrt{6}$ 52 $8\sqrt{6}$ 53 ②
54 ④ 55 ④ 56 $-\frac{17}{4}$ 57 3
58 10 59 18 60 14 61 ③
62 $\pm4\sqrt{2}$ 63 38 64 5 65 7
66 11 67 ③ 68 6 69 ②
70 ③ 71 ③ 72 ② 73 ③
74 ② 75 ③ 76 ④ 77 6
78 $\frac{2023}{4044}$ 79 -4

개념완성익힘 익힘북 37~38쪽

1 ② 2 ④ 3 ⑤ 4 ③
5 ③ 6 ① 7 풀이 참조
8 ② 9 ③ 10 ⑤ 11 -5
12 13 13 18

2 다항식의 인수분해

개념적용익힘 익힘북 39~50쪽

1 ③ 2 ㄱ, ㄷ, ㅁ 3 ④
4 풀이 참조 5 ③ 6 ⑤
7 ④ 8 ⑤ 9 $\frac{15}{2}$
10 ㄱ, ㄴ, ㅁ 11 ③ 12 ⑤
13 ⑤ 14 4 15 ⑤ 16 ①
17 4 18 ① 19 ④ 20 x
21 $\left(2x+\frac{1}{3y}\right)\left(2x-\frac{1}{3y}\right)$ 22 ③, ⑤
23 $3x+5$ 24 $(x^2+4y^2)(x+2y)(x-2y)$
25 ④ 26 (1) $(n+1)^2-n^2$ (2) 풀이 참조
27 ⑤ 28 -11 29 ⑤ 30 ④
31 (1) $x^2-2x-24$ (2) $(x+4)(x-6)$
32 $(x-1)(x+12)$ 33 $(x+2)(x-6)$
34 ② 35 ②, ③ 36 ⑤ 37 $4x-6$
38 ⑤ 39 ③ 40 ④ 41 ①
42 $x+3$ 43 ③ 44 -2 45 ③
46 ⑤ 47 ③
48 (1) $(x-y)(a+b)$ (2) $b(x-y)(a-1)$
(3) $(x+y)(x+y+4)$
(4) $(b+1)(a-b-1)$
49 ④ 50 $(x+2y)(x-2y)(m+n)$
51 ①, ④
52 (1) $(x+y-3)^2$ (2) $(a-2)(a+5)$
53 $2x+4$ 54 15 55 ② 56 ②
57 ③ 58 ④ 59 $(x-5)(2x-7)$
60 $(x^2+5x+3)^2$ 61 ② 62 ①, ③
63 ①, ③ 64 ② 65 $x-1$
66 $(a+2b)(c+d)$ 67 ③ 68 $x+y$
69 ②, ④ 70 ② 71 ③ 72 8000
73 309 74 ⑤ 75 -128 76 $\frac{6}{11}$
77 $-2\sqrt{5}$ 78 ⑤ 79 96
80 400π cm^3 81 910π cm^2
82 17 cm

개념완성익힘 익힘북 51~52쪽

1 ④ 2 3 3 ③, ⑤ 4 ③
5 ④ 6 $x+y-2$ 7 ④
8 ② 9 ⑤ 10 1, 3, 5, 15, 17
11 $(x-2)(x-4)$ 12 $\sqrt{15}$ 13 $2x$

대단원 마무리 익힘북 53~54쪽

1 ① 2 ③, ④ 3 ④
4 6 또는 9 5 ③ 6 ① 7 ③
8 ⑤ 9 -144 10 ④ 11 $6x+8$
12 ③ 13 ④ 14 ④

III 이차방정식

1 이차방정식과 그 풀이

개념적용익힘 익힘북 55~60쪽

1 ④ 2 ④ 3 ④ 4 -5
5 -1 6 ⑤ 7 ③ 8 3개
9 ③ 10 ① 11 8
12 $a=7$, $b=-3$ 13 $a=1$, $b=5$
14 ③, ⑤
15 (1) $x=\frac{1}{3}$ 또는 $x=2$
(2) $x=-1$ 또는 $x=5$
16 3 17 ④ 18 $a=-4$, $x=-3$
19 $x=-\frac{4}{3}$ 20 13 21 ④
22 ④ 23 ⑤ 24 ⑤ 25 7
26 2 27 $\frac{1}{4}$ 28 ②
29 ㉢ $x+2=\pm\sqrt{6}$ 30 7 31 8
32 13 33 ① 34 $a>3$ 35 ③
36 -24 37 -20 38 $\frac{19}{4}$ 39 ⑤
40 -1 41 ④

개념완성익힘 익힘북 61~62쪽

1 ④ 2 ②, ④ 3 ④ 4 ①
5 ② 6 ④ 7 ④ 8 -1, $\frac{3}{4}$
9 ① 10 -11 11 ③ 12 ③

발전 문제 개념북 53~54쪽

1 ③ 2 12 3 ① 4 $3\sqrt{2}-1$
5 $k=-2$, $A=26$ 6 14
7 ① $\sqrt{3}$, $3-\frac{\sqrt{3}}{3}$ ② $6\sqrt{3}-4$
8 ① $3\sqrt{3}-\frac{6+\sqrt{3}}{\sqrt{3}}-\sqrt{3}(5-2\sqrt{3})$
② $3\sqrt{3}-\frac{6\sqrt{3}+3}{3}-\sqrt{3}(5-2\sqrt{3})$
③ $5-4\sqrt{3}$

Ⅱ 식의 계산

1 다항식의 곱셈

개념 확인 1 다항식과 다항식의 곱셈 개념북 58쪽

1 (1) $ax-bx$ (2) $6ax-2bx$
(3) $-3ax-6bx$ (4) $-2a^2+2ab-2a$
2 (1) $xy+2x+y+2$
(2) $6ab-10a+9b-15$
(3) $2x^2-xy-y^2$
(4) $a^2+ab-5a-b+4$

개념적용 개념북 59쪽
1 (1) $ax-2ay+az+bx-2by+bz$
(2) $2x^2-5xy-x-3y^2+3y$
1-1 (1) $a^2-ab-a-6b^2+3b$
(2) $-2x^2+6xy-3x+3y-1$
2 ③ 2-1 ②

개념 확인 2 곱셈 공식 개념북 60쪽

1 (1) x^2+6x+9 (2) $4a^2-4a+1$
(3) $a^2-6ab+9b^2$ (4) x^2-16
(5) $4a^2-b^2$ (6) y^2-25x^2
2 (1) x^2+5x+6 (2) a^2+4a-5
(3) $a^2-4ab-21b^2$ (4) $6x^2+7x+2$
(5) $12a^2+11a-15$
(6) $3a^2-26ab+16b^2$

개념적용 개념북 61쪽
1 ④ 1-1 ④ 2 ⑤ 2-1 ④
3 (1) $A=4$, $B=8$ (2) $A=\frac{1}{8}$, $B=-\frac{1}{4}$
3-1 12 4 ③ 4-1 ④
5 ④ 5-1 19 6 ⑤ 6-1 ③
7 ② 7-1 $9a^2-6ab+2b^2$
8 ⑤ 8-1 ④

개념 확인 3 곱셈 공식을 이용한 수의 계산 개념북 65쪽

1 (1) 2601 (2) 249001 (3) 2499 (4) 10192
2 (1) $35-12\sqrt{6}$ (2) 4 (3) $-5+\sqrt{7}$
(4) $28-\sqrt{3}$

개념적용 개념북 66쪽
1 ③ 1-1 ③ 2 ④ 2-1 ①
3 ③ 3-1 12 4 ② 4-1 1

개념 확인 4 곱셈 공식의 응용 개념북 68쪽

1 (1) $\sqrt{5}-\sqrt{2}$, $\sqrt{5}-\sqrt{2}$, $\sqrt{5}-\sqrt{2}$
(2) $1+\sqrt{2}$, $1+\sqrt{2}$, $3+2\sqrt{2}$, -1, $-3-2\sqrt{2}$
2 (1) $3ab$, -6, 7 (2) $2\sqrt{2}$, 1, $2\sqrt{2}$, 1, 6

개념적용 개념북 69쪽
1 ② 1-1 $13+\sqrt{3}$ 1-2 ⑤
2 (1) 18 (2) 32 2-1 -2
2-2 (1) 7 (2) 5
3 (1) 4 (2) 14 3-1 9
4 8 4-1 ④
5 (1) 0 (2) $2\sqrt{3}$
5-1 -4 5-2 ⑤ 5-3 -1 5-4 ①

개념 확인 5 복잡한 식의 전개 개념북 72쪽

1 $a+2b$, $9c^2$, $a+2b$, $4ab$
2 $x+4$, $x+3$, $5x$, $5x$, x^2+5x, x^2+5x, x^2+5x, $10x^3$, $50x$

개념적용 개념북 73쪽
1 ②
1-1 (1) $4x^4+3x^2+1$
(2) $x^2-2xy+y^2+2x-2y+1$
2 $x^4+12x^3+37x^2+6x-56$
2-1 (1) $x^4-2x^3-13x^2+14x+24$
(2) x^4-13x^2+36

개념 완성 기본 문제 개념북 76~77쪽

1 1 2 ③ 3 20 4 ②
5 ⑤ 6 $a=2$, $b=3$ 7 ③
8 ① 9 -2 10 $2\sqrt{35}$ 11 ⑤
12 6

개념 완성 발전 문제 개념북 78~79쪽

1 8 2 ④ 3 2 4 2
5 9
6 ① $2x^2$, ax^3, $2+5a$ ② $2+5a$, 2
③ $3x$, $5x$, b, $11+ab$ ④ $11+ab$, 12, 6
7 ① 7 ② 7 ③ 14

2 다항식의 인수분해

개념 확인 1 인수분해 개념북 82쪽

1 ㄱ, ㄷ, ㅁ
2 (1) $4a-4b$ (2) a^2+6a+9 (3) x^2-4
(4) x^2-x-6
3 (1) $x(1-2y)$ (2) $5x(x+2)$
(3) $ab(a+b-1)$ (4) $3ab(3a-2b+1)$

개념적용 개념북 83쪽
1 ⑤ 1-1 ⑤
2 ③
2-1 ③ 2-2 진희, 석민, 이유는 풀이 참조

개념 확인 2 완전제곱식을 이용한 인수분해 개념북 84쪽

1 (1) 4, 4, 4 (2) $2x$, $3y$, $3y$, $2x$, $3y$
2 (1) $(x-3)^2$ (2) $(2x+1)^2$ (3) $(a+2b)^2$
(4) $(3a-4b)^2$
3 (1) 49 (2) 81
4 (1) ±10 (2) ±12

개념적용 개념북 85쪽
1 ④ 1-1 ㄱ, ㄹ 1-2 ①
2 ③ 2-1 ⑤
3 73 3-1 (1) $\frac{1}{4}$ (2) ±30
3-2 풀이 참조 4 ⑤ 4-1 1

개념 확인 3 합과 차의 곱을 이용한 인수분해 개념북 87쪽

1 (1) $(x+1)(x-1)$ (2) $(a+2)(a-2)$
(3) $(2x+3)(2x-3)$
(4) $2(a+4)(a-4)$
2 (1) $\left(x+\frac{1}{2}\right)\left(x-\frac{1}{2}\right)$
(2) $\left(2a+\frac{3}{5}\right)\left(2a-\frac{3}{5}\right)$
(3) $\left(\frac{1}{3}+x\right)\left(\frac{1}{3}-x\right)$
(4) $3\left(a+\frac{1}{4}\right)\left(a-\frac{1}{4}\right)$
3 (1) x^2, y^2, x^2-y^2, $x+y$, $x-y$
(2) a^2, 4, a^2-4, $a+2$, $a-2$

개념적용 개념북 88쪽
1 ③
1-1 (1) $5(x+3)(x-3)$
(2) $\left(\frac{1}{9}+2x\right)\left(\frac{1}{9}-2x\right)$
1-2 ③
2 ⑤ 2-1 ④

개념 확인 4 x^2의 계수가 1인 이차식의 인수분해 개념북 89쪽

1 (1) -3, $-3x$, $-5x$, $x-3$
(2) 1, x, $-2x$, $x+1$
2 (1) $(x+1)(x+5)$ (2) $(x+2)(x-4)$
(3) $(x-3)(x-5)$ (4) $(x-3)(x+4)$
3 (1) $(x+2y)(x+4y)$
(2) $(x-2y)(x-7y)$
(3) $(x+2y)(x-5y)$
(4) $(x-3y)(x+6y)$

개념적용 개념북 90쪽
1 ② 1-1 8
2 ⑤
2-1 (1) x^2-4x-5 (2) $(x-5)(x+1)$

개념 확인 5 x^2의 계수가 1이 아닌 이차식의 인수분해 개념북 91쪽

1 (1) -3, -9, 3, -5, $2x-3$, $3x+2$
(2) 3, 6, 2, 3, $x+3y$, $2x-3y$
2 (1) $(x-1)(2x+3)$ (2) $(x-1)(3x+2)$
(3) $(x+2y)(3x-4y)$
(4) $(2x+y)(5x-3y)$

개념적용 개념북 92쪽
1 ①, ⑤ 1-1 ②, ④ 1-2 0
2 ④ 2-1 ⑤
3 ② 3-1 ③ 3-2 $x+1$
4 ⑤ 4-1 ④

개념 확인 6 복잡한 식의 인수분해 (1) 개념북 94쪽

1 (1) $x(x+1)(x-1)$ (2) $y(x-2)(x-1)$
2 3, 3, $A+5$, $x-2y+5$
3 (1) $(x+y-1)^2$ (2) $x(x+3)$

개념적용 개념북 95쪽
1 ④ 1-1 ①, ④
2 ① 2-1 ③, ⑤ 2-2 ①

2 8

개념적용 개념북 140쪽

1 ① 1-1 십일각형

2 8, 9, 10 2-1 ④ 2-2 5일, 12일

3 ③ 3-1 9건 3-2 ①, ③

4 ③ 4-1 6 4-2 5 m 4-3 6 cm

5 ② 5-1 $-5+5\sqrt{2}$

6 4초 또는 8초 6-1 ④

개념완성 기본 문제 개념북 146~148쪽

1 ⑤ 2 ① 3 $a=1$, $b=7$

4 ② 5 ② 6 0 7 ④

8 ② 9 ⑤ 10 ④ 11 ④

12 ③ 13 ④ 14 ④ 15 ②

16 2 cm 17 4초 또는 5초 18 2초

개념완성 발전 문제 개념북 149~150쪽

1 $-4-\sqrt{21}$ 2 ②

3 $\frac{-1+\sqrt{5}}{2}$

4 10 5 $(4-\sqrt{11})$ cm

6 ① $(x+3)(x-5)=0$, -2

② $(x+8)(x-3)=0$, -24

③ $x^2-2x-24=0$, $x=-4$ 또는 $x=6$

7 ① $\frac{1}{2}\pi\times5^2-\frac{1}{2}\pi(5-x)^2-\frac{1}{2}\pi x^2=6\pi$

② $x=2$ 또는 $x=3$ ③ 6 cm

IV 이차함수

1 이차함수와 그 그래프

개념확인 1 이차함수 개념북 154쪽

1 (1) × (2) ○ (3) ○ (4) × (5) ○ (6) ×

2 (1) $y=\pi x^2$, 이차함수이다.

(2) $y=x^3$, 이차함수가 아니다.

3 (1) -1 (2) -1 (3) 5

개념적용 개념북 155쪽

1 ② 1-1 ③, ⑤ 1-2 ④

2 1 2-1 2

개념확인 2 이차함수 $y=x^2$의 그래프 개념북 156쪽

1 (1) 0, 0, y (2) 아래 (3) 증가

2 (1) 0, 0, 위 (2) 감소 (3) x

개념적용 개념북 157쪽

1 ⑤ 1-1 1

2 ③ 2-1 ①, ④

개념확인 3 이차함수 $y=ax^2$의 그래프 개념북 158쪽

1 (1) ㄴ, ㄷ, ㅁ (2) ㅂ, ㄹ (3) ㄱ, ㄴ

2 (1) ○ (2) × (3) ○

개념적용 개념북 159쪽

1 ② 1-1 -5

2 ④ 2-1 ③

3 ㄱ, ㅁ 3-1 ⑤

4 $y=-\frac{1}{2}x^2$ 4-1 ④

개념확인 4 이차함수 $y=ax^2+q$의 그래프 개념북 161쪽

1 (1) y, 2 (2) 아래 (3) 0, 2, $x=0$

2 (1) $y=-2x^2+3$, 꼭짓점의 좌표: $(0, 3)$,

축의 방정식: $x=0$

(2) $y=\frac{1}{3}x^2-5$, 꼭짓점의 좌표: $(0, -5)$,

축의 방정식: $x=0$

개념적용 개념북 162쪽

1 -5 1-1 $(0, -1)$

2 ① 2-1 ㄷ, ㄹ

개념확인 5 이차함수 $y=a(x-p)^2$의 그래프 개념북 163쪽

1 (1) x, 3 (2) 3, 0, $x=3$ (3) 3

2 (1) $y=-4(x+1)^2$,

꼭짓점의 좌표: $(-1, 0)$,

축의 방정식: $x=-1$

(2) $y=\frac{1}{3}(x-2)^2$, 꼭짓점의 좌표: $(2, 0)$,

축의 방정식: $x=2$

개념적용 개념북 164쪽

1 3 또는 7 1-1 4

2 ④ 2-1 ㄴ, ㄷ, ㄹ

개념확인 6 이차함수 $y=a(x-p)^2+q$의 그래프 개념북 165쪽

1 (1) -2, -1 (2) -2, -1, $x=-2$

(3) 7, -2

2 (1) $y=3(x+1)^2+4$,

꼭짓점의 좌표: $(-1, 4)$,

축의 방정식: $x=-1$

(2) $y=-\frac{1}{2}(x-5)^2-7$,

꼭짓점의 좌표: $(5, -7)$,

축의 방정식: $x=5$

개념적용 개념북 166쪽

1 -4 1-1 4 1-2 6 1-3 ②

2 ③ 2-1 ③, ⑤

3 ④ 3-1 ②

개념확인 7 이차함수의 그래프의 평행이동과 대칭이동 개념북 168쪽

1 (1) $y=2(x+2)^2-5$ (2) $y=2(x+3)^2-8$

(3) $y=2(x+2)^2-8$

2 (1) $y=-3(x-4)^2-1$

(2) $y=3(x+4)^2+1$

개념적용 개념북 169쪽

1 (1) $y=(x+1)^2+9$ (2) $(-1, 9)$

1-1 8

2 (1) $y=-2(x-5)^2+1$ (2) $(5, 1)$

2-1 -5

개념확인 8 이차함수 $y=ax^2+bx+c$의 그래프 개념북 170쪽

1 (1) 9, 9, 3, 2, $(-3, -2)$, $x=-3$

(2) 2, 1, 1, 1, 2, $(1, 2)$, $x=1$

2 (1) x축: $(-1, 0)$, $(4, 0)$, y축: $(0, -4)$

(2) x축: $\left(\frac{1}{2}, 0\right)$, $(-1, 0)$, y축: $(0, -1)$

개념적용 개념북 171쪽

1 10 1-1 $(2, 9)$ 1-2 $-\frac{3}{2}$

2 ① 2-1 $\frac{7}{3}$

3 ㄷ, ㄹ 3-1 ⑤

4 15 4-1 27

개념확인 9 이차함수 $y=ax^2+bx+c$의 그래프와 a, b, c의 부호 개념북 173쪽

1 (1) $<$ (2) $<$, $>$ (3) $>$

2 (1) $>$ (2) $>$, $>$ (3) $<$

개념적용 개념북 174쪽

1 ⑤ 1-1 ⑤ 1-2 ③

개념확인 10 이차함수의 식 구하기 개념북 175쪽

1 (1) $y=x^2+4x+5$ (2) $y=-3x^2-6x+1$

(3) $y=2x^2-x+1$ (4) $y=3x^2-12x+9$

개념적용 개념북 176쪽

1 4 1-1 $y=-2x^2-4x+1$

1-2 ③

2 9 2-1 2

3 ③ 3-1 $x=-3$

4 ② 4-1 ④

개념완성 기본 문제 개념북 180~181쪽

1 ③, ⑤ 2 ④ 3 ③ 4 $x=3$

5 ㄷ, ㄹ 6 -2 7 ③, ④ 8 ⑤

9 ② 10 ④ 11 1 12 ⑤

13 $y=x^2-2x+3$ 14 ③

개념완성 발전 문제 개념북 182~183쪽

1 $(1, 1)$ 2 9 3 제4사분면

4 ⑤ 5 $(6, -83)$

6 ① 3, $-3=a(1-3)^2+q$,

$3=a(4-3)^2+q$

-2, 5, $-2(x-3)^2+5$

② $-2(x-3)^2+5$, 12, -13

③ -3

7 ① $A(-2, 0)$, $B(3, 0)$

② $C\left(\frac{1}{2}, -\frac{25}{4}\right)$ ③ $\frac{125}{8}$

익힘북

I 실수와 그 연산

1 제곱근과 실수

개념적용익힘 익힘북 4~10쪽

1 ④ 2 ② 3 ② 4 14

5 ③ 6 $\sqrt{40}$ m 7 ② 8 ③

9 ③ 10 ④ 11 ④

12 $\left(-\sqrt{\frac{1}{9}}\right)^2$ 13 ⑤ 14 ④

15 12 16 ④ 17 a 18 $-4ab$

19 ② 20 ③ 21 ④ 22 ②

23 ④ 24 ③ 25 ② 26 ③

27 ② 28 ① 29 120

30 -4, $-\sqrt{15}$, $\sqrt{7}$, 3, $\sqrt{10}$ 31 ③

3 ②, ③　3-1 ③　3-2 $6x+2$

4 $(x^2+3x-3)(x^2+3x+5)$

4-1 ②, ④

개념확인 7 복잡한 식의 인수분해 (2) 　개념북 97쪽

1 (1) 1, 1, 1, 1　(2) 1, 1, y

2 (1) $(x-y)(a-b)$

(2) $(x+y-1)(x-y+1)$

3 $x+1$, $x+1$, $x-2$, $(x+1)(x+y-2)$

개념적용 　개념북 98쪽

1 ①　1-1 $x-1$　1-2 ②, ④

2 ②　2-1 ⑤

개념확인 8 인수분해 공식의 활용 　개념북 99쪽

1 (1) 190　(2) 100　(3) 2500　(4) 3000

2 (1) 1000000　(2) 5

3 (1) 3　(2) 16

개념적용 　개념북 100쪽

1 40　1-1 ①, ④　1-2 ④

2 144

2-1 $-24\sqrt{2}$　2-2 ②　2-3 8

3 5200π m²　3-1 $4(x+4)$

개념완성 기본 문제 　개념북 104~106쪽

1 ④　2 ⑤　3 풀이 참조

4 ④　5 ①　6 ②

7 $x^2-9x+14$　8 ②　9 ⑤

10 ⑤　11 ②　12 ⑤　13 ③, ④

14 6000　15 ③　16 ②

17 (1) 7, 2　(2) $3a+2$

개념완성 발전 문제 　개념북 107~108쪽

1 24　2 $(x+3)(x-4)$　3 ⑤

4 풀이 참조 5 $2x+2y-5$

6 ① $(x+1)^2$, $(x-5)^2$　② $>$, $<$

③ $(x+1)^2$, $(x-5)^2$,
$(x+1)-\{-(x-5)\}$, $x+1+x-5$,
$2x-4$

7 ① $(A-1)(A-2)$

② $(x+y-1)(x+y-2)$

③ $2x+2y-3$

III 이차방정식

1 이차방정식과 그 풀이

개념확인 1 이차방정식 　개념북 112쪽

1 (1) ○　(2) ×　(3) ×　(4) ○　(5) ○　(6) ×

2 (1) $a=1$, $b=2$, $c=-3$

(2) $a=1$, $b=1$, $c=-5$

3 $b=-3$, $c=-6$

개념적용 　개념북 113쪽

1 ⑤　1-1 ④　1-2 $a\neq2$

2 ②　2-1 ①

개념확인 2 이차방정식의 해 　개념북 114쪽

1 ㄱ, ㄷ

2 (1) ○　(2) ○　(3) ×　(4) ×

3 $x=-2$ 또는 $x=-1$

개념적용 　개념북 115쪽

1 ④　1-1 ③　1-2 $x=-1$ 또는 $x=4$

2 1　2-1 8　2-2 1

개념확인 3 인수분해를 이용한 이차방정식의 풀이 　개념북 116쪽

1 (1) $x=0$ 또는 $x=2$　(2) $x=-3$ 또는 $x=5$

(3) $x=-4$ 또는 $x=-1$

(4) $x=\frac{2}{3}$ 또는 $x=\frac{3}{2}$

2 (1) $x=0$ 또는 $x=-8$

(2) $x=-\frac{7}{2}$ 또는 $x=\frac{7}{2}$

(3) $x=-4$ 또는 $x=2$

(4) $x=\frac{1}{3}$ 또는 $x=\frac{1}{2}$

3 (1) $x=-2$ 또는 $x=6$

(2) $x=-\frac{5}{3}$ 또는 $x=5$

(3) $x=-\frac{5}{2}$ 또는 $x=4$

(4) $x=-4$ 또는 $x=4$

개념적용 　개념북 117쪽

1 ③　1-1 ②, ④　1-2 $x=-4$

2 $x=3$　2-1 $a=-32$, $x=8$

개념확인 4 이차방정식의 중근 　개념북 118쪽

1 (1) $x=5$ (중근)　(2) $x=-\frac{1}{3}$ (중근)

(3) $x=-3$ (중근)　(4) $x=\frac{1}{2}$ (중근)

2 (1) 16　(2) 10

개념적용 　개념북 119쪽

1 ④　1-1 ⑤

2 6

2-1 -9　2-2 $a=0$, $x=-4$ (중근)

개념확인 5 제곱근을 이용한 이차방정식의 풀이 　개념북 120쪽

1 (1) $x=\pm\sqrt{2}$　(2) $x=\pm5$　(3) $x=\pm\sqrt{3}$

(4) $x=\pm\frac{7}{2}$

2 (1) $x=-6$ 또는 $x=2$　(2) $x=4\pm\sqrt{5}$

(3) $x=-3\pm2\sqrt{2}$　(4) $x=1\pm2\sqrt{3}$

3 (1) $x=-3$ 또는 $x=1$　(2) $x=3\pm\sqrt{3}$

(3) $x=2\pm\sqrt{5}$　(4) $x=-5\pm3\sqrt{2}$

개념적용 　개념북 121쪽

1 ②　1-1 ④　1-2 ③

1-3 36　1-4 $q=7$, 다른 한 근: $-4-\sqrt{7}$

개념확인 6 완전제곱식을 이용한 이차방정식의 풀이 　개념북 122쪽

1 (1) 9, 6, 3, 6, 3, 6

(2) $\frac{7}{2}$, 1, $\frac{9}{2}$, 1, $\frac{9}{2}$, 1, $3\sqrt{2}$

2 (1) $x=-2\pm\sqrt{2}$　(2) $x=-1\pm\frac{2\sqrt{3}}{3}$

개념적용 　개념북 123쪽

1 ②　1-1 9

2 -1

2-1 (라)-(마)-(다)-(가)-(나)　2-2 $\sqrt{13}$

개념완성 기본 문제 　개념북 124~125쪽

1 ①, ⑤　2 ④　3 ④　4 ②

5 ③　6 $x=3$　7 ③

8 $x=0$ 또는 $x=\frac{1}{5}$　9 ③　10 ⑤

11 (가) : $\frac{3}{2}$　(나) : $\frac{5}{2}$　(다) : 1　(라) : 10

12 ④

개념완성 발전 문제 　개념북 126~127쪽

1 5　2 ③　3 $-\frac{1}{3}$　4 ②

5 ③　6 ⑤

7 ① $3^2+3a-3=0$, -2

② $x=-1$ 또는 $x=3$, $x=-1$

③ $3\times(-1)^2-6\times(-1)+b=0$, -9

④ 18

8 ① 8　② -4　③ -32

2 이차방정식의 활용

개념확인 1 이차방정식의 근의 공식 　개념북 130쪽

1 (1) $x=\frac{-1\pm\sqrt{17}}{2}$　(2) $x=\frac{3\pm\sqrt{17}}{2}$

(3) $x=\frac{-7\pm\sqrt{33}}{4}$　(4) $x=\frac{5\pm\sqrt{41}}{8}$

2 (1) $x=-1\pm\sqrt{2}$　(2) $x=2\pm\sqrt{7}$

개념적용 　개념북 131쪽

1 ③　1-1 ①　1-2 44

2 ③　2-1 ④

개념확인 2 복잡한 이차방정식의 풀이 　개념북 132쪽

1 (1) $x=6\pm3\sqrt{3}$　(2) $x=-\frac{3}{2}$ 또는 $x=3$

2 (3) $x=-3\pm\sqrt{7}$　(4) $x=-\frac{5}{3}$ 또는 $x=1$

2 (1) $x=-2$ 또는 $x=4$

(2) $x=-\frac{11}{2}$ 또는 $x=-5$

개념적용 　개념북 133쪽

1 ⑤　1-1 ①　1-2 $A=4$, $B=33$

2 ①　2-1 10

3 ②　3-1 ⑤　3-2 25

4 ②　4-1 ②

개념확인 3 이차방정식의 근의 개수 　개념북 135쪽

1 (1) 2개　(2) 1개　(3) 근이 없다.　(4) 2개

2 (1) $a<4$　(2) $a=4$　(3) $a>4$

개념적용 　개념북 136쪽

1 ②　1-1 ①　1-2 ⑤

2 ④　2-1 $k=4$, $x=1$ (중근)

개념확인 4 이차방정식 구하기 　개념북 137쪽

1 (1) $x^2+x-6=0$　(2) $2x^2-12x+18=0$

(3) $-x^2+3x+4=0$

2 (1) $1-\sqrt{3}$　(2) $3+4\sqrt{2}$　(3) $-4-2\sqrt{5}$

(4) $-5+\sqrt{7}$

3 $x^2-6x+4=0$

개념적용 　개념북 138쪽

1 $x=\frac{1}{4}$ 또는 $x=\frac{1}{2}$

1-1 ④　1-2 $x^2+3x-18=0$

2 $a=-8$, $b=9$　2-1 $3x^2+12x+3=0$

개념확인 5 이차방정식의 활용 　개념북 139쪽

1 $x+1$, $x+1$, x, 12, 12, 12, 13

수학은 개념이다!

디딤돌수학

개념기본

중 3 / 1 정답과 풀이

'아! 이걸 묻는거구나' 출제의 의도를
단박에 알게해주는 정답과 풀이

디딤돌

수학은 개념이다!

디딤돌수학

개념기본

중 3 / 1

개념북
정답과 풀이

'아! 이걸 묻는거구나' 출제의 의도를
단박에 알게해주는 정답과 풀이

디딤돌

I 실수와 그 연산

1 제곱근과 실수

개념 확인 1 제곱근의 뜻 개념북 10쪽

1 (1) 1, -1 (2) 5, -5 (3) 7, -7 (4) 10, -10

2 (1) 16, 16, 4, -4 (2) $\frac{1}{16}$, $\frac{1}{16}$, $\frac{1}{4}$, $-\frac{1}{4}$

3 (1) 0 (2) 8, -8 (3) 없다.

(4) 0.6, -0.6 (5) $\frac{7}{9}$, $-\frac{7}{9}$ (6) $\frac{3}{2}$, $-\frac{3}{2}$

3 (1) 0의 제곱근 ➡ 제곱하여 0이 되는 수 ➡ 0

(2) 64의 제곱근 ➡ 제곱하여 64가 되는 수 ➡ 8, -8

(3) -4의 제곱근 ➡ 제곱하여 -4가 되는 수 ➡ 없다.

(4) 0.36의 제곱근 ➡ 제곱하여 0.36이 되는 수

➡ 0.6, -0.6

(5) $\frac{49}{81}$의 제곱근 ➡ 제곱하여 $\frac{49}{81}$가 되는 수

➡ $\frac{7}{9}$, $-\frac{7}{9}$

(6) $\left(-\frac{3}{2}\right)^2=\frac{9}{4}$의 제곱근 ➡ 제곱하여 $\frac{9}{4}$가 되는 수

➡ $\frac{3}{2}$, $-\frac{3}{2}$

제곱근의 뜻 개념북 11쪽

1 ④, ⑤

1-1 ② **1-2** 풀이 참조 **1-3** ①

1 ① 0의 제곱근은 0의 1개이다.

② 9의 제곱근은 3, -3이다.

③ -2는 4의 음의 제곱근이다.

④ 25의 제곱근은 5와 -5의 2개이고, 그 합은 0이다.

⑤ $(-8)^2=64$이므로 64의 양의 제곱근은 8이다.

따라서 옳은 것은 ④, ⑤이다.

1-1 ㄱ. $(-7)^2=49$이므로 -7은 49의 음의 제곱근이다.

ㄴ. 1의 제곱근은 1, -1의 2개이다.

ㄷ. -16의 제곱근은 없고, 16의 제곱근은 4, -4이므로 같지 않다.

ㄹ. $(-6)^2=36$이므로 36의 제곱근은 6, -6이다.

따라서 옳은 것은 ㄱ, ㄹ이다.

1-2 지수: 양수의 제곱근은 2개네. 그러면 $0^2=0$이므로 0의 제곱근은 1개이고, 제곱하여 음수가 되는 수는 없으므로 음수의 제곱근은 없구나!

1-3 ②, ③, ④ 5, -5

⑤ $(-5)^2=25$이므로 25의 제곱근은 5, -5

따라서 그 값이 나머지 넷과 다른 하나는 ①이다.

개념 확인 2 제곱근의 표현 개념북 12쪽

1 (1) $\pm\sqrt{5}$ (2) $\pm\sqrt{11}$ (3) $\pm\sqrt{\frac{1}{7}}$ (4) $\pm\sqrt{2.5}$

2 (1) 6 (2) -4 (3) $\frac{5}{2}$ (4) 0.7 (5) $\pm\frac{4}{3}$ (6) 0.9

3 (1) $\pm\sqrt{6}$, $\sqrt{6}$ (2) $\pm\sqrt{\frac{7}{2}}$, $\sqrt{\frac{7}{2}}$

2 (5) $\pm\sqrt{\frac{16}{9}}=\pm\frac{4}{3}$ (6) $\sqrt{0.81}=0.9$

제곱근의 표현 개념북 13쪽

1 ② **1-1** ①, ③ **1-2** $\sqrt{30}$

1 제곱근 25는 $\sqrt{25}=5$이므로 $a=5$

$\sqrt{16}=4$의 음의 제곱근은 $-\sqrt{4}=-2$이므로 $b=-2$

$\therefore a+b=5+(-2)=3$

1-1 ① 9의 제곱근은 $\pm\sqrt{9}=\pm3$

② 12의 제곱근은 $\pm\sqrt{12}$

③ 제곱근 64는 $\sqrt{64}=8$

④ $\sqrt{25}=5$의 제곱근은 $\pm\sqrt{5}$

⑤ $\sqrt{100}=10$의 제곱근은 $\pm\sqrt{10}$

따라서 옳은 것은 ①, ③이다.

1-2 직사각형의 넓이는 $6\times5=30(\text{cm}^2)$이므로 정사각형의 넓이도 30 cm^2이다.

따라서 $x^2=30$이고 $x>0$이므로 x는 30의 양의 제곱근이다.

$\therefore x=\sqrt{30}$

근호를 사용하지 않고 제곱근 나타내기

개념북 13쪽

2 1, 36, $\frac{9}{25}$ **2-1** ②

2 1의 제곱근 : $\pm\sqrt{1}=\pm1$, 7의 제곱근 : $\pm\sqrt{7}$
36의 제곱근 : $\pm\sqrt{36}=\pm6$, 0.3의 제곱근 : $\pm\sqrt{0.3}$
$\frac{9}{25}$의 제곱근 : $\pm\sqrt{\frac{9}{25}}=\pm\frac{3}{5}$
따라서 제곱근을 근호를 사용하지 않고 나타낼 수 있는 것은 1, 36, $\frac{9}{25}$이다.

2-1 ① $\sqrt{25}=5$ ③ $-\sqrt{49}=-7$ ④ $\sqrt{1.44}=1.2$
⑤ $-\sqrt{\frac{4}{9}}=-\frac{2}{3}$
따라서 근호를 사용하지 않고 나타낼 수 없는 것은 ②이다.

개념 확인 3 제곱근의 성질

개념북 14쪽

1 (1) 5 (2) 3 (3) -10 (4) $\frac{4}{3}$ (5) $-\frac{1}{6}$ (6) $-\frac{3}{5}$

2 (1) 6 (2) 8 (3) -10 (4) $\frac{3}{7}$ (5) $-\frac{2}{5}$ (6) -0.3

3 (1) 9 (2) 0 (3) -7 (4) 13 (5) -4 (6) $-\frac{1}{9}$

3 (1) $(\sqrt{3})^2+(-\sqrt{6})^2=3+6=9$
(2) $\sqrt{7^2}-\sqrt{(-7)^2}=7-7=0$
(3) $\sqrt{5^2}-(-\sqrt{12})^2=5-12=-7$
(4) $(-\sqrt{4})^2+\sqrt{81}=(-\sqrt{4})^2+\sqrt{9^2}=4+9=13$
(5) $\sqrt{24^2}\div(-\sqrt{36})=\sqrt{24^2}\div(-\sqrt{6^2})$
$=24\div(-6)=-4$
(6) $\sqrt{\frac{1}{9}}\times\left\{-\sqrt{\left(-\frac{1}{3}\right)^2}\right\}=\sqrt{\left(\frac{1}{3}\right)^2}\times\left\{-\sqrt{\left(-\frac{1}{3}\right)^2}\right\}$
$=\frac{1}{3}\times\left(-\frac{1}{3}\right)=-\frac{1}{9}$

제곱근의 성질

개념북 15쪽

1 ③ **1-1** ⑤

1 ③ $(-\sqrt{11})^2=11$ ⑤ $-\sqrt{\frac{16}{25}}=-\sqrt{\left(\frac{4}{5}\right)^2}=-\frac{4}{5}$
따라서 옳지 않은 것은 ③이다.

1-1 ①, ②, ③, ④ a ⑤ $-a$
따라서 그 값이 나머지 넷과 다른 하나는 ⑤이다.

제곱근의 성질을 이용한 식의 계산

개념북 15쪽

2 -5 **2-1** ③ **2-2** ⑤

2 $-\sqrt{81}\times\left(-\sqrt{\frac{1}{3}}\right)^2\div\sqrt{\left(-\frac{3}{5}\right)^2}$
$=-\sqrt{9^2}\times\left(-\sqrt{\frac{1}{3}}\right)^2\div\sqrt{\left(-\frac{3}{5}\right)^2}$
$=-9\times\frac{1}{3}\div\frac{3}{5}=-9\times\frac{1}{3}\times\frac{5}{3}=-5$

2-1 $\sqrt{49}-\sqrt{(-3)^2}\div\sqrt{\frac{9}{16}}+(-\sqrt{6})^2$
$=\sqrt{7^2}-\sqrt{(-3)^2}\div\sqrt{\left(\frac{3}{4}\right)^2}+(-\sqrt{6})^2$
$=7-3\div\frac{3}{4}+6=7-3\times\frac{4}{3}+6=7-4+6=9$

2-2 $A=\sqrt{(-15)^2}+(-\sqrt{10})^2=15+10=25$
$B=\sqrt{144}-\sqrt{(-1)^2}$
$=\sqrt{12^2}-\sqrt{(-1)^2}=12-1=11$
$\therefore \sqrt{A+B}=\sqrt{25+11}=\sqrt{36}=\sqrt{6^2}=6$

개념 확인 4 $\sqrt{a^2}$의 성질

개념북 16쪽

1 (1) $>$, $3a$ (2) $<$, a (3) $<$, $-\frac{a}{2}$ (4) $>$, $-2a$

2 (1) $2x$ (2) $-9x$ (3) x

3 (1) $x+2$ (2) $-x+2$ (3) 4

1 (2) $-a<0$이므로 $\sqrt{(-a)^2}=-(-a)=a$

2 (1) $-2x<0$이므로 $\sqrt{(-2x)^2}=-(-2x)=2x$
(2) $-9x>0$이므로 $\sqrt{(-9x)^2}=-9x$
(3) $-3x<0$, $2x>0$이므로
$\sqrt{(-3x)^2}-\sqrt{(2x)^2}=-(-3x)-2x$
$=3x-2x=x$

3 (1) $x+2>0$이므로 $\sqrt{(x+2)^2}=x+2$
(2) $x-2<0$이므로 $\sqrt{(x-2)^2}=-(x-2)=-x+2$
(3) $x+2>0$, $x-2<0$이므로
$\sqrt{(x+2)^2}+\sqrt{(x-2)^2}=x+2-(x-2)$
$=x+2-x+2=4$

$\sqrt{a^2}$의 성질 개념북 17쪽

1 ③ **1-1** ③ **1-2** ⑤

1 ㄱ. $a<0$이므로 $-\sqrt{a^2}=-(-a)=a$
ㄴ. $-5a>0$이므로 $\sqrt{(-5a)^2}=-5a$
ㄷ. $7a<0$이므로 $-\sqrt{(7a)^2}=-(-7a)=7a$
ㄹ. $4a<0$이므로 $\sqrt{16a^2}=\sqrt{(4a)^2}=-4a$
따라서 옳은 것은 ㄴ, ㄷ이다.

1-1 ① $-a<0$이므로 $\sqrt{(-a)^2}=-(-a)=a$
② $2a>0$이므로 $\sqrt{4a^2}=\sqrt{(2a)^2}=2a$
③ $3a>0$이므로 $-\sqrt{9a^2}=-\sqrt{(3a)^2}=-3a$
④ $-5a<0$이므로
$-\sqrt{(-5a)^2}=-\{-(-5a)\}=-5a$
⑤ $-10a<0$이므로
$\sqrt{(-10a)^2}=-(-10a)=10a$

1-2 $-6a<0$, $5a>0$, $4b<0$이므로
$\sqrt{(-6a)^2}+\sqrt{(5a)^2}-\sqrt{(4b)^2}$
$=-(-6a)+5a-(-4b)$
$=6a+5a+4b=11a+4b$

$\sqrt{(a-b)^2}$의 꼴을 포함한 식 간단히 하기 개념북 17쪽

2 ② **2-1** ④

2 $x+1>0$, $x-4<0$이므로
$\sqrt{(x+1)^2}+\sqrt{(x-4)^2}=(x+1)-(x-4)$
$=x+1-x+4=5$

2-1 $3-x<0$, $5-x>0$이므로
$\sqrt{(3-x)^2}-\sqrt{(5-x)^2}=-(3-x)-(5-x)$
$=-3+x-5+x=2x-8$

개념 확인 5 제곱수 개념북 18쪽

1 (1) 7 (2) 12 (3) 13 (4) 15
2 (1) 3, 3, 3, 3 (2) 16, 16, 4, 4

1 (1) $\sqrt{49}=\sqrt{7^2}=7$ (2) $\sqrt{144}=\sqrt{12^2}=12$
(3) $\sqrt{169}=\sqrt{13^2}=13$ (4) $\sqrt{225}=\sqrt{15^2}=15$

$\sqrt{Ax}$, $\sqrt{\dfrac{A}{x}}$가 자연수가 되도록 하는 자연수 x의 값 구하기 개념북 19쪽

1 ⑤ **1-1** ③

1 120을 소인수분해하면 $120=2^3\times3\times5$이므로
$120x=2^3\times3\times5\times x$에서 소인수의 지수가 모두 짝수가 되도록 하는 자연수 $x=2\times3\times5\times(\text{자연수})^2$의 꼴이어야 한다.
따라서 가장 작은 자연수 $x=2\times3\times5=30$

1-1 54를 소인수분해하면 $54=2\times3^3$이므로
$\sqrt{\dfrac{54}{x}}=\sqrt{\dfrac{2\times3^3}{x}}$에서 소인수의 지수가 모두 짝수가 되도록 하는 가장 작은 자연수 $x=2\times3=6$

$\sqrt{A+x}$, $\sqrt{A-x}$가 자연수가 되도록 하는 자연수 x의 값 구하기 개념북 19쪽

2 ③ **2-1** ①

2 30보다 큰 제곱수는 36, 49, 64, …이므로
$30+x=36, 49, 64, \cdots$
$\therefore x=6, 19, 34, \cdots$
따라서 가장 작은 자연수 x는 6이고 그때의 $\sqrt{30+x}$의 값은 $\sqrt{30+x}=\sqrt{30+6}=\sqrt{36}=6$

2-1 23보다 작은 제곱수는 1, 4, 9, 16이므로
$23-x=1, 4, 9, 16$
$\therefore x=7, 14, 19, 22$
따라서 자연수 x의 개수는 4이다.

개념 확인 6 제곱근의 대소 관계 개념북 20쪽

1 (1) $<$ (2) $>$ (3) $<$ (4) $>$
2 (1) $>$ (2) $<$ (3) $<$ (4) $>$
3 (1) 2, 3 (2) 4, 5, 6, 7, 8

1 (3) $0.1=\frac{1}{10}$이고 $\frac{1}{10}<\frac{1}{3}$이므로 $\sqrt{0.1}<\sqrt{\frac{1}{3}}$

(4) $\sqrt{10}<\sqrt{11}$이므로 $-\sqrt{10}>-\sqrt{11}$

2 (1) $4=\sqrt{4^2}=\sqrt{16}$이고 $\sqrt{16}>\sqrt{15}$이므로 $4>\sqrt{15}$

(2) $5=\sqrt{5^2}=\sqrt{25}$이고 $\sqrt{25}>\sqrt{23}$이므로 $5>\sqrt{23}$

$\therefore -5<-\sqrt{23}$

(3) $\frac{1}{2}=\sqrt{\left(\frac{1}{2}\right)^2}=\sqrt{\frac{1}{4}}$이고 $\sqrt{\frac{1}{4}}<\sqrt{\frac{3}{4}}$이므로

$\frac{1}{2}<\sqrt{\frac{3}{4}}$

(4) $0.2=\sqrt{(0.2)^2}=\sqrt{0.04}$이고 $\sqrt{0.04}<\sqrt{0.4}$이므로

$0.2<\sqrt{0.4}$

$\therefore -0.2>-\sqrt{0.4}$

3 (1) $1=\sqrt{1^2}=\sqrt{1}$, $2=\sqrt{2^2}=\sqrt{4}$이므로 $\sqrt{1}<\sqrt{x}<\sqrt{4}$에서 $1<x<4$

따라서 자연수 x의 값은 2, 3이다.

(2) $2=\sqrt{2^2}=\sqrt{4}$, $3=\sqrt{3^2}=\sqrt{9}$이므로 $\sqrt{4}\le\sqrt{x}<\sqrt{9}$에서 $4\le x<9$

따라서 자연수 x의 값은 4, 5, 6, 7, 8이다.

제곱근의 대소 관계

개념북 21쪽

1 ② **1-1** ④

1 $-3=-\sqrt{9}$, $6=\sqrt{36}$이므로 음수끼리 대소를 비교하면 $-\sqrt{11}<-\sqrt{9}$에서 $-\sqrt{11}<-3$

양수끼리 대소를 비교하면 $\sqrt{8}<\sqrt{17}<\sqrt{36}$에서 $\sqrt{8}<\sqrt{17}<6$

따라서 크기가 작은 것부터 차례로 나열하면 $-\sqrt{11}<-3<\sqrt{8}<\sqrt{17}<6$이므로 세 번째에 오는 수는 $\sqrt{8}$이다.

1-1 ① $2=\sqrt{4}$이고 $\sqrt{2}<\sqrt{4}$이므로 $\sqrt{2}<2$

② $-2=-\sqrt{4}$이고 $-\sqrt{4}<-\sqrt{3}$이므로 $-2<-\sqrt{3}$

③ $\frac{1}{3}=\sqrt{\frac{1}{9}}$이고 $\sqrt{\frac{1}{9}}<\sqrt{\frac{1}{3}}$이므로 $\frac{1}{3}<\sqrt{\frac{1}{3}}$

④ $-4=-\sqrt{16}$이고 $-\sqrt{16}>-\sqrt{17}$이므로 $-4>-\sqrt{17}$

⑤ $5=\sqrt{25}$이고 $\sqrt{24}<\sqrt{25}$이므로 $\sqrt{24}<5$

제곱근을 포함한 부등식 풀기

개념북 21쪽

2 ② **2-1** ③

2 각 변을 제곱하면 $4^2<(\sqrt{3n})^2<5^2$, $16<3n<25$

$\therefore \frac{16}{3}<n<\frac{25}{3}$

이때 $\frac{16}{3}=5.3\cdots$, $\frac{25}{3}=8.3\cdots$이므로 자연수 n은 6, 7, 8이고 그 합은 $6+7+8=21$

2-1 각 변을 제곱하면 $3^2<(\sqrt{x-1})^2\le4^2$, $9<x-1\le16$

$\therefore 10<x\le17$

따라서 자연수 x는 11, 12, 13, …, 17의 7개이다.

7 무리수와 실수

개념북 22쪽

1 (1) 유 (2) 유 (3) 유 (4) 무 (5) 유 (6) 무

2 (1) ○ (2) × (3) ○

1 (2) $1.\dot{2}\dot{3}$은 순환소수이므로 유리수이다.

(5) $\sqrt{81}=9$이므로 유리수이다.

2 (2) $\sqrt{4}=2$이므로 유리수이다. 즉, 근호를 사용하여 나타낸 수 중 근호를 없앨 수 있는 수는 유리수이다.

유리수와 무리수

개념북 23쪽

1 ① **1-1** ①, ③ **1-2** ⑤

1-3 1개 **1-4** ②

1 ③ $\sqrt{169}=13$ ⑤ $\sqrt{\frac{9}{25}}=\frac{3}{5}$

따라서 순환하지 않는 무한소수가 되는 것은 ①이다.

1-1 각 수의 제곱근을 구하면

① $\pm\sqrt{8}$ ② $\pm\sqrt{121}=\pm11$ ③ $\pm\sqrt{1.6}$

④ $\pm\sqrt{\frac{36}{49}}=\pm\frac{6}{7}$ ⑤ $\pm\sqrt{0.09}=\pm0.3$

따라서 주어진 수의 제곱근이 무리수인 것은 ①, ③이다.

1-2 ㈎에 알맞은 수는 무리수이다.

① $\sqrt{0.49}=0.7$　② $\sqrt{\frac{25}{16}}=\frac{5}{4}$　④ $0.\dot{8}=\frac{8}{9}$

따라서 ㈎에 알맞은 수는 무리수인 ⑤이다.

1-3 $\sqrt{0.04}=0.2$, $0.\dot{5}=\frac{5}{9}$, $-\sqrt{25}=-5$이므로 무리수는 $\sqrt{12}$의 1개이다.

1-4 ① 순환하지 않는 무한소수만 무리수이다.

③ 순환소수는 유리수이다.

④ 실수 중에서 유리수가 아닌 수가 무리수이므로 유리수가 되는 무리수는 없다.

⑤ $\sqrt{5}$는 무리수이므로 분모$(\neq 0)$, 분자가 정수인 분수로 나타낼 수 없다.

개념 확인 8 실수와 수직선

개념북 24쪽

1 (1) $\sqrt{13}$　(2) $1+\sqrt{13}$

2 (1) ○　(2) ×　(3) ○　(4) ○

1 (1) $\overline{AC}=\sqrt{3^2+2^2}=\sqrt{13}$

2 (2) 수직선은 유리수와 무리수에 대응하는 점, 즉 실수에 대응하는 점으로 완전히 메울 수 있다.

무리수를 수직선 위에 나타내기

개념북 25쪽

1 $2+\sqrt{5}$, $2-\sqrt{5}$

1-1 $A(2-\sqrt{2})$, $B(3+\sqrt{2})$　**1-2** 구간 D

1 $\overline{AC}=\sqrt{1^2+2^2}=\sqrt{5}$이므로 $\overline{AP}=\overline{AC}=\sqrt{5}$

점 P는 점 A에서 오른쪽으로 $\sqrt{5}$만큼 떨어진 점이므로 점 P에 대응하는 수는 $2+\sqrt{5}$이다.

또, $\overline{AQ}=\overline{AC}=\sqrt{5}$이고,

점 Q는 점 A에서 왼쪽으로 $\sqrt{5}$만큼 떨어진 점이므로 점 Q에 대응하는 수는 $2-\sqrt{5}$이다.

1-1 한 변의 길이가 1인 정사각형의 대각선의 길이는 $\sqrt{1^2+1^2}=\sqrt{2}$

점 A는 점 2에서 왼쪽으로 $\sqrt{2}$만큼 떨어진 점이고,

점 B는 점 3에서 오른쪽으로 $\sqrt{2}$만큼 떨어진 점이다.

$\therefore A(2-\sqrt{2})$, $B(3+\sqrt{2})$

1-2 $\sqrt{4}<\sqrt{5}<\sqrt{9}$, 즉 $2<\sqrt{5}<3$이므로

$3<1+\sqrt{5}<4$

따라서 $1+\sqrt{5}$에 대응하는 점은 구간 D에 존재한다.

실수와 수직선

개념북 25쪽

2 ③　**2-1** ①

2 ① 2와 3 사이에는 무수히 많은 유리수가 있다.

② $\sqrt{2}$와 $\sqrt{3}$ 사이에는 무수히 많은 무리수가 있다.

③ $\sqrt{3}<\sqrt{4}<\sqrt{7}$이므로 $\sqrt{3}$과 $\sqrt{7}$ 사이에는 $\sqrt{4}=2$, 즉 1개의 정수가 있다.

④ $\sqrt{3}$과 $\sqrt{5}$ 사이에는 무수히 많은 유리수가 있다.

⑤ $\sqrt{5}$와 $\sqrt{7}$ 사이에는 무수히 많은 무리수가 있다.

2-1 ① -1과 1 사이에는 0, 즉 1개의 정수가 있다.

개념 완성 기본 문제

개념북 28~29쪽

1 ①	**2** ④	**3** ②	**4** ④
5 ⑤	**6** ③	**7** ④	**8** ②
9 ④	**10** 3개	**11** ⑤	**12** 3개

1 ① $\sqrt{4}=\sqrt{2^2}=2$

②, ③, ④, ⑤ ± 2

2 ① 양수의 제곱근은 양수와 음수로 2개가 있다.

② 0의 제곱근은 0 하나뿐이고 음수의 제곱근은 없다.

③ 음수의 제곱근은 없다.

⑤ 제곱근 $(-4)^2=16$은 $\sqrt{16}=4$이다.

3 ① 16의 제곱근 : ± 4

② $\frac{3}{5}$의 제곱근 : $\pm\sqrt{\frac{3}{5}}$

③ 0.09의 제곱근 : ± 0.3

④ 36의 제곱근 : ± 6

⑤ 400의 제곱근 : ± 20

4 $(-\sqrt{25})^2=25$이므로 $a=-5$

$\sqrt{(-9)^2}=9$이므로 $b=3$

$\therefore b-a=3-(-5)=8$

5 (주어진 식)$=\sqrt{(-8)^2}+(-\sqrt{5})^2-\sqrt{9^2}+(\sqrt{21})^2$

$=8+5-9+21=25$

6 ㄴ. $3a>0$이므로

$\sqrt{9a^2}=\sqrt{(3a)^2}=3a$

ㄷ. $-5a<0$이므로

$\sqrt{(-5a)^2}=-(-5a)=5a$

ㄹ. $-6a<0$이므로

$-\sqrt{(-6a)^2}=-\{-(-6a)\}=-6a$

따라서 옳지 않은 것은 ㄴ, ㄷ이다.

7 $a-b<0$, $-b<0$이므로

(주어진 식)$=-a-(a-b)-\{-(-b)\}$

$=-a-a+b-b$

$=-2a$

8 48을 소인수분해하면 $48=2^4\times 3$이므로

$\sqrt{\frac{48}{x}}=\sqrt{\frac{2^4\times 3}{x}}$에서 소인수의 지수가 모두 짝수가 되도록 하는 가장 작은 자연수 $x=3$

9 ④ $-\sqrt{3^2}=-\sqrt{9}$이고 $-\sqrt{9}>-\sqrt{10}$이므로

$-\sqrt{3^2}>-\sqrt{10}$

10 $\frac{\sqrt{4}}{9}=\frac{2}{9}$ (유리수), $\sqrt{1.44}=1.2$ (유리수)

따라서 무리수는 $\sqrt{5}$, $-\frac{\pi}{2}$, $\sqrt{8}$의 3개이다.

11 $\overline{AP}=\overline{AC}=\sqrt{1^2+3^2}=\sqrt{10}$이므로

점 P에 대응하는 수는 $-1-\sqrt{10}$이다.

12 ㄱ, ㄴ. 유리수와 무리수, 즉 실수에 대응하는 점만으로 수직선을 완전히 메울 수 있다.

ㄷ. 서로 다른 두 정수 사이에는 유한개의 정수가 있다.

따라서 옳은 것은 ㄴ, ㄹ, ㅁ의 3개이다.

개념 완성 발전 문제

개념북 30~31쪽

1 ③ **2** ⑤ **3** 9 **4** ①, ③

5 ④

6 ① $\sqrt{2}$, $\sqrt{2}$, $\sqrt{2}$, $\sqrt{2}$ ② 3, 1, 4 ③ $4-\sqrt{2}$

7 ① 풀이 참조 ② $2a:x=x:a$ ③ $\sqrt{2}a$

1 $\sqrt{16}=4$의 양의 제곱근은 $\sqrt{4}=2$이므로 $a=2$

제곱근 9는 $\sqrt{9}=3$이므로 $b=3$

$(-5)^2=25$의 음의 제곱근은 $-\sqrt{25}=-5$이므로

$c=-5$

$\therefore a+b+c=2+3+(-5)=0$

2 $36-A$는 0 또는 36보다 작은 제곱수이어야 하므로

$36-A=0, 1, 4, 9, 16, 25$

$\therefore A=11, 20, 27, 32, 35, 36$

따라서 자연수 A 중 가장 큰 값은 36, 가장 작은 값은 11이므로 그 합은 $36+11=47$

3 $5<\sqrt{9x}+1\le 7$에서 $4<\sqrt{9x}\le 6$

각 변을 제곱하면

$4^2<(\sqrt{9x})^2\le 6^2$, $16<9x\le 36$

$\therefore \frac{16}{9}<x\le 4$

이때 $\frac{16}{9}=1.7\cdots$이므로 부등식을 만족하는 자연수 x는 2, 3, 4이고 그 합은 $2+3+4=9$

4 유리수가 아닌 실수는 무리수이다.

① 정수가 아닌 수 중에는 $-\frac{1}{2}$, 3.5와 같이 유리수도 있다.

③ 근호를 사용하여 나타낸 수 중 $\sqrt{4}=2$와 같이 근호를 없앨 수 있는 수는 유리수이다.

5 $0<a<1$이면 $a<\frac{1}{a}$이므로

$a+\frac{1}{a}>0$, $a-\frac{1}{a}<0$

$\therefore$ (주어진 식)$=\left(a+\frac{1}{a}\right)-\left\{-\left(a-\frac{1}{a}\right)\right\}$

$=a+\frac{1}{a}+a-\frac{1}{a}=2a$

6 ① 한 변의 길이가 1인 정사각형의 대각선의 길이는 $\sqrt{2}$이므로 $\overline{AC}=\overline{BD}=\sqrt{2}$

$\therefore \overline{AE}=\overline{AC}=\sqrt{2}$, $\overline{BF}=\overline{BD}=\sqrt{2}$

② 점 E에 대응하는 수가 $3+\sqrt{2}$이므로 점 A에 대응하는 수는 $3+\sqrt{2}-\sqrt{2}=3$
$\overline{AB}=1$이므로 점 B에 대응하는 수는 $3+1=4$
③ 점 F에 대응하는 수는 $4-\sqrt{2}$

7 ① A4 용지의 가로의 길이를 x라 하면 A5 용지는 오른쪽 그림과 같다.

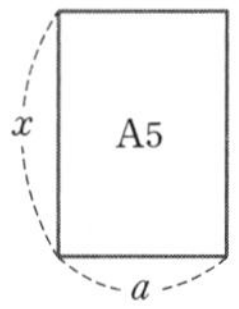

② A4 용지와 A5 용지는 서로 닮은 직사각형이므로 $2a : x = x : a$
③ $2a : x = x : a$에서 $x^2=2a^2$
$\therefore x=\sqrt{2a^2}=\sqrt{2}a$ ($\because x>0,\ a>0$)
따라서 A4 용지의 가로의 길이는 $\sqrt{2}a$이다.

2 근호를 포함한 식의 계산

개념 확인 1 제곱근의 곱셈과 나눗셈

개념북 34쪽

1 (1) 5, 15 (2) 3, 5, 12, 15
2 (1) $\sqrt{6}$ (2) $\sqrt{70}$ (3) $-2\sqrt{15}$ (4) $8\sqrt{7}$
3 (1) 15, 5 (2) 8, 15, 4, 3
4 (1) $\sqrt{3}$ (2) 3 (3) $-3\sqrt{2}$ (4) $\sqrt{5}$

2 (1) $\sqrt{2}\times\sqrt{3}=\sqrt{2\times3}=\sqrt{6}$
(2) $\sqrt{2}\times\sqrt{5}\times\sqrt{7}=\sqrt{2\times5\times7}=\sqrt{70}$
(3) $-\sqrt{5}\times2\sqrt{3}=(-1)\times2\times\sqrt{5\times3}=-2\sqrt{15}$
(4) $4\sqrt{3}\times2\sqrt{\frac{7}{3}}=4\times2\times\sqrt{3\times\frac{7}{3}}=8\sqrt{7}$

4 (1) $\frac{\sqrt{12}}{\sqrt{4}}=\sqrt{\frac{12}{4}}=\sqrt{3}$
(2) $\sqrt{72}\div\sqrt{8}=\sqrt{\frac{72}{8}}=\sqrt{9}=3$
(3) $-9\sqrt{14}\div3\sqrt{7}=-\frac{9\sqrt{14}}{3\sqrt{7}}$
$=-\frac{9}{3}\times\sqrt{\frac{14}{7}}=-3\sqrt{2}$
(4) $\sqrt{\frac{10}{3}}\div\sqrt{\frac{2}{3}}=\sqrt{\frac{10}{3}}\times\sqrt{\frac{3}{2}}$
$=\sqrt{\frac{10}{3}\times\frac{3}{2}}=\sqrt{5}$

제곱근의 곱셈

개념북 35쪽

1 ① **1-1** ⑤

1 $2\sqrt{5}\times(-6\sqrt{6})\times\sqrt{\frac{1}{3}}=2\times(-6)\times\sqrt{5\times6\times\frac{1}{3}}$
$=-12\sqrt{10}$

1-1 $3\sqrt{2}\times\left(-\sqrt{\frac{3}{7}}\right)\times(-2\sqrt{7})$
$=3\times(-1)\times(-2)\times\sqrt{2\times\frac{3}{7}\times7}$
$=6\sqrt{6}$

제곱근의 나눗셈 (개념북 35쪽)

2 ④ **2-1** $2\sqrt{10}$

2 ① $\frac{\sqrt{12}}{\sqrt{6}}=\sqrt{\frac{12}{6}}=\sqrt{2}$

② $\sqrt{75}\div\sqrt{3}=\frac{\sqrt{75}}{\sqrt{3}}=\sqrt{\frac{75}{3}}=\sqrt{25}=5$

③ $4\sqrt{21}\div(-\sqrt{7})=-\frac{4\sqrt{21}}{\sqrt{7}}=-4\sqrt{\frac{21}{7}}=-4\sqrt{3}$

④ $10\sqrt{24}\div5\sqrt{8}=\frac{10\sqrt{24}}{5\sqrt{8}}=\frac{10}{5}\sqrt{\frac{24}{8}}=2\sqrt{3}$

⑤ $\frac{\sqrt{14}}{\sqrt{2}}\div\frac{\sqrt{7}}{\sqrt{10}}=\frac{\sqrt{14}}{\sqrt{2}}\times\frac{\sqrt{10}}{\sqrt{7}}=\sqrt{\frac{14}{2}\times\frac{10}{7}}=\sqrt{10}$

2-1 (삼각형의 넓이)$=\frac{1}{2}\times x\times4\sqrt{3}=2x\sqrt{3}$

(직사각형의 넓이)$=2\sqrt{6}\times2\sqrt{5}=4\sqrt{30}$

두 도형의 넓이가 같으므로 $2x\sqrt{3}=4\sqrt{30}$

$\therefore x=\frac{4\sqrt{30}}{2\sqrt{3}}=\frac{4}{2}\sqrt{\frac{30}{3}}=2\sqrt{10}$

개념 확인 2 근호가 있는 식의 변형 (개념북 36쪽)

1 (1) 2, 2, 2 (2) 7, 7, 7

2 (1) $3\sqrt{3}$ (2) $-5\sqrt{2}$ (3) $\frac{\sqrt{3}}{10}$ (4) $-\frac{\sqrt{13}}{9}$

3 (1) 3, 3, 54 (2) 6, 6, 36

4 (1) $\sqrt{8}$ (2) $-\sqrt{63}$ (3) $\sqrt{\frac{5}{4}}$ (4) $-\sqrt{\frac{10}{49}}$

2 (1) $\sqrt{27}=\sqrt{3^2\times3}=\sqrt{3^2}\times\sqrt{3}=3\sqrt{3}$

(2) $-\sqrt{50}=-\sqrt{5^2\times2}=-\sqrt{5^2}\times\sqrt{2}=-5\sqrt{2}$

(3) $\sqrt{\frac{3}{100}}=\sqrt{\frac{3}{10^2}}=\frac{\sqrt{3}}{\sqrt{10^2}}=\frac{\sqrt{3}}{10}$

(4) $-\sqrt{\frac{13}{81}}=-\sqrt{\frac{13}{9^2}}=-\frac{\sqrt{13}}{\sqrt{9^2}}=-\frac{\sqrt{13}}{9}$

4 (1) $2\sqrt{2}=\sqrt{2^2}\times\sqrt{2}=\sqrt{2^2\times2}=\sqrt{8}$

(2) $-3\sqrt{7}=-\sqrt{3^2}\times\sqrt{7}=-\sqrt{3^2\times7}=-\sqrt{63}$

(3) $\frac{\sqrt{5}}{2}=\frac{\sqrt{5}}{\sqrt{2^2}}=\sqrt{\frac{5}{2^2}}=\sqrt{\frac{5}{4}}$

(4) $-\frac{\sqrt{10}}{7}=-\frac{\sqrt{10}}{\sqrt{7^2}}=-\sqrt{\frac{10}{7^2}}=-\sqrt{\frac{10}{49}}$

근호가 있는 식의 변형 (개념북 37쪽)

1 ㄱ, ㄹ **1-1** 9 **1-2** $10\sqrt{10}$

1 ㄱ. $\sqrt{80}=\sqrt{4^2\times5}=4\sqrt{5}$

ㄴ. $-5\sqrt{3}=-\sqrt{5^2\times3}=-\sqrt{75}$

ㄷ. $\sqrt{\frac{28}{18}}=\sqrt{\frac{14}{9}}=\sqrt{\frac{14}{3^2}}=\frac{\sqrt{14}}{3}$

ㄹ. $\sqrt{0.08}=\sqrt{\frac{8}{100}}=\sqrt{\frac{2}{25}}=\sqrt{\frac{2}{5^2}}=\frac{\sqrt{2}}{5}$

따라서 옳은 것은 ㄱ, ㄹ이다.

1-1 $\sqrt{98}=\sqrt{7^2\times2}=7\sqrt{2}$이므로 $a=2$

$\sqrt{\frac{112}{9}}=\sqrt{\frac{4^2\times7}{3^2}}=\frac{4\sqrt{7}}{3}$이므로 $b=4$, $c=3$

$\therefore a+b+c=2+4+3=9$

1-2 큰 정사각형의 넓이가 2000이므로 작은 정사각형의 넓이는 $\frac{1}{2}\times2000=1000$

따라서 작은 정사각형의 한 변의 길이는

$\sqrt{1000}=\sqrt{10^2\times10}=10\sqrt{10}$

문자를 이용한 제곱근의 표현 (개념북 37쪽)

2 ② **2-1** ②

2 $\sqrt{60}=\sqrt{2^2\times3\times5}=2\sqrt{3\times5}=2\sqrt{3}\sqrt{5}=2ab$

2-1 $\sqrt{1.25}=\sqrt{\frac{125}{100}}=\sqrt{\frac{5}{4}}=\sqrt{\frac{5}{2^2}}=\frac{\sqrt{5}}{2}=\frac{a}{2}$

개념 확인 3 분모의 유리화 (개념북 38쪽)

1 (1) $\sqrt{3}$, $\sqrt{3}$, $\frac{\sqrt{3}}{3}$ (2) $\sqrt{6}$, $\sqrt{6}$, $\frac{\sqrt{42}}{6}$ (3) $\sqrt{2}$, $\sqrt{2}$, $\frac{5\sqrt{2}}{4}$

2 (1) $\frac{3\sqrt{2}}{2}$ (2) $\frac{\sqrt{14}}{7}$ (3) $\frac{3\sqrt{5}}{10}$

3 2, 2, 2, 2, 6, 4

2 (1) $\frac{3}{\sqrt{2}}=\frac{3\times\sqrt{2}}{\sqrt{2}\times\sqrt{2}}=\frac{3\sqrt{2}}{2}$

(2) $\frac{\sqrt{2}}{\sqrt{7}}=\frac{\sqrt{2}\times\sqrt{7}}{\sqrt{7}\times\sqrt{7}}=\frac{\sqrt{14}}{7}$

(3) $\frac{3}{2\sqrt{5}}=\frac{3\times\sqrt{5}}{2\sqrt{5}\times\sqrt{5}}=\frac{3\sqrt{5}}{10}$

3 $\frac{\sqrt{3}}{\sqrt{8}}=\frac{\sqrt{3}}{2\sqrt{2}}=\frac{\sqrt{3}\times\sqrt{2}}{2\sqrt{2}\times\sqrt{2}}=\frac{\sqrt{6}}{4}$

분모의 유리화 개념북 39쪽

1 ③ **1-1** 1

1 ① $\frac{8}{\sqrt{3}}=\frac{8\times\sqrt{3}}{\sqrt{3}\times\sqrt{3}}=\frac{8\sqrt{3}}{3}$

② $\frac{10}{\sqrt{5}}=\frac{10\times\sqrt{5}}{\sqrt{5}\times\sqrt{5}}=\frac{10\sqrt{5}}{5}=2\sqrt{5}$

③ $\frac{4\sqrt{3}}{\sqrt{2}}=\frac{4\sqrt{3}\times\sqrt{2}}{\sqrt{2}\times\sqrt{2}}=\frac{4\sqrt{6}}{2}=2\sqrt{6}$

④ $\frac{7}{3\sqrt{2}}=\frac{7\times\sqrt{2}}{3\sqrt{2}\times\sqrt{2}}=\frac{7\sqrt{2}}{6}$

⑤ $\frac{5}{2\sqrt{7}}=\frac{5\times\sqrt{7}}{2\sqrt{7}\times\sqrt{7}}=\frac{5\sqrt{7}}{14}$

1-1 $\frac{5}{\sqrt{18}}=\frac{5}{3\sqrt{2}}=\frac{5\times\sqrt{2}}{3\sqrt{2}\times\sqrt{2}}=\frac{5\sqrt{2}}{6}$이므로 $a=\frac{5}{6}$

$\frac{1}{2\sqrt{3}}=\frac{1\times\sqrt{3}}{2\sqrt{3}\times\sqrt{3}}=\frac{\sqrt{3}}{6}$이므로 $b=\frac{1}{6}$

$\therefore a+b=\frac{5}{6}+\frac{1}{6}=1$

제곱근의 곱셈과 나눗셈의 혼합 계산 개념북 39쪽

2 $\frac{16\sqrt{3}}{9}$ **2-1** $\frac{7}{3}$ **2-2** $4\sqrt{3}$

2 $\frac{4}{\sqrt{3}}\times\sqrt{2}\div\frac{3}{\sqrt{8}}=\frac{4}{\sqrt{3}}\times\sqrt{2}\times\frac{\sqrt{8}}{3}$

$=\frac{4\sqrt{16}}{3\sqrt{3}}=\frac{16}{3\sqrt{3}}=\frac{16\sqrt{3}}{9}$

2-1 $\frac{7}{\sqrt{2}}\times\frac{\sqrt{5}}{6}\div\frac{\sqrt{3}}{12}=\frac{7}{\sqrt{2}}\times\frac{\sqrt{5}}{6}\times\frac{12}{\sqrt{3}}=\frac{14\sqrt{5}}{\sqrt{6}}$

$=\frac{14\sqrt{30}}{6}=\frac{7\sqrt{30}}{3}$

$\therefore a=\frac{7}{3}$

2-2 (직육면체의 부피)$=\sqrt{8}\times\sqrt{12}\times h=48\sqrt{2}$에서

$2\sqrt{2}\times2\sqrt{3}\times h=48\sqrt{2}$

$\therefore h=\frac{48\sqrt{2}}{2\sqrt{2}\times2\sqrt{3}}=\frac{12}{\sqrt{3}}=\frac{12\sqrt{3}}{3}=4\sqrt{3}$

개념 확인 4 제곱근표와 제곱근의 값 개념북 40쪽

1 (1) 2.594 (2) 2.636 (3) 7.14 (4) 7.05

2 (1) 100, 10, 14.14 (2) 100, 10, 0.4472

3 (1) 23.66 (2) 74.83 (3) 0.7483 (4) 0.2366

3 (1) $\sqrt{560}=\sqrt{100\times5.6}=10\sqrt{5.6}=10\times2.366=23.66$

(2) $\sqrt{5600}=\sqrt{100\times56}=10\sqrt{56}=10\times7.483=74.83$

(3) $\sqrt{0.56}=\sqrt{\frac{56}{100}}=\frac{\sqrt{56}}{10}=\frac{7.483}{10}=0.7483$

(4) $\sqrt{0.056}=\sqrt{\frac{5.6}{100}}=\frac{\sqrt{5.6}}{10}=\frac{2.366}{10}=0.2366$

제곱근표의 이해 개념북 41쪽

1 1165 **1-1** 45.5

1 $\sqrt{1.75}=1.323$, $\sqrt{1.58}=1.257$이므로

$a=1.323$, $b=1.58$

$\therefore 1000a-100b=1323-158=1165$

1-1 $\sqrt{21.4}=4.626$, $\sqrt{24.1}=4.909$이므로

$x=21.4$, $y=24.1$

$\therefore x+y=21.4+24.1=45.5$

제곱근표에 없는 수의 제곱근의 값 개념북 41쪽

2 ② **2-1** ④

2 ① $\sqrt{7000}=\sqrt{100\times70}=10\sqrt{70}=10\times8.367$

$=83.67$

② $\sqrt{700}=\sqrt{100\times7}=10\sqrt{7}=10\times2.646=26.46$

③ $\sqrt{0.7}=\sqrt{\frac{70}{100}}=\frac{\sqrt{70}}{10}=\frac{8.367}{10}=0.8367$

④ $\sqrt{0.07}=\sqrt{\frac{7}{100}}=\frac{\sqrt{7}}{10}=\frac{2.646}{10}=0.2646$

⑤ $\sqrt{0.007}=\sqrt{\frac{70}{10000}}=\frac{\sqrt{70}}{100}=\frac{8.367}{100}=0.08367$

2-1 ① $\sqrt{312}=\sqrt{100\times3.12}=10\sqrt{3.12}$
$=10\times1.766=17.66$

② $\sqrt{31200}=\sqrt{10000\times3.12}=100\sqrt{3.12}$
$=100\times1.766=176.6$

③ $\sqrt{0.0312}=\sqrt{\frac{3.12}{100}}=\frac{\sqrt{3.12}}{10}=\frac{1.766}{10}=0.1766$

④ $\sqrt{0.312}=\sqrt{\frac{31.2}{100}}=\frac{\sqrt{31.2}}{10}$

⑤ $\sqrt{0.000312}=\sqrt{\frac{3.12}{10000}}=\frac{\sqrt{3.12}}{100}=\frac{1.766}{100}$
$=0.01766$

따라서 그 값을 구할 수 없는 것은 ④이다.

개념 확인 5 제곱근의 덧셈과 뺄셈 개념북 42쪽

1 (1) $4\sqrt{2}$ (2) $-2\sqrt{3}$ (3) $5\sqrt{5}$ (4) $7\sqrt{6}$
2 (1) $-3\sqrt{3}+7\sqrt{7}$ (2) $8\sqrt{2}+3\sqrt{3}$
3 (1) 5, 4, 5, 4, $\sqrt{3}$ (2) 2, 4, 2, -4, 3, 2
4 (1) $\sqrt{3}$ (2) $5\sqrt{2}$

1 (1) $3\sqrt{2}+\sqrt{2}=(3+1)\sqrt{2}=4\sqrt{2}$
(2) $2\sqrt{3}-4\sqrt{3}=(2-4)\sqrt{3}=-2\sqrt{3}$
(3) $4\sqrt{5}+3\sqrt{5}-2\sqrt{5}=(4+3-2)\sqrt{5}=5\sqrt{5}$
(4) $9\sqrt{6}+\sqrt{6}-3\sqrt{6}=(9+1-3)\sqrt{6}=7\sqrt{6}$

2 (1) $\sqrt{3}-4\sqrt{3}+3\sqrt{7}+4\sqrt{7}=(1-4)\sqrt{3}+(3+4)\sqrt{7}$
$=-3\sqrt{3}+7\sqrt{7}$
(2) $5\sqrt{2}+3\sqrt{2}+5\sqrt{3}-2\sqrt{3}$
$=(5+3)\sqrt{2}+(5-2)\sqrt{3}$
$=8\sqrt{2}+3\sqrt{3}$

4 (1) $2\sqrt{3}+\sqrt{12}-\sqrt{27}=2\sqrt{3}+2\sqrt{3}-3\sqrt{3}$
$=(2+2-3)\sqrt{3}=\sqrt{3}$
(2) $2\sqrt{18}-\frac{2}{\sqrt{2}}=2\times3\sqrt{2}-\frac{2\sqrt{2}}{2}$
$=6\sqrt{2}-\sqrt{2}=(6-1)\sqrt{2}=5\sqrt{2}$

제곱근의 덧셈과 뺄셈 (1) 개념북 43쪽
1 ⑤ **1-1** ③

1 $3\sqrt{3}-9\sqrt{2}+6\sqrt{2}+5\sqrt{3}$
$=-9\sqrt{2}+6\sqrt{2}+3\sqrt{3}+5\sqrt{3}$
$=(-9+6)\sqrt{2}+(3+5)\sqrt{3}$
$=-3\sqrt{2}+8\sqrt{3}$
따라서 $a=-3$, $b=8$이므로 $a+b=(-3)+8=5$

1-1 정사각형 ABCD의 한 변의 길이는 $\sqrt{175}=5\sqrt{7}$
정사각형 DEFG의 한 변의 길이는 $\sqrt{63}=3\sqrt{7}$
$\therefore \overline{AG}=\overline{AD}+\overline{DG}=5\sqrt{7}+3\sqrt{7}$
$=(5+3)\sqrt{7}=8\sqrt{7}$

제곱근의 덧셈과 뺄셈 (2) 개념북 43쪽
2 ③ **2-1** ②

2 $\sqrt{48}-\sqrt{12}+6\sqrt{3}=4\sqrt{3}-2\sqrt{3}+6\sqrt{3}$
$=(4-2+6)\sqrt{3}$
$=8\sqrt{3}=8a$

2-1 (주어진 식)$=5\sqrt{2}-3\sqrt{5}-3\sqrt{2}+2\sqrt{5}$
$=5\sqrt{2}-3\sqrt{2}-3\sqrt{5}+2\sqrt{5}$
$=(5-3)\sqrt{2}+(-3+2)\sqrt{5}$
$=2\sqrt{2}-\sqrt{5}=2a-b$

개념 확인 6 근호를 포함한 식의 계산 개념북 44쪽

1 (1) $\sqrt{14}+\sqrt{6}$ (2) $\sqrt{30}-\sqrt{15}$
(3) $2\sqrt{10}+2\sqrt{3}$ (4) $12\sqrt{2}-2\sqrt{15}$
2 (1) $2\sqrt{2}-1$ (2) $\sqrt{5}+\sqrt{2}$
3 (1) $\frac{\sqrt{6}}{6}$ (2) $4\sqrt{3}+3\sqrt{6}$ (3) $-\frac{\sqrt{3}}{3}$ (4) $\sqrt{5}-\sqrt{3}$

1 (1) $\sqrt{2}(\sqrt{7}+\sqrt{3})=\sqrt{2}\sqrt{7}+\sqrt{2}\sqrt{3}=\sqrt{14}+\sqrt{6}$
(2) $\sqrt{3}(\sqrt{10}-\sqrt{5})=\sqrt{3}\sqrt{10}-\sqrt{3}\sqrt{5}=\sqrt{30}-\sqrt{15}$
(3) $(2\sqrt{5}+\sqrt{6})\sqrt{2}=2\sqrt{5}\sqrt{2}+\sqrt{6}\sqrt{2}=2\sqrt{10}+\sqrt{12}$
$=2\sqrt{10}+2\sqrt{3}$

(4) $(4\sqrt{3}-\sqrt{10})\sqrt{6}=4\sqrt{3}\sqrt{6}-\sqrt{10}\sqrt{6}$
$=4\sqrt{18}-\sqrt{60}$
$=12\sqrt{2}-2\sqrt{15}$

2 (1) $\frac{4-\sqrt{2}}{\sqrt{2}}=\frac{(4-\sqrt{2})\sqrt{2}}{\sqrt{2}\sqrt{2}}=\frac{4\sqrt{2}-2}{2}=2\sqrt{2}-1$

(2) $\frac{\sqrt{15}+\sqrt{6}}{\sqrt{3}}=\frac{(\sqrt{15}+\sqrt{6})\sqrt{3}}{\sqrt{3}\sqrt{3}}=\frac{\sqrt{45}+\sqrt{18}}{3}$
$=\frac{3\sqrt{5}+3\sqrt{2}}{3}=\sqrt{5}+\sqrt{2}$

3 (1) (주어진 식)$=\left(\sqrt{18}-\frac{5}{\sqrt{2}}\right)\times\frac{1}{\sqrt{3}}=\sqrt{6}-\frac{5}{\sqrt{6}}$
$=\sqrt{6}-\frac{5\sqrt{6}}{6}=\frac{\sqrt{6}}{6}$

(2) (주어진 식)$=4\sqrt{3}-\sqrt{24}+5\sqrt{6}$
$=4\sqrt{3}-2\sqrt{6}+5\sqrt{6}$
$=4\sqrt{3}+3\sqrt{6}$

(3) (주어진 식)$=\sqrt{21}\times\frac{1}{\sqrt{7}}-16\times\frac{1}{4\sqrt{3}}=\sqrt{3}-\frac{4}{\sqrt{3}}$
$=\sqrt{3}-\frac{4\sqrt{3}}{3}=-\frac{\sqrt{3}}{3}$

(4) (주어진 식)$=2\sqrt{5}+\frac{\sqrt{75}}{5}-2\sqrt{3}-\frac{\sqrt{45}}{3}$
$=2\sqrt{5}+\frac{5\sqrt{3}}{5}-2\sqrt{3}-\frac{3\sqrt{5}}{3}$
$=2\sqrt{5}+\sqrt{3}-2\sqrt{3}-\sqrt{5}=\sqrt{5}-\sqrt{3}$

근호를 포함한 식의 계산

개념북 45쪽

1 ⑤ **1-1** $5\sqrt{3}$

1 (주어진 식)$=\sqrt{12}+\sqrt{4}+3\sqrt{25}-\sqrt{75}$
$=2\sqrt{3}+2+15-5\sqrt{3}=-3\sqrt{3}+17$
따라서 $a=-3$, $b=17$이므로
$a+b=-3+17=14$

1-1 (주어진 식)$=\frac{(4\sqrt{3}-3)\sqrt{3}}{\sqrt{3}\sqrt{3}}+3\sqrt{12}-4$
$=\frac{12-3\sqrt{3}}{3}+6\sqrt{3}-4$
$=4-\sqrt{3}+6\sqrt{3}-4=5\sqrt{3}$

유리수가 되는 조건

개념북 45쪽

2 ② **2-1** ⑤

2 (주어진 식)$=5-\sqrt{50}+3a-a\sqrt{2}$
$=5-5\sqrt{2}+3a-a\sqrt{2}$
$=5+3a-(5+a)\sqrt{2}$
이 식이 유리수가 되려면 $5+a=0$이어야 하므로
$a=-5$

2-1 (주어진 식)$=6\sqrt{6}-5a-2-a\sqrt{6}$
$=-5a-2+(6-a)\sqrt{6}$
이 식이 유리수가 되려면 $6-a=0$이어야 하므로 $a=6$

개념 확인 7 무리수의 정수 부분과 소수 부분

개념북 46쪽

1 1, $\sqrt{3}-1$
2 (1) 3 (2) 4 (3) 2 (4) 2
3 (1) $\sqrt{15}-3$ (2) $\sqrt{32}-5$ (3) $\sqrt{6}-2$ (4) $3-\sqrt{5}$

2 (1) $\sqrt{9}<\sqrt{11}<\sqrt{16}$에서 $3<\sqrt{11}<4$이므로
$\sqrt{11}$의 정수 부분은 3이다.
(2) $\sqrt{16}<\sqrt{20}<\sqrt{25}$에서 $4<\sqrt{20}<5$이므로
$\sqrt{20}$의 정수 부분은 4이다.
(3) $\sqrt{1}<\sqrt{3}<\sqrt{4}$에서 $1<\sqrt{3}<2$이므로 $2<1+\sqrt{3}<3$
즉, $1+\sqrt{3}$의 정수 부분은 2이다.
(4) $\sqrt{1}<\sqrt{2}<\sqrt{4}$에서 $1<\sqrt{2}<2$이고
$-2<-\sqrt{2}<-1$이므로 $2<4-\sqrt{2}<3$
즉, $4-\sqrt{2}$의 정수 부분은 2이다.

3 (1) $\sqrt{9}<\sqrt{15}<\sqrt{16}$에서 $3<\sqrt{15}<4$이므로
$\sqrt{15}$의 정수 부분은 3, 소수 부분은 $\sqrt{15}-3$이다.
(2) $\sqrt{25}<\sqrt{32}<\sqrt{36}$에서 $5<\sqrt{32}<6$이므로
$\sqrt{32}$의 정수 부분은 5, 소수 부분은 $\sqrt{32}-5$이다.
(3) $\sqrt{4}<\sqrt{6}<\sqrt{9}$에서 $2<\sqrt{6}<3$이므로 $5<3+\sqrt{6}<6$
즉, $3+\sqrt{6}$의 정수 부분은 5, 소수 부분은
$(3+\sqrt{6})-5=\sqrt{6}-2$이다.
(4) $\sqrt{4}<\sqrt{5}<\sqrt{9}$에서 $2<\sqrt{5}<3$이고
$-3<-\sqrt{5}<-2$이므로 $2<5-\sqrt{5}<3$
즉, $5-\sqrt{5}$의 정수 부분은 2, 소수 부분은
$(5-\sqrt{5})-2=3-\sqrt{5}$이다.

무리수의 정수 부분과 소수 부분 　개념북 47쪽

1 $3\sqrt{2}-2$ 　**1-1** $8-2\sqrt{6}$ 　**1-2** ④

1-3 ③

1 $2<\sqrt{5}<3$이므로 $\sqrt{5}$의 정수 부분 $a=2$

$4<\sqrt{18}<5$이므로

$\sqrt{18}$의 정수 부분은 4,

소수 부분 $b=\sqrt{18}-4=3\sqrt{2}-4$

$\therefore a+b=2+(3\sqrt{2}-4)=3\sqrt{2}-2$

1-1 $4<\sqrt{24}<5$이므로

$\sqrt{24}$의 정수 부분 $a=4$,

소수 부분 $b=\sqrt{24}-4=2\sqrt{6}-4$

$\therefore a-b=4-(2\sqrt{6}-4)=8-2\sqrt{6}$

1-2 $3<\sqrt{12}<4$이므로 $\sqrt{12}$의 정수 부분 $a=3$

$1<\sqrt{3}<2$에서 $-2<-\sqrt{3}<-1$이므로

$1<3-\sqrt{3}<2$

즉, $3-\sqrt{3}$의 정수 부분은 1,

소수 부분 $b=(3-\sqrt{3})-1=2-\sqrt{3}$

$\therefore a+b=3+(2-\sqrt{3})=5-\sqrt{3}$

1-3 $2<\sqrt{7}<3$에서 $3<1+\sqrt{7}<4$이므로

$1+\sqrt{7}$의 정수 부분은 3,

소수 부분 $a=(1+\sqrt{7})-3=\sqrt{7}-2$

$5<\sqrt{28}<6$이므로 $\sqrt{28}$의 정수 부분은 5,

소수 부분 $b=\sqrt{28}-5=2\sqrt{7}-5$

$\therefore a-b=(\sqrt{7}-2)-(2\sqrt{7}-5)=3-\sqrt{7}$

개념 확인 8 실수의 대소 관계 　개념북 48쪽

1 $\sqrt{7}$, 2, $<$, $<$, $<$

2 (1) $>$ (2) $<$ (3) $>$ (4) $<$

3 (1) ○ (2) × (3) × (4) ○ (5) ○ (6) ×

2 (1) $(\sqrt{7}+1)-3=\sqrt{7}-2=\sqrt{7}-\sqrt{4}>0$

$\therefore \sqrt{7}+1>3$

(2) $(\sqrt{6}-1)-(\sqrt{7}-1)=\sqrt{6}-\sqrt{7}<0$

$\therefore \sqrt{6}-1<\sqrt{7}-1$

(3) $(\sqrt{10}+\sqrt{3})-(3+\sqrt{3})=\sqrt{10}-3$

$=\sqrt{10}-\sqrt{9}>0$

$\therefore \sqrt{10}+\sqrt{3}>3+\sqrt{3}$

(4) $(\sqrt{6}-3)-(\sqrt{6}-\sqrt{8})=-3+\sqrt{8}$

$=-\sqrt{9}+\sqrt{8}<0$

$\therefore \sqrt{6}-3<\sqrt{6}-\sqrt{8}$

3 (1) $\sqrt{3}+0.1=1.7+0.1=1.8$

(2) $\sqrt{3}-0.1=1.7-0.1=1.6$

(3) $\sqrt{5}+0.1=2.2+0.1=2.3$

(4) $\sqrt{5}-0.1=2.2-0.1=2.1$

(5) $\dfrac{\sqrt{3}+\sqrt{5}}{2}=\dfrac{1.7+2.2}{2}=1.95$

(6) $\sqrt{5}-1=2.2-1=1.2$

실수의 대소 비교 　개념북 49쪽

1 ④ 　**1-1** ⑤

1 ① $4-(\sqrt{5}+2)=2-\sqrt{5}=\sqrt{4}-\sqrt{5}<0$

$\therefore 4<\sqrt{5}+2$

② $(5-\sqrt{8})-2=3-\sqrt{8}=\sqrt{9}-\sqrt{8}>0$

$\therefore 5-\sqrt{8}>2$

③ $(7+\sqrt{5})-(7+\sqrt{6})=\sqrt{5}-\sqrt{6}<0$

$\therefore 7+\sqrt{5}<7+\sqrt{6}$

④ $(\sqrt{3}-2)-(\sqrt{3}-\sqrt{5})=-2+\sqrt{5}$

$=-\sqrt{4}+\sqrt{5}>0$

$\therefore \sqrt{3}-2>\sqrt{3}-\sqrt{5}$

⑤ $(\sqrt{6}-3)-(\sqrt{6}-\sqrt{10})=-3+\sqrt{10}$

$=-\sqrt{9}+\sqrt{10}>0$

$\therefore \sqrt{6}-3>\sqrt{6}-\sqrt{10}$

1-1 $a-b=(\sqrt{2}+\sqrt{7})-(1+\sqrt{7})=\sqrt{2}-1>0$

$\therefore a>b$

$b-c=(1+\sqrt{7})-(\sqrt{5}+1)=\sqrt{7}-\sqrt{5}>0$

$\therefore b>c$

$\therefore c<b<a$

두 무리수 사이의 수 구하기 개념북 49쪽

2 ㄴ, ㄹ **2-1** ③

2 ㄱ. $\sqrt{10}-1=3.162-1=2.162$

ㄴ. $\sqrt{6}+0.2=2.449+0.2=2.649$

ㄷ. $\sqrt{6}+2=2.449+2=4.449$

ㄹ. $\sqrt{10}-0.3=3.162-0.3=2.862$

따라서 두 수 $\sqrt{6}$과 $\sqrt{10}$ 사이에 있는 수는 ㄴ, ㄹ이다.

[다른 풀이]

$\sqrt{6}$과 $\sqrt{10}$의 차는 0.713이므로 0.713보다 작은 수를 $\sqrt{6}$에 더하거나 $\sqrt{10}$에서 뺀 수는 $\sqrt{6}$과 $\sqrt{10}$ 사이에 있다.

따라서 두 수 $\sqrt{6}$과 $\sqrt{10}$ 사이에 있는 수는 ㄴ, ㄹ이다.

2-1 ① $\frac{\sqrt{5}+\sqrt{6}}{2}=\frac{2.236+2.449}{2}=2.3425$

② $\sqrt{5}+0.1=2.236+0.1=2.336$

③ $\sqrt{6}-1=2.449-1=1.449$

④ $\sqrt{6}-0.1=2.449-0.1=2.349$

⑤ $\sqrt{5}+0.02=2.236+0.02=2.256$

따라서 두 수 $\sqrt{5}$와 $\sqrt{6}$ 사이에 있는 수가 아닌 것은 ③이다.

[다른 풀이]

① $\frac{\sqrt{5}+\sqrt{6}}{2}$은 $\sqrt{5}$와 $\sqrt{6}$의 평균이므로 $\sqrt{5}$와 $\sqrt{6}$ 사이에 있다.

②, ④, ⑤ $\sqrt{5}$와 $\sqrt{6}$의 차는 0.213이므로 0.213보다 작은 수를 $\sqrt{5}$에 더하거나 $\sqrt{6}$에서 뺀 수는 $\sqrt{5}$와 $\sqrt{6}$ 사이에 있다.

따라서 두 수 $\sqrt{5}$와 $\sqrt{6}$ 사이에 있는 수가 아닌 것은 ③이다.

개념 완성 기본 문제 개념북 52쪽

1 $2\sqrt{15}\,\text{cm}^2$	**2** ⑤	**3** ④	**4** ③
5 ④	**6** -4	**7** ①	**8** ②

1 정사각형 FGHC의 한 변의 길이는 $\sqrt{12}=2\sqrt{3}$(cm)

정사각형 ABFE의 한 변의 길이는 $\sqrt{5}$ cm

따라서 직사각형 EFCD의 넓이는

$2\sqrt{3}\times\sqrt{5}=2\sqrt{15}(\text{cm}^2)$

2 ① $3\sqrt{6}\times2\sqrt{5}=3\times2\times\sqrt{6\times5}=6\sqrt{30}$

② $-5\sqrt{3}\times4\sqrt{7}=-5\times4\times\sqrt{3\times7}=-20\sqrt{21}$

③ $\sqrt{\frac{7}{5}}\times\sqrt{\frac{25}{14}}=\sqrt{\frac{7}{5}\times\frac{25}{14}}=\sqrt{\frac{5}{2}}=\frac{\sqrt{10}}{2}$

④ $-\sqrt{45}\div\sqrt{3}=-\frac{\sqrt{45}}{\sqrt{3}}=-\sqrt{\frac{45}{3}}=-\sqrt{15}$

⑤ $(-4\sqrt{6})\div(-\sqrt{2})=\frac{4\sqrt{6}}{\sqrt{2}}=4\sqrt{\frac{6}{2}}=4\sqrt{3}$

3 $\sqrt{216}=\sqrt{2^3\times3^3}=2\times3\times\sqrt{2\times3}$

$=6\sqrt{2}\sqrt{3}=6ab$

4 $\frac{\sqrt{8}}{\sqrt{15}}\times\frac{\sqrt{6}}{2}\div\frac{\sqrt{3}}{3\sqrt{5}}=\frac{\sqrt{8}}{\sqrt{15}}\times\frac{\sqrt{6}}{2}\times\frac{3\sqrt{5}}{\sqrt{3}}$

$=\frac{3}{2}\sqrt{\frac{8\times6\times5}{15\times3}}$

$=\frac{3}{2}\sqrt{\frac{16}{3}}=\frac{3}{2}\times\frac{4}{\sqrt{3}}$

$=\frac{6}{\sqrt{3}}=\frac{6\sqrt{3}}{3}=2\sqrt{3}$

5 $2\sqrt{50}-\frac{12}{\sqrt{18}}+\frac{1}{\sqrt{2}}=2\times5\sqrt{2}-\frac{12}{3\sqrt{2}}+\frac{\sqrt{2}}{2}$

$=10\sqrt{2}-\frac{4}{\sqrt{2}}+\frac{\sqrt{2}}{2}$

$=10\sqrt{2}-\frac{4\sqrt{2}}{2}+\frac{\sqrt{2}}{2}=\frac{17\sqrt{2}}{2}$

$\therefore A=\frac{17}{2}$

6 $\sqrt{3}(\sqrt{3}+a)+\sqrt{12}(2-\sqrt{3})$

$=3+a\sqrt{3}+2\sqrt{3}(2-\sqrt{3})$

$=3+a\sqrt{3}+4\sqrt{3}-6$

$=-3+(a+4)\sqrt{3}$

이 식이 유리수가 되려면 $a+4=0$이어야 한다.

$\therefore a=-4$

7 $2<\sqrt{7}<3$에서 $5<3+\sqrt{7}<6$이므로

$3+\sqrt{7}$의 정수 부분 $a=5$,

소수 부분 $b=(3+\sqrt{7})-5=\sqrt{7}-2$

$\therefore b-a=(\sqrt{7}-2)-5=-7+\sqrt{7}$

8 $a-b=(\sqrt{5}-\sqrt{3})-(2-\sqrt{3})$

$=\sqrt{5}-\sqrt{3}-2+\sqrt{3}=\sqrt{5}-2>0$

이므로 $a>b$

$a-c=(\sqrt{5}-\sqrt{3})-(\sqrt{5}-1)=\sqrt{5}-\sqrt{3}-\sqrt{5}+1$
$=-\sqrt{3}+1<0$
이므로 $a<c$
$\therefore b<a<c$

개념 완성 발전 문제

개념북 53~54쪽

1 ③ **2** 12 **3** ① **4** $3\sqrt{2}-1$
5 $k=-2,\ A=26$ **6** 14
7 ① $\sqrt{3},\ 3-\frac{\sqrt{3}}{3}$ ② $6\sqrt{3}-4$
8 ① $3\sqrt{3}-\frac{6+\sqrt{3}}{\sqrt{3}}-\sqrt{3}(5-2\sqrt{3})$
② $3\sqrt{3}-\frac{6\sqrt{3}+3}{3}-\sqrt{3}(5-2\sqrt{3})$
③ $5-4\sqrt{3}$

1 $\frac{b}{a}=b\div a=\frac{48}{\sqrt{15}}\div\frac{12}{\sqrt{5}}=\frac{48}{\sqrt{15}}\times\frac{\sqrt{5}}{12}=\frac{4}{\sqrt{3}}=\frac{4\sqrt{3}}{3}$

2 $\sqrt{\frac{27}{16}}=\frac{\sqrt{27}}{\sqrt{16}}=\frac{3\sqrt{3}}{4}$이므로 $A=\frac{3}{4}$
$\sqrt{512}=16\sqrt{2}$이므로 $B=16$
$\therefore AB=\frac{3}{4}\times16=12$

3 ① $\sqrt{50000}=\sqrt{10000\times5}=100\sqrt{5}$
$=100\times2.236=223.6$
② $\sqrt{5000}=\sqrt{100\times50}=10\sqrt{50}$
$=10\times7.071=70.71$
③ $\sqrt{500}=\sqrt{100\times5}=10\sqrt{5}$
$=10\times2.236=22.36$
④ $\sqrt{0.5}=\sqrt{\frac{50}{100}}=\frac{\sqrt{50}}{10}$
$=\frac{7.071}{10}=0.7071$
⑤ $\sqrt{0.05}=\sqrt{\frac{5}{100}}=\frac{\sqrt{5}}{10}$
$=\frac{2.236}{10}=0.2236$

4 $\overline{BP}=\overline{BC}=\sqrt{2}$이므로
점 P에 대응하는 수 $a=2-\sqrt{2}$
$\overline{AQ}=\overline{AD}=\sqrt{2}$이므로
점 Q에 대응하는 수 $b=1+\sqrt{2}$
$\therefore \sqrt{2}a+b=\sqrt{2}(2-\sqrt{2})+(1+\sqrt{2})$
$=2\sqrt{2}-2+1+\sqrt{2}=3\sqrt{2}-1$

5 $A=8\sqrt{7}-8k-2\sqrt{7}+3k\sqrt{7}+10$
$=-8k+10+(6+3k)\sqrt{7}$
A가 유리수이므로 $6+3k=0$ $\therefore k=-2$
$\therefore A=-8k+10=-8\times(-2)+10=26$

6 $4<\sqrt{18}<5$에서 $10<6+\sqrt{18}<11$이므로
$6+\sqrt{18}$의 정수 부분 $a=10$
$3<\sqrt{10}<4$에서 $-4<-\sqrt{10}<-3$이므로
$4<8-\sqrt{10}<5$
즉, $8-\sqrt{a}$의 정수 부분 $b=4$
$\therefore a+b=10+4=14$

7 ① B에서 $\frac{1}{\sqrt{3}}$의 분모, 분자에 $\sqrt{3}$을 곱하면
$B=3-\frac{1}{\sqrt{3}}=3-\frac{1\times\sqrt{3}}{\sqrt{3}\times\sqrt{3}}=3-\frac{\sqrt{3}}{3}$
② $\sqrt{5}A-3B=\sqrt{5}(\sqrt{15}+\sqrt{5})-3\left(3-\frac{\sqrt{3}}{3}\right)$
$=5\sqrt{3}+5-9+\sqrt{3}$
$=6\sqrt{3}-4$

8 ① $\sqrt{27}-\frac{6+\sqrt{3}}{\sqrt{3}}-\sqrt{3}(5-\sqrt{12})$
$=3\sqrt{3}-\frac{6+\sqrt{3}}{\sqrt{3}}-\sqrt{3}(5-2\sqrt{3})$
② $=3\sqrt{3}-\frac{6\sqrt{3}+3}{3}-\sqrt{3}(5-2\sqrt{3})$
③ $=3\sqrt{3}-2\sqrt{3}-1-5\sqrt{3}+6$
$=5-4\sqrt{3}$

1 다항식의 곱셈

개념확인 1 다항식과 다항식의 곱셈 개념북 58쪽

1 (1) $ax-bx$ (2) $6ax-2bx$
(3) $-3ax-6bx$ (4) $-2a^2+2ab-2a$

2 (1) $xy+2x+y+2$ (2) $6ab-10a+9b-15$
(3) $2x^2-xy-y^2$ (4) $a^2+ab-5a-b+4$

1 (3) $2x^2+xy-2xy-y^2=2x^2-xy-y^2$
(4) $a^2+ab-4a-a-b+4=a^2+ab-5a-b+4$

다항식과 다항식의 곱셈 (1) 개념북 59쪽

1 (1) $ax-2ay+az+bx-2by+bz$
(2) $2x^2-5xy-x-3y^2+3y$

1-1 (1) $a^2-ab-a-6b^2+3b$
(2) $-2x^2+6xy-3x+3y-1$

1 (1) $(a+b)(x-2y+z)$
$=ax-2ay+az+bx-2by+bz$
(2) $(x-3y)(2x+y-1)$
$=2x^2+xy-x-6xy-3y^2+3y$
$=2x^2-5xy-x-3y^2+3y$

1-1 (1) $(a+2b-1)(a-3b)$
$=a^2-3ab+2ab-6b^2-a+3b$
$=a^2-ab-a-6b^2+3b$
(2) $(2x+1)(3y-x-1)$
$=6xy-2x^2-2x+3y-x-1$
$=-2x^2+6xy-3x+3y-1$

다항식과 다항식의 곱셈 (2) 개념북 59쪽

2 ③ **2-1** ②

2 $(2x+y)(2x-3y-5)$
$=4x^2-6xy-10x+2xy-3y^2-5y$
$=4x^2-4xy-10x-3y^2-5y$
따라서 $A=4$, $B=-4$이므로 $A+B=0$

[다른 풀이]
x^2항, xy항이 나오는 부분만 전개하면
x^2항은 $2x\times2x=4x^2$
xy항은
$2x\times(-3y)+y\times2x=-6xy+2xy=-4xy$
따라서 $A=4$, $B=-4$이므로 $A+B=0$

2-1 $(-x+3y+1)(4x-2y-3)$
$=-4x^2+2xy+3x+12xy-6y^2-9y+4x-2y-3$
$=-4x^2+14xy+7x-6y^2-11y-3$
따라서 xy의 계수는 14이다.

[다른 풀이]
xy항이 나오는 부분만 전개하면
$-x\times(-2y)+3y\times4x=2xy+12xy=14xy$
따라서 xy의 계수는 14이다.

개념확인 2 곱셈 공식 개념북 60쪽

1 (1) x^2+6x+9 (2) $4a^2-4a+1$
(3) $a^2-6ab+9b^2$ (4) x^2-16
(5) $4a^2-b^2$ (6) y^2-25x^2

2 (1) x^2+5x+6 (2) a^2+4a-5
(3) $a^2-4ab-21b^2$ (4) $6x^2+7x+2$
(5) $12a^2+11a-15$ (6) $3a^2-26ab+16b^2$

1 (1) (주어진 식)$=x^2+2\times x\times3+3^2=x^2+6x+9$
(2) (주어진 식)$=(2a)^2-2\times2a\times1+1^2$
$=4a^2-4a+1$
(3) (주어진 식)$=(a-3b)^2=a^2-2\times a\times3b+(3b)^2$
$=a^2-6ab+9b^2$
(4) (주어진 식)$=x^2-4^2=x^2-16$
(5) (주어진 식)$=(2a)^2-b^2=4a^2-b^2$
(6) (주어진 식)$=(y-5x)(y+5x)$
$=y^2-(5x)^2=y^2-25x^2$

2 (1) (주어진 식)$=x^2+(3+2)x+6=x^2+5x+6$
(2) (주어진 식)$=a^2+(5-1)a-5=a^2+4a-5$
(3) (주어진 식)$=a^2+(-7+3)ab-21b^2$
$=a^2-4ab-21b^2$

(4) (주어진 식) $=6x^2+(2\times2+1\times3)x+2$
$=6x^2+7x+2$

(5) (주어진 식) $=12a^2+\{4\times5+(-3)\times3\}a-15$
$=12a^2+11a-15$

(6) (주어진 식) $=3a^2+\{3\times(-8)+(-2)\times1\}ab+16b^2$
$=3a^2-26ab+16b^2$

곱셈 공식 – 합의 제곱, 차의 제곱 개념북 61쪽

1 ④ **1-1** ④

1 ④ $(-a-b)^2=\{-(a+b)\}^2=(a+b)^2$
$=a^2+2ab+b^2$

1-1 $(2x-3y)^2+3(x+5y)^2$
$=(2x)^2-2\times2x\times3y+(3y)^2+3\{x^2+2\times x\times5y+(5y)^2\}$
$=4x^2-12xy+9y^2+3(x^2+10xy+25y^2)$
$=4x^2-12xy+9y^2+3x^2+30xy+75y^2$
$=7x^2+18xy+84y^2$
이므로 $A=7$, $B=18$, $C=84$
$\therefore 10A+B-C=10\times7+18-84=4$

곱셈 공식 – 합과 차의 곱 개념북 61쪽

2 ⑤ **2-1** ④

2 ⑤ $(-2a+7)(2a+7)=(7-2a)(7+2a)$
$=7^2-(2a)^2=49-4a^2$

2-1 $(x-1)(x+1)(x^2+1)(x^4+1)$
$=(x^2-1)(x^2+1)(x^4+1)$
$=(x^4-1)(x^4+1)=x^8-1$
따라서 □ 안에 알맞은 수는 8이다.

곱셈 공식을 이용하여 미지수 구하기 개념북 62쪽

3 (1) $A=4$, $B=8$ (2) $A=\frac{1}{8}$, $B=-\frac{1}{4}$
3-1 12

3 (1) $(x+A)^2=x^2+2Ax+A^2=x^2+Bx+16$
이므로 $2A=B$, $A^2=16$
$A>0$이므로 $A=4$, $B=2A=2\times4=8$

(2) $(x-A)^2=x^2-2Ax+A^2=x^2+Bx+\frac{1}{64}$
이므로 $-2A=B$, $A^2=\frac{1}{64}$
$A>0$이므로 $A=\frac{1}{8}$, $B=-2A=-2\times\frac{1}{8}=-\frac{1}{4}$

3-1 $(2x+A)^2=4x^2+4Ax+A^2=4x^2+12x+B$
이므로 $4A=12$, $A^2=B$ $\quad\therefore A=3$, $B=9$
$\therefore A+B=3+9=12$

전개식이 같은 것 찾기 개념북 62쪽

4 ③ **4-1** ④

4 $(a+b)(a-b)=a^2-b^2$
① $(-a+b)(a+b)=(b-a)(b+a)=b^2-a^2$
② $(a+b)(-a-b)=(a+b)\{-(a+b)\}$
$=-(a+b)^2$
$=-(a^2+2ab+b^2)$
$=-a^2-2ab-b^2$
③ $(-a+b)(-a-b)=(-a)^2-b^2=a^2-b^2$
④ $(a-b)(-a-b)=(a-b)\{-(a+b)\}$
$=-(a-b)(a+b)$
$=-(a^2-b^2)$
$=-a^2+b^2$
⑤ $(a-b)(-a+b)=(a-b)\{-(a-b)\}$
$=-(a-b)^2$
$=-(a^2-2ab+b^2)$
$=-a^2+2ab-b^2$

4-1 $(x-y)^2=x^2-2xy+y^2$
① $(x+y)^2=x^2+2xy+y^2$
② $-(x+y)^2=-(x^2+2xy+y^2)=-x^2-2xy-y^2$
③ $(-x-y)^2=\{-(x+y)\}^2=(x+y)^2$
$=x^2+2xy+y^2$
④ $(-x+y)^2=\{-(x-y)\}^2=(x-y)^2$
$=x^2-2xy+y^2$
⑤ $-(x-y)^2=-(x^2-2xy+y^2)=-x^2+2xy-y^2$

곱셈 공식 – 두 일차식의 곱 개념북 63쪽

5 ④ 5-1 19

5 ① $(y-2)(y+3)=y^2+(-2+3)y-6$
$=y^2+y-6$
② $(-x+8)(x+1)=-x^2+(-1+8)x+8$
$=-x^2+7x+8$
③ $(2b+1)(3b-4)=6b^2+(-8+3)b-4$
$=6b^2-5b-4$
⑤ $\left(x-\frac{1}{2}y\right)\left(x+\frac{1}{4}y\right)=x^2+\left(-\frac{1}{2}+\frac{1}{4}\right)xy-\frac{1}{8}y^2$
$=x^2-\frac{1}{4}xy-\frac{1}{8}y^2$

5-1 (가) $(x-7)(x+5)=x^2+(-7+5)x-35$
$=x^2-2x-35$
이므로 x의 계수는 -2이다.
(나) $(-3x+2)(6x-3)$
$=-18x^2+\{(-3)\times(-3)+2\times6\}x-6$
$=-18x^2+21x-6$
이므로 x의 계수는 21이다.
따라서 x의 계수의 합은 $-2+21=19$

전개식에서 미지수 구하기 개념북 63쪽

6 ⑤ 6-1 ③

6 $(2x-y)(x+Ay)=2x^2+(2A-1)xy-Ay^2$
$=2x^2+Bxy-6y^2$
이므로 $A=6$, $B=2A-1=2\times6-1=11$
$\therefore A+B=6+11=17$

6-1 $(2x+a)(-4x-1)=-8x^2+(-2-4a)x-a$에서
x의 계수가 -4이므로 $-2-4a=-4$, $4a=2$
$\therefore a=\frac{1}{2}$

곱셈 공식과 도형의 넓이 개념북 64쪽

7 ② 7-1 $9a^2-6ab+2b^2$

7 가로의 길이는 $x-3$이고 세로의 길이는 $x+2$이므로
색칠한 부분의 넓이는
$(x-3)(x+2)=x^2+(-3+2)x-6=x^2-x-6$

7-1 $(3a-b)^2+b^2=9a^2-6ab+b^2+b^2$
$=9a^2-6ab+2b^2$

곱셈 공식에 관한 종합 문제 개념북 64쪽

8 ⑤ 8-1 ④

8 ⑤ $(2x+3)(3x-11)=6x^2+(-22+9)x-33$
$=6x^2-13x-33$

8-1 ① $(3x+1)^2=9x^2+6x+1$의 x의 계수는 6이다.
② $(4x-1)^2=16x^2-8x+1$의 x의 계수는 -8이다.
③ $(2x+1)(x-4)=2x^2-7x-4$의 x의 계수는 -7이다.
④ $(3x+1)(x+2)=3x^2+7x+2$의 x의 계수는 7이다.
⑤ $(2x+1)(2x-1)=4x^2-1$의 x의 계수는 0이다.
따라서 x의 계수가 가장 큰 것은 ④이다.

개념 확인 3 곱셈 공식을 이용한 수의 계산 개념북 65쪽

1 (1) 2601 (2) 249001 (3) 2499 (4) 10192
2 (1) $35-12\sqrt{6}$ (2) 4 (3) $-5+\sqrt{7}$ (4) $28-\sqrt{3}$

1 (1) $51^2=(50+1)^2$
$=50^2+2\times50\times1+1^2=2500+100+1$
$=2601$
(2) $499^2=(500-1)^2=500^2-2\times500\times1+1^2$
$=250000-1000+1=249001$
(3) $49\times51=(50-1)(50+1)$
$=50^2-1^2=2500-1=2499$
(4) $104\times98=(100+4)(100-2)$
$=100^2+(4-2)\times100-8$
$=10000+200-8=10192$

2 (1) $(2\sqrt{2}-3\sqrt{3})^2=(2\sqrt{2})^2-2\times2\sqrt{2}\times3\sqrt{3}+(3\sqrt{3})^2$
$=8-12\sqrt{6}+27=35-12\sqrt{6}$
(2) $(3+\sqrt{5})(3-\sqrt{5})=3^2-(\sqrt{5})^2=9-5=4$
(3) $(\sqrt{7}-3)(\sqrt{7}+4)$
$=(\sqrt{7})^2+(-3+4)\sqrt{7}+(-3)\times4$
$=7+\sqrt{7}-12=-5+\sqrt{7}$

(4) $(2\sqrt{3}-1)(5\sqrt{3}+2)$
$=2\sqrt{3}\times5\sqrt{3}+\{2\times2+(-1)\times5\}\sqrt{3}+(-1)\times2$
$=30-\sqrt{3}-2=28-\sqrt{3}$

곱셈 공식을 이용한 수의 계산 (1) 개념북 66쪽

1 ③ **1-1** ③

1 ③ $104\times97=(100+4)(100-3)$이므로 곱셈 공식 $(x+a)(x+b)=x^2+(a+b)x+ab$를 이용하는 것이 가장 편리하다.

1-1 $196\times204=(200-4)(200+4)$이므로 곱셈 공식 $(a+b)(a-b)=a^2-b^2$을 이용하는 것이 가장 편리하다.

곱셈 공식을 이용한 수의 계산 (2) 개념북 66쪽

2 ④ **2-1** ①

2 $\dfrac{103\times105+1}{104}=\dfrac{(104-1)(104+1)+1}{104}$
$=\dfrac{104^2-1+1}{104}=104$

2-1 $999\times1001=(1000-1)(1000+1)$
$=1000^2-1^2=(10^3)^2-1=10^6-1$
따라서 $a=6$, $b=-1$이므로
$a+b=6+(-1)=5$

곱셈 공식을 이용한 근호를 포함한 식의 계산 개념북 67쪽

3 ③ **3-1** 12

3 $(\sqrt{6}+2)^2-(\sqrt{2}+3)(\sqrt{2}-3)$
$=(6+4\sqrt{6}+4)-(2-9)$
$=10+4\sqrt{6}+7=17+4\sqrt{6}$

3-1 $(4-\sqrt{3})(a+3\sqrt{3})=4a+12\sqrt{3}-a\sqrt{3}-9$
$=4a-9+(12-a)\sqrt{3}$
$4a-9+(12-a)\sqrt{3}=-5+b\sqrt{3}$이므로
$4a-9=-5$, $12-a=b$
$\therefore a=1$, $b=12-a=12-1=11$
$\therefore a+b=1+11=12$

곱셈 공식을 이용한 식의 값 구하기 개념북 67쪽

4 ② **4-1** 1

4 $(2x+y)^2+(x-2y)^2$
$=4x^2+4xy+y^2+x^2-4xy+4y^2=5x^2+5y^2$
$x=\sqrt{5}$, $y=\dfrac{1}{\sqrt{5}}$이므로 대입하면
$5x^2+5y^2=5\times(\sqrt{5})^2+5\times\left(\dfrac{1}{\sqrt{5}}\right)^2=25+1=26$

4-1 $(2a+3b)(2a-3b)=4a^2-9b^2$
$=4\times\dfrac{3}{4}-9\times\dfrac{2}{9}$
$=3-2=1$

개념 확인 4 곱셈 공식의 응용 개념북 68쪽

1 (1) $\sqrt{5}-\sqrt{2}$, $\sqrt{5}-\sqrt{2}$, $\sqrt{5}-\sqrt{2}$
(2) $1+\sqrt{2}$, $1+\sqrt{2}$, $3+2\sqrt{2}$, -1, $-3-2\sqrt{2}$

2 (1) $3ab$, -6, 7 (2) $2\sqrt{2}$, 1, $2\sqrt{2}$, 1, 6

곱셈 공식을 이용한 분모의 유리화 개념북 69쪽

1 ② **1-1** $13+\sqrt{3}$ **1-2** ⑤

1 $\dfrac{\sqrt{5}+2}{\sqrt{5}-2}=\dfrac{(\sqrt{5}+2)^2}{(\sqrt{5}-2)(\sqrt{5}+2)}=\dfrac{5+4\sqrt{5}+4}{5-4}$
$=9+4\sqrt{5}$
따라서 $a=9$, $b=4$이므로 $a+b=13$

1-1 $\dfrac{3}{2+\sqrt{3}}+\dfrac{2+\sqrt{3}}{2-\sqrt{3}}$
$=\dfrac{3(2-\sqrt{3})}{(2+\sqrt{3})(2-\sqrt{3})}+\dfrac{(2+\sqrt{3})^2}{(2-\sqrt{3})(2+\sqrt{3})}$
$=(6-3\sqrt{3})+(4+4\sqrt{3}+3)=13+\sqrt{3}$

1-2 $x=3-2\sqrt{2}$의 역수는 $\dfrac{1}{3-2\sqrt{2}}$이므로
$y=\dfrac{1}{3-2\sqrt{2}}=\dfrac{3+2\sqrt{2}}{(3-2\sqrt{2})(3+2\sqrt{2})}$
$=\dfrac{3+2\sqrt{2}}{9-8}=3+2\sqrt{2}$
$\therefore x+y=(3-2\sqrt{2})+(3+2\sqrt{2})=6$

곱셈 공식을 변형하여 식의 값 구하기 (1)

개념북 69쪽

2 (1) 18 (2) 32 **2-1** -2 **2-2** (1) 7 (2) 5

2 (1) $a^2+b^2=(a-b)^2+2ab=2^2+2\times7=18$

(2) $(a+b)^2=(a-b)^2+4ab=2^2+4\times7=32$

2-1 $a^2+b^2=(a+b)^2-2ab$에서 $20=4^2-2ab$

$\therefore ab=-2$

2-2 (1) $x^2+\frac{1}{x^2}=\left(x+\frac{1}{x}\right)^2-2=3^2-2=7$

(2) $\left(x-\frac{1}{x}\right)^2=\left(x+\frac{1}{x}\right)^2-4=3^2-4=5$

곱셈 공식을 변형하여 식의 값 구하기 (2)

개념북 70쪽

3 (1) 4 (2) 14 **3-1** 9

3 (1) $x^2-4x+1=0$에서 $x\neq0$이므로 양변을 x로 나누면

$x-4+\frac{1}{x}=0 \qquad \therefore x+\frac{1}{x}=4$

(2) $x^2+\frac{1}{x^2}=\left(x+\frac{1}{x}\right)^2-2=4^2-2=14$

3-1 $x^2+3x-1=0$에서 $x\neq0$이므로 양변을 x로 나누면

$x+3-\frac{1}{x}=0 \qquad \therefore x-\frac{1}{x}=-3$

$\therefore x^2-2+\frac{1}{x^2}=\left(x-\frac{1}{x}\right)^2=(-3)^2=9$

분모의 유리화를 이용하여 식의 값 구하기

개념북 70쪽

4 8 **4-1** ④

4 $x=\frac{1}{\sqrt{2}-1}=\frac{\sqrt{2}+1}{(\sqrt{2}-1)(\sqrt{2}+1)}=\sqrt{2}+1$

$y=\frac{1}{\sqrt{2}+1}=\frac{\sqrt{2}-1}{(\sqrt{2}+1)(\sqrt{2}-1)}=\sqrt{2}-1$

$\therefore x^2+2xy+y^2=(x+y)^2=(\sqrt{2}+1+\sqrt{2}-1)^2$

$=(2\sqrt{2})^2=8$

4-1 $x=\frac{1}{\sqrt{3}+\sqrt{2}}=\frac{\sqrt{3}-\sqrt{2}}{(\sqrt{3}+\sqrt{2})(\sqrt{3}-\sqrt{2})}=\sqrt{3}-\sqrt{2}$

$y=\frac{1}{\sqrt{3}-\sqrt{2}}=\frac{\sqrt{3}+\sqrt{2}}{(\sqrt{3}-\sqrt{2})(\sqrt{3}+\sqrt{2})}=\sqrt{3}+\sqrt{2}$

이므로

$x+y=(\sqrt{3}-\sqrt{2})+(\sqrt{3}+\sqrt{2})=2\sqrt{3}$

$xy=(\sqrt{3}-\sqrt{2})(\sqrt{3}+\sqrt{2})=1$

$\therefore x^2+y^2=(x+y)^2-2xy=(2\sqrt{3})^2-2\times1$

$=12-2=10$

[다른 풀이]

x, y의 분모를 유리화하면

$x=\sqrt{3}-\sqrt{2}$, $y=\sqrt{3}+\sqrt{2}$이므로

$x^2=(\sqrt{3}-\sqrt{2})^2=5-2\sqrt{6}$

$y^2=(\sqrt{3}+\sqrt{2})^2=5+2\sqrt{6}$

$\therefore x^2+y^2=(5-2\sqrt{6})+(5+2\sqrt{6})=10$

$x=a+\sqrt{b}$일 때, 식의 값 구하기

개념북 71쪽

5 (1) 0 (2) $2\sqrt{3}$

5-1 -4 **5-2** ⑤ **5-3** -1 **5-4** ①

5 (1) $x=2-\sqrt{3}$에서 $x-2=-\sqrt{3}$

양변을 제곱하면 $x^2-4x+4=3$

$\therefore x^2-4x+1=0$

(2) $x^2-4x+1=0$이므로

$x^2-6x+5=(x^2-4x+1)+(-2x+4)$

$=-2x+4$

$x-2=-\sqrt{3}$이므로

$-2x+4=-2(x-2)=-2\times(-\sqrt{3})=2\sqrt{3}$

5-1 $x=4+\sqrt{3}$에서 $x-4=\sqrt{3}$이므로 양변을 제곱하면

$x^2-8x+16=3$, $x^2-8x=-13$

$\therefore x^2-8x+9=-13+9=-4$

5-2 $x=\frac{1}{\sqrt{5}+2}=\frac{\sqrt{5}-2}{(\sqrt{5}+2)(\sqrt{5}-2)}=\sqrt{5}-2$

즉, $x+2=\sqrt{5}$이므로 양변을 제곱하면

$x^2+4x+4=5 \qquad \therefore x^2+4x=1$

5-3 $x=\frac{1}{3-2\sqrt{2}}=\frac{3+2\sqrt{2}}{(3-2\sqrt{2})(3+2\sqrt{2})}=3+2\sqrt{2}$

즉, $x-3=2\sqrt{2}$이므로 양변을 제곱하면

$x^2-6x+9=8 \qquad \therefore x^2-6x=-1$

5-4 $x=\frac{2}{3-\sqrt{7}}=\frac{2(3+\sqrt{7})}{(3-\sqrt{7})(3+\sqrt{7})}=3+\sqrt{7}$

즉, $x-3=\sqrt{7}$이므로 양변을 제곱하면

$x^2-6x+9=7 \qquad \therefore x^2-6x=-2$

$\therefore x^2-6x-2=-2-2=-4$

5 복잡한 식의 전개 개념북 72쪽

1 $a+2b$, $9c^2$, $a+2b$, $4ab$

2 $x+4$, $x+3$, $5x$, $5x$, x^2+5x, x^2+5x, x^2+5x, $10x^3$, $50x$

공통부분이 있을 때의 전개 개념북 73쪽

1 ②

1-1 (1) $4x^4+3x^2+1$ (2) $x^2-2xy+y^2+2x-2y+1$

1 $2x+1=A$로 놓으면

$(2x+1+\sqrt{5})(2x+1-\sqrt{5})=(A+\sqrt{5})(A-\sqrt{5})$
$=A^2-5$

$A=2x+1$이므로

$A^2-5=(2x+1)^2-5=4x^2+4x+1-5$
$=4x^2+4x-4$

따라서 주어진 식의 x의 계수는 4, 상수항은 -4이므로

$4+(-4)=0$

1-1 (1) $2x^2+1=A$로 놓으면

$(2x^2+x+1)(2x^2-x+1)=(A+x)(A-x)$
$=A^2-x^2$

$A=2x^2+1$이므로

$A^2-x^2=(2x^2+1)^2-x^2=4x^4+4x^2+1-x^2$
$=4x^4+3x^2+1$

(2) $x-y=A$로 놓으면

$(x-y+1)^2=(A+1)^2=A^2+2A+1$

$A=x-y$이므로

$A^2+2A+1=(x-y)^2+2(x-y)+1$
$=x^2-2xy+y^2+2x-2y+1$

( )( )( )( ) 꼴의 전개 개념북 73쪽

2 $x^4+12x^3+37x^2+6x-56$

2-1 (1) $x^4-2x^3-13x^2+14x+24$

(2) x^4-13x^2+36

2 $(x-1)(x+2)(x+4)(x+7)$
$=\{(x-1)(x+7)\}\{(x+2)(x+4)\}$
$=(x^2+6x-7)(x^2+6x+8)$

$x^2+6x=A$로 놓으면

$(x^2+6x-7)(x^2+6x+8)=(A-7)(A+8)$
$=A^2+A-56$

$A=x^2+6x$이므로

$A^2+A-56=(x^2+6x)^2+(x^2+6x)-56$
$=x^4+12x^3+36x^2+x^2+6x-56$
$=x^4+12x^3+37x^2+6x-56$

2-1 (1) $(x+3)(x+1)(x-2)(x-4)$
$=\{(x+3)(x-4)\}\{(x+1)(x-2)\}$
$=(x^2-x-12)(x^2-x-2)$

$x^2-x=A$로 놓으면

$(x^2-x-12)(x^2-x-2)=(A-12)(A-2)$
$=A^2-14A+24$

$A=x^2-x$이므로

$A^2-14A+24=(x^2-x)^2-14(x^2-x)+24$
$=x^4-2x^3+x^2-14x^2+14x+24$
$=x^4-2x^3-13x^2+14x+24$

(2) $(x+2)(x+3)(x-2)(x-3)$
$=\{(x+2)(x-2)\}\{(x+3)(x-3)\}$
$=(x^2-4)(x^2-9)$
$=x^4-(4+9)x^2+36$
$=x^4-13x^2+36$

[다른 풀이]

$(x+2)(x+3)(x-2)(x-3)$
$=\{(x+2)(x-3)\}\{(x+3)(x-2)\}$
$=(x^2-x-6)(x^2+x-6)$

$x^2-6=A$로 놓으면

$(x^2-x-6)(x^2+x-6)=(A-x)(A+x)$
$=A^2-x^2$

$A=x^2-6$이므로

$A^2-x^2=(x^2-6)^2-x^2$
$=x^4-12x^2+36-x^2$
$=x^4-13x^2+36$

개념 완성 기본 문제

개념북 76~77쪽

1 1	**2** ③	**3** 20	**4** ②
5 ⑤	**6** $a=2$, $b=3$		**7** ③
8 ①	**9** -2	**10** $2\sqrt{35}$	**11** ⑤
12 6			

1 xy항이 나오는 부분만 전개하면

$ax\times4y-3y\times2x=(4a-6)xy$

xy의 계수가 -2이므로 $4a-6=-2$ $\quad\therefore a=1$

2 (색칠한 부분의 넓이)$=(a+b)(a-b)=a^2-b^2$

3 $(2x+A)^2=4x^2+4Ax+A^2=4x^2+Bx+16$

이므로 $4A=B$, $A^2=16$

$\therefore A=4$ ($\because A>0$), $B=16$

$\therefore A+B=4+16=20$

4 ① $(2a+b)^2=4a^2+4ab+b^2$

$(2a-b)^2=4a^2-4ab+b^2$

③ $(-a-b)^2=(a+b)^2=a^2+2ab+b^2$

$(b-a)^2=a^2-2ab+b^2$

④ $(2a-b)^2=4a^2-4ab+b^2$

⑤ $(a-2b)^2=a^2-4ab+4b^2$

5 (주어진 식)$=-2(x^2-2x-3)+x^2+2x-8$

$=-2x^2+4x+6+x^2+2x-8$

$=-x^2+6x-2$

6 $(x-a)(x+5)=x^2+(-a+5)x-5a$

$=x^2+bx-10$

따라서 $-a+5=b$, $-5a=-10$이므로

$a=2$, $b=3$

7 ① $(-x-2y)^2=(x+2y)^2=x^2+4xy+4y^2$

② $(3x-5y)^2=9x^2-30xy+25y^2$

④ $(2x+y)(2x-y)=4x^2-y^2$

⑤ $(x-3)(x+4)=x^2+x-12$

8 $103^2=(100+3)^2=100^2+2\times100\times3+3^2=10609$

이므로 계산할 때 가장 편리한 곱셈 공식은

$(a+b)^2=a^2+2ab+b^2$이다.

9 (주어진 식)$=2\sqrt{2}-12-4a+a\sqrt{2}$

$=(-4a-12)+(a+2)\sqrt{2}$

이 값이 유리수가 되려면

$a+2=0$ $\quad\therefore a=-2$

10 (주어진 식)

$$=\frac{(\sqrt{7}+\sqrt{5})^2}{(\sqrt{7}-\sqrt{5})(\sqrt{7}+\sqrt{5})}-\frac{(\sqrt{7}-\sqrt{5})^2}{(\sqrt{7}+\sqrt{5})(\sqrt{7}-\sqrt{5})}$$

$$=\frac{12+2\sqrt{35}}{2}-\frac{12-2\sqrt{35}}{2}=2\sqrt{35}$$

11 $a^2+b^2=(a-b)^2+2ab$이므로

$21=3^2+2ab$, $2ab=12$

$\therefore ab=6$

12 $x=\dfrac{(\sqrt{6}+\sqrt{3})^2}{(\sqrt{6}-\sqrt{3})(\sqrt{6}+\sqrt{3})}=\dfrac{9+6\sqrt{2}}{3}=3+2\sqrt{2}$

이므로

$$\frac{1}{x}=\frac{1}{3+2\sqrt{2}}=\frac{3-2\sqrt{2}}{(3+2\sqrt{2})(3-2\sqrt{2})}=3-2\sqrt{2}$$

$\therefore x+\dfrac{1}{x}=(3+2\sqrt{2})+(3-2\sqrt{2})=6$

개념완성 발전 문제 개념북 78~79쪽

1 8 **2** ④ **3** 2 **4** 2

5 9

6 ① $2x^2$, ax^3, $2+5a$ ② $2+5a$, 2

③ $3x$, $5x$, b, $11+ab$ ④ $11+ab$, 12, 6

7 ① 7 ② 7 ③ 14

1 $(a+b)(c+d)=ac+ad+bc+bd$

$=ac+2+2+bd=4\times 3$

이므로 $ac+bd+4=12$

$\therefore ac+bd=8$

2 (길을 제외한 화단의 넓이)

$=(5a+2-3)(4a-3-3)$

$=(5a-1)(4a-6)$

$=20a^2-34a+6$

3 $(x-1)(x+1)(x^2+1)(x^4+1)$

$=(x^2-1)(x^2+1)(x^4+1)$

$=(x^4-1)(x^4+1)$

$=x^8-1$

$x^8-1=255$이므로

$x^8=256=2^8$ $\therefore x=2$

4 $m=3a+2$, $n=3b+1$(a, b는 음이 아닌 정수)이라 하면

$mn=(3a+2)(3b+1)=9ab+3a+6b+2$

$=3(3ab+a+2b)+2$

따라서 mn을 3으로 나눈 나머지는 2이다.

5 $\frac{1}{\sqrt{2}+1}=\sqrt{2}-1$, $\frac{1}{\sqrt{3}+\sqrt{2}}=\sqrt{3}-\sqrt{2}$,

$\frac{1}{\sqrt{4}+\sqrt{3}}=\sqrt{4}-\sqrt{3}$, …이므로

$\frac{1}{\sqrt{n+1}+\sqrt{n}}=\sqrt{n+1}-\sqrt{n}$

$\therefore \frac{1}{\sqrt{2}+1}+\frac{1}{\sqrt{3}+\sqrt{2}}+\frac{1}{\sqrt{4}+\sqrt{3}}+\cdots+\frac{1}{\sqrt{100}+\sqrt{99}}$

$=(\sqrt{2}-1)+(\sqrt{3}-\sqrt{2})+(\sqrt{4}-\sqrt{3})+\cdots$

$+(\sqrt{99}-\sqrt{98})+(\sqrt{100}-\sqrt{99})$

$=-1+\sqrt{100}=-1+10=9$

6 ① $(1+3x+x^2+ax^3)(b+5x+2x^2)$의 전개식에서

x^4의 계수는

$x^2\times 2x^2+ax^3\times 5x=(2+5a)x^4$

② 즉, $2+5a=12$이므로 $a=2$

③ x^3의 계수는

$3x\times 2x^2+x^2\times 5x+ax^3\times b=(11+ab)x^3$

④ 즉, $11+ab=23$이므로 $2b=12$ $\therefore b=6$

7 ① $(ax-4)(3x+1)=3ax^2+(a-12)x-4$에서

x의 계수가 -5이므로 $a-12=-5$

$\therefore a=7$

② $(x-4)(5x+b)=5x^2+(b-20)x-4b$에서

x의 계수가 -13이므로 $b-20=-13$

$\therefore b=7$

③ $\therefore a+b=7+7=14$

2 다항식의 인수분해

개념 확인 1 인수분해 개념북 82쪽

1 ㄱ, ㄷ, ㅁ

2 (1) $4a-4b$ (2) a^2+6a+9 (3) x^2-4 (4) x^2-x-6

3 (1) $x(1-2y)$ (2) $5x(x+2)$ (3) $ab(a+b-1)$
(4) $3ab(3a-2b+1)$

1 $a(a+b)$의 인수는 1, a, $a+b$, $a(a+b)$이다.
따라서 $a(a+b)$의 인수인 것은 ㄱ, ㄷ, ㅁ이다.

인수분해의 뜻 개념북 83쪽

1 ⑤ **1-1** ⑤

1 ⑤ $a(a^2-4b)$의 인수는 1, a, a^2-4b, $a(a^2-4b)$이므로 a^2은 인수가 아니다.

1-1 주어진 다항식의 인수는 1, x, $x-3$, $x+4$, $x(x-3)$, $x(x+4)$, $(x-3)(x+4)$, $x(x-3)(x+4)$이다.
따라서 인수가 아닌 것은 ⑤이다.

공통인수를 이용한 인수분해 개념북 83쪽

2 ③

2-1 ③ **2-2** 진희, 석민, 이유는 풀이 참조

2 $x^2-xy=x(x-y)$, $xy-y^2=y(x-y)$
따라서 두 다항식의 공통인수는 $x-y$이다.

2-1 $a(x-1)+b(1-x)=a(x-1)-b(x-1)$
$=(a-b)(x-1)$

2-2 바르게 인수분해하지 않은 학생은 진희와 석민이다.
$3x^2+6xy-9x$의 공통인수는 $3x$이므로 $3x$로 묶어 내야 한다.
따라서 바르게 인수분해하면
$3x^2+6xy-9x=3x(x+2y-3)$

개념 확인 2 완전제곱식을 이용한 인수분해 개념북 84쪽

1 (1) 4, 4, 4 (2) $2x$, $3y$, $3y$, $2x$, $3y$

2 (1) $(x-3)^2$ (2) $(2x+1)^2$ (3) $(a+2b)^2$
(4) $(3a-4b)^2$

3 (1) 49 (2) 81

4 (1) ±10 (2) ±12

3 (1) $\square=\left(\frac{14}{2}\right)^2=7^2=49$

(2) $\square=\left(\frac{-18}{2}\right)^2=(-9)^2=81$

4 (1) $\square=2\times(\pm\sqrt{25})=2\times(\pm5)=\pm10$
(2) $\square=2\times(\pm\sqrt{36})=2\times(\pm6)=\pm12$

완전제곱식을 이용한 인수분해 (1) 개념북 85쪽

1 ④ **1-1** ㄱ, ㄹ **1-2** ①

1 ④ $4x^2-12x+9=(2x)^2-2\times2x\times3+3^2$
$=(2x-3)^2$

1-1 ㄱ. $x^2+\frac{2}{3}x+\frac{1}{9}=\left(x+\frac{1}{3}\right)^2$
ㄹ. $16x^2-24xy+9y^2=(4x-3y)^2$
따라서 완전제곱식으로 인수분해되는 것은 ㄱ, ㄹ이다.

1-2 $2x^2-24x+72=2(x^2-12x+36)=2(x-6)^2$
이므로 $a=2$, $b=1$, $c=-6$
$\therefore a+b+c=2+1+(-6)=-3$

완전제곱식을 이용한 인수분해 (2) 개념북 85쪽

2 ③ **2-1** ⑤

2 $4ax^2-8ax+4a=4a(x^2-2x+1)=4a(x-1)^2$
따라서 $4ax^2-8ax+4a$의 인수가 아닌 것은 ③이다.

2-1 $9x^2+12x+4=(3x+2)^2$
따라서 $9x^2+12x+4$의 인수인 것은 ⑤이다.

완전제곱식 만들기 개념북 86쪽

3 73 **3-1** (1) $\frac{1}{4}$ (2) ±30 **3-2** 풀이 참조

3 $x^2+16x+a$에서 $a=\left(\frac{16}{2}\right)^2=8^2=64$
$16x^2-24x+b=(4x)^2-2\times4x\times3+b$에서
$b=3^2=9$
$\therefore a+b=64+9=73$

3-1 (1) $4x^2-2x+\square=(2x)^2-2\times2x\times\frac{1}{2}+\square$에서
$\square=\left(\frac{1}{2}\right)^2=\frac{1}{4}$
(2) $9x^2+\square xy+25y^2=(3x)^2+\square xy+(5y)^2$에서
$\square=\pm2\times3\times5=\pm30$

3-2 $a^2-2ab+b^2=(a-b)^2$이므로
$x^2-10x+\square$에서 10은 $\square$의 양의 제곱근의 2배이어야 한다.
따라서 $\square$는 10의 $\frac{1}{2}$의 제곱이어야 한다.

근호가 있는 식을 간단히 하기 개념북 86쪽

4 ⑤ **4-1** 1

4 $\sqrt{x^2+4x+4}-\sqrt{x^2-4x+4}$
$=\sqrt{(x+2)^2}-\sqrt{(x-2)^2}$
$-2<x<2$이므로 $x+2>0$, $x-2<0$
따라서 $\sqrt{(x+2)^2}=x+2$, $\sqrt{(x-2)^2}=-(x-2)$이므로
(주어진 식)$=(x+2)-\{-(x-2)\}$
$=x+2+x-2=2x$

4-1 $\sqrt{x^2-2x+1}+\sqrt{x^2}=\sqrt{(x-1)^2}+\sqrt{x^2}$
$0<x<1$이므로 $x-1<0$, $x>0$
따라서 $\sqrt{(x-1)^2}=-(x-1)$, $\sqrt{x^2}=x$이므로
(주어진 식)$=-(x-1)+x=-x+1+x=1$

개념 확인 3 합과 차의 곱을 이용한 인수분해 개념북 87쪽

1 (1) $(x+1)(x-1)$ (2) $(a+2)(a-2)$
(3) $(2x+3)(2x-3)$ (4) $2(a+4)(a-4)$

2 (1) $\left(x+\frac{1}{2}\right)\left(x-\frac{1}{2}\right)$ (2) $\left(2a+\frac{3}{5}\right)\left(2a-\frac{3}{5}\right)$
(3) $\left(\frac{1}{3}+x\right)\left(\frac{1}{3}-x\right)$ (4) $3\left(a+\frac{1}{4}\right)\left(a-\frac{1}{4}\right)$

3 (1) x^2, y^2, x^2-y^2, $x+y$, $x-y$
(2) a^2, 4, a^2-4, $a+2$, $a-2$

1 (1) $x^2-1=x^2-1^2=(x+1)(x-1)$
(2) $a^2-4=a^2-2^2=(a+2)(a-2)$
(3) $4x^2-9=(2x)^2-3^2=(2x+3)(2x-3)$
(4) $2a^2-32=2(a^2-16)=2(a^2-4^2)$
$=2(a+4)(a-4)$

2 (1) $x^2-\frac{1}{4}=x^2-\left(\frac{1}{2}\right)^2=\left(x+\frac{1}{2}\right)\left(x-\frac{1}{2}\right)$
(2) $4a^2-\frac{9}{25}=(2a)^2-\left(\frac{3}{5}\right)^2=\left(2a+\frac{3}{5}\right)\left(2a-\frac{3}{5}\right)$
(3) $\frac{1}{9}-x^2=\left(\frac{1}{3}\right)^2-x^2=\left(\frac{1}{3}+x\right)\left(\frac{1}{3}-x\right)$
(4) $3a^2-\frac{3}{16}=3\left(a^2-\frac{1}{16}\right)=3\left\{a^2-\left(\frac{1}{4}\right)^2\right\}$
$=3\left(a+\frac{1}{4}\right)\left(a-\frac{1}{4}\right)$

합과 차의 곱을 이용한 인수분해(1) 개념북 88쪽

1 ③
1-1 (1) $5(x+3)(x-3)$ (2) $\left(\frac{1}{9}+2x\right)\left(\frac{1}{9}-2x\right)$
1-2 ③

1 $25x^2-9y^2=(5x)^2-(3y)^2=(5x+3y)(5x-3y)$
이므로 $a=5$, $b=3$
$\therefore ab=5\times3=15$

1-1 (1) $5x^2-45=5(x^2-9)=5(x^2-3^2)$
$=5(x+3)(x-3)$
(2) $-4x^2+\frac{1}{81}=\frac{1}{81}-4x^2=\left(\frac{1}{9}\right)^2-(2x)^2$
$=\left(\frac{1}{9}+2x\right)\left(\frac{1}{9}-2x\right)$

1-2 ① $-a^2-4=-(a^2+4)$

② $x^2-\dfrac{1}{x^2}=\left(x+\dfrac{1}{x}\right)\left(x-\dfrac{1}{x}\right)$

③ $ab^2-9a=a(b^2-9)=a(b+3)(b-3)$

④ $\dfrac{x^2}{16}-y^2=\left(\dfrac{x}{4}\right)^2-y^2=\left(\dfrac{x}{4}+y\right)\left(\dfrac{x}{4}-y\right)$

⑤ $-75x^2+27y^2=-3(25x^2-9y^2)$

$=-3(5x+3y)(5x-3y)$

✎ 합과 차의 곱을 이용한 인수분해 (2) 개념북 88쪽

2 ⑤ **2-1** ④

2 $a^4-1=(a^2+1)(a^2-1)=(a^2+1)(a+1)(a-1)$

따라서 a^4-1의 인수가 아닌 것은 ⑤이다.

2-1 $2x^4-162y^4=2(x^4-81y^4)=2(x^2+9y^2)(x^2-9y^2)$

$=2(x^2+9y^2)(x+3y)(x-3y)$

따라서 $2x^4-162y^4$의 인수가 아닌 것은 ④이다.

개념 확인 4 x^2의 계수가 1인 이차식의 인수분해 개념북 89쪽

1 (1) -3, $-3x$, $-5x$, $x-3$ (2) 1, x, $-2x$, $x+1$

2 (1) $(x+1)(x+5)$ (2) $(x+2)(x-4)$

(3) $(x-3)(x-5)$ (4) $(x-3)(x+4)$

3 (1) $(x+2y)(x+4y)$ (2) $(x-2y)(x-7y)$

(3) $(x+2y)(x-5y)$ (4) $(x-3y)(x+6y)$

1 (1) x^2-5x+6

$$\begin{array}{ccccc} x & \searrow\!\!\nearrow & -2 & \longrightarrow & -2x \\ x & & -3 & \longrightarrow & \underline{-3x}\,(+ \\ & & & & -5x \end{array}$$

$=(x-2)(x-3)$

(2) x^2-2x-3

$$\begin{array}{ccccc} x & \searrow\!\!\nearrow & 1 & \longrightarrow & x \\ x & & -3 & \longrightarrow & \underline{-3x}\,(+ \\ & & & & -2x \end{array}$$

$=(x+1)(x-3)$

✎ x^2의 계수가 1인 이차식의 인수분해 개념북 90쪽

1 ② **1-1** 8

1 $x^2-5x-36=(x+4)(x-9)$

따라서 두 일차식의 합은 $(x+4)+(x-9)=2x-5$

1-1 $x^2+4x-12=(x+6)(x-2)$이므로

$a=6$, $b=-2$

$\therefore a-b=6-(-2)=8$

✎ 계수 또는 상수항을 잘못 봤을 때 바르게 인수분해하기 개념북 90쪽

2 ⑤ **2-1** (1) x^2-4x-5 (2) $(x-5)(x+1)$

2 윤희는 상수항을 바르게 보았으므로

$(x-2)(x+9)=x^2+7x-18$에서 상수항은 -18이다.

태은이는 x의 계수를 바르게 보았으므로

$(x+1)(x+2)=x^2+3x+2$에서 x의 계수는 3이다.

따라서 처음 이차식은 $x^2+3x-18$이므로 바르게 인수분해하면 $x^2+3x-18=(x-3)(x+6)$

2-1 (1) 석민이는 x의 계수를 바르게 보았으므로

$(x-1)(x-3)=x^2-4x+3$에서 x의 계수는 -4이다.

진희는 상수항을 바르게 보았으므로

$(x-1)(x+5)=x^2+4x-5$에서 상수항은 -5이다.

따라서 선생님이 처음에 제시한 이차식은 x^2-4x-5이다.

(2) x^2-4x-5를 바르게 인수분해하면

$x^2-4x-5=(x-5)(x+1)$

개념 확인 5 x^2의 계수가 1이 아닌 이차식의 인수분해 개념북 91쪽

1 (1) -3, -9, 3, -5, $2x-3$, $3x+2$

(2) 3, 6, 2, 3, $x+3y$, $2x-3y$

2 (1) $(x-1)(2x+3)$ (2) $(x-1)(3x+2)$

(3) $(x+2y)(3x-4y)$ (4) $(2x+y)(5x-3y)$

1 (1) $6x^2-5x-6$

$$\begin{array}{ccccc} 2x & \searrow\!\!\nearrow & -3 & \longrightarrow & -9x \\ 3x & & 2 & \longrightarrow & \underline{4x}\,(+ \\ & & & & -5x \end{array}$$

$=(2x-3)(3x+2)$

(2) $2x^2+3xy-9y^2$

$$\begin{array}{ccccc} x & \searrow\!\!\nearrow & 3y & \longrightarrow & 6xy \\ 2x & & -3y & \longrightarrow & \underline{-3xy}\,(+ \\ & & & & 3xy \end{array}$$

$=(x+3y)(2x-3y)$

x^2의 계수가 1이 아닌 이차식의 인수분해 개념북 92쪽

1 ①, ⑤ **1-1** ②, ④ **1-2** 0

1 $6x^2+11x-7=(2x-1)(3x+7)$
따라서 $6x^2+11x-7$의 인수인 것은 ①, ⑤이다.

1-1 $8x^2-14x+5=(2x-1)(4x-5)$
따라서 $8x^2-14x+5$의 인수인 것은 ②, ④이다.

1-2 $2x^2-5x-12=(2x+3)(x-4)$이므로
$a=3,\ b=1,\ c=-4$
$\therefore a+b+c=3+1+(-4)=0$

인수분해 공식 종합 개념북 92쪽

2 ④ **2-1** ⑤

2 ④ $5x^2+2x-3=(x+1)(5x-3)$

2-1 ① $x^2-4=(x+2)\underline{(x-2)}$
② $x^2+x-6=\underline{(x-2)}(x+3)$
③ $x^2-4x+4=\underline{(x-2)}^2$
④ $2x^2-5x+2=\underline{(x-2)}(2x-1)$
⑤ $5x^2+9x-2=(x+2)(5x-1)$
따라서 $x-2$를 인수로 갖지 않는 것은 ⑤이다.

두 다항식의 공통인수 구하기 개념북 93쪽

3 ② **3-1** ③ **3-2** $x+1$

3 $x^2+3x-18=\underline{(x-3)}(x+6)$
$3x^2-5x-12=\underline{(x-3)}(3x+4)$
따라서 두 다항식의 공통인수는 $x-3$이다.

3-1 $x^2-7x-18=(x-9)\underline{(x+2)}$
$5x^2+6x-8=(5x-4)\underline{(x+2)}$
따라서 두 다항식의 공통인수는 $x+2$이다.

3-2 $2x^2+x-1=\underline{(x+1)}(2x-1)$
$3x^2+5x+2=\underline{(x+1)}(3x+2)$
$8x^2+3x-5=\underline{(x+1)}(8x-5)$
따라서 세 다항식의 공통인수는 $x+1$이다.

인수가 주어진 이차식의 미지수의 값 구하기 개념북 93쪽

4 ⑤ **4-1** ④

4 $2x^2+ax-3$에서 x^2의 계수는 2이고, $x+3$이 인수이므로 나머지 인수는 $2x+b$로 놓을 수 있다.
즉, $2x^2+ax-3=(x+3)(2x+b)$
$2x^2+ax-3=2x^2+(b+6)x+3b$에서
$a=b+6,\ -3=3b$
따라서 $b=-1$이므로 $a=b+6=-1+6=5$

4-1 $6x^2-ax-5$에서 x^2의 계수는 6이고, $2x+1$이 인수이므로 나머지 인수는 $3x+b$로 놓을 수 있다.
즉, $6x^2-ax-5=(2x+1)(3x+b)$
$6x^2-ax-5=6x^2+(2b+3)x+b$에서
$-a=2b+3,\ -5=b$
$\therefore a=-2b-3=-2\times(-5)-3=7$

개념 확인 6 복잡한 식의 인수분해 (1) 개념북 94쪽

1 (1) $x(x+1)(x-1)$ (2) $y(x-2)(x-1)$
2 3, 3, $A+5$, $x-2y+5$
3 (1) $(x+y-1)^2$ (2) $x(x+3)$

1 (1) $x^3-x=x(x^2-1)=x(x+1)(x-1)$
(2) $x^2y-3xy+2y=y(x^2-3x+2)$
$=y(x-2)(x-1)$

3 (1) $x+y=A$로 놓으면
$(x+y)^2-2(x+y)+1=A^2-2A+1$
$=(A-1)^2$
$=(x+y-1)^2$
(2) $x+2=A$로 놓으면
$(x+2)^2-(x+2)-2=A^2-A-2$
$=(A+1)(A-2)$
$=(x+2+1)(x+2-2)$
$=x(x+3)$

공통인수로 묶어 인수분해하기 개념북 95쪽

1 ④ **1-1** ①, ④

1 $(x-3)^2-(2x-5)(x-3)$

$=(x-3)\{x-3-(2x-5)\}$

$=(x-3)(-x+2)$

따라서 $a=-1$, $b=2$이므로 $a+b=-1+2=1$

1-1 $a^2(a-1)-4(a-1)=(a-1)(a^2-4)$

$=(a-1)(a+2)(a-2)$

따라서 $a^2(a-1)-4(a-1)$의 인수가 아닌 것은 ①, ④이다.

치환을 이용한 인수분해 (1) 개념북 95쪽

2 ① **2-1** ③, ⑤ **2-2** ①

2 $3x-5=A$로 놓으면

$2(3x-5)^2+12(3x-5)+18$

$=2A^2+12A+18=2(A^2+6A+9)=2(A+3)^2$

$=2(3x-5+3)^2=2(3x-2)^2$

2-1 $x+y=A$로 놓으면

$3(x+y)^2-4(x+y)-15$

$=3A^2-4A-15=(A-3)(3A+5)$

$=(x+y-3)(3x+3y+5)$

따라서 $3(x+y)^2-4(x+y)-15$의 인수인 것은 ③, ⑤이다.

2-2 $x-2=A$로 놓으면

$(x-2)^2-3(x-2)-28$

$=A^2-3A-28=(A+4)(A-7)$

$=(x-2+4)(x-2-7)$

$=(x+2)(x-9)$

따라서 두 일차식은 $x+2$, $x-9$이므로 그 합은

$(x+2)+(x-9)=2x-7$

치환을 이용한 인수분해 (2) 개념북 96쪽

3 ②, ③ **3-1** ③ **3-2** $6x+2$

3 $x-y=A$로 놓으면

$(x-y-3)(x-y+5)+7$

$=(A-3)(A+5)+7=A^2+2A-8$

$=(A-2)(A+4)$

$=(x-y-2)(x-y+4)$

따라서 $(x-y-3)(x-y+5)+7$의 인수인 것은 ②, ③이다.

3-1 $x+2y=A$로 놓으면

$2(x+2y)(x+2y-1)-24$

$=2A(A-1)-24=2A^2-2A-24$

$=2(A^2-A-12)=2(A-4)(A+3)$

$=2(x+2y-4)(x+2y+3)$

3-2 $3x+1=A$, $x-2=B$로 놓으면

$(3x+1)^2-(x-2)^2$

$=A^2-B^2=(A+B)(A-B)$

$=(3x+1+x-2)(3x+1-x+2)$

$=(4x-1)(2x+3)$

따라서 두 일차식은 $4x-1$, $2x+3$이므로 그 합은

$(4x-1)+(2x+3)=6x+2$

( )( )( )( )$+k$ 꼴의 인수분해 개념북 96쪽

4 $(x^2+3x-3)(x^2+3x+5)$ **4-1** ②, ④

4 $x(x+1)(x+2)(x+3)-15$

$=\{x(x+3)\}\{(x+1)(x+2)\}-15$

$=(x^2+3x)(x^2+3x+2)-15$

$x^2+3x=A$로 놓으면

$(x^2+3x)(x^2+3x+2)-15$

$=A(A+2)-15=A^2+2A-15$

$=(A-3)(A+5)$

$=(x^2+3x-3)(x^2+3x+5)$

4-1 $(x-1)(x+1)(x-2)(x+2)-18$

$=\{(x-1)(x+1)\}\{(x-2)(x+2)\}-18$

$=(x^2-1)(x^2-4)-18$

$x^2=A$로 놓으면

$(x^2-1)(x^2-4)-18=(A-1)(A-4)-18$
$=A^2-5A-14$
$=(A-7)(A+2)$
$=(x^2-7)(x^2+2)$

따라서 $(x-1)(x+1)(x-2)(x+2)-18$의 인수인 것은 ②, ④이다.

7 복잡한 식의 인수분해 (2)

개념북 97쪽

1 (1) 1, 1, 1, 1 (2) 1, 1, y
2 (1) $(x-y)(a-b)$ (2) $(x+y-1)(x-y+1)$
3 $x+1$, $x+1$, $x-2$, $(x+1)(x+y-2)$

2 (1) $ax-ay-bx+by=a(x-y)-b(x-y)$
$=(x-y)(a-b)$

(2) $x^2-y^2+2y-1=x^2-(y^2-2y+1)$
$=x^2-(y-1)^2$
$=(x+y-1)(x-y+1)$

항이 4개인 식의 인수분해

개념북 98쪽

1 ① **1-1** $x-1$ **1-2** ②, ④

1 $xy+1-x-y=xy-x-y+1$
$=x(y-1)-(y-1)$
$=(x-1)(y-1)$

1-1 $xy-xz-y+z=x(y-z)-(y-z)$
$=(\underline{x-1})(y-z)$

$xz+x-z-1=x(z+1)-(z+1)$
$=(\underline{x-1})(z+1)$

따라서 두 다항식의 공통인수는 $x-1$이다.

1-2 $9x^2-4y^2+6x+1=(9x^2+6x+1)-4y^2$
$=(3x+1)^2-(2y)^2$
$=(3x+2y+1)(3x-2y+1)$

따라서 $9x^2-4y^2+6x+1$의 인수는 ②, ④이다.

항이 5개 이상인 식의 인수분해

개념북 98쪽

2 ② **2-1** ⑤

2 $x^2+xy-5x-2y+6=xy-2y+x^2-5x+6$
$=y(x-2)+(x^2-5x+6)$
$=y(x-2)+(x-2)(x-3)$
$=(x-2)(x+y-3)$

이므로 $a=-2$, $b=1$, $c=-3$

$\therefore a+b+c=-2+1+(-3)=-4$

2-1 $x^2+y^2+2xy+x+y-2$
$=x^2+(2y+1)x+(y^2+y-2)$
$=x^2+(2y+1)x+(y-1)(y+2)$
$=(x+y-1)(x+y+2)$

따라서 두 일차식은 $x+y-1$, $x+y+2$이고 그 합은

$(x+y-1)+(x+y+2)=2x+2y+1$

[다른 풀이]

$x^2+y^2+2xy+x+y-2=(x+y)^2+x+y-2$

$x+y=A$로 놓으면

$(x+y)^2+(x+y)-2=A^2+A-2$
$=(A-1)(A+2)$
$=(x+y-1)(x+y-2)$

따라서 두 일차식은 $x+y-1$, $x+y+2$이고 그 합은

$(x+y-1)+(x+y+2)=2x+2y+1$

8 인수분해 공식의 활용

개념북 99쪽

1 (1) 190 (2) 100 (3) 2500 (4) 3000
2 (1) 1000000 (2) 5
3 (1) 3 (2) 16

1 (1) $19\times7+19\times3=19\times(7+3)=19\times10=190$

(2) $9.3^2+2\times9.3\times0.7+0.7^2=(9.3+0.7)^2$
$=10^2=100$

(3) $51^2-2\times51+1=(51-1)^2=50^2=2500$

(4) $65^2-35^2=(65+35)(65-35)$
$=100\times30=3000$

2 (1) $x^2+4x+4=(x+2)^2=(998+2)^2$
$=1000^2=1000000$
(2) $x^2-2x+1=(x-1)^2=(1+\sqrt{5}-1)^2$
$=(\sqrt{5})^2=5$

3 (1) $x^2-4x+4=(x-2)^2=(2+\sqrt{3}-2)^2$
$=(\sqrt{3})^2=3$
(2) $x^2+2xy+y^2=(x+y)^2$
$=(2+\sqrt{3}+2-\sqrt{3})^2$
$=4^2=16$

인수분해 공식을 이용하여 수를 계산하기 개념북 100쪽

1 40 **1-1** ①, ④ **1-2** ④

1 $A=\sqrt{59^2+2\times59+1}=\sqrt{(59+1)^2}=\sqrt{60^2}=60$
$B=10.5^2-2\times10.5\times0.5+0.5^2$
$=(10.5-0.5)^2=10^2=100$
$\therefore B-A=100-60=40$

1-1 $2\times93^2-2\times7^2$
$=2(93^2-7^2)$ ← $ma+mb=m(a+b)$ 이용
$=2(93+7)(93-7)$ ← $a^2-b^2=(a+b)(a-b)$ 이용
$=2\times100\times86=17200$

1-2 $25^4-1=(25^2+1)(25^2-1)$
$=(25^2+1)(25+1)(25-1)$
$=(25^2+1)(25+1)(5+1)(5-1)$
$=626\times26\times6\times4$
$=2^5\times3\times13\times313$
따라서 25^4-1의 약수가 아닌 것은 ④이다.

인수분해 공식을 이용하여 식의 값 구하기 개념북 100쪽

2 144 **2-1** $-24\sqrt{2}$ **2-2** ② **2-3** 8

2 $x^2-4xy+4y^2=(x-2y)^2$
$=\{2\sqrt{5}-6-2(\sqrt{5}+3)\}^2$
$=(-12)^2=144$

2-1 $x+y=(3-2\sqrt{2})+(3+2\sqrt{2})=6$
$x-y=(3-2\sqrt{2})-(3+2\sqrt{2})=-4\sqrt{2}$
$\therefore x^2-y^2=(x+y)(x-y)=6\times(-4\sqrt{2})=-24\sqrt{2}$

2-2 $x^2-y^2=(x-y)(x+y)=4\sqrt{5}$
$x-y=2$이므로 $2(x+y)=4\sqrt{5}$
$\therefore x+y=2\sqrt{5}$

2-3 $x=\dfrac{1}{\sqrt{2}+1}=\dfrac{\sqrt{2}-1}{(\sqrt{2}+1)(\sqrt{2}-1)}=\sqrt{2}-1$
$y=\dfrac{1}{\sqrt{2}-1}=\dfrac{\sqrt{2}+1}{(\sqrt{2}-1)(\sqrt{2}+1)}=\sqrt{2}+1$
$\therefore 2x^2-4xy+2y^2=2(x^2-2xy+y^2)=2(x-y)^2$
$=2\times\{(\sqrt{2}-1)-(\sqrt{2}+1)\}^2$
$=2\times(-2)^2=8$

도형에의 활용 개념북 101쪽

3 $5200\pi\ \mathrm{m}^2$ **3-1** $4(x+4)$

3 (잔디를 심어야 하는 부분의 넓이)
$=\pi\times72.5^2-\pi\times7.5^2=(72.5^2-7.5^2)\pi$
$=(72.5+7.5)\times(72.5-7.5)\pi$
$=80\times65\times\pi=5200\pi(\mathrm{m}^2)$

3-1 널빤지 ㈎의 넓이는
$(2x+5)^2-3^2=(2x+5+3)(2x+5-3)$
$=(2x+8)(2x+2)$
$=4(x+4)(x+1)$
두 널빤지의 넓이가 같고 널빤지 ㈏의 세로의 길이가 $x+1$이므로 널빤지 ㈏의 가로의 길이는 $4(x+4)$이다.

개념 완성 기본 문제 개념북 104~106쪽

1 ④	**2** ⑤	**3** 풀이 참조	**4** ④
5 ①	**6** ②	**7** $x^2-9x+14$	
8 ②	**9** ⑤	**10** ⑤	**11** ②
12 ⑤	**13** ③, ④	**14** 6000	**15** ③
16 ②	**17** (1) 7, 2 (2) $3a+2$		

1 $(x-1)(x+1)$의 인수는
1, $x-1$, $x+1$, $(x-1)(x+1)$이다.
따라서 $(x-1)(x+1)$의 인수가 아닌 것은 ④이다.

2 ① $a^2-12a+36=(a-6)^2$

② $16a^2-8a+1=(4a-1)^2$

③ $x^2-x+\frac{1}{4}=\left(x-\frac{1}{2}\right)^2$

④ $9a^2+24ab+16b^2=(3a+4b)^2$

3 $4x^2-12x+\square=(2x)^2-2\times2x\times3+\square$이므로

$\square=3^2=9$이다.

4 $3a^2-\frac{1}{3}b^2=\frac{1}{3}(9a^2-b^2)$

$=\frac{1}{3}\{(3a)^2-b^2\}$

$=\frac{1}{3}(3a+b)(3a-b)$

[참고]

$3a^2-\frac{1}{3}b^2=3\left(a^2-\frac{1}{9}b^2\right)$

$=3\left\{a^2-\left(\frac{1}{3}b\right)^2\right\}$

$=3\left(a+\frac{1}{3}b\right)\left(a-\frac{1}{3}b\right)$

와 같이 인수분해할 수도 있다.

5 $x^2-5x-24=(x-8)(x+3)$

따라서 두 일차식은 $x-8$, $x+3$이므로 그 합은

$(x-8)+(x+3)=2x-5$

6 $(2x+1)(x-2)-3=2x^2-3x-5$

$=(2x-5)(x+1)$

따라서 $(2x+1)(x-2)-3$의 인수인 것은 ②이다.

7

$\times$	㉮	$x+2$
$3x-1$	$3x^2-7x+2$	
㉯	㉠	$x^2-5x-14$

$3x^2-7x+2=(x-2)(3x-1)$이므로 ㉮$=x-2$

$x^2-5x-14=(x+2)(x-7)$이므로 ㉯$=x-7$

$\therefore$ ㉠$=(x-2)(x-7)=x^2-9x+14$

8 $6x^2+x-2=(\underline{2x-1})(3x+2)$

$8x^2-10x+3=(\underline{2x-1})(4x-3)$

따라서 두 다항식의 공통인수는 $2x-1$이다.

9 $4x^2-axy+3y^2$에서 x^2의 계수는 4이고, 인수는 $2x-y$이므로 나머지 인수는 $2x+by$로 놓을 수 있다.

즉, $4x^2-axy+3y^2=(2x-y)(2x+by)$

$4x^2-axy+3y^2=4x^2+(2b-2)xy-by^2$에서

$-a=2b-2$, $3=-b$

따라서 $b=-3$이므로

$a=-2b+2=-2\times(-3)+2=8$

10 $a^2(a+2)-b^2(a+2)=(a+2)(a^2-b^2)$

$=(a+2)(a+b)(a-b)$

11 $x+2=A$로 놓으면

$4(x+2)^2-24(x+2)+36$

$=4A^2-24A+36$

$=4(A^2-6A+9)=4(A-3)^2$

$=4(x+2-3)^2=4(x-1)^2$

따라서 $a=4$, $b=-1$이므로

$a+b=4+(-1)=3$

12 $x^2-2x=A$로 놓으면

$(x-5)(x-3)(x+1)(x+3)+36$

$=(x-3)(x+1)(x-5)(x+3)+36$

$=(x^2-2x-3)(x^2-2x-15)+36$

$=(A-3)(A-15)+36$

$=A^2-18A+81=(A-9)^2$

$=(x^2-2x-9)^2$

따라서 $a=2$, $b=9$이므로 $a+b=11$

13 $a^2+8a+16-9b^2=(a+4)^2-(3b)^2$

$=\{(a+4)+3b\}\{(a+4)-3b\}$

$=(a+3b+4)(a-3b+4)$

14 $30\times51^2-30\times49^2=30(51^2-49^2)$

$=30(51+49)(51-49)$

$=30\times100\times2=6000$

15 $10^2-20^2+30^2-40^2+\cdots+90^2-100^2$

$=(10+20)(10-20)+(30+40)(30-40)+\cdots$

$+(90+100)(90-100)$

$a^2-b^2=(a+b)(a-b)$ 이용 ↑

$=-10\times(10+20+30+40+\cdots+90+100)$

$=-10\times10(1+2+3+\cdots+10)$

$=-10\times10\times55$

$=-5500$

16 $x^2-y^2+2y-1=x^2-(y^2-2y+1)=x^2-(y-1)^2$

$=(x+y-1)(x-y+1)$

즉, $(x+y-1)(x-y+1)=25$, $x+y=6$이므로

$5(x-y+1)=25$

$x-y+1=5 \quad \therefore x-y=4$

17 (1) 회의실과 휴게실의 바닥의 넓이의 합은

$(6a^2+a-1)+(6a+3)=6a^2+7a+2$이므로

(가)에 들어갈 수는 7, (나)에 들어갈 수는 2이다.

(2) $6a^2+7a+2=(3a+2)(2a+1)$이므로 수학교실 바닥의 세로의 길이는 $3a+2$이다.

개념 완성 발전 문제

개념북 107~108쪽

1 24 **2** $(x+3)(x-4)$ **3** ⑤

4 풀이 참조 **5** $2x+2y-5$

6 ① $(x+1)^2$, $(x-5)^2$ ② $>$, $<$

③ $(x+1)^2$, $(x-5)^2$, $(x+1)-\{-(x-5)\}$,

$x+1+x-5$, $2x-4$

7 ① $(A-1)(A-2)$ ② $(x+y-1)(x+y-2)$

③ $2x+2y-3$

1 $25x^2+40x+a=(5x)^2+2\times5x\times4+a$이므로

$a=4^2=16$

$2x^2-8x+b=2\left(x^2-4x+\dfrac{b}{2}\right)$이므로

$\dfrac{b}{2}=\left(\dfrac{-4}{2}\right)^2=(-2)^2=4 \quad \therefore b=8$

$\therefore a+b=16+8=24$

2 용화는 상수항을 바르게 보았으므로

$(x+2)(x-6)=x^2-4x-12$에서

상수항은 -12이다.

민정이는 x의 계수를 바르게 보았으므로

$(x+6)(x-7)=x^2-x-42$에서 x의 계수는

-1이다.

따라서 처음 이차식은 x^2-x-12이므로 바르게 인수분해하면 $x^2-x-12=(x+3)(x-4)$

3 ((가)의 넓이)$=(3x+2)^2-6^2$

$=(3x+2+6)(3x+2-6)$

$=(3x+8)(3x-4)$

따라서 ((가)의 넓이)=((나)의 넓이)이므로 도형 (나)의 가로의 길이는 $3x+8$이다.

4 $n^3-n=n(n^2-1)=n(n+1)(n-1)$이고 n이 1보다 큰 자연수이므로 $n-1$, n, $n+1$은 연속한 세 자연수이다.

연속한 세 자연수 중 하나는 반드시 3의 배수이므로 n^3-n은 3의 배수이다.

5 $x^2-5x-5y+2xy+y^2+4$

$=x^2+(2y-5)x+y^2-5y+4$

$=x^2+(2y-5)x+(y-1)(y-4)$

$=(x+y-1)(x+y-4)$

따라서 두 일차식은 $x+y-1$, $x+y-4$이므로 그 합은

$(x+y-1)+(x+y-4)=2x+2y-5$

[다른 풀이]

$x^2-5x-5y+2xy+y^2+4$

$=(x^2+2xy+y^2)-5x-5y+4$

$=(x+y)^2-5(x+y)+4$

$x+y=A$라 놓으면

$A^2-5A+4=(A-1)(A-4)$

$=(x+y-1)(x+y-4)$

따라서 두 일차식은 $x+y-1$, $x+y-4$이므로 그 합은

$(x+y-1)+(x+y-4)=2x+2y-5$

6 ① x^2+2x+1을 인수분해하면 $(x+1)^2$

$x^2-10x+25$를 인수분해하면 $(x-5)^2$

② $-1<x<5$이므로 $x+1>0$, $x-5<0$

③ $\sqrt{x^2+2x+1}-\sqrt{x^2-10x+25}$

$=\sqrt{(x+1)^2}-\sqrt{(x-5)^2}$

$=(x+1)-\{-(x-5)\}$

$=x+1+x-5$

$=2x-4$

7 ① $x+y=A$로 놓으면

$(x+y)(x+y-3)+2=A(A-3)+2$

$=A^2-3A+2$

$=(A-1)(A-2)$

② $A=x+y$이므로

$(A-1)(A-2)=(x+y-1)(x+y-2)$

③ 따라서 두 일차식은 $x+y-1$, $x+y-2$이므로 그 합은

$(x+y-1)+(x+y-2)=2x+2y-3$

1 이차방정식과 그 풀이

개념 확인 1 이차방정식

개념북 112쪽

1 (1) ○ (2) × (3) × (4) ○ (5) ○ (6) ×

2 (1) $a=1$, $b=2$, $c=-3$ (2) $a=1$, $b=1$, $c=-5$

3 $b=-3$, $c=-6$

1 (3) 등식이 아니므로 이차방정식이 아니다.

(4) $x^2-x=0$이므로 이차방정식이다.

(5) $-x^2+3x-1=0$이므로 이차방정식이다.

(6) $x^2-2x+1=x^2+x$, $-3x+1=0$이므로 이차방정식이 아니다.

2 (1) $-x^2+x=3x-3$, $x^2+2x-3=0$이므로

$a=1$, $b=2$, $c=-3$

(2) $x^2+2x-8=x-3$, $x^2+x-5=0$이므로

$a=1$, $b=1$, $c=-5$

3 $4x^2-12x=-9x+6$, $4x^2-3x-6=0$이므로

$b=-3$, $c=-6$

이차방정식

개념북 113쪽

1 ⑤ **1-1** ④ **1-2** $a\neq2$

1 ② $6x^2-37=0$이므로 이차방정식이다.

③ $2x^2-4x=0$이므로 이차방정식이다.

④ $x^2-2x-3=4x$, $x^2-6x-3=0$이므로 이차방정식이다.

⑤ $9x^2-12x+4=9x^2+6$, $-12x-2=0$이므로 이차방정식이 아니다.

1-1 ㄱ. 이차방정식

ㄴ. 이차식

ㄷ. $-2x=0$이므로 일차방정식

ㄹ. $x^2-4=0$이므로 이차방정식

ㅁ. $x^2+x=0$이므로 이차방정식

ㅂ. 이차식

1-2 $(2-a)x^2+5=0$이 이차방정식이 되려면

$2-a\neq0$ $\quad\therefore a\neq2$

이차방정식의 일반형

개념북 113쪽

2 ② **2-1** ①

2 $x^2-1=2x^2+3x-5$, $x^2+3x-4=0$이므로

$a=1$, $b=3$, $c=-4$

$\therefore a+b+c=1+3+(-4)=0$

2-1 $4x^2-4x+1=4$, $4x^2-4x-3=0$이므로

$a=4$, $b=-4$

$\therefore ab=4\times(-4)=-16$

개념 확인 2 이차방정식의 해

개념북 114쪽

1 ㄱ, ㄷ

2 (1) ○ (2) ○ (3) × (4) ×

3 $x=-2$ 또는 $x=-1$

1 ㄱ. $2^2-2\times2=0$ (참)

ㄴ. $2\times(2-3)\neq2$ (거짓)

ㄷ. $3\times2^2-4\times2-4=0$ (참)

ㄹ. $2^2\neq6\times2-3$ (거짓)

따라서 $x=2$를 해로 갖는 이차방정식은 ㄱ, ㄷ이다.

2 (1) $2\times1^2+1-3=0$ (참)

(2) $(-1)^2-4\times(-1)-5=0$ (참)

(3) $(-2-1)^2-8\neq0$ (거짓)

(4) $2\times\left(\frac{1}{2}\right)^2-\frac{1}{2}-1\neq0$ (거짓)

3 $x=-2$일 때, $(-2)^2+3\times(-2)=-2$ (참)

$x=-1$일 때, $(-1)^2+3\times(-1)=-2$ (참)

$x=0$일 때, $0^2+3\times0\neq-2$ (거짓)

$x=1$일 때, $1^2+3\times1\neq-2$ (거짓)

따라서 해는 $x=-2$ 또는 $x=-1$이다.

이차방정식의 해 개념북 115쪽

1 ④ 1-1 ③ 1-2 $x=-1$ 또는 $x=4$

1 ① $2^2-2-2=0$ (참)

② $(-3)^2+3\times(-3)=0$ (참)

③ $2\times\left(\frac{1}{2}\right)^2-5\times\frac{1}{2}+2=0$ (참)

④ $-3\times(-1)^2+(-1)+2\neq0$ (거짓)

⑤ $2\times(5-3)^2=8$ (참)

따라서 [ ] 안의 수가 주어진 이차방정식의 해가 아닌 것은 ④이다.

1-1 ① $3^2\neq3$ (거짓)

② $3^2+5\times3+6\neq0$ (거짓)

③ $(3-2)\times(3+2)=5$ (참)

④ $2\times3^2-6\times3+3\neq0$ (거짓)

⑤ $3^2-3\times3-9\neq0$ (거짓)

따라서 $x=3$을 해로 가지는 것은 ③이다.

1-2 x의 값은 -1, 0, 1, 2, 3, 4이므로

$x=-1$일 때, $(-1)^2-3\times(-1)-4=0$ (참)

$x=0$일 때, $0^2-3\times0-4\neq0$ (거짓)

$x=1$일 때, $1^2-3\times1-4\neq0$ (거짓)

$x=2$일 때, $2^2-3\times2-4\neq0$ (거짓)

$x=3$일 때, $3^2-3\times3-4\neq0$ (거짓)

$x=4$일 때, $4^2-3\times4-4=0$ (참)

따라서 이차방정식의 해는 $x=-1$ 또는 $x=4$이다.

한 근이 주어질 때, 미지수의 값 구하기 개념북 115쪽

2 1 2-1 8 2-2 1

2 $x^2+ax-12=0$에 $x=3$을 대입하면

$3^2+3a-12=0$, $3a=3$ $\therefore a=1$

2-1 $x^2+6x+a=0$에 $x=-2$를 대입하면

$(-2)^2+6\times(-2)+a=0$, $4-12+a=0$

$\therefore a=8$

2-2 $2x^2+3x-1=0$에 $x=p$를 대입하면

$2p^2+3p-1=0$ $\therefore 2p^2+3p=1$

개념 확인 3 인수분해를 이용한 이차방정식의 풀이 개념북 116쪽

1 (1) $x=0$ 또는 $x=2$ (2) $x=-3$ 또는 $x=5$
(3) $x=-4$ 또는 $x=-1$ (4) $x=\frac{2}{3}$ 또는 $x=\frac{3}{2}$

2 (1) $x=0$ 또는 $x=-8$ (2) $x=-\frac{7}{2}$ 또는 $x=\frac{7}{2}$
(3) $x=-4$ 또는 $x=2$ (4) $x=\frac{1}{3}$ 또는 $x=\frac{1}{2}$

3 (1) $x=-2$ 또는 $x=6$ (2) $x=-\frac{5}{3}$ 또는 $x=5$
(3) $x=-\frac{5}{2}$ 또는 $x=4$ (4) $x=-4$ 또는 $x=4$

1 (1) $x=0$ 또는 $x-2=0$ $\therefore x=0$ 또는 $x=2$

(2) $x+3=0$ 또는 $x-5=0$ $\therefore x=-3$ 또는 $x=5$

(3) $x+4=0$ 또는 $x+1=0$

$\therefore x=-4$ 또는 $x=-1$

(4) $3x-2=0$ 또는 $2x-3=0$

$\therefore x=\frac{2}{3}$ 또는 $x=\frac{3}{2}$

2 (1) $x(x+8)=0$ $\therefore x=0$ 또는 $x=-8$

(2) $(2x)^2-7^2=0$에서 $(2x+7)(2x-7)=0$

$\therefore x=-\frac{7}{2}$ 또는 $x=\frac{7}{2}$

(3) $(x+4)(x-2)=0$ $\therefore x=-4$ 또는 $x=2$

(4) $(3x-1)(2x-1)=0$ $\therefore x=\frac{1}{3}$ 또는 $x=\frac{1}{2}$

3 (1) $x^2-4x-12=0$, $(x+2)(x-6)=0$

$\therefore x=-2$ 또는 $x=6$

(2) $3x^2-10x-25=0$, $(3x+5)(x-5)=0$

$\therefore x=-\frac{5}{3}$ 또는 $x=5$

(3) $2x^2-3x-20=0$, $(2x+5)(x-4)=0$

$\therefore x=-\frac{5}{2}$ 또는 $x=4$

(4) $x^2-4=12$, $x^2-16=0$, $(x+4)(x-4)=0$

$\therefore x=-4$ 또는 $x=4$

인수분해를 이용한 이차방정식의 풀이 개념북 117쪽

1 ③ 1-1 ②, ④ 1-2 $x=-4$

1 $x^2-4x-12=0$, $(x+2)(x-6)=0$

$\therefore x=-2$ 또는 $x=6$

1-1 ① $x+\frac{1}{2}=0$ 또는 $x-5=0$

$\therefore x=-\frac{1}{2}$ 또는 $x=5$

② $x+5=0$ 또는 $x-\frac{1}{2}=0$

$\therefore x=-5$ 또는 $x=\frac{1}{2}$

③ $x+5=0$ 또는 $x+\frac{1}{2}=0$

$\therefore x=-5$ 또는 $x=-\frac{1}{2}$

④ $x+5=0$ 또는 $2x-1=0$

$\therefore x=-5$ 또는 $x=\frac{1}{2}$

⑤ $2x-1=0$ 또는 $x-5=0$

$\therefore x=\frac{1}{2}$ 또는 $x=5$

1-2 $x^2+3x-4=0$에서 $(x+4)(x-1)=0$

$\therefore x=-4$ 또는 $x=1$

$2x^2+7x-4=0$에서 $(x+4)(2x-1)=0$

$\therefore x=-4$ 또는 $x=\frac{1}{2}$

따라서 두 이차방정식의 공통인 근은 $x=-4$이다.

한 근이 주어질 때, 다른 한 근 구하기 개념북 117쪽

2 $x=3$ **2-1** $a=-32$, $x=8$

2 $x^2+ax+3=0$에 $x=1$을 대입하면

$1+a+3=0$ $\therefore a=-4$

$x^2-4x+3=0$을 풀면

$(x-1)(x-3)=0$

$\therefore x=1$ 또는 $x=3$

따라서 이차방정식의 다른 한 근은 $x=3$이다.

2-1 $x^2-4x+a=0$에 $x=-4$를 대입하면

$(-4)^2-4\times(-4)+a=0$, $16+16+a=0$

$\therefore a=-32$

$x^2-4x-32=0$을 풀면

$(x+4)(x-8)=0$

$\therefore x=-4$ 또는 $x=8$

따라서 다른 한 근은 $x=8$이다.

개념 확인 4 이차방정식의 중근

개념북 118쪽

1 (1) $x=5$ (중근) (2) $x=-\frac{1}{3}$ (중근)

(3) $x=-3$ (중근) (4) $x=\frac{1}{2}$ (중근)

2 (1) 16 (2) 10

1 (3) $(x+3)^2=0$ $\therefore x=-3$ (중근)

(4) $(2x-1)^2=0$ $\therefore x=\frac{1}{2}$ (중근)

2 (1) $k=\left(\frac{-8}{2}\right)^2$ $\therefore k=16$

(2) $25=\left(\frac{k}{2}\right)^2$, $k^2=100$

$\therefore k=10$ ($\because k>0$)

이차방정식의 중근 개념북 119쪽

1 ④ **1-1** ⑤

1 ① $(x+2)^2=0$ $\therefore x=-2$ (중근)

② $(x+3)^2=0$ $\therefore x=-3$ (중근)

③ $(2x-3)^2=0$ $\therefore x=\frac{3}{2}$ (중근)

④ $(x+3)(x+1)=0$

$\therefore x=-3$ 또는 $x=-1$

⑤ $(5x-1)^2=0$ $\therefore x=\frac{1}{5}$ (중근)

1-1 ㄱ. $2x^2-3x=0$, $x(2x-3)=0$

$\therefore x=0$ 또는 $x=\frac{3}{2}$

ㄴ. $\left(x+\frac{1}{2}\right)^2=0$ $\therefore x=-\frac{1}{2}$ (중근)

ㄷ. $x^2-3x+2=1-x$

$x^2-2x+1=0$, $(x-1)^2=0$

$\therefore x=1$ (중근)

ㄹ. $9x^2-6x=-1$

$9x^2-6x+1=0$, $(3x-1)^2=0$

$\therefore x=\frac{1}{3}$ (중근)

따라서 중근을 갖는 것은 ㄴ, ㄷ, ㄹ이다.

이차방정식이 중근을 가질 조건 개념북 119쪽

2 6 **2-1** -9 **2-2** $a=0$, $x=-4$ (중근)

2 $2a-3=\left(\frac{-6}{2}\right)^2$이므로

$2a-3=9$, $2a=12$ $\therefore a=6$

2-1 $-5m+4=\left(\frac{14}{2}\right)^2$이므로

$-5m=45$ $\therefore m=-9$

2-2 이차방정식이 중근을 가지므로 $(x+4)^2=0$이어야 한다.

$\therefore a=0$

이때 이차방정식의 해는 $x=-4$ (중근)이다.

개념 확인 5 제곱근을 이용한 이차방정식의 풀이 개념북 120쪽

1 (1) $x=\pm\sqrt{2}$ (2) $x=\pm5$ (3) $x=\pm\sqrt{3}$

(4) $x=\pm\frac{7}{2}$

2 (1) $x=-6$ 또는 $x=2$ (2) $x=4\pm\sqrt{5}$

(3) $x=-3\pm2\sqrt{2}$ (4) $x=1\pm2\sqrt{3}$

3 (1) $x=-3$ 또는 $x=1$ (2) $x=3\pm\sqrt{3}$

(3) $x=2\pm\sqrt{5}$ (4) $x=-5\pm3\sqrt{2}$

1 (2) $x^2=25$ $\therefore x=\pm5$

(3) $2x^2=6$, $x^2=3$ $\therefore x=\pm\sqrt{3}$

(4) $4x^2=49$, $x^2=\frac{49}{4}$ $\therefore x=\pm\frac{7}{2}$

2 (1) $x+2=\pm4$ $\therefore x=-6$ 또는 $x=2$

(2) $x-4=\pm\sqrt{5}$ $\therefore x=4\pm\sqrt{5}$

(3) $(x+3)^2=8$, $x+3=\pm\sqrt{8}$

$\therefore x=-3\pm2\sqrt{2}$

(4) $(x-1)^2=12$, $x-1=\pm\sqrt{12}$

$\therefore x=1\pm2\sqrt{3}$

3 (1) $(x+1)^2=4$, $x+1=\pm2$

$\therefore x=-3$ 또는 $x=1$

(2) $(x-3)^2=3$, $x-3=\pm\sqrt{3}$

$\therefore x=3\pm\sqrt{3}$

(3) $4(x-2)^2=20$, $(x-2)^2=5$

$x-2=\pm\sqrt{5}$ $\therefore x=2\pm\sqrt{5}$

(4) $\frac{1}{2}(x+5)^2=9$, $(x+5)^2=18$

$x+5=\pm\sqrt{18}$ $\therefore x=-5\pm3\sqrt{2}$

제곱근을 이용한 이차방정식의 풀이 개념북 121쪽

1 ② **1-1** ④ **1-2** ③

1-3 36 **1-4** $q=7$, 다른 한 근: $-4-\sqrt{7}$

1 $4(x-3)^2=20$에서

$(x-3)^2=5$, $x-3=\pm\sqrt{5}$ $\therefore x=3\pm\sqrt{5}$

따라서 $A=3$, $B=5$이므로

$A-B=3-5=-2$

1-1 $3(x-1)^2=6$, $(x-1)^2=2$

$x-1=\pm\sqrt{2}$ $\therefore x=1\pm\sqrt{2}$

따라서 두 근의 합은 $(1+\sqrt{2})+(1-\sqrt{2})=2$

1-2 $(x+a)^2=b$에서

$x+a=\pm\sqrt{b}$, $x=-a\pm\sqrt{b}$

이때 두 근이 $x=-2\pm\sqrt{6}$이므로 $a=2$, $b=6$

$\therefore a+b=2+6=8$

1-3 $3(x-a)^2=b$에서

$(x-a)^2=\frac{b}{3}$, $x-a=\pm\sqrt{\frac{b}{3}}$

$\therefore x=a\pm\sqrt{\frac{b}{3}}$

이때 두 근이 $x=4\pm\sqrt{3}$이므로 $a=4$, $\frac{b}{3}=3$

따라서 $a=4$, $b=9$이므로

$ab=4\times9=36$

1-4 $x+4=\pm\sqrt{q}$ $\therefore x=-4\pm\sqrt{q}$

이차방정식의 한 근이 $x=-4+\sqrt{7}$이므로 $q=7$이고,

다른 한 근은 $-4-\sqrt{7}$이다.

개념 확인 6 완전제곱식을 이용한 이차방정식의 풀이 개념북 122쪽

1 (1) 9, 6, 3, 6, 3, 6 (2) $\frac{7}{2}$, 1, $\frac{9}{2}$, 1, $\frac{9}{2}$, 1, $3\sqrt{2}$

2 (1) $x=-2\pm\sqrt{2}$ (2) $x=-1\pm\frac{2\sqrt{3}}{3}$

2 (1) $x^2+4x=-2$, $x^2+4x+\left(\frac{4}{2}\right)^2=-2+\left(\frac{4}{2}\right)^2$

$(x+2)^2=2$, $x+2=\pm\sqrt{2}$

$\therefore x=-2\pm\sqrt{2}$

(2) $x^2+2x-\frac{1}{3}=0$, $x^2+2x=\frac{1}{3}$

$x^2+2x+\left(\frac{2}{2}\right)^2=\frac{1}{3}+\left(\frac{2}{2}\right)^2$

$(x+1)^2=\frac{4}{3}$, $x+1=\pm\sqrt{\frac{4}{3}}$

$\therefore x=-1\pm\frac{2\sqrt{3}}{3}$

완전제곱식의 꼴로 고치기 개념북 123쪽

1 ② **1-1** 9

1 $x^2-4x+\frac{1}{2}=0$, $x^2-4x+4=-\frac{1}{2}+4$

$(x-2)^2=\frac{7}{2}$이므로 $p=-2$, $q=\frac{7}{2}$

$\therefore pq=(-2)\times\frac{7}{2}=-7$

1-1 $x^2+6x=-3$, $x^2+6x+9=-3+9$

$(x+3)^2=6$

따라서 $p=3$, $q=6$이므로

$p+q=3+6=9$

완전제곱식을 이용한 이차방정식의 풀이 개념북 123쪽

2 -1

2-1 (라)-(마)-(다)-(가)-(나) **2-2** $\sqrt{13}$

2 $x^2+10x=7$, $x^2+10x+25=7+25$

$(x+5)^2=32$, $x+5=\pm\sqrt{32}$

$\therefore x=-5\pm4\sqrt{2}$

따라서 $a=-5$, $b=4$이므로

$a+b=-5+4=-1$

2-2 $x^2-3x-1=0$, $x^2-3x=1$

$x^2-3x+\frac{9}{4}=1+\frac{9}{4}$

$\left(x-\frac{3}{2}\right)^2=\frac{13}{4}$, $x-\frac{3}{2}=\pm\sqrt{\frac{13}{4}}$

$\therefore x=\frac{3}{2}\pm\frac{\sqrt{13}}{2}$

따라서 두 근의 차는

$\left(\frac{3}{2}+\frac{\sqrt{13}}{2}\right)-\left(\frac{3}{2}-\frac{\sqrt{13}}{2}\right)=\sqrt{13}$

개념완성 기본 문제 개념북 124~125쪽

1 ①, ⑤ **2** ④ **3** ④ **4** ②
5 ③ **6** $x=3$ **7** ③
8 $x=0$ 또는 $x=\frac{1}{5}$ **9** ③ **10** ⑤
11 (가): $\frac{3}{2}$ (나): $\frac{5}{2}$ (다): 1 (라): 10 **12** ④

1 ② $3x^2+3x=3x^2$에서 $3x=0$이므로 일차방정식이다.

③ $x^2-3x=x^2+x$에서 $-4x=0$이므로 일차방정식이다.

④ $-4x-2=0$이므로 일차방정식이다.

⑤ $-2x^2+3=0$이므로 이차방정식이다.

따라서 이차방정식인 것은 ①, ⑤이다.

2 ① $(-5)^2-5\times(-5)\neq0$ (거짓)

② $(-6)^2-4\times(-6)-12\neq0$ (거짓)

③ $3^2-3-12\neq0$ (거짓)

④ $2\times4^2-3\times4-20=0$ (참)

⑤ $3\times(-2)^2+6\times(-2)-5\neq0$ (거짓)

따라서 [ ] 안의 수가 주어진 이차방정식의 해인 것은 ④이다.

3 $x=a$를 $x^2+3x-7=0$에 대입하면

$a^2+3a-7=0$이므로

$a^2+3a=7$

$\therefore a^2+3a-4=7-4=3$

4 $ax^2+(a-1)x+1=0$에 $x=3$을 대입하면

$9a+3(a-1)+1=0$

$12a-2=0$ $\therefore a=\frac{1}{6}$

주어진 이차방정식은 $\frac{1}{6}x^2-\frac{5}{6}x+1=0$이므로

$x^2-5x+6=0$

$(x-2)(x-3)=0$ $\therefore x=2$ 또는 $x=3$

따라서 $a=\frac{1}{6}$, $b=2$이므로

$3ab=3\times\frac{1}{6}\times2=1$

5 $x^2-7x-8=0$에서 $(x+1)(x-8)=0$

$\therefore x=-1$ 또는 $x=8$

따라서 작은 근인 $x=-1$이 이차방정식

$2x^2+ax-3=0$의 한 근이므로

$2\times(-1)^2+a\times(-1)-3=0,\ 2-a-3=0$

$\therefore a=-1$

6 $x^2-9=0$에서 $(x+3)(x-3)=0$

$\therefore x=-3$ 또는 $x=3$

$3x^2-11x+6=0$에서 $(3x-2)(x-3)=0$

$\therefore x=\frac{2}{3}$ 또는 $x=3$

따라서 두 이차방정식의 공통인 근은 $x=3$이다.

7 ① $(x+5)^2=0$에서 $x=-5$ (중근)

② $x^2-14x+49=0$에서 $(x-7)^2=0$

$\therefore x=7$ (중근)

③ $x^2-4=0$에서 $(x+2)(x-2)=0$

$\therefore x=-2$ 또는 $x=2$

④ $16x^2-8x+1=0$에서 $(4x-1)^2=0$

$\therefore x=\frac{1}{4}$ (중근)

⑤ $(3x+5)^2=0$에서 $x=-\frac{5}{3}$ (중근)

8 이차방정식이 중근을 가지므로 $k=\left(\frac{-10}{2}\right)^2=25$

$kx^2=5x$에 $k=25$를 대입하면

$25x^2=5x,\ 5x(5x-1)=0$

$\therefore x=0$ 또는 $x=\frac{1}{5}$

9 ① $x=\pm\sqrt{18}$ $\quad\therefore x=\pm3\sqrt{2}$

② $x^2=45$에서 $x=\pm\sqrt{45}$

$\therefore x=\pm3\sqrt{5}$

③ $3x^2=27$에서 $x^2=9$

$\therefore x=\pm3$

④ $x-2=\pm\sqrt{5}$ $\quad\therefore x=2\pm\sqrt{5}$

⑤ $2(x-3)^2=12$에서 $(x-3)^2=6$

$x-3=\pm\sqrt{6}$ $\quad\therefore x=3\pm\sqrt{6}$

따라서 해가 유리수인 것은 ③이다.

10 $(x-a)^2=4,\ x-a=\pm2$ $\quad\therefore x=a\pm2$

한 근이 1이므로 $a>0$에서 $a+2\neq1$

즉, $a-2=1$ $\quad\therefore a=3$

따라서 다른 한 근은 $a+2=3+2=5$

12 $x^2+8x=-k,\ x^2+8x+16=-k+16$

$(x+4)^2=-k+16,\ x+4=\pm\sqrt{16-k}$

$\therefore x=-4\pm\sqrt{16-k}$

따라서 $16-k=11$이므로 $k=5$

개념 완성 발전 문제

개념북 126~127쪽

1 5 **2** ③ **3** $-\frac{1}{3}$ **4** ②

5 ③ **6** ⑤

7 ① $3^2+3a-3=0,\ -2$

② $x=-1$ 또는 $x=3,\ x=-1$

③ $3\times(-1)^2-6\times(-1)+b=0, -9$

④ 18

8 ① 8 ② -4 ③ -32

1 $x^2-3x+2=0$에 $x=a$를 대입하면 $a^2-3a+2=0$

$a\neq0$이므로 양변을 a로 나누면

$a-3+\frac{2}{a}=0$ $\quad\therefore a+\frac{2}{a}=3$

$\therefore a^2+\frac{4}{a^2}=\left(a+\frac{2}{a}\right)^2-4=3^2-4=5$

2 가로, 세로의 합이 서로 같으므로

$x^2+(x+2)+1=6+1+8$

$x^2+x-12=0,\ (x+4)(x-3)=0$

$\therefore x=-4$ 또는 $x=3$

그런데 $x>-2$이므로 $x=3$

3 $x^2+ax+14=0$에 $x=-7$을 대입하면

$(-7)^2-7a+14=0,\ 7a=63$ $\quad\therefore a=9$

$3x^2+16x+b=0$에 $x=-7$을 대입하면

$3\times(-7)^2+16\times(-7)+b=0$

$147-112+b=0$ $\quad\therefore b=-35$

$x^2+9x+14=0$을 풀면 $(x+7)(x+2)=0$

$\therefore x=-7$ 또는 $x=-2$

$3x^2+16x-35=0$을 풀면

$(x+7)(3x-5)=0$

$\therefore x=-7$ 또는 $x=\frac{5}{3}$

따라서 두 이차방정식의 또 다른 해의 합은

$-2+\frac{5}{3}=-\frac{1}{3}$

4 $4a-4=\left(\frac{-2a}{2}\right)^2$에서 $a^2-4a+4=0$

$(a-2)^2=0 \quad \therefore a=2$

5 $3(x-4)^2=8$, $(x-4)^2=\frac{8}{3}$

$x-4=\pm\sqrt{\frac{8}{3}} \quad \therefore x=4\pm\frac{2\sqrt{6}}{3}$

따라서 $a=4$, $b=\frac{2}{3}$이므로

$3ab=3\times4\times\frac{2}{3}=8$

6 $x^2+8x+15=9$, $x^2+8x=-6$

$x^2+8x+16=-6+16$, $(x+4)^2=10$

따라서 $a=4$, $b=10$이므로

$a+b=4+10=14$

7 ① $x=3$을 $x^2+ax-3=0$에 대입하면

$3^2+3a-3=0 \quad \therefore a=-2$

② a의 값을 $x^2+ax-3=0$에 대입하면

$x^2-2x-3=0$

이차방정식을 풀면 $(x+1)(x-3)=0$

$\therefore x=-1$ 또는 $x=3$

따라서 다른 한 해는 $x=-1$이다.

③ 다른 한 해를 $3x^2-6x+b=0$에 대입하면

$3\times(-1)^2-6\times(-1)+b=0$, $3+6+b=0$

$\therefore b=-9$

④ $ab=-2\times(-9)=18$

8 ① 이차방정식 $x^2+8x+24-m=0$이 중근을 가지므로

$24-m=\left(\frac{8}{2}\right)^2=16 \quad \therefore m=8$

② m의 값을 주어진 이차방정식에 대입하면

$x^2+8x+16=0$

$(x+4)^2=0 \quad \therefore x=-4$ (중근)

$\therefore n=-4$

③ $mn=8\times(-4)=-32$

2 이차방정식의 활용

개념 확인 1 이차방정식의 근의 공식

개념북 130쪽

1 (1) $x=\frac{-1\pm\sqrt{17}}{2}$ (2) $x=\frac{3\pm\sqrt{17}}{2}$

(3) $x=\frac{-7\pm\sqrt{33}}{4}$ (4) $x=\frac{5\pm\sqrt{41}}{8}$

2 (1) $x=-1\pm\sqrt{2}$ (2) $x=2\pm\sqrt{7}$

1 (1) $x=\frac{-1\pm\sqrt{1^2-4\times1\times(-4)}}{2\times1}$

$=\frac{-1\pm\sqrt{17}}{2}$

(2) $x=\frac{-(-3)\pm\sqrt{(-3)^2-4\times1\times(-2)}}{2\times1}$

$=\frac{3\pm\sqrt{17}}{2}$

(3) $x=\frac{-7\pm\sqrt{7^2-4\times2\times2}}{2\times2}$

$=\frac{-7\pm\sqrt{33}}{4}$

(4) $x=\frac{-(-5)\pm\sqrt{(-5)^2-4\times4\times(-1)}}{2\times4}$

$=\frac{5\pm\sqrt{41}}{8}$

2 (1) $x=\frac{-1\pm\sqrt{1^2-1\times(-1)}}{1}$

$=-1\pm\sqrt{2}$

(2) $x=\frac{-(-2)\pm\sqrt{(-2)^2-1\times(-3)}}{1}$

$=2\pm\sqrt{7}$

근의 공식을 이용한 이차방정식의 풀이

개념북 131쪽

1 ③ **1-1** ① **1-2** 44

1 $x=\frac{-(-5)\pm\sqrt{(-5)^2-4\times1\times3}}{2\times1}=\frac{5\pm\sqrt{13}}{2}$

따라서 $A=13$, $B=2$이므로

$A-B=13-2=11$

1-1 $x=\frac{-2\pm\sqrt{2^2-3\times(-2)}}{3}=\frac{-2\pm\sqrt{10}}{3}$

$\therefore A=10$

1-2 $2x^2-3x-4=0$의 해를 구하면

$$x=\frac{-(-3)\pm\sqrt{(-3)^2-4\times2\times(-4)}}{2\times2}$$
$$=\frac{3\pm\sqrt{41}}{4}$$

따라서 $A=3$, $B=41$이므로

$A+B=3+41=44$

근의 공식을 이용하여 미지수의 값 구하기

개념북 131쪽

2 ③ **2-1** ④

2 $x=\frac{-1\pm\sqrt{1^2-5\times k}}{5}=\frac{-1\pm\sqrt{1-5k}}{5}$

주어진 이차방정식의 근이 $x=\frac{-1\pm\sqrt{6}}{5}$이므로

$1-5k=6$ $\therefore k=-1$

2-1 $x=\frac{-7\pm\sqrt{7^2-4\times3\times m}}{2\times3}=\frac{-7\pm\sqrt{49-12m}}{6}$

주어진 이차방정식의 근이 $x=\frac{n\pm\sqrt{37}}{6}$이므로

$n=-7$, $49-12m=37$

따라서 $m=1$, $n=-7$이므로

$m-n=1-(-7)=8$

개념 확인 2 복잡한 이차방정식의 풀이

개념북 132쪽

1 (1) $x=6\pm3\sqrt{3}$ (2) $x=-\frac{3}{2}$ 또는 $x=3$

(3) $x=-3\pm\sqrt{7}$ (4) $x=-\frac{5}{3}$ 또는 $x=1$

2 (1) $x=-2$ 또는 $x=4$ (2) $x=-\frac{11}{2}$ 또는 $x=-5$

1 (1) $x^2=12x-9$, $x^2-12x+9=0$

$\therefore x=\frac{-(-6)\pm\sqrt{(-6)^2-1\times9}}{1}=6\pm3\sqrt{3}$

(2) $2x^2-2x=x+9$, $2x^2-3x-9=0$

$(2x+3)(x-3)=0$

$\therefore x=-\frac{3}{2}$ 또는 $x=3$

(3) 양변에 2를 곱하면 $x^2+6x+2=0$

$\therefore x=\frac{-3\pm\sqrt{3^2-1\times2}}{1}=-3\pm\sqrt{7}$

(4) 양변에 10을 곱하면 $3x^2+2x-5=0$

$(3x+5)(x-1)=0$

$\therefore x=-\frac{5}{3}$ 또는 $x=1$

2 (1) $x+1=A$로 놓으면

$A^2-4A-5=0$, $(A+1)(A-5)=0$

$\therefore A=-1$ 또는 $A=5$

따라서 $x+1=-1$ 또는 $x+1=5$이므로

$x=-2$ 또는 $x=4$

(2) $x+4=A$로 놓으면

$2A^2+5A+3=0$, $(2A+3)(A+1)=0$

$\therefore A=-\frac{3}{2}$ 또는 $A=-1$

따라서 $x+4=-\frac{3}{2}$ 또는 $x+4=-1$이므로

$x=-\frac{11}{2}$ 또는 $x=-5$

괄호가 있는 이차방정식의 풀이

개념북 133쪽

1 ⑤ **1-1** ① **1-2** $A=4$, $B=33$

1 $3(x^2-4x+4)=7x^2-6$, $3x^2-12x+12=7x^2-6$

$4x^2+12x-18=0$, $2x^2+6x-9=0$

$\therefore x=\frac{-3\pm\sqrt{3^2-2\times(-9)}}{2}=\frac{-3\pm3\sqrt{3}}{2}$

따라서 두 근의 합은 $\frac{-3+3\sqrt{3}}{2}+\frac{-3-3\sqrt{3}}{2}=-3$

1-1 $x^2-5x+6=4$, $x^2-5x+2=0$

$\therefore x=\frac{-(-5)\pm\sqrt{(-5)^2-4\times1\times2}}{2\times1}=\frac{5\pm\sqrt{17}}{2}$

1-2 $2x^2-5x-3=4x^2-4$, $2x^2+5x-1=0$

$\therefore x=\frac{-5\pm\sqrt{5^2-4\times2\times(-1)}}{2\times2}=\frac{-5\pm\sqrt{33}}{4}$

$\therefore A=4$, $B=33$

계수가 분수인 이차방정식의 풀이

개념북 133쪽

2 ① **2-1** 10

2 양변에 6을 곱하면 $9x^2-2x-1=0$

$\therefore x=\frac{-(-1)\pm\sqrt{(-1)^2-9\times(-1)}}{9}=\frac{1\pm\sqrt{10}}{9}$

따라서 $A=1$, $B=10$이므로

$A+B=1+10=11$

2-1 양변에 2를 곱하면 $x^2-2ax+2=0$

$\therefore x=\dfrac{-(-a)\pm\sqrt{(-a)^2-1\times2}}{1}=a\pm\sqrt{a^2-2}$

따라서 $a=3$, $b=a^2-2=3^2-2=7$이므로

$a+b=3+7=10$

계수가 소수인 이차방정식의 풀이 개념북 134쪽

3 ② **3-1** ⑤ **3-2** 25

3 양변에 10을 곱하면 $5x^2-4x-12=0$

$(5x+6)(x-2)=0 \quad \therefore x=-\dfrac{6}{5}$ 또는 $x=2$

따라서 $a=-\dfrac{6}{5}$, $b=2\,(\because a<b)$이므로

$5a+b=5\times\left(-\dfrac{6}{5}\right)+2=-4$

3-1 양변에 10을 곱하면 $3x^2+4x-1=0$

$\therefore x=\dfrac{-2\pm\sqrt{2^2-3\times(-1)}}{3}=\dfrac{-2\pm\sqrt{7}}{3}$

$\therefore A=7$

3-2 양변에 10을 곱하면 $2x^2-10x+1=0$

$\therefore x=\dfrac{-(-5)\pm\sqrt{(-5)^2-2\times1}}{2}=\dfrac{5\pm\sqrt{23}}{2}$

따라서 $A=2$, $B=23$이므로

$A+B=2+23=25$

공통부분이 있는 이차방정식의 풀이 개념북 134쪽

4 ② **4-1** ②

4 $x+5=A$로 놓으면

$A^2+3A-28=0$, $(A+7)(A-4)=0$

$\therefore A=-7$ 또는 $A=4$

따라서 $x+5=-7$ 또는 $x+5=4$이므로

$x=-12$ 또는 $x=-1$

4-1 $x+y=A$로 놓으면

$3A^2-5A-2=0$, $(3A+1)(A-2)=0$

$\therefore A=-\dfrac{1}{3}$ 또는 $A=2$

그런데 $x+y>0$이므로 $x+y=2$

개념 확인 3 이차방정식의 근의 개수 개념북 135쪽

1 (1) 2개 (2) 1개 (3) 근이 없다. (4) 2개

2 (1) $a<4$ (2) $a=4$ (3) $a>4$

1 b^2-4ac의 부호를 알아보자.

(1) $1^2-4\times1\times(-5)>0 \quad \therefore$ 2개

(2) $(-6)^2-4\times1\times9=0 \quad \therefore$ 1개

(3) $2^2-4\times3\times1<0 \quad \therefore$ 근이 없다.

(4) $5^2-4\times2\times3>0 \quad \therefore$ 2개

2 $x^2-4x+a=0$에서

$b^2-4ac=(-4)^2-4\times1\times a=16-4a$

(1) $16-4a>0$이어야 하므로 $4a<16 \quad \therefore a<4$

(2) $16-4a=0$이어야 하므로 $4a=16 \quad \therefore a=4$

(3) $16-4a<0$이어야 하므로 $4a>16 \quad \therefore a>4$

이차방정식의 근의 개수 개념북 136쪽

1 ② **1-1** ① **1-2** ⑤

1 ① $4^2-4\times4\times1=0$이므로 중근을 갖는다.

② $6^2-4\times9\times(-1)>0$이므로 서로 다른 두 근을 갖는다.

③ $(-4)^2-4\times1\times7<0$이므로 해가 없다.

④ $(-1)^2-4\times3\times1<0$이므로 해가 없다.

⑤ $(-8)^2-4\times1\times16=0$이므로 중근을 갖는다.

1-1 ① $(-12)^2-4\times4\times9=0$이므로 중근을 갖는다.

② $(-4)^2-4\times4\times(-3)>0$이므로 서로 다른 두 근을 갖는다.

③ $1^2-4\times1\times(-1)>0$이므로 서로 다른 두 근을 갖는다.

④ $(-10)^2-4\times1\times26<0$이므로 해가 없다.

⑤ $1^2-4\times3\times2<0$이므로 해가 없다.

1-2 서로 다른 두 근을 가지므로

$(-2)^2-4\times1\times k>0$

$4-4k>0$, $4k<4 \quad \therefore k<1$

따라서 상수 k의 값으로 적당하지 않은 것은 ⑤이다.

이차방정식이 중근을 가질 조건 개념북 136쪽

2 ④ **2-1** $k=4$, $x=1$ (중근)

2 중근을 가지므로 $8^2-4\times2\times(k+1)=0$

$64-8k-8=0$, $8k=56$

$\therefore k=7$

2-1 중근을 가지므로 $(-6)^2-4\times3\times(k-1)=0$

$36-12k+12=0$, $12k=48$

$\therefore k=4$

이차방정식 $3x^2-6x+3=0$에서

$x^2-2x+1=0$이므로 $(x-1)^2=0$

$\therefore x=1$ (중근)

개념 확인 4 이차방정식 구하기

개념북 137쪽

1 (1) $x^2+x-6=0$ (2) $2x^2-12x+18=0$

(3) $-x^2+3x+4=0$

2 (1) $1-\sqrt{3}$ (2) $3+4\sqrt{2}$ (3) $-4-2\sqrt{5}$

(4) $-5+\sqrt{7}$

3 $x^2-6x+4=0$

1 (1) $(x-2)(x+3)=0$ $\therefore x^2+x-6=0$

(2) $2(x-3)^2=0$, $2(x^2-6x+9)=0$

$\therefore 2x^2-12x+18=0$

(3) $-(x^2-3x-4)=0$ $\therefore -x^2+3x+4=0$

3 다른 한 근은 $3-\sqrt{5}$이므로

(두 근의 합)$=(3-\sqrt{5})+(3+\sqrt{5})=6$

(두 근의 곱)$=(3-\sqrt{5})(3+\sqrt{5})=9-5=4$

따라서 구하는 이차방정식은 $x^2-6x+4=0$이다.

이차방정식 구하기

개념북 138쪽

1 $x=\frac{1}{4}$ 또는 $x=\frac{1}{2}$

1-1 ④ **1-2** $x^2+3x-18=0$

1 $(x-2)(x-4)=0$이므로 $x^2-6x+8=0$

$\therefore a=-6$, $b=8$

따라서 이차방정식 $8x^2-6x+1=0$을 풀면

$(4x-1)(2x-1)=0$

$\therefore x=\frac{1}{4}$ 또는 $x=\frac{1}{2}$

1-1 두 근이 $-\frac{3}{2}$, $\frac{1}{2}$이고 x^2의 계수가 4인 이차방정식은

$4\left(x+\frac{3}{2}\right)\left(x-\frac{1}{2}\right)=0$, $4\left(x^2+x-\frac{3}{4}\right)=0$

$4x^2+4x-3=0$

따라서 $a=4$, $b=-3$이므로

$a+b=4+(-3)=1$

1-2 $x^2-3x-6=0$에서 $x=\frac{3\pm\sqrt{33}}{2}$이므로

(두 근의 합)$=\frac{3+\sqrt{33}}{2}+\frac{3-\sqrt{33}}{2}=3$

(두 근의 곱)$=\frac{3+\sqrt{33}}{2}\times\frac{3-\sqrt{33}}{2}=\frac{9-33}{4}=-6$

$\therefore m=3$, $n=-6$

따라서 3, -6을 두 근으로 하고 x^2의 계수가 1인 이차방정식은 $(x-3)(x+6)=0$

$\therefore x^2+3x-18=0$

한 근이 무리수일 때, 이차방정식 구하기

개념북 138쪽

2 $a=-8$, $b=9$ **2-1** $3x^2+12x+3=0$

2 주어진 이차방정식의 계수가 유리수이고 한 근이 $4+\sqrt{7}$이므로 다른 한 근은 $4-\sqrt{7}$이다.

(두 근의 합)$=(4+\sqrt{7})+(4-\sqrt{7})=8$

(두 근의 곱)$=(4+\sqrt{7})(4-\sqrt{7})=16-7=9$

이므로 이차방정식은 $x^2-8x+9=0$

$\therefore a=-8$, $b=9$

2-1 주어진 이차방정식의 계수가 유리수이고 한 근이 $-2+\sqrt{3}$이므로 다른 한 근은 $-2-\sqrt{3}$이다.

(두 근의 합)$=(-2+\sqrt{3})+(-2-\sqrt{3})=-4$

(두 근의 곱)$=(-2+\sqrt{3})(-2-\sqrt{3})=4-3=1$

이므로 구하는 이차방정식은 $3(x^2+4x+1)=0$

$\therefore 3x^2+12x+3=0$

개념 확인 5 이차방정식의 활용

개념북 139쪽

1 $x+1$, $x+1$, x, 12, 12, 12, 13 **2** 8

2 직사각형의 가로의 길이는 $(x-3)$ cm, 세로의 길이는 $(x+2)$ cm이므로

$(x-3)(x+2)=50$, $x^2-x-56=0$

$(x+7)(x-8)=0$

$\therefore x=8$ $(\because x>3)$

식이 주어진 경우 이차방정식의 활용 개념북 140쪽

1 ① **1-1** 십일각형

1 $\frac{n(n+1)}{2}=171$, $n^2+n-342=0$
$(n-18)(n+19)=0$ $\therefore n=18$ ($\because n>0$)
따라서 1부터 18까지의 수를 더해야 합이 171이 된다.

1-1 $\frac{n(n-3)}{2}=44$, $n^2-3n-88=0$
$(n-11)(n+8)=0$
$\therefore n=11$($\because n\geq 3$)
따라서 대각선이 모두 44개인 다각형은 십일각형이다.

수에 대한 이차방정식의 활용 개념북 140쪽

2 8, 9, 10 **2-1** ④ **2-2** 5일, 12일

2 연속하는 세 자연수를 $x-1$, x, $x+1$이라 하면
$(x-1)^2+x^2+(x+1)^2=245$
$x^2-2x+1+x^2+x^2+2x+1=245$
$3x^2=243$, $x^2=81$
$\therefore x=9$ ($\because x>1$)
따라서 연속하는 세 자연수는 8, 9, 10이다.

2-1 어떤 자연수를 x라 하면
$2x=x^2-48$, $x^2-2x-48=0$
$(x-8)(x+6)=0$ $\therefore x=8$ ($\because x>0$)
따라서 구하는 자연수는 8이다.

2-2 위, 아래로 이웃하는 두 날짜의 수를 각각 x, $x+7$이라 하면
$x^2+(x+7)^2=169$, $x^2+x^2+14x+49=169$
$2x^2+14x-120=0$, $x^2+7x-60=0$
$(x-5)(x+12)=0$ $\therefore x=5$ ($\because x>0$)
따라서 구하는 날짜는 5일, 12일이다.

실생활에 대한 이차방정식의 활용 개념북 141쪽

3 ③ **3-1** 9건 **3-2** ①, ③

3 학생 수를 x명이라 하면 한 학생이 받는 사과의 수는 $\frac{180}{x}$개이므로 $\frac{180}{x}=x-3$
$x(x-3)=180$, $x^2-3x-180=0$
$(x-15)(x+12)=0$ $\therefore x=15$ ($\because x>3$)
따라서 학생 수는 15명이다.

3-1 하루 동안 보낸 문자 메시지의 수를 x건이라 하면 받은 문자 메시지의 수는 $(x+5)$건이므로 $x(x+5)=126$
$x^2+5x-126=0$, $(x+14)(x-9)=0$
$\therefore x=-14$ 또는 $x=9$
이때 $x>0$이므로 $x=9$
따라서 이 학생이 하루 동안 보낸 문자 메시지는 9건이다.

3-2 형의 나이를 x살이라 하면 동생의 나이는 $(x-6)$살이므로 $x^2=2(x-6)^2+56$
$x^2=2(x^2-12x+36)+56$
$x^2-24x+128=0$, $(x-8)(x-16)=0$
$\therefore x=8$ 또는 $x=16$
이때 $x>6$이므로 형의 나이로 가능한 것은 8살, 16살이다.

도형에 대한 이차방정식의 활용 개념북 142쪽

4 ③ **4-1** 6 **4-2** 5 m **4-3** 6 cm

4 사다리꼴의 높이를 x cm라 하면 사다리꼴은 오른쪽 그림과 같으므로

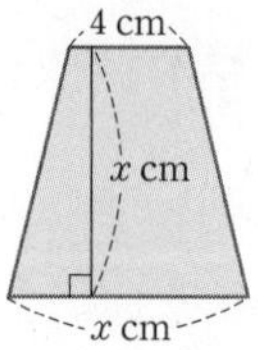

$\frac{1}{2}\times(4+x)\times x=48$
$x^2+4x-96=0$
$(x+12)(x-8)=0$ $\therefore x=8$ ($\because x>0$)
따라서 사다리꼴의 높이는 8 cm이다.

4-1 $\triangle ADE \backsim \triangle ABC$이므로
$\overline{DE}:\overline{BC}=\overline{AE}:\overline{AC}$
$x:8=(x+3):(x+3)+(x-3)$
$x:8=(x+3):2x$
$2x^2=8(x+3)$, $x^2-4x-12=0$
$(x+2)(x-6)=0$ $\therefore x=-2$ 또는 $x=6$
이때 $x>0$이므로 $x=6$

4-2 도로의 폭을 x m라 하면 잔디 광장의 넓이는 오른쪽 그림과 같으므로

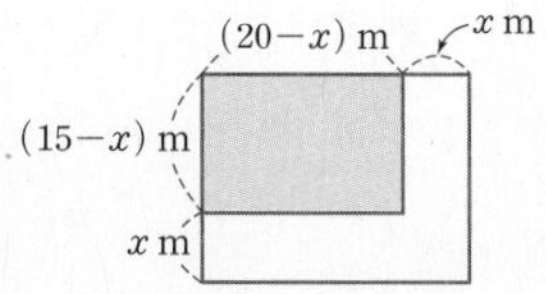

$(20-x)(15-x)=150$
$300-35x+x^2=150$

$x^2-35x+150=0$, $(x-5)(x-30)=0$

$\therefore x=5$ ($\because 0<x<15$)

따라서 도로의 폭은 5 m이다.

4-3 $\triangle ADF \backsim \triangle ABC$이고 $\overline{AC}=\overline{BC}$이므로

$\overline{AF}=\overline{DF}$

$\overline{CF}=x$ cm라 하면

$\overline{EC}=\overline{DF}=\overline{AF}=(10-x)$ cm이므로

$x(10-x)=24$, $x^2-10x+24=0$

$(x-4)(x-6)=0$ $\quad \therefore x=4$ 또는 $x=6$

이때 $5<x<10$이므로 $x=6$

따라서 $\overline{CF}$의 길이는 6 cm이다.

원에 대한 이차방정식의 활용

개념북 143쪽

5 ② **5-1** $-5+5\sqrt{2}$

5 늘어난 피자의 반지름의 길이는 $(6+x)$cm이므로

$\pi(6+x)^2-\pi\times6^2=28\pi$, $x^2+12x+36-36=28$

$x^2+12x-28=0$, $(x-2)(x+14)=0$

$\therefore x=2$ ($\because x>0$)

5-1 $\pi(x+5)^2=2\pi\times5^2$, $x^2+10x-25=0$

$\therefore x=-5\pm\sqrt{5^2-1\times(-25)}=-5\pm5\sqrt{2}$

이때 $x>0$이므로 $x=-5+5\sqrt{2}$

쏘아 올린 물체에 대한 이차방정식의 활용

개념북 143쪽

6 4초 또는 8초 **6-1** ④

6 $-5x^2+60x=160$이므로

$x^2-12x+32=0$, $(x-4)(x-8)=0$

$\therefore x=4$ 또는 $x=8$

따라서 이 물체의 높이가 160 m가 되는 때는 물체를 쏘아 올린 지 4초 또는 8초 후이다.

6-1 물체가 지면에 떨어지는 때는 높이가 0 m일 때이므로

$-5t^2+30t=0$, $t^2-6t=0$, $t(t-6)=0$

$\therefore t=0$ 또는 $t=6$

따라서 이 물체가 지면에 다시 떨어지는 것은 쏘아 올린 지 6초 후이다.

개념 완성 기본 문제

개념북 146~148쪽

1 ⑤	**2** ①	**3** $a=1$, $b=7$	
4 ②	**5** ②	**6** 0	**7** ④
8 ②	**9** ⑤	**10** ④	**11** ④
12 ③	**13** ④	**14** ④	**15** ②
16 2 cm	**17** 4초 또는 5초		**18** 2초

1 $x=\dfrac{-(-5)\pm\sqrt{(-5)^2-2\times5}}{2}=\dfrac{5\pm\sqrt{15}}{2}$

따라서 $p=5$, $q=15$이므로

$p+q=5+15=20$

2 이차방정식 $x^2+6x-2=0$에서

$x=-3\pm\sqrt{3^2-1\times(-2)}=-3\pm\sqrt{11}$

따라서 두 근 중 작은 근은 $-3-\sqrt{11}$이다.

3 $\dfrac{1}{3}x^2-ax+\dfrac{1}{6}=0$의 양변에 6을 곱하면

$2x^2-6ax+1=0$

$\therefore x=\dfrac{-(-3a)\pm\sqrt{(-3a)^2-2\times1}}{2}$

$=\dfrac{3a\pm\sqrt{9a^2-2}}{2}$

따라서 $3a=3$, $9a^2-2=b$이므로

$a=1$이고 $b=9\times1^2-2=7$

4 $x-y=A$라 하면

$A^2+4A+4=0$, $(A+2)^2=0$

$\therefore A=-2$ (중근)

$\therefore x-y=-2$

5 ① $(-2)^2-4\times1\times1=0$ $\quad\therefore$ 근이 1개

② $(-4)^2-4\times1\times5<0$ $\quad\therefore$ 근이 없다.

③ $4^2-4\times2\times(-1)>0$ $\quad\therefore$ 근이 2개

④ $(-5)^2-4\times3\times(-2)>0$ $\quad\therefore$ 근이 2개

⑤ $6^2-4\times9\times1=0$ $\quad\therefore$ 근이 1개

6 주어진 이차방정식이 해를 가지려면

$3^2-4(3k+1)\geq0$이어야 하므로

$-12k+5\geq0$ $\quad\therefore k\leq\dfrac{5}{12}$

따라서 가장 큰 정수 k의 값은 0이다.

7 중근을 가지므로

$6^2-4\times2\times(2k-1)=0$, $36-16k+8=0$

$16k=44 \quad \therefore k=\frac{11}{4}$

8 $x^2+6x+k-1=0$이 중근을 가지므로

$3^2-1\times(k-1)=0$

$9-k+1=0 \quad \therefore k=10$

$x^2+(k-4)x+k-2=0$에 $k=10$을 대입하면

$x^2+6x+8=0$, $(x+4)(x+2)=0$

$\therefore x=-4$ 또는 $x=-2$

따라서 두 근의 합은 $-4+(-2)=-6$

9 두 근이 $-\frac{1}{2}$, $\frac{1}{3}$이고 x^2의 계수가 6인 이차방정식은

$6\left(x+\frac{1}{2}\right)\left(x-\frac{1}{3}\right)=0$

$6\left\{x^2+\left(\frac{1}{2}-\frac{1}{3}\right)x+\frac{1}{2}\times\left(-\frac{1}{3}\right)\right\}=0$

$6\left(x^2+\frac{1}{6}x-\frac{1}{6}\right)=0$, $6x^2+x-1=0$

따라서 $a=1$, $b=-1$이므로

$a-b=1-(-1)=2$

10 두 근을 α, $\alpha+4$로 놓으면 큰 근이 작은 근의 3배이므로

$\alpha+4=3\alpha \quad \therefore \alpha=2$

따라서 두 근은 2, 6이므로 x^2의 계수가 1인 이차방정식은

$(x-2)(x-6)=0$, 즉 $x^2-8x+12=0$

$\therefore a=-8$, $b=12$

$\therefore a+b=-8+12=4$

11 한 근이 $4+\sqrt{3}$이면 다른 한 근은 $4-\sqrt{3}$이므로

(두 근의 합)$=(4+\sqrt{3})+(4-\sqrt{3})=8$

(두 근의 곱)$=(4+\sqrt{3})(4-\sqrt{3})=13$

따라서 x^2의 계수가 2인 이차방정식은

$2(x^2-8x+13)=0$, 즉 $2x^2-16x+26=0$

따라서 $a=16$, $b=26$이므로

$a+b=16+26=42$

12 어떤 자연수를 x라고 하면 $2x=x^2-35$

$x^2-2x-35=0$, $(x+5)(x-7)=0$

$\therefore x=-5$ 또는 $x=7$

이때 $x>0$이므로 $x=7$

따라서 어떤 자연수는 7이다.

13 동현이가 펼쳐놓은 두 면의 쪽수를 각각 x쪽, $(x+1)$쪽이라 하면

$x(x+1)=506$, $x^2+x-506=0$

$(x+23)(x-22)=0 \quad \therefore x=22\ (\because x>0)$

따라서 동현이가 펼쳐놓은 쪽수는 22쪽, 23쪽이고 홀수 쪽을 읽고 있으므로 23쪽을 읽고 있다.

14 처음 종이의 가로의 길이를 x cm라 하면 세로의 길이는 $(x-4)$ cm

남은 종이의 넓이는 가로의 길이와 세로의 길이가 모두 $(x-4)$ cm인 정사각형의 넓이와 같으므로

$(x-4)^2=81$, $x-4=\pm 9$

$\therefore x=-5$ 또는 $x=13$

이때 $x>4$이므로 $x=13$

따라서 처음 종이의 가로의 길이는 13 cm이다.

15 늘어난 길이를 x cm라 하면 새로 생긴 직사각형의 넓이는 $(10+x)(8+x)\ \text{cm}^2$

두 직사각형의 넓이의 비가 3 : 2이므로

$(10+x)(8+x) : 10\times 8=3 : 2$

$2(10+x)(8+x)=240$

$x^2+18x-40=0$, $(x+20)(x-2)=0$

$\therefore x=2\ (\because x>0)$

따라서 늘어난 길이는 2 cm이다.

16 잘라내는 정사각형의 한 변의 길이를 x cm라 하면 상자의 밑면의 넓이는 $(12-2x)^2=64$

$4x^2-48x+144=64$, $x^2-12x+20=0$

$(x-2)(x-10)=0 \quad \therefore x=2$ 또는 $x=10$

이때 $0<x<6$이므로 $x=2$

따라서 잘라내는 정사각형의 한 변의 길이는 2 cm이다.

17 $45t-5t^2=100$에서 $5t^2-45t+100=0$

$t^2-9t+20=0$, $(t-4)(t-5)=0$

$\therefore t=4$ 또는 $t=5$

따라서 물체의 지면으로부터의 높이가 100 m가 되는 것은 쏘아 올린 지 4초 또는 5초 후이다.

18 농구공이 다시 땅에 떨어지면 높이가 0 m이므로

$2-5t^2+9t=0$

$5t^2-9t-2=0$, $(5t+1)(t-2)=0$

$\therefore t=2\ (\because t>0)$

따라서 농구공을 던진 지 2초 후에 지면에 떨어진다.

발전 문제

개념북 149~150쪽

1 $-4-\sqrt{21}$ **2** ② **3** $\frac{-1+\sqrt{5}}{2}$

4 10 **5** $(4-\sqrt{11})$ cm

6 ① $(x+3)(x-5)=0$, -2

② $(x+8)(x-3)=0$, -24

③ $x^2-2x-24=0$, $x=-4$ 또는 $x=6$

7 ① $\frac{1}{2}\pi\times5^2-\frac{1}{2}\pi(5-x)^2-\frac{1}{2}\pi x^2=6\pi$

② $x=2$ 또는 $x=3$ ③ 6 cm

1 $x^2+8x-5=0$에서

$x=-4\pm\sqrt{4^2-1\times(-5)}=-4\pm\sqrt{21}$

$3x+7<-5$에서 $3x<-12$ $\therefore x<-4$

따라서 두 식을 동시에 만족하는 x의 값은 $-4-\sqrt{21}$이다.

2 양변에 12를 곱하면

$3(x+1)(x-3)=4x(x+2)$

$3(x^2-2x-3)=4x^2+8x$, $x^2+14x+9=0$

$\therefore x=-7\pm\sqrt{7^2-1\times9}=-7\pm2\sqrt{10}$

따라서 $a=-7$, $b=10$이므로

$a+b=-7+10=3$

3 □ABCD와 □DFEC가 닮음이고,

$\overline{AF}=\overline{AB}=x$에서 $\overline{FD}=1-x$, $\overline{FE}=x$이므로

$1:x=x:(1-x)$

$x^2=1-x$, $x^2+x-1=0$

$\therefore x=\frac{-1\pm\sqrt{1^2-4\times1\times(-1)}}{2\times1}=\frac{-1\pm\sqrt{5}}{2}$

이때 $0<x<1$이므로 $x=\frac{-1+\sqrt{5}}{2}$

4 길을 제외한 부분의 넓이는 가로의 길이가 $(70-x)$ m, 세로의 길이가 $(50-2x)$ m인 직사각형의 넓이와 같으므로

$(70-x)(50-2x)=1800$, $x^2-95x+850=0$

$(x-10)(x-85)=0$

$\therefore x=10$ ($\because 0<x<25$)

5 $\overline{BP}=x$ cm로 놓으면

$\overline{PC}=(5-x)$ cm, $\overline{PA}=(15-x)$ cm

△PQC : □ACQG$=1:10$이므로

△PQC : △PGA$=1:11$

이때 △PQC∽△PGA이므로

$(5-x)^2:(15-x)^2=1:11$

$(15-x)^2=11(5-x)^2$

$x^2-8x+5=0$

$\therefore x=4\pm\sqrt{11}$

그런데 $0<x<5$이므로 $x=4-\sqrt{11}$

$\therefore \overline{BP}=(4-\sqrt{11})$ cm

6 ① 두 근이 -3, 5이고 x^2의 계수가 1인 이차방정식은 $(x+3)(x-5)=0$, $x^2-2x-15=0$이므로 처음의 이차방정식의 x의 계수 a는 -2이다.

② 두 근이 -8, 3이고 x^2의 계수가 1인 이차방정식은 $(x+8)(x-3)=0$, $x^2+5x-24=0$이므로 처음의 이차방정식의 상수항 b는 -24이다.

③ 처음의 이차방정식은 $x^2-2x-24=0$이고, 이 이차방정식을 풀면 $(x+4)(x-6)=0$

$\therefore x=-4$ 또는 $x=6$

7 ① $\overline{BC}$가 지름인 반원의 반지름의 길이를 x cm라 하면 $\overline{AB}$가 지름인 반원의 반지름의 길이는

$\frac{10-2x}{2}=5-x$(cm)이다.

(색칠한 부분의 넓이)

$=\frac{1}{2}\pi\times5^2-\frac{1}{2}\pi(5-x)^2-\frac{1}{2}\pi x^2=6\pi$

② $25-(5-x)^2-x^2=12$

$25-25+10x-x^2-x^2=12$

$2x^2-10x+12=0$, $x^2-5x+6=0$

$(x-2)(x-3)=0$

$\therefore x=2$ 또는 $x=3$

③ 이때 $\overline{AB}<\overline{BC}$이므로 $5-x<x$, $2x>5$

$\therefore x>\frac{5}{2}$

따라서 $x=3$이므로 $\overline{BC}=2x=2\times3=6$(cm)

1 이차함수와 그 그래프

개념 확인 1 이차함수

개념북 154쪽

1 (1) × (2) ○ (3) ○ (4) × (5) ○ (6) ×

2 (1) $y=\pi x^2$, 이차함수이다.

(2) $y=x^3$, 이차함수가 아니다.

3 (1) -1 (2) -1 (3) 5

1 (4) x^2이 분모에 있으므로 이차함수가 아니다.

(5) $y=4x^2+4x+1-x^2=3x^2+4x+1$

이므로 이차함수이다.

(6) $y=x^2+2x+1-x^2=2x+1$

이므로 일차함수이다.

3 (1) $f(0)=0^2+0-1=-1$

(2) $f(-1)=(-1)^2+(-1)-1=-1$

(3) $f(2)=2^2+2-1=5$

이차함수

개념북 155쪽

1 ② **1-1** ③, ⑤ **1-2** ④

1 ① 일차함수이다.

③ x^2-2x^3이 이차식이 아니므로 이차함수가 아니다.

④ 분모에 x^2이 있으므로 이차함수가 아니다.

⑤ $y=x^2-6x+9-x^2=-6x+9$이므로 일차함수이다.

1-1 ① $y=500x$이므로 일차함수이다.

② $y=\frac{1}{2}\times x\times 5=\frac{5}{2}x$이므로 일차함수이다.

③ $y=2x(x+1)=2x^2+2x$이므로 이차함수이다.

④ $y=2x$이므로 일차함수이다.

⑤ $y=\frac{x(x-3)}{2}=\frac{1}{2}x^2-\frac{3}{2}x$이므로 이차함수이다.

1-2 $y=4x^2+1-ax^2-2x$

$=(4-a)x^2-2x+1$

이 x에 대한 이차함수가 되려면

$4-a\neq 0$ $\quad\therefore a\neq 4$

이차함수의 함숫값

개념북 155쪽

2 1 **2-1** 2

2 $f(-2)=-(-2)^2+2\times(-2)+4=-4$

$f(1)=-1^2+2\times 1+4=5$

$\therefore f(-2)+f(1)=-4+5=1$

2-1 $f(x)=2x^2-3x-1$에 $x=a$를 대입하면

$f(a)=2a^2-3a-1=1$이므로 $2a^2-3a-2=0$

$(2a+1)(a-2)=0$

$\therefore a=-\frac{1}{2}$ 또는 $a=2$

이때 a는 정수이므로 $a=2$

개념 확인 2 이차함수 $y=x^2$의 그래프

개념북 156쪽

1 (1) 0, 0, y (2) 아래 (3) 증가

2 (1) 0, 0, 위 (2) 감소 (3) x

이차함수 $y=x^2$, $y=-x^2$의 그래프가 지나는 점

개념북 157쪽

1 ⑤ **1-1** 1

1 ① $y=x^2$에 $x=-3$, $y=9$를 대입하면 $9=(-3)^2$

② $y=x^2$에 $x=-2$, $y=4$를 대입하면 $4=(-2)^2$

③ $y=x^2$에 $x=1$, $y=1$을 대입하면 $1=1^2$

④ $y=x^2$에 $x=3$, $y=9$를 대입하면 $9=3^2$

⑤ $y=x^2$에 $x=4$, $y=12$를 대입하면 $12\neq 4^2$

따라서 $y=x^2$의 그래프 위의 점이 아닌 것은 ⑤이다.

1-1 $y=-x^2$의 그래프가 두 점 $(2, a)$, $(b, -25)$를 지나므로

$a=-2^2=-4$

$-25=-b^2$, $b^2=25$ $\quad\therefore b=5$ ($\because b>0$)

$\therefore a+b=-4+5=1$

이차함수 $y=x^2$, $y=-x^2$의 그래프의 성질

개념북 157쪽

2 ③ **2-1** ①, ④

2 ③ $x<0$일 때, x의 값이 증가하면 y의 값은 감소한다.

2-1 ② y축에 대하여 대칭이다.

③ 제3, 4사분면을 지난다.

⑤ $x<0$일 때, x의 값이 증가하면 y의 값도 증가한다.

개념 확인 3 이차함수 $y=ax^2$의 그래프 개념북 158쪽

1 (1) ㄴ, ㄷ, ㅁ (2) ㅂ, ㄹ (3) ㄱ, ㄴ

2 (1) ○ (2) × (3) ○

2 (2) 이차함수 $y=2x^2$의 그래프보다 폭이 좁다.

이차함수 $y=ax^2$의 그래프가 지나는 점 개념북 159쪽

1 ② **1-1** -5

1 $y=\frac{1}{2}x^2$에 각 점의 좌표를 대입하면

① $8=\frac{1}{2}\times(-4)^2$ ② $\frac{1}{4}\neq\frac{1}{2}\times(-1)^2$

③ $0=\frac{1}{2}\times0^2$ ④ $2=\frac{1}{2}\times2^2$

⑤ $\frac{9}{2}=\frac{1}{2}\times3^2$

따라서 $y=\frac{1}{2}x^2$의 그래프가 지나는 점이 아닌 것은 ②이다.

1-1 $y=-4x^2$의 그래프가 점 $\left(\frac{1}{2}, a\right)$를 지나므로

$x=\frac{1}{2}$, $y=a$를 대입하면 $a=-4\times\left(\frac{1}{2}\right)^2=-1$

$y=-4x^2$의 그래프가 점 $(-1, b)$를 지나므로

$x=-1$, $y=b$를 대입하면 $b=-4\times(-1)^2=-4$

$\therefore a+b=-1+(-4)=-5$

이차함수 $y=ax^2$의 그래프의 모양 개념북 159쪽

2 ④ **2-1** ③

2 그 그래프가 위로 볼록한 것은 x^2의 계수가 음수인 ①, ②, ④이고, 그 중에서 그래프의 폭이 가장 좁은 것은 x^2의 계수의 절댓값이 가장 큰 ④이다.

2-1 $y=ax^2$의 그래프가 아래로 볼록하고, $y=2x^2$의 그래프보다 폭이 넓으므로 $0<a<2$

이차함수 $y=ax^2$의 그래프의 성질 개념북 160쪽

3 ㄱ, ㅁ **3-1** ⑤

3 ㄴ. 아래로 볼록한 포물선이다.

ㄷ. $y=2x^2$에 $x=-2$, $y=4$를 대입하면

$4\neq2\times(-2)^2$

ㄹ. 이차함수 $y=-x^2$의 그래프보다 폭이 좁다.

따라서 옳은 것은 ㄱ, ㅁ이다.

3-1 ⑤ 이차함수 $y=\frac{1}{3}x^2$의 그래프와 x축에 대하여 서로 대칭이다.

이차함수 $y=ax^2$의 식 개념북 160쪽

4 $y=-\frac{1}{2}x^2$ **4-1** ④

4 구하는 이차함수의 식을 $y=ax^2$이라 하면

이 그래프가 점 $(4, -8)$을 지나므로

$x=4$, $y=-8$을 대입하면

$-8=a\times4^2$ $\therefore a=-\frac{1}{2}$

따라서 구하는 이차함수의 식은 $y=-\frac{1}{2}x^2$이다.

4-1 $y=ax^2$의 그래프가 점 $(-2, 8)$을 지나므로

$8=4a$ $\therefore a=2$

따라서 $y=2x^2$의 그래프가 점 $(a, 14)$를 지나므로

$14=2a^2$, $a^2=7$

$\therefore a=\sqrt{7}\ (\because a>0)$

개념 확인 4 이차함수 $y=ax^2+q$의 그래프 개념북 161쪽

1 (1) y, 2 (2) 아래 (3) 0, 2, $x=0$

2 (1) $y=-2x^2+3$, 꼭짓점의 좌표: $(0, 3)$,

축의 방정식: $x=0$

(2) $y=\frac{1}{3}x^2-5$, 꼭짓점의 좌표: $(0, -5)$,

축의 방정식: $x=0$

1 $y=3x^2+2$의 그래프는 오른쪽 그림과 같다.

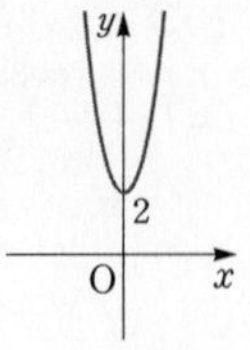

✎ 이차함수 $y=ax^2+q$의 그래프가 지나는 점 개념북 162쪽

1 -5 **1-1** $(0, -1)$

1 $y=-3x^2$의 그래프를 y축의 방향으로 -2만큼 평행이동한 그래프의 식은 $y=-3x^2-2$

이 그래프가 점 $(1, k)$를 지나므로 $x=1$, $y=k$를 대입하면 $k=-3\times1^2-2=-5$

1-1 $y=\frac{1}{2}x^2+k$의 그래프가 점 $(-2, 1)$을 지나므로

$x=-2$, $y=1$을 대입하면 $1=\frac{1}{2}\times(-2)^2+k$

$\therefore k=-1$

따라서 $y=\frac{1}{2}x^2-1$의 그래프의 꼭짓점의 좌표는

$(0, -1)$이다.

✎ 이차함수 $y=ax^2+q$의 그래프의 성질 개념북 162쪽

2 ① **2-1** ㄷ, ㄹ

2 $y=4x^2+1$의 그래프는 오른쪽 그림과 같다.

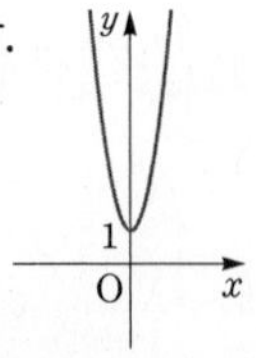

① 축은 y축이므로 축의 방정식은 $x=0$이다.

⑤ $y=4x^2+1$과 $y=-4x^2+3$은 x^2의 계수의 절댓값이 같으므로 두 그래프의 폭이 같다.

2-1 $y=-2x^2-1$의 그래프는 오른쪽 그림과 같다.

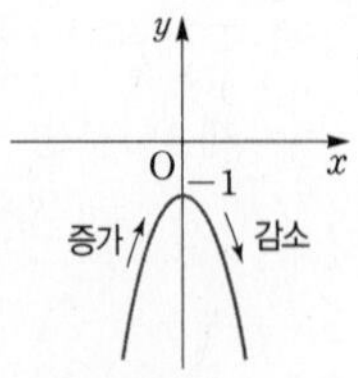

ㄱ. 꼭짓점의 좌표는 $(0, -1)$이다.

ㄴ. $y=-2x^2-1$에 $x=2$, $y=-8$을 대입하면

$-8\neq-2\times2^2-1$

ㅁ. 이차함수 $y=-2x^2$의 그래프를 y축의 방향으로 -1만큼 평행이동한 것이다.

따라서 옳은 것은 ㄷ, ㄹ이다.

개념확인 5 이차함수 $y=a(x-p)^2$의 그래프 개념북 163쪽

1 (1) x, 3 (2) 3, 0, $x=3$ (3) 3

2 (1) $y=-4(x+1)^2$, 꼭짓점의 좌표: $(-1, 0)$,

축의 방정식: $x=-1$

(2) $y=\frac{1}{3}(x-2)^2$, 꼭짓점의 좌표: $(2, 0)$,

축의 방정식: $x=2$

1 $y=-2(x-3)^2$의 그래프는 오른쪽 그림과 같다.

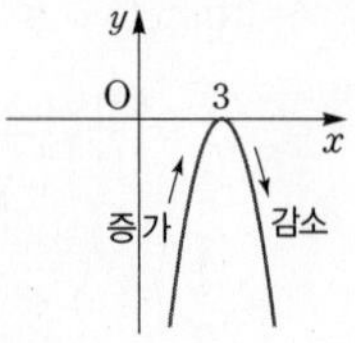

✎ 이차함수 $y=a(x-p)^2$의 그래프가 지나는 점 개념북 164쪽

1 3 또는 7 **1-1** 4

1 $y=-2x^2$의 그래프를 x축의 방향으로 p만큼 평행이동한 그래프의 식은 $y=-2(x-p)^2$

이 그래프가 점 $(5, -8)$을 지나므로

$x=5$, $y=-8$을 대입하면

$-8=-2(5-p)^2$, $4=(5-p)^2$, $5-p=\pm2$

$\therefore p=3$ 또는 $p=7$

1-1 축의 방정식이 $x=-2$이므로 $p=-2$

즉, $y=4(x+2)^2$의 그래프가 점 $(-3, k)$를 지나므로

$x=-3$, $y=k$를 대입하면

$k=4\times(-3+2)^2=4$

✎ 이차함수 $y=a(x-p)^2$의 그래프의 성질 개념북 164쪽

2 ④ **2-1** ㄴ, ㄷ, ㄹ

2 $y=\frac{1}{2}(x+5)^2$의 그래프는 오른쪽 그림과 같다.

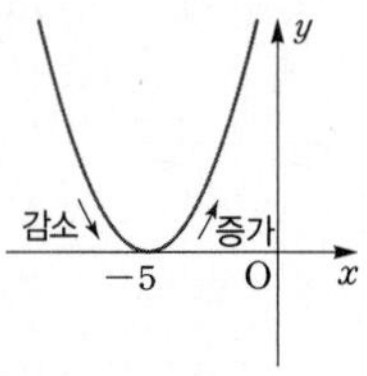

① 꼭짓점의 좌표는 $(-5, 0)$이다.

② 축의 방정식은 $x=-5$이다.

③ $y=\frac{1}{2}(x+5)^2$에 $x=-3$, $y=4$를 대입하면

$4\neq\frac{1}{2}(-3+5)^2$

⑤ 이차함수 $y=\frac{1}{2}x^2$의 그래프를 x축의 방향으로 -5만큼 평행이동한 것이다.

2-1 $y=-(x-2)^2$의 그래프는 오른쪽 그림과 같다.

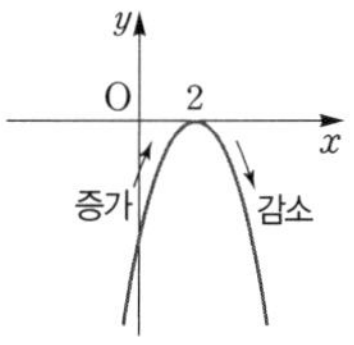

ㄴ. 직선 $x=2$를 축으로 한다.

ㄷ. 꼭짓점의 좌표는 $(2, 0)$이다.

ㄹ. $x>2$일 때, x의 값이 증가하면 y의 값은 감소한다.

따라서 옳지 않은 것은 ㄴ, ㄷ, ㄹ이다.

개념 확인 6 이차함수 $y=a(x-p)^2+q$의 그래프 개념북 165쪽

1 (1) -2, -1 (2) -2, -1, $x=-2$ (3) 7, -2

2 (1) $y=3(x+1)^2+4$, 꼭짓점의 좌표: $(-1, 4)$, 축의 방정식: $x=-1$

(2) $y=-\frac{1}{2}(x-5)^2-7$, 꼭짓점의 좌표: $(5, -7)$, 축의 방정식: $x=5$

1 $y=2(x+2)^2-1$의 그래프는 오른쪽 그림과 같다.

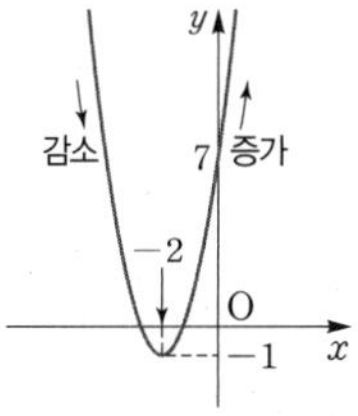

이차함수 $y=a(x-p)^2+q$의 그래프 개념북 166쪽

1 -4 **1-1** 4 **1-2** 6 **1-3** ②

1 $y=3x^2$의 그래프를 x축의 방향으로 -2만큼, y축의 방향으로 k만큼 평행이동한 그래프의 식은

$y=3(x+2)^2+k$

이 그래프가 점 $(0, 8)$을 지나므로 $x=0$, $y=8$을 대입하면 $8=3(0+2)^2+k$ $\therefore k=-4$

1-1 $y=\frac{1}{2}(x-p)^2+2p+3$의 그래프의 꼭짓점의 좌표는 $(p, 2p+3)$이고, 꼭짓점이 $y=3x-1$의 그래프 위에 있으므로 $x=p$, $y=2p+3$을 대입하면

$2p+3=3p-1$ $\therefore p=4$

1-2 꼭짓점의 좌표가 $(2, 5)$이므로 $p=2$, $q=5$

즉, $y=a(x-2)^2+5$의 그래프가 점 $(-1, -4)$를 지나므로 $x=-1$, $y=-4$를 대입하면

$-4=a(-1-2)^2+5$, $-9=9a$ $\therefore a=-1$

$\therefore a+p+q=-1+2+5=6$

1-3 $y=-2(x+1)^2+2$의 그래프는 꼭짓점의 좌표가 $(-1, 2)$이고 위로 볼록한 모양이다.

또, $y=-2(x+1)^2+2$에 $x=0$을 대입하면 $y=-2\times1^2+2=0$이므로 그래프는 점 $(0, 0)$을 지난다.

따라서 $y=-2(x+1)^2+2$의 그래프는 ②이다.

이차함수 $y=a(x-p)^2+q$의 그래프의 성질 개념북 167쪽

2 ③ **2-1** ③, ⑤

2 $y=2(x-1)^2-3$의 그래프는 오른쪽 그림과 같다.

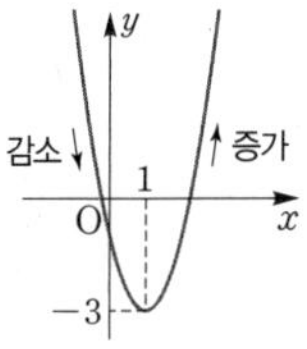

③ $y=2(x-1)^2-3$에 $x=0$, $y=-2$를 대입하면

$-2\neq2(0-1)^2-3$

2-1 $y=-\frac{1}{3}(x+3)^2+2$의 그래프는 오른쪽 그림과 같다.

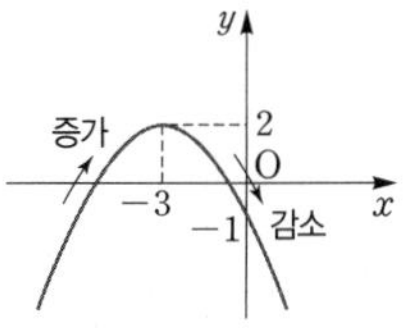

① 꼭짓점의 좌표는 $(-3, 2)$이다.

② 축의 방정식은 $x=-3$이다.

③ $y=-\frac{1}{3}(x+3)^2+2$에 $x=0$, $y=-1$을 대입하면

$-1\neq-\frac{1}{3}(0+3)^2+2$

④ $x<-3$일 때, x의 값이 증가하면 y의 값도 증가한다.

이차함수 $y=a(x-p)^2+q$의 그래프와 a, p, q의 부호 개념북 167쪽

3 ④ **3-1** ②

3 그래프가 위로 볼록하므로 $a<0$, 꼭짓점 (p, q)가 제2사분면 위에 있으므로 $p<0$, $q>0$

3-1 그래프가 아래로 볼록하므로 $a>0$, 꼭짓점 (p, q)가 제4사분면 위에 있으므로 $p>0$, $q<0$

개념 확인 7 이차함수의 그래프의 평행이동과 대칭이동 개념북 168쪽

1 (1) $y=2(x+2)^2-5$ (2) $y=2(x+3)^2-8$

(3) $y=2(x+2)^2-8$

2 (1) $y=-3(x-4)^2-1$ (2) $y=3(x+4)^2+1$

1 (1) x 대신 $x-1$을 대입하면 $y=2(x-1+3)^2-5$

$\therefore y=2(x+2)^2-5$

(2) y 대신 $y+3$을 대입하면 $y+3=2(x+3)^2-5$

$\therefore y=2(x+3)^2-8$

(3) x 대신 $x-1$, y 대신 $y+3$을 대입하면

$y+3=2(x-1+3)^2-5$

$\therefore y=2(x+2)^2-8$

2 (1) y 대신 $-y$를 대입하면 $-y=3(x-4)^2+1$

$\therefore y=-3(x-4)^2-1$

(2) x 대신 $-x$를 대입하면 $y=3(-x-4)^2+1$

$\therefore y=3(x+4)^2+1$

이차함수 $y=a(x-p)^2+q$의 그래프의 평행이동 개념북 169쪽

1 (1) $y=(x+1)^2+9$ (2) $(-1, 9)$ 1-1 8

1 (1) $y=(x-1)^2+4$에 x 대신 $x+2$, y 대신 $y-5$를 대입하면 $y-5=(x+2-1)^2+4$

$\therefore y=(x+1)^2+9$

(2) $y=(x+1)^2+9$의 그래프의 꼭짓점의 좌표는 $(-1, 9)$

1-1 $y=-\frac{1}{3}(x+2)^2-3$에 x 대신 $x-m$, y 대신 $y-n$을 대입하면 $y-n=-\frac{1}{3}(x-m+2)^2-3$

즉, $y=-\frac{1}{3}(x-m+2)^2-3+n$의 그래프가 $y=-\frac{1}{3}(x-1)^2+2$의 그래프와 일치하므로

$-m+2=-1$, $-3+n=2$

따라서 $m=3$, $n=5$이므로 $m+n=3+5=8$

[다른 풀이]

$y=-\frac{1}{3}(x+2)^2-3$의 그래프의 꼭짓점의 좌표는 $(-2, -3)$

$y=-\frac{1}{3}(x-1)^2+2$의 그래프의 꼭짓점의 좌표는 $(1, 2)$

즉, $(-2+m, -3+n)=(1, 2)$이므로

$-2+m=1$, $-3+n=2$

따라서 $m=3$, $n=5$이므로

$m+n=3+5=8$

이차함수 $y=a(x-p)^2+q$의 그래프의 대칭이동 개념북 169쪽

2 (1) $y=-2(x-5)^2+1$ (2) $(5, 1)$ 2-1 -5

2 (1) $y=2(x-5)^2-1$에 y 대신 $-y$를 대입하면

$-y=2(x-5)^2-1$

$\therefore y=-2(x-5)^2+1$

(2) $y=-2(x-5)^2+1$의 그래프의 꼭짓점의 좌표는 $(5, 1)$

2-1 $y=a(x+3)^2+2$에 x 대신 $-x$를 대입하면

$y=a(-x+3)^2+2$ $\therefore y=a(x-3)^2+2$

$y=a(x-3)^2+2$의 그래프가 점 $(4, -3)$을 지나므로

$x=4$, $y=-3$을 대입하면 $-3=a(4-3)^2+2$

$\therefore a=-5$

개념 확인 8 이차함수 $y=ax^2+bx+c$의 그래프 개념북 170쪽

1 (1) 9, 9, 3, 2, $(-3, -2)$, $x=-3$

(2) 2, 1, 1, 1, 2, $(1, 2)$, $x=1$

2 (1) x축: $(-1, 0)$, $(4, 0)$, y축: $(0, -4)$

(2) x축: $\left(\frac{1}{2}, 0\right)$, $(-1, 0)$, y축: $(0, -1)$

2 (1) $y=x^2-3x-4$에 $y=0$을 대입하면 $x^2-3x-4=0$

$(x+1)(x-4)=0$ $\therefore x=-1$ 또는 $x=4$

$y=x^2-3x-4$에 $x=0$을 대입하면 $y=-4$

$\therefore$ x축: $(-1, 0)$, $(4, 0)$, y축: $(0, -4)$

(2) $y=2x^2+x-1$에 $y=0$을 대입하면 $2x^2+x-1=0$

$(2x-1)(x+1)=0$ $\therefore x=\frac{1}{2}$ 또는 $x=-1$

$y=2x^2+x-1$에 $x=0$을 대입하면 $y=-1$

$\therefore$ x축: $\left(\frac{1}{2}, 0\right)$, $(-1, 0)$, y축: $(0, -1)$

이차함수 $y=ax^2+bx+c$의 그래프 개념북 171쪽

1 10 1-1 $(2, 9)$ 1-2 $-\frac{3}{2}$

1 $y=3x^2-6x+11=3(x^2-2x+1-1)+11$

$=3(x-1)^2+8$

이므로 이 그래프의 꼭짓점의 좌표는 $(1, 8)$이고 축의 방정식은 $x=1$이다.

따라서 $a=1$, $b=8$, $c=1$이므로

$a+b+c=1+8+1=10$

1-1 $y=-x^2+ax+5$의 그래프가 점 $(5,\ 0)$을 지나므로
$x=5,\ y=0$을 대입하면
$0=-25+5a+5,\ 5a=20 \qquad \therefore a=4$
$\therefore y=-x^2+4x+5=-(x^2-4x+4-4)+5$
$=-(x-2)^2+9$
따라서 구하는 꼭짓점의 좌표는 $(2,\ 9)$이다.

1-2 $y=\frac{1}{2}x^2-2kx-1$
$=\frac{1}{2}\{x^2-4kx+(2k)^2-(2k)^2\}-1$
$=\frac{1}{2}(x-2k)^2-2k^2-1$
이 그래프의 축의 방정식은 $x=2k$이므로
$2k=-3 \qquad \therefore k=-\frac{3}{2}$

이차함수 $y=ax^2+bx+c$의 그래프와 x축, y축과의 교점 개념북 171쪽

2 ① **2-1** $\frac{7}{3}$

2 $y=x^2-2x-8$에 $y=0$을 대입하면 $x^2-2x-8=0$
$(x+2)(x-4)=0 \qquad \therefore x=-2$ 또는 $x=4$
즉, 그래프가 x축과 만나는 점의 좌표는
$(-2,\ 0),\ (4,\ 0)$
$y=x^2-2x-8$에 $x=0$을 대입하면 $y=-8$
즉, 그래프가 y축과 만나는 점의 좌표는 $(0,\ -8)$
$\therefore a+b+c=-2+4+(-8)=-6$

2-1 $y=-3x^2+5x+2$에 $y=0$을 대입하면
$-3x^2+5x+2=0,\ 3x^2-5x-2=0$
$(x-2)(3x+1)=0$
$\therefore x=2$ 또는 $x=-\frac{1}{3}$
따라서 그래프가 x축과 만나는 두 점 A, B의 좌표는
$(2,\ 0),\ \left(-\frac{1}{3},\ 0\right)$이므로 $\overline{AB}=2-\left(-\frac{1}{3}\right)=\frac{7}{3}$

이차함수 $y=ax^2+bx+c$의 그래프의 성질 개념북 172쪽

3 ㄷ, ㄹ **3-1** ⑤

3 $y=x^2-6x+2=(x^2-6x+9-9)+2$
$=(x-3)^2-7$

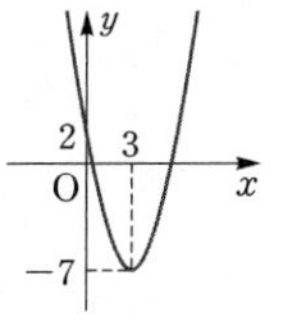

ㄱ. 꼭짓점의 좌표는 $(3,\ -7)$이다.
ㄴ. 축의 방정식은 $x=3$이다.
ㄷ. $y=x^2-6x+2$에 $x=-1,\ y=9$를 대입하면
$9=(-1)^2-6\times(-1)+2$
ㅁ. 이차함수 $y=x^2$의 그래프를 x축의 방향으로 3만큼, y축의 방향으로 -7만큼 평행이동한 것이다.
따라서 옳은 것은 ㄷ, ㄹ이다.

3-1 $y=-\frac{1}{4}x^2+2x-1$
$=-\frac{1}{4}(x^2-8x+16-16)-1$
$=-\frac{1}{4}(x-4)^2+3$

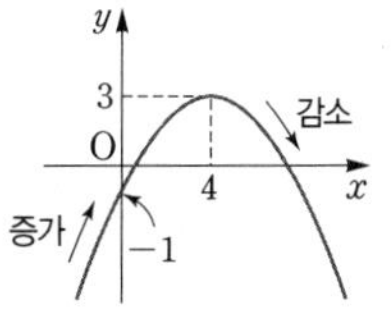

④ $y=-\frac{1}{4}x^2+2x-1$에 $x=6,\ y=2$를 대입하면
$2=-\frac{1}{4}\times 6^2+2\times 6-1$
⑤ $x>4$일 때, x의 값이 증가하면 y의 값은 감소한다.

이차함수의 그래프에서 삼각형의 넓이 개념북 172쪽

4 15 **4-1** 27

4 $y=-x^2-x+6$에 $y=0$을 대입하면
$-x^2-x+6=0$
$x^2+x-6=0,\ (x+3)(x-2)=0$
$\therefore x=-3$ 또는 $x=2$
$y=-x^2-x+6$에 $x=0$을 대입하면
$y=6$
따라서 $A(-3,\ 0),\ B(2,\ 0),\ C(0,\ 6)$이므로
$\triangle ABC=\frac{1}{2}\times\overline{AB}\times\overline{OC}$
$=\frac{1}{2}\times 5\times 6=15$

4-1 $y=x^2-4x-5$에 $y=0$을 대입하면
$x^2-4x-5=0,\ (x+1)(x-5)=0$
$\therefore x=-1$ 또는 $x=5$
즉, $A(-1,\ 0),\ B(5,\ 0)$이므로 $\overline{AB}=6$
$y=x^2-4x-5$
$=(x^2-4x+4-4)-5$
$=(x-2)^2-9$
이므로 $C(2,\ -9)$
$\therefore \triangle ABC=\frac{1}{2}\times 6\times 9=27$

개념확인 9 이차함수 $y=ax^2+bx+c$의 그래프와 a, b, c의 부호 개념북 173쪽

1 (1) $<$ (2) $<$, $>$ (3) $>$

2 (1) $>$ (2) $>$, $>$ (3) $<$

2 (1) 그래프가 아래로 볼록하므로 $a>0$

(2) 축이 y축의 왼쪽에 있으므로 $ab>0$, 즉 $b>0$

(3) y축과의 교점이 원점의 아래쪽에 있으므로 $c<0$

이차함수 $y=ax^2+bx+c$의 그래프와 a, b, c의 부호 개념북 174쪽

1 ⑤ **1-1** ⑤ **1-2** ③

1 ① 그래프의 모양이 아래로 볼록하므로 $a>0$

② 축이 y축의 오른쪽에 있으므로 $ab<0$ $\therefore b<0$

③ y축과의 교점이 원점의 위쪽에 있으므로 $c>0$

④ $x=1$일 때의 y의 값이 0보다 작으므로

$a+b+c<0$

⑤ $x=2$일 때의 y의 값이 0보다 크므로

$4a+2b+c>0$

1-1 그래프가 위로 볼록하므로 $a<0$

축이 y축의 왼쪽에 있으므로 $ab>0$ $\therefore b<0$

y축과의 교점이 원점의 아래쪽에 있으므로 $c<0$

1-2 $y=ax+b$의 그래프에서 기울기가 음수이므로 $a<0$

y절편이 음수이므로 $b<0$

즉, $y=x^2-ax+b$의 그래프는 x^2의 계수가 양수이므로 아래로 볼록하고, $-a>0$으로 x^2의 계수와 x의 계수의 부호가 서로 같으므로 축은 y축의 왼쪽에 있다.

또, $b<0$이므로 y축과의 교점은 원점의 아래쪽에 있다.

따라서 $y=x^2-ax+b$의 그래프로 적당한 것은 ③이다.

개념확인 10 이차함수의 식 구하기 개념북 175쪽

1 (1) $y=x^2+4x+5$ (2) $y=-3x^2-6x+1$

(3) $y=2x^2-x+1$ (4) $y=3x^2-12x+9$

(1) 꼭짓점의 좌표가 $(-2,\ 1)$이므로 구하는 이차함수의 식을 $y=a(x+2)^2+1$이라 하면

이 그래프가 점 $(-1,\ 2)$를 지나므로

$x=-1$, $y=2$를 대입하면

$2=a(-1+2)^2+1$ $\therefore a=1$

따라서 구하는 이차함수의 식은

$y=(x+2)^2+1=x^2+4x+5$

(2) 축의 방정식이 $x=-1$이므로 구하는 이차함수의 식을

$y=a(x+1)^2+q$라 하면

이 그래프가 두 점 $(-2,\ 1)$, $(1,\ -8)$을 지나므로

각 점의 좌표를 대입하면

$1=a+q$, $-8=4a+q$ $\therefore a=-3$, $q=4$

따라서 구하는 이차함수의 식은

$y=-3(x+1)^2+4=-3x^2-6x+1$

(3) 구하는 이차함수의 식을 $y=ax^2+bx+c$라 하면

이 그래프가 세 점 $(0,\ 1)$, $(1,\ 2)$, $(-1,\ 4)$를 지나므로 각 점의 좌표를 대입하면

$1=c$, $2=a+b+c$, $4=a-b+c$

$\therefore a=2$, $b=-1$, $c=1$

따라서 구하는 이차함수의 식은 $y=2x^2-x+1$

(4) 구하는 이차함수의 식을 $y=a(x-1)(x-3)$이라 하면

이 그래프가 점 $(0,\ 9)$를 지나므로

$x=0$, $y=9$를 대입하면

$9=a(0-1)(0-3)$ $\therefore a=3$

따라서 구하는 이차함수의 식은

$y=3(x-1)(x-3)=3x^2-12x+9$

꼭짓점과 다른 한 점을 알 때, 이차함수의 식 구하기 개념북 176쪽

1 4 **1-1** $y=-2x^2-4x+1$ **1-2** ③

1 꼭짓점의 좌표가 $(-1,\ 2)$이므로 이차함수의 식을

$y=a(x+1)^2+2$라 하면 이 그래프가 점 $(-2,\ 5)$를

지나므로 $x=-2$, $y=5$를 대입하면

$5=a+2$ $\therefore a=3$

따라서 이차함수의 식은

$y=3(x+1)^2+2$

$=3x^2+6x+5$

이므로 $b=6$, $c=5$

$\therefore a+b-c=3+6-5=4$

1-1 꼭짓점의 좌표가 $(-1,\ 3)$이므로 구하는 이차함수의

식을 $y=a(x+1)^2+3$이라 하면 이 그래프가 점 $(0,\ 1)$

을 지나므로 $x=0$, $y=1$을 대입하면

$1=a+3$ $\therefore a=-2$

따라서 구하는 이차함수의 식은

$y=-2(x+1)^2+3$

$=-2x^2-4x+1$

1-2 꼭짓점의 좌표가 $(2,\ 1)$이므로 구하는 이차함수의 식을 $y=a(x-2)^2+1$이라 하면

이 그래프가 점 $(4,\ 3)$을 지나므로

$x=4$, $y=3$을 대입하면

$3=4a+1 \quad \therefore a=\frac{1}{2}$

따라서 구하는 이차함수의 식은

$y=\frac{1}{2}(x-2)^2+1$

$=\frac{1}{2}x^2-2x+3$

축의 방정식과 두 점을 알 때, 이차함수의 식 구하기 개념북 176쪽

2 9 **2-1** 2

2 축의 방정식이 $x=-2$이므로 구하는 이차함수의 식을 $y=a(x+2)^2+q$라 하면

이 그래프가 두 점 $(1,\ 9)$, $(-4,\ -1)$을 지나므로

$9=9a+q$, $-1=4a+q$

$\therefore a=2,\ q=-9$

따라서 이차함수의 식은

$y=2(x+2)^2-9=2x^2+8x-1$

이므로 $b=8$, $c=-1$

$\therefore a+b+c=2+8+(-1)=9$

2-1 축의 방정식이 $x=\frac{1}{2}$이므로 이차함수의 식을

$y=a\left(x-\frac{1}{2}\right)^2+q$라 하면

이 그래프가 두 점 $(-1,\ 0)$, $(0,\ 2)$를 지나므로

각 점의 좌표를 대입하면

$0=\frac{9}{4}a+q$, $2=\frac{1}{4}a+q$

$\therefore a=-1,\ q=\frac{9}{4}$

따라서 이차함수의 식은

$y=-\left(x-\frac{1}{2}\right)^2+\frac{9}{4}=-x^2+x+2$

이므로 $b=1$, $c=2$

$\therefore a+b+c=-1+1+2=2$

서로 다른 세 점을 알 때, 이차함수의 식 구하기 개념북 177쪽

3 ③ **3-1** $x=-3$

3 이차함수의 식을 $y=ax^2+bx+c$라 하면

그 그래프가 세 점 $(3,\ 0)$, $(0,\ -6)$, $(-2,\ 10)$을 지나므로 각 점의 좌표를 대입하면

$0=9a+3b+c$, $-6=c$, $10=4a-2b+c$

$\therefore a=2,\ b=-4,\ c=-6$

따라서 이차함수의 식은 $y=2x^2-4x-6$

3-1 이차함수의 식을 $y=ax^2+bx+c$라 하면

이 그래프가 세 점 $(1,\ -4)$, $(-1,\ 8)$, $(0,\ 3)$을 지나므로 각 점의 좌표를 대입하면

$-4=a+b+c$, $8=a-b+c$, $3=c$

$\therefore a=-1,\ b=-6,\ c=3$

따라서 이차함수의 식은

$y=-x^2-6x+3=-(x+3)^2+12$

이므로 이 그래프의 축의 방정식은 $x=-3$

x축과의 두 교점과 다른 한 점을 알 때, 이차함수의 식 구하기 개념북 177쪽

4 ② **4-1** ④

4 그래프가 x축과 두 점 $(-1,\ 0)$, $(3,\ 0)$에서 만나므로 구하는 이차함수의 식을 $y=a(x+1)(x-3)$이라 하면

이 그래프가 점 $(0,\ -3)$을 지나므로

$x=0$, $y=-3$을 대입하면

$-3=a(0+1)(0-3)$, $-3a=-3$

$\therefore a=1$

따라서 구하는 이차함수의 식은

$y=(x+1)(x-3)$

$=x^2-2x-3$

4-1 그래프가 x축과 두 점 $(2,\ 0)$, $(-3,\ 0)$에서 만나므로 이차함수의 식을 $y=a(x-2)(x+3)$이라 하면

이 그래프가 점 $(1,\ 8)$을 지나므로

$x=1$, $y=8$을 대입하면

$8=a(1-2)(1+3)$, $-4a=8$

$\therefore a=-2$

따라서 이차함수의 식은

$y=-2(x-2)(x+3)$

$=-2x^2-2x+12$

이므로 y축과 만나는 점의 좌표는 $(0,\ 12)$이다.

개념 완성 기본 문제 개념북 180~181쪽

1 ③, ⑤	**2** ④	**3** ③	**4** $x=3$
5 ㄷ, ㄹ	**6** -2	**7** ③, ④	**8** ⑤
9 ②	**10** ④	**11** 1	**12** ⑤
13 $y=x^2-2x+3$	**14** ③		

1 ② $y=2x^3-2x^3-x^2+7=-x^2+7$이므로 이차함수이다.

③ x^3+4가 이차식이 아니므로 이차함수가 아니다.

④ $y=3(x^2+x-2)=3x^2+3x-6$이므로 이차함수이다.

⑤ $y=x^2+2x-x^2+1=2x+1$이므로 일차함수이다.

따라서 이차함수가 아닌 것은 ③, ⑤이다.

2 ① $f(-2)=(-2)^2+3\times(-2)-2=-4$

② $f(-1)=(-1)^2+3\times(-1)-2=-4$

③ $f(0)=0^2+3\times0-2=-2$

④ $f(1)=1^2+3\times1-2=2$

⑤ $f(2)=2^2+3\times2-2=8$

3 $y=-\frac{1}{3}x^2+q$의 그래프가 점 $(3, -2)$를 지나므로

$x=3$, $y=-2$를 대입하면

$-2=-\frac{1}{3}\times3^2+q \qquad \therefore q=1$

따라서 $y=-\frac{1}{3}x^2+1$의 그래프의 꼭짓점의 좌표는 $(0, 1)$이다.

4 $y=4(x-p)^2$의 그래프가 점 $(1, 16)$을 지나므로

$x=1$, $y=16$을 대입하면

$16=4(1-p)^2$, $(1-p)^2=4$, $1-p=\pm2$

$\therefore p=3$ ($\because p>0$)

따라서 $y=4(x-3)^2$의 그래프의 축의 방정식은 $x=3$이다.

5

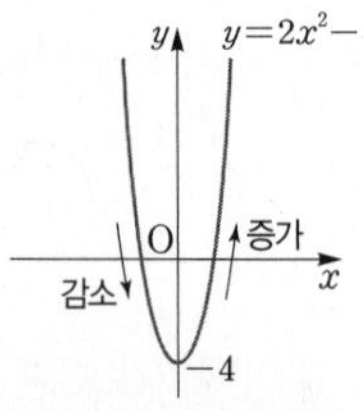

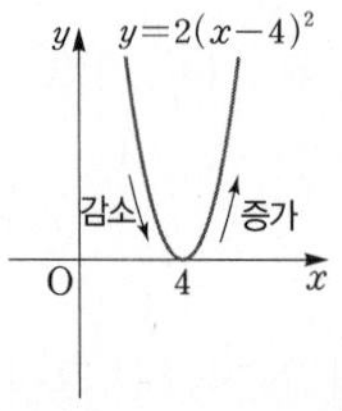

ㄱ. $y=2x^2-4$의 그래프의 꼭짓점의 좌표는 $(0, -4)$, $y=2(x-4)^2$의 그래프의 꼭짓점의 좌표는 $(4, 0)$이다.

ㄴ. $y=2x^2-4$의 그래프의 축의 방정식은 $x=0$, $y=2(x-4)^2$의 그래프의 축의 방정식은 $x=4$이다.

ㅁ. $y=2x^2-4$의 그래프는 $x<0$일 때, x의 값이 증가하면 y의 값은 감소한다.

$y=2(x-4)^2$의 그래프는 $x<4$일 때, x의 값이 증가하면 y의 값은 감소한다.

따라서 옳은 것은 ㄷ, ㄹ이다.

6 그래프의 꼭짓점의 좌표가 $(1, -2)$이므로

$p=1$, $q=-2$

$y=a(x-1)^2-2$의 그래프가 점 $(0, -1)$을 지나므로

$x=0$, $y=-1$을 대입하면

$-1=a-2 \qquad \therefore a=1$

$\therefore apq=1\times1\times(-2)=-2$

7 이차함수 $y=-\frac{1}{2}(x-1)^2+2$의 그래프는 오른쪽 그림과 같다.

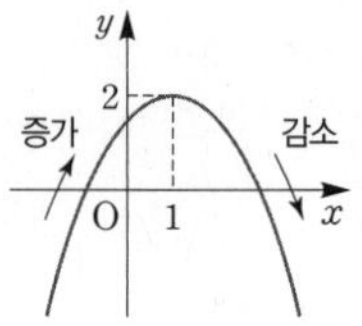

① 꼭짓점의 좌표는 $(1, 2)$이다.

② 축의 방정식은 $x=1$이다.

③ $y=-\frac{1}{2}(x-1)^2+2$에 $x=3$, $y=0$을 대입하면

$0=-\frac{1}{2}(3-1)^2+2$이므로 점 $(3, 0)$을 지난다.

⑤ $x<1$일 때, x의 값이 증가하면 y의 값도 증가한다.

8 $y=-2x^2+4x+3=-2(x-1)^2+5$이므로 이 그래프는 $y=-2x^2$의 그래프를 x축의 방향으로 1만큼, y축의 방향으로 5만큼 평행이동한 것이다.

따라서 $a=1$, $b=5$이므로

$a+b=1+5=6$

9 $y=x^2-2x+a$의 그래프가 점 $(3, 0)$을 지나므로

$x=3$, $y=0$을 대입하면

$0=9-6+a \qquad \therefore a=-3$

즉, $y=x^2-2x-3$에 $y=0$을 대입하면

$0=x^2-2x-3$, $(x+1)(x-3)=0$

$\therefore x=-1$ 또는 $x=3$

따라서 구하는 나머지 한 점의 좌표는 $(-1, 0)$이다.

10 $y=-\frac{1}{2}x^2+2x-1$

$=-\frac{1}{2}(x-2)^2+1$

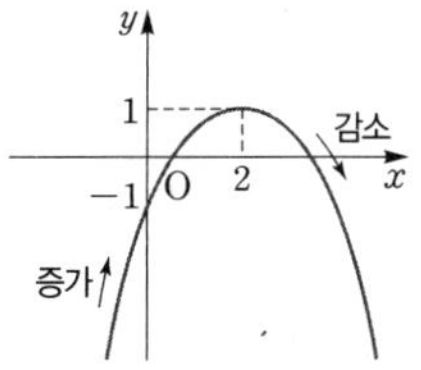

이고 점 $(0,\ -1)$을 지나므로 그 그래프는 오른쪽 그림과 같다.

① $-1=-\frac{1}{2}\times 4^2+2\times 4-1$

④ 위로 볼록한 포물선이다.

11 $y=\frac{3}{4}x^2+3x-1=\frac{3}{4}(x+2)^2-4$이므로

$A(-2,\ -4)$

또, 점 B는 y축과의 교점이므로 $B(0,\ -1)$

$\therefore\ \triangle AOB=\frac{1}{2}\times 1\times 2=1$

12 그래프가 위로 볼록하므로 $a<0$

축이 y축의 왼쪽에 있으므로 $ab>0$ $\therefore\ b<0$

y축과의 교점이 원점의 위쪽에 있으므로 $c>0$

13 그래프의 꼭짓점의 좌표가 $(1,\ 2)$이므로 구하는 이차함수의 식을 $y=a(x-1)^2+2$라 하면

이 그래프가 점 $(0,\ 3)$을 지나므로 $x=0$, $y=3$을 대입하면

$3=a+2$ $\therefore\ a=1$

따라서 구하는 이차함수의 식은

$y=(x-1)^2+2$

$=x^2-2x+3$

14 이차함수의 식을 $y=ax^2+bx+c$라 하면 이 그래프가 세 점 $(-2,\ 2)$, $(0,\ 2)$, $(1,\ -7)$을 지나므로 점의 좌표를 각각 대입하면

$2=4a-2b+c$, $2=c$, $-7=a+b+c$

$\therefore\ a=-3,\ b=-6,\ c=2$

따라서 구하는 이차함수의 식은

$y=-3x^2-6x+2$

$=-3(x+1)^2+5$

이므로 그래프의 꼭짓점의 좌표는 $(-1,\ 5)$이다.

개념 완성 발전 문제 개념북 182~183쪽

1 $(1,\ 1)$ **2** 9 **3** 제4사분면 **4** ⑤

5 $(6,\ -83)$

6 ① 3, $-3=a(1-3)^2+q$, $3=a(4-3)^2+q$, -2, 5, $-2(x-3)^2+5$

② $-2(x-3)^2+5$, 12, -13

③ -3

7 ① $A(-2,\ 0)$, $B(3,\ 0)$ ② $C\left(\frac{1}{2},\ -\frac{25}{4}\right)$

③ $\frac{125}{8}$

1 점 D의 좌표를 $(a,\ a^2)$이라 하면 네 변이 축에 각각 평행하므로 점 A의 좌표는 $(-a,\ a^2)$, 점 C의 좌표는 $(a,\ -a^2)$이다.

$\overline{AD}=2a$, $\overline{DC}=2a^2$이고, □ABCD는 정사각형이므로 $2a=2a^2$, $a^2-a=0$, $a(a-1)=0$

$\therefore\ a=1(\because\ a>0)$

따라서 점 D의 좌표는 $(a,\ a^2)$에서 $(1,\ 1)$이다.

2 $y=\frac{1}{3}(x-3)^2+3$의 그래프는 $y=\frac{1}{3}(x-3)^2$의 그래프를 y축의 방향으로 3만큼 평행이동한 것이므로 두 그래프의 모양은 같다.

즉, 색칠한 부분의 넓이는 오른쪽 그림의 직사각형의 넓이와 같으므로 구하는 넓이는 $3\times 3=9$

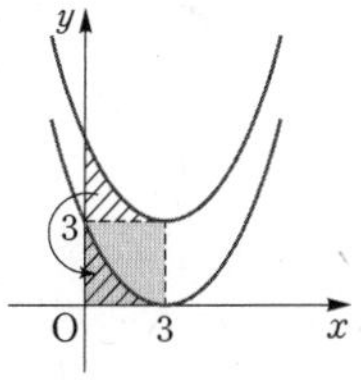

3 $y=a(x-p)^2+q$의 그래프는 위로 볼록하므로 $a<0$

꼭짓점 $(p,\ q)$가 제2사분면 위에 있으므로

$p<0,\ q>0$

따라서 $y=q(x+p)^2+a$에서 그래프의 꼭짓점의 좌표는 $(-p,\ a)$이고 $-p>0$, $a<0$이므로 꼭짓점은 제4사분면 위에 있다.

4 $y=3(x+2)^2-4$의 그래프를 x축의 방향으로 3만큼, y축의 방향으로 1만큼 평행이동한 그래프의 식은

$y=3(x-3+2)^2-4+1$

$=3(x-1)^2-3$

따라서 $y=3(x-1)^2-3$의 그래프가 점 $(-1,\ k)$를 지나므로 $x=-1$, $y=k$를 대입하면

$k=3(-1-1)^2-3$

$\therefore k=9$

5 $y=2x^2+4mx+2m+1$

$=2(x^2+2mx+m^2-m^2)+2m+1$

$=2(x+m)^2-2m^2+2m+1$

한편 $x=6$ 전후에서 x의 값이 증가할 때 y의 값의 증가와 감소가 달라지므로 축의 방정식은 $x=6$

즉, $-m=6$ $\quad\therefore m=-6$

이때 이 그래프의 꼭짓점의 좌표는

$(-m,\ -2m^2+2m+1)$이므로 $(6,\ -83)$이다.

6 ① 이차함수의 식을 $y=a(x-3)^2+q$라 놓고, 그래프가 지나는 두 점 $(1,\ -3)$, $(4,\ 3)$의 좌표를 대입하면

$-3=a(1-3)^2+q$, $3=a(4-3)^2+q$이므로

$4a+q=-3$, $a+q=3$

$\therefore a=-2$, $q=5$

$\therefore y=-2(x-3)^2+5$

② $y=-2(x-3)^2+5=-2x^2+12x-13$이므로

$b=12$, $c=-13$

③ $a+b+c=-2+12+(-13)=-3$

7 ① $y=x^2-x-6$에 $y=0$을 대입하면

$x^2-x-6=0$, $(x+2)(x-3)=0$이므로

$x=-2$ 또는 $x=3$

$\therefore \mathrm{A}(-2,\ 0)$, $\mathrm{B}(3,\ 0)$

② $y=x^2-x-6=\left(x-\frac{1}{2}\right)^2-\frac{25}{4}$이므로

$\mathrm{C}\left(\frac{1}{2},\ -\frac{25}{4}\right)$

③ $\triangle\mathrm{ABC}=\frac{1}{2}\times5\times\frac{25}{4}=\frac{125}{8}$

개념북

수학은 개념이다!

디딤돌수학

개념기본

중 3 / 1

익힘북
정답과 풀이

'아! 이걸 묻는거구나' 출제의 의도를
단박에 알게해주는 정답과 풀이

디딤돌

I 실수와 그 연산

1 제곱근과 실수

개념적용익힘 익힘북 4~10쪽

1 ④	**2** ②	**3** ②	**4** 14
5 ③	**6** $\sqrt{40}$ m	**7** ②	**8** ③
9 ③	**10** ④	**11** ④	
12 $\left(-\sqrt{\frac{1}{9}}\right)^2$		**13** ⑤	**14** ④
15 12	**16** ④	**17** a	**18** $-4ab$
19 ②	**20** ③	**21** ④	**22** ②
23 ④	**24** ③	**25** ②	**26** ③
27 ②	**28** ①	**29** 120	
30 -4, $-\sqrt{15}$, $\sqrt{7}$, 3, $\sqrt{10}$			**31** ③
32 ④	**33** ①	**34** 3	**35** 6
36 ④	**37** ⑤	**38** ②, ③	
39 $2+\sqrt{17}$, $2-\sqrt{17}$		**40** ③	
41 $\mathrm{P}(-1-\sqrt{13})$, $\mathrm{Q}(1+\sqrt{10})$			
42 (1) × (2) ○ (3) ×		**43** ①, ⑤	**44** ㄴ, ㄹ

2 ① 25의 제곱근은 5, -5이다.
③ 음수의 제곱근은 없다.
④ 0의 제곱근은 0 하나뿐이다.
⑤ $(-7)^2=49$의 제곱근은 7, -7이다.
따라서 옳은 것은 ②이다.

3 36의 제곱근은 6, -6이므로 $a=6$
$\left(-\frac{1}{3}\right)^2=\frac{1}{9}$의 제곱근은 $\frac{1}{3}$, $-\frac{1}{3}$이므로 $b=-\frac{1}{3}$
$\therefore ab=6\times\left(-\frac{1}{3}\right)=-2$

4 제곱근 121은 $\sqrt{121}=11$이므로 $a=11$
$\sqrt{81}=9$의 양의 제곱근은 $\sqrt{9}=3$이므로 $b=3$
$\therefore a+b=11+3=14$

5 ①, ②, ④, ⑤ $\pm\sqrt{7}$ ③ $\sqrt{7}$

6 정사각형 모양의 꽃밭의 한 변의 길이를 x m라 하면
$x^2=8\times5=40$
$\therefore x=\sqrt{40}$ ($\because x>0$)
따라서 정사각형 모양의 꽃밭의 한 변의 길이는 $\sqrt{40}$ m 이다.

7 ① $\sqrt{0.25}=0.5$ ③ $\sqrt{225}=15$
④ $-\sqrt{\frac{1}{36}}=-\frac{1}{6}$ ⑤ $\sqrt{\frac{9}{64}}=\frac{3}{8}$
따라서 근호를 사용하지 않고 나타낼 수 없는 것은 ②이다.

8 ① $\sqrt{36}=6$ ② $-\sqrt{196}=-14$
④ $\sqrt{0.16}=0.4$ ⑤ $\sqrt{\frac{9}{100}}=\frac{3}{10}$
따라서 제곱근을 근호를 사용하지 않고 나타낼 수 없는 것은 ③이다.

9 15의 제곱근: $\pm\sqrt{15}$
$\frac{1}{16}$의 제곱근: $\pm\sqrt{\frac{1}{16}}=\pm\frac{1}{4}$
0.1의 제곱근: $\pm\sqrt{0.1}$
$0.\dot{4}$의 제곱근: $\pm\sqrt{0.\dot{4}}=\pm\sqrt{\frac{4}{9}}=\pm\frac{2}{3}$
$\frac{25}{49}$의 제곱근: $\pm\sqrt{\frac{25}{49}}=\pm\frac{5}{7}$
따라서 제곱근을 근호를 사용하지 않고 나타낼 수 있는 것은 $\frac{1}{16}$, $0.\dot{4}$, $\frac{25}{49}$의 3개이다.

10 ①, ②, ③, ⑤ -5 ④ 5

11 ④ $\sqrt{(-10)^2}=10$

12 $\sqrt{\frac{1}{4}}=\frac{1}{2}$, $\left(\frac{1}{2}\right)^2=\frac{1}{4}$, $\sqrt{\left(-\frac{1}{2}\right)^2}=\frac{1}{2}$
$\sqrt{\left(\frac{1}{3}\right)^2}=\frac{1}{3}$, $\left(-\sqrt{\frac{1}{9}}\right)^2=\frac{1}{9}$
따라서 가장 작은 수는 $\left(-\sqrt{\frac{1}{9}}\right)^2$이다.

13 ① $\sqrt{2^2}-\sqrt{(-3)^2}=2-3=-1$
② $-\sqrt{1.69}+\sqrt{0.09}=-\sqrt{1.3^2}+\sqrt{0.3^2}$
$=-1.3+0.3=-1$
③ $\sqrt{0.\dot{4}}\times\sqrt{\frac{1}{49}}=\sqrt{\frac{4}{9}}\times\sqrt{\frac{1}{49}}=\sqrt{\left(\frac{2}{3}\right)^2}\times\sqrt{\left(\frac{1}{7}\right)^2}$
$=\frac{2}{3}\times\frac{1}{7}=\frac{2}{21}$
④ $(-\sqrt{15})^2\div(\sqrt{5})^2=15\div5=3$

⑤ $\sqrt{225}-\sqrt{(-4)^2}\times(-\sqrt{8})^2$
$=\sqrt{(15)^2}-\sqrt{(-4)^2}\times(-\sqrt{8})^2$
$=15-4\times8=-17$

14 $(-\sqrt{7})^2-\sqrt{(-3)^2}\times\left(\sqrt{\dfrac{5}{3}}\right)^2+\sqrt{64}$
$=(-\sqrt{7})^2-\sqrt{(-3)^2}\times\left(\sqrt{\dfrac{5}{3}}\right)^2+\sqrt{8^2}$
$=7-3\times\dfrac{5}{3}+8=7-5+8=10$

15 $x=-\sqrt{169}+(-\sqrt{11})^2$
$=-\sqrt{13^2}+(-\sqrt{11})^2=-13+11=-2$
$y=\sqrt{\left(-\dfrac{3}{4}\right)^2}\times\{-(\sqrt{8})^2\}=\dfrac{3}{4}\times(-8)=-6$
$\therefore xy=(-2)\times(-6)=12$

16 ① $3a>0$이므로 $\sqrt{(3a)^2}=3a$
② $-4a<0$이므로 $\sqrt{(-4a)^2}=-(-4a)=4a$
③ $5a>0$이므로 $-\sqrt{(5a)^2}=-5a$
④ $-6a<0$이므로
$-\sqrt{(-6a)^2}=-\{-(-6a)\}=-6a$
⑤ $7a>0$이므로 $-\sqrt{49a^2}=-\sqrt{(7a)^2}=-7a$

17 $-3a>0$, $4a<0$, $8a<0$이므로
$\sqrt{(-3a)^2}+\sqrt{16a^2}-\sqrt{64a^2}$
$=\sqrt{(-3a)^2}+\sqrt{(4a)^2}-\sqrt{(8a)^2}$
$=-3a+(-4a)-(-8a)$
$=-3a-4a+8a=a$

18 $-a<0$, $3b<0$, $-ab>0$이므로
$\sqrt{(-a)^2}\times\sqrt{(3b)^2}+(-\sqrt{-ab})^2$
$=-(-a)\times(-3b)+(-ab)$
$=-3ab-ab=-4ab$

19 $2-a<0$, $7-a>0$이므로
$\sqrt{(2-a)^2}+\sqrt{(7-a)^2}=-(2-a)+(7-a)$
$=-2+a+7-a=5$

20 $a-4<0$, $a+1>0$, $a-7<0$이므로
$\sqrt{(a-4)^2}+\sqrt{(a+1)^2}-\sqrt{(a-7)^2}$
$=-(a-4)+(a+1)-\{-(a-7)\}$
$=-a+4+a+1+a-7=a-2$

21 $a<0$, $a-b<0$, $-b<0$이므로
$\sqrt{a^2}+\sqrt{(a-b)^2}-\sqrt{(-b)^2}$
$=-a+\{-(a-b)\}-\{-(-b)\}$
$=-a-a+b-b=-2a$

22 $\sqrt{2^5\times3^2\times x}$가 자연수가 되도록 하려면
$x=2\times(\text{자연수})^2$의 꼴이어야 한다.
① 2×1^2 ② 2×3 ③ 2×2^2 ④ 2×3^2 ⑤ 2×5^2
따라서 자연수 x의 값으로 옳지 않은 것은 ②이다.

23 160을 소인수분해하면 $160=2^5\times5$이므로
$160x=2^5\times5\times x$에서 소인수의 지수가 모두 짝수가 되도록 하려면 $x=2\times5\times(\text{자연수})^2$의 꼴이어야 한다.
따라서 가장 작은 자연수 $x=2\times5=10$

24 24를 소인수분해하면 $24=2^3\times3$이므로
$\sqrt{\dfrac{24}{x}}=\sqrt{\dfrac{2^3\times3}{x}}$에서 소인수의 지수가 모두 짝수가 되도록 하는 가장 작은 자연수 $x=2\times3=6$

25 150을 소인수분해하면 $150=2\times3\times5^2$이므로
$\sqrt{\dfrac{150}{x}}=\sqrt{\dfrac{2\times3\times5^2}{x}}$에서 소인수의 지수가 모두 짝수가 되도록 하는 자연수 x는 $2\times3=6$, $2\times3\times5^2=150$의 2개이다.

26 40보다 큰 제곱수는 49, 64, 81, …이므로
$40+x=49, 64, 81, \cdots$
$\therefore x=9, 24, 41, \cdots$
따라서 가장 작은 자연수 x의 값은 9이다.

27 58보다 큰 제곱수는 64, 81, 100, 121, 144, 169, …이므로
$58+x=64, 81, 100, 121, 144, 169, \cdots$
$\therefore x=6, 23, 42, 63, 86, 111, \cdots$
따라서 구하는 자연수 x는 6, 23, 42, 63, 86의 5개이다.

28 19보다 작은 제곱수는 1, 4, 9, 16이므로
$19-x=1, 4, 9, 16$
$\therefore x=3, 10, 15, 18$
따라서 자연수 x의 개수는 4이다.

29 35보다 작은 제곱수는 1, 4, 9, 16, 25이므로
$35-x=1, 4, 9, 16, 25$
$\therefore x=10,\ 19,\ 26,\ 31,\ 34$
따라서 자연수 x의 값의 합은
$10+19+26+31+34=120$

30 $-4=-\sqrt{16}$, $3=\sqrt{9}$이므로
음수끼리 대소를 비교하면 $-4<-\sqrt{15}$
양수끼리 대소를 비교하면 $\sqrt{7}<3<\sqrt{10}$
따라서 크기가 작은 것부터 차례로 나열하면
$-4,\ -\sqrt{15},\ \sqrt{7},\ 3,\ \sqrt{10}$이다.

31 ① $4=\sqrt{16}$이므로 $\sqrt{16}>\sqrt{15}$ $\therefore 4>\sqrt{15}$
② $\sqrt{5}<\sqrt{6}$이므로 $-\sqrt{5}>-\sqrt{6}$
③ $\sqrt{8}<\sqrt{9}$이므로 $\sqrt{8}<3$ $\therefore -\sqrt{8}>-3$
④ $0.3=\sqrt{0.09}$이므로 $\sqrt{0.09}<\sqrt{0.1}$
$\therefore 0.3<\sqrt{0.1}$
⑤ $\frac{1}{2}=\sqrt{\frac{1}{4}}$이므로 $\sqrt{\frac{1}{4}}<\sqrt{\frac{1}{3}}$ $\therefore \frac{1}{2}<\sqrt{\frac{1}{3}}$

32 ① $5=\sqrt{25}$
② $(-\sqrt{8})^2=8=\sqrt{64}$
③ $\sqrt{(-5.5)^2}=\sqrt{30.25}$
따라서 $\sqrt{10}<\sqrt{25}<\sqrt{29}<\sqrt{30.25}<\sqrt{64}$이므로
가장 작은 수는 $\sqrt{10}$이다.

33 각 변을 제곱하면 $1^2<(\sqrt{2x})^2<3^2$, $1<2x<9$
$\therefore \frac{1}{2}<x<\frac{9}{2}$
따라서 자연수 x는 1, 2, 3, 4의 4개이다.

34 각 변을 제곱하면 $\left(\frac{5}{2}\right)^2<(\sqrt{x+1})^2\le 3^2$
$\frac{25}{4}<x+1\le 9$ $\therefore \frac{21}{4}<x\le 8$
따라서 자연수 x는 6, 7, 8의 3개이다.

35 각 변을 제곱하면 $2^2<\{\sqrt{3(x-1)}\}^2<5^2$에서
$4<3(x-1)<25$, $\frac{4}{3}<x-1<\frac{25}{3}$
즉, $\frac{7}{3}<x<\frac{28}{3}$이므로 자연수 x는 3, 4, 5, ⋯, 9이다.
따라서 $M=9$, $m=3$이므로
$M-m=9-3=6$

36 ② $1.\dot{7}\dot{2}=\frac{19}{11}$ ③ $-\sqrt{144}=-12$
⑤ $\sqrt{\frac{25}{36}}=\frac{5}{6}$
따라서 순환하지 않는 무한소수가 되는 것은 ④이다.

37 ㈎에 알맞은 수는 무리수이다.
① $\sqrt{0.01}=0.1$ ② $\sqrt{\frac{49}{64}}=\frac{7}{8}$ ③ $2.\dot{3}=\frac{7}{3}$
④ $5-\sqrt{9}=5-3=2$
따라서 ㈎에 알맞은 수는 무리수인 ⑤이다.

38 ① 유리수이면서 무리수인 수는 없다.
④ 순환하지 않는 무한소수는 모두 무리수이다.
⑤ $\sqrt{4}=2$와 같이 근호를 사용하여 나타낸 수 중에는 유리수도 있다.

39 $\overline{AC}=\sqrt{1^2+4^2}=\sqrt{17}$이므로 $\overline{AP}=\overline{AQ}=\overline{AC}=\sqrt{17}$
점 P는 점 A에서 오른쪽으로 $\sqrt{17}$만큼 떨어진 점이므로
점 P에 대응하는 수는 $2+\sqrt{17}$
점 Q는 점 A에서 왼쪽으로 $\sqrt{17}$만큼 떨어진 점이므로
점 Q에 대응하는 수는 $2-\sqrt{17}$이다.

40 $\sqrt{100}<\sqrt{110}<\sqrt{121}$에서 $10<\sqrt{110}<11$
$\therefore 7<\sqrt{110}-3<8$
따라서 $\sqrt{110}-3$에 대응하는 점이 있는 곳은 ③이다.

41 $\overline{AC}=\sqrt{2^2+3^2}=\sqrt{13}$이므로 $\overline{AP}=\overline{AC}=\sqrt{13}$
점 P는 점 A에서 왼쪽으로 $\sqrt{13}$만큼 떨어진 점이므로
$P(-1-\sqrt{13})$
$\overline{DF}=\sqrt{3^2+1^2}=\sqrt{10}$이므로 $\overline{DQ}=\overline{DF}=\sqrt{10}$
점 Q는 점 D에서 오른쪽으로 $\sqrt{10}$만큼 떨어진 점이므로
$Q(1+\sqrt{10})$

42 (1) 1과 3 사이에는 무수히 많은 유리수가 있다.
(3) 유리수와 무리수에 대응하는 점으로 수직선을 완전히 메울 수 있다.

43 ②, ③ $\sqrt{2}$와 2 사이에는 무수히 많은 유리수와 무리수가 있다.
④ $-\sqrt{2}$와 2 사이에는 -1, 0, 1, 즉 3개의 정수가 있다.

44 ㄱ. $\sqrt{3}<\sqrt{6}<\sqrt{16}$이므로 $\sqrt{3}<\sqrt{6}<4$
ㄴ. $\sqrt{3}<\sqrt{4}<\sqrt{6}$이므로 $\sqrt{3}<2<\sqrt{6}$
ㄷ. $\sqrt{3}-0.1<\sqrt{3}<\sqrt{6}$
따라서 옳은 것은 ㄴ, ㄹ이다.

개념완성익힘

익힘북 11~12쪽

1 ② **2** ㄱ, ㄴ, ㅁ **3** ②
4 3개 **5** ⑤ **6** ④ **7** ④
8 17 **9** 4개 **10** ②, ⑤ **11** -27
12 12 **13** 1

1 ① $\sqrt{36}=6$
③ 49의 제곱근은 ± 7이다.
④ 제곱근 64는 $\sqrt{64}=8$이다.
⑤ -16의 제곱근은 없다.

2 ㄷ. $\sqrt{9}=3$의 제곱근은 $\pm\sqrt{3}$이다.
ㄹ. 제곱근 25는 $\sqrt{25}=5$이다.
ㅁ. 제곱근 100은 $\sqrt{100}=10$이고, 10의 제곱근은 $\pm\sqrt{10}$이다.
따라서 옳은 것은 ㄱ, ㄴ, ㅁ이다.

3 제곱근 49는 $\sqrt{49}=7$이므로 $a=7$
$\left(-\frac{1}{9}\right)^2=\frac{1}{81}$의 음의 제곱근은
$-\sqrt{\frac{1}{81}}=-\frac{1}{9}$이므로 $b=-\frac{1}{9}$
$\sqrt{81}=9$의 양의 제곱근은 $\sqrt{9}=3$이므로 $c=3$
$\therefore abc=7\times\left(-\frac{1}{9}\right)\times 3=-\frac{7}{3}$

4 20의 제곱근: $\pm\sqrt{20}$
$\frac{1}{49}$의 제곱근: $\pm\sqrt{\frac{1}{49}}=\pm\frac{1}{7}$
0.9의 제곱근: $\pm\sqrt{0.9}$
$\frac{25}{16}$의 제곱근: $\pm\sqrt{\frac{25}{16}}=\pm\frac{5}{4}$
0.04의 제곱근: $\pm\sqrt{0.04}=\pm 0.2$
따라서 근호를 사용하지 않고 나타낼 수 있는 것은 $\frac{1}{49}$, $\frac{25}{16}$, 0.04의 3개이다.

5 ① $-a>0$이므로 $\sqrt{(-a)^2}=-a$
② $3a<0$이므로 $\sqrt{(3a)^2}=-3a$
③ $-4a>0$이므로 $\sqrt{(-4a)^2}=-4a$
④ $5a<0$이므로
$-\sqrt{25a^2}=-\sqrt{(5a)^2}=-(-5a)=5a$
⑤ $-10a>0$이므로
$-\sqrt{(-10a)^2}=-(-10a)=10a$

6 $\sqrt{a^2}=a$이므로 $a>0$
$\sqrt{(-b)^2}=-b$이므로 $-b>0$
$a>0$, $b<0$이므로 $-4a<0$, $3b<0$
$\therefore \sqrt{(-4a)^2}-\sqrt{9b^2}=\sqrt{(-4a)^2}-\sqrt{(3b)^2}$
$=-(-4a)-(-3b)=4a+3b$

7 $30-x$는 0 또는 30보다 작은 제곱수이므로
$30-x=0, 1, 4, 9, 16, 25$
$\therefore x=5, 14, 21, 26, 29, 30$
따라서 자연수 x 중 가장 큰 값은 30, 가장 작은 값은 5이므로 그 합은 $30+5=35$

8 $2<\sqrt{2x}-1<4$에서 $3<\sqrt{2x}<5$
각 변을 제곱하면 $3^2<(\sqrt{2x})^2<5^2$, $9<2x<25$
$\therefore \frac{9}{2}<x<\frac{25}{2}$
따라서 자연수 x의 값 중 최댓값은 12, 최솟값은 5이므로
$M=12$, $m=5$
$\therefore M+m=12+5=17$

9 $\sqrt{\frac{16}{9}}=\frac{4}{3}$ (유리수), $\sqrt{0.36}=0.6$ (유리수)
따라서 무리수는 $-\sqrt{7}$, π, $\sqrt{2.5}$, $3+\sqrt{5}$의 4개이다.

10 ② $\sqrt{2}$와 $\sqrt{5}$ 사이에는 2, 즉 1개의 정수가 있다.
⑤ 유리수와 무리수에 대응하는 점으로 수직선을 완전히 메울 수 있다.

11 $-\sqrt{144}+(\sqrt{15})^2-(-\sqrt{3})^2\times\sqrt{(-10)^2}$
$=-\sqrt{12^2}+(\sqrt{15})^2-(-\sqrt{3})^2\times\sqrt{(-10)^2}$
$=-12+15-3\times 10$ …… ①
$=-12+15-30=-27$ …… ②

단계	채점 기준	비율
①	주어진 식을 제곱근의 성질을 이용하여 나타내기	80 %
②	바르게 계산한 값 구하기	20 %

12 300을 소인수분해하면 $300=2^2\times 3\times 5^2$이므로
$300x=2^2\times 3\times 5^2\times x$ …… ①
소인수의 지수가 모두 짝수가 되도록 하는 자연수 $x=3\times$(자연수)^{2}의 꼴이어야 한다. …… ②
따라서 가장 작은 두 자리의 자연수 $x=3\times 2^2=12$ …… ③

단계	채점 기준	비율
①	$300x$를 소인수분해하여 나타내기	30 %
②	x가 될 수 있는 수의 조건 구하기	30 %
③	가장 작은 두 자리의 자연수 구하기	40 %

13 $\overline{PC}=\overline{BC}=\sqrt{2}$이므로 $P(-1-\sqrt{2})$

$\therefore a=-1-\sqrt{2}$ ······ ①

$\overline{FQ}=\overline{FH}=\sqrt{2}$이므로 $Q(2+\sqrt{2})$

$\therefore b=2+\sqrt{2}$ ······ ②

$\therefore a+b=(-1-\sqrt{2})+(2+\sqrt{2})=1$ ······ ③

단계	채점 기준	비율
①	$\overline{PC}$의 길이를 이용하여 a의 값 구하기	30 %
②	$\overline{FQ}$의 길이를 이용하여 b의 값 구하기	30 %
③	$a+b$의 값 구하기	40 %

2 근호를 포함한 식의 계산

개념적용익힘

익힘북 13~20쪽

1 ③	**2** $6\sqrt{35}$	**3** ②	**4** ⑤
5 $2\sqrt{30}$	**6** ③	**7** ②	**8** ③
9 $\sqrt{0.96}$, $\sqrt{\frac{6}{16}}$, $\sqrt{\frac{6}{25}}$	**10** ④	**11** ②	
12 ③	**13** ④	**14** ④	**15** ⑤
16 $\frac{1}{3}$	**17** $\frac{\sqrt{6}}{2}$	**18** $\sqrt{30}$ cm	
19 (1) 2.514 (2) 6.11		**20** 5939	**21** 11.67
22 (1) 0.4701 (2) 45.17		**23** ③	**24** ③
25 ②	**26** ⑤	**27** 10	**28** ⑤
29 ⑤	**30** ②	**31** ④	**32** ③
33 ③	**34** ②	**35** ②	**36** ③
37 ④	**38** ⑤	**39** -2	**40** ④
41 $7-\sqrt{19}$	**42** 1	**43** ⑤	**44** ③
45 ①	**46** ③	**47** ③	**48** ②

1 ① $\sqrt{3}\times\sqrt{7}=\sqrt{3\times7}=\sqrt{21}$

② $5\sqrt{3}\times4\sqrt{2}=5\times4\times\sqrt{3\times2}=20\sqrt{6}$

③ $\sqrt{\frac{21}{2}}\times\sqrt{\frac{4}{7}}=\sqrt{\frac{21}{2}\times\frac{4}{7}}=\sqrt{6}$

④ $4\sqrt{\frac{6}{5}}\times2\sqrt{\frac{25}{3}}=4\times2\times\sqrt{\frac{6}{5}\times\frac{25}{3}}=8\sqrt{10}$

⑤ $-3\sqrt{12}\times4\sqrt{\frac{1}{6}}=-3\times4\times\sqrt{12\times\frac{1}{6}}=-12\sqrt{2}$

2 $-3\sqrt{2}\times\sqrt{\frac{7}{2}}\times(-2\sqrt{5})$

$=-3\times(-2)\times\sqrt{2\times\frac{7}{2}\times5}=6\sqrt{35}$

3 $\sqrt{\frac{3}{5}}\times\sqrt{\frac{10}{3}}=\sqrt{\frac{3}{5}\times\frac{10}{3}}=\sqrt{2}$ $\quad\therefore a=2$

$\sqrt{\frac{7}{4}}\times3\sqrt{\frac{8}{14}}=3\sqrt{\frac{7}{4}\times\frac{8}{14}}=3$ $\quad\therefore b=3$

$\therefore ab=2\times3=6$

4 ① $\frac{\sqrt{21}}{\sqrt{7}}=\sqrt{\frac{21}{7}}=\sqrt{3}$

② $\sqrt{85}\div\sqrt{5}=\frac{\sqrt{85}}{\sqrt{5}}=\sqrt{\frac{85}{5}}=\sqrt{17}$

③ $5\sqrt{14}\div\sqrt{2}=\dfrac{5\sqrt{14}}{\sqrt{2}}=5\sqrt{\dfrac{14}{2}}=5\sqrt{7}$

④ $-6\sqrt{15}\div2\sqrt{3}=-\dfrac{6\sqrt{15}}{2\sqrt{3}}=-\dfrac{6}{2}\sqrt{\dfrac{15}{3}}=-3\sqrt{5}$

⑤ $\sqrt{\dfrac{27}{2}}\div\sqrt{\dfrac{9}{14}}=\sqrt{\dfrac{27}{2}}\times\sqrt{\dfrac{14}{9}}=\sqrt{\dfrac{27}{2}\times\dfrac{14}{9}}$
$=\sqrt{21}$

5 $2\sqrt{3}\div\dfrac{\sqrt{6}}{\sqrt{5}}\div\dfrac{1}{\sqrt{12}}=2\sqrt{3}\times\dfrac{\sqrt{5}}{\sqrt{6}}\times\sqrt{12}$
$=2\sqrt{3\times\dfrac{5}{6}\times12}=2\sqrt{30}$

6 $\sqrt{12}\div\dfrac{\sqrt{3}}{\sqrt{2}}\div(-2\sqrt{2})=\sqrt{12}\times\dfrac{\sqrt{2}}{\sqrt{3}}\times\left(-\dfrac{1}{2\sqrt{2}}\right)$
$=-\dfrac{1}{2}\sqrt{12\times\dfrac{2}{3}\times\dfrac{1}{2}}$
$=-\dfrac{1}{2}\sqrt{4}=-\dfrac{1}{2}\times2=-1$
$\therefore a=-1$

7 ① $7\sqrt{2}=\sqrt{7^2\times2}=\sqrt{98}$
② $\sqrt{180}=\sqrt{6^2\times5}=6\sqrt{5}$
③ $\sqrt{\dfrac{11}{81}}=\sqrt{\dfrac{11}{9^2}}=\dfrac{\sqrt{11}}{9}$
④ $-3\sqrt{\dfrac{5}{6}}=-\sqrt{3^2\times\dfrac{5}{6}}=-\sqrt{\dfrac{15}{2}}$
⑤ $\sqrt{0.12}=\sqrt{\dfrac{12}{100}}=\sqrt{\dfrac{3}{25}}=\sqrt{\dfrac{3}{5^2}}=\dfrac{\sqrt{3}}{5}$

8 $2\sqrt{3}\times5\sqrt{7}\times\sqrt{3}=2\times5\times\sqrt{3^2\times7}$
$=2\times5\times3\sqrt{7}=30\sqrt{7}$
$\therefore a=30$

9 $\sqrt{\dfrac{6}{25}}=\sqrt{\dfrac{6}{5^2}}=\dfrac{\sqrt{6}}{5}$
$\sqrt{\dfrac{6}{16}}=\sqrt{\dfrac{6}{4^2}}=\dfrac{\sqrt{6}}{4}$
$\sqrt{0.96}=\sqrt{\dfrac{96}{100}}=\sqrt{\dfrac{24}{25}}=\sqrt{\dfrac{2^2\times6}{5^2}}=\dfrac{2\sqrt{6}}{5}$
분모를 20으로 통분하면
$\dfrac{\sqrt{6}}{5}=\dfrac{4\sqrt{6}}{20}$, $\dfrac{\sqrt{6}}{4}=\dfrac{5\sqrt{6}}{20}$, $\dfrac{2\sqrt{6}}{5}=\dfrac{8\sqrt{6}}{20}$이므로
큰 수부터 차례대로 나열하면 $\sqrt{0.96}$, $\sqrt{\dfrac{6}{16}}$, $\sqrt{\dfrac{6}{25}}$이다.

10 $\sqrt{90}=\sqrt{2\times3^2\times5}=3\sqrt{2\times5}=3\sqrt{2}\sqrt{5}=3ab$

11 $\sqrt{0.24}=\sqrt{\dfrac{24}{100}}=\sqrt{\dfrac{6}{25}}=\sqrt{\dfrac{6}{5^2}}$
$=\dfrac{\sqrt{6}}{5}=\dfrac{\sqrt{2}\sqrt{3}}{5}=\dfrac{ab}{5}$

12 $\sqrt{21}=\sqrt{3\times7}=\sqrt{3}\sqrt{7}=\sqrt{7}a$
$\sqrt{30}=\sqrt{2\times3\times5}=\sqrt{2}\sqrt{3}\sqrt{5}=\sqrt{2}ab$
$\therefore \sqrt{21}+\sqrt{30}=\sqrt{7}a+\sqrt{2}ab$

13 ① $\dfrac{5}{\sqrt{2}}=\dfrac{5\times\sqrt{2}}{\sqrt{2}\times\sqrt{2}}=\dfrac{5\sqrt{2}}{2}$
② $\dfrac{\sqrt{2}}{\sqrt{3}}=\dfrac{\sqrt{2}\times\sqrt{3}}{\sqrt{3}\times\sqrt{3}}=\dfrac{\sqrt{6}}{3}$
③ $\dfrac{2}{5\sqrt{2}}=\dfrac{2\times\sqrt{2}}{5\sqrt{2}\times\sqrt{2}}=\dfrac{2\sqrt{2}}{10}=\dfrac{\sqrt{2}}{5}$
④ $\dfrac{3\sqrt{3}}{\sqrt{5}}=\dfrac{3\sqrt{3}\times\sqrt{5}}{\sqrt{5}\times\sqrt{5}}=\dfrac{3\sqrt{15}}{5}$
⑤ $\dfrac{14}{\sqrt{3}\sqrt{7}}=\dfrac{14\times\sqrt{21}}{\sqrt{21}\times\sqrt{21}}=\dfrac{14\sqrt{21}}{21}=\dfrac{2\sqrt{21}}{3}$

14 $\dfrac{4}{\sqrt{50}}=\dfrac{4}{5\sqrt{2}}=\dfrac{4\times\sqrt{2}}{5\sqrt{2}\times\sqrt{2}}=\dfrac{4\sqrt{2}}{10}=\dfrac{2\sqrt{2}}{5}$
$\therefore k=\dfrac{2}{5}$

15 ① $\sqrt{48}=\sqrt{4^2\times3}=4\sqrt{3}$
② $\dfrac{12}{\sqrt{3}}=\dfrac{12\times\sqrt{3}}{\sqrt{3}\times\sqrt{3}}=\dfrac{12\sqrt{3}}{3}=4\sqrt{3}$
③ $\dfrac{24}{\sqrt{12}}=\dfrac{24}{2\sqrt{3}}=\dfrac{24\times\sqrt{3}}{2\sqrt{3}\times\sqrt{3}}=\dfrac{24\sqrt{3}}{6}=4\sqrt{3}$
④ $\dfrac{4\sqrt{6}}{\sqrt{2}}=4\sqrt{\dfrac{6}{2}}=4\sqrt{3}$
⑤ $\dfrac{12\sqrt{3}}{\sqrt{6}}=\dfrac{12\sqrt{3}\times\sqrt{6}}{\sqrt{6}\times\sqrt{6}}=\dfrac{12\sqrt{18}}{6}=2\sqrt{18}=6\sqrt{2}$

16 $\dfrac{6}{\sqrt{15}}\div\sqrt{24}\times\dfrac{\sqrt{60}}{3}$
$=\dfrac{6}{\sqrt{15}}\times\dfrac{1}{\sqrt{24}}\times\dfrac{\sqrt{60}}{3}=2\times\sqrt{\dfrac{60}{15\times24}}$
$=2\sqrt{\dfrac{1}{6}}=\dfrac{2\times\sqrt{6}}{\sqrt{6}\times\sqrt{6}}=\dfrac{2\sqrt{6}}{6}=\dfrac{\sqrt{6}}{3}$
$\therefore a=\dfrac{1}{3}$

17 $5\sqrt{\dfrac{2}{15}}\times4\sqrt{\dfrac{3}{11}}\div8\sqrt{\dfrac{25}{33}}\times\sqrt{5}$
$=\dfrac{5\sqrt{2}}{\sqrt{15}}\times\dfrac{4\sqrt{3}}{\sqrt{11}}\times\dfrac{\sqrt{33}}{40}\times\sqrt{5}=\dfrac{\sqrt{6}}{2}$

18 직육면체의 높이를 h cm라 하면

$3\sqrt{2}\times2\sqrt{5}\times h=60\sqrt{3}$에서

$h=\frac{60\sqrt{3}}{3\sqrt{2}\times2\sqrt{5}}=\frac{10\sqrt{3}}{\sqrt{2}\sqrt{5}}=\frac{10\sqrt{3}}{\sqrt{10}}=\frac{10\sqrt{3}\times\sqrt{10}}{\sqrt{10}\times\sqrt{10}}$

$=\frac{10\sqrt{30}}{10}=\sqrt{30}$

따라서 직육면체의 높이는 $\sqrt{30}$ cm이다.

20 $\sqrt{31.4}=5.604$, $\sqrt{33.5}=5.788$이므로

$a=5.604$, $b=33.5$

$\therefore 1000a+10b=5604+335=5939$

21 $\sqrt{5.74}=2.396$이므로 $a=5.74$

$\sqrt{5.93}=2.435$이므로 $b=5.93$

$\therefore a+b=5.74+5.93=11.67$

22 (1) $\sqrt{0.221}=\sqrt{\frac{22.1}{10^2}}=\frac{\sqrt{22.1}}{10}$

제곱근표에서 $\sqrt{22.1}=4.701$이므로

$\sqrt{0.221}=\frac{\sqrt{22.1}}{10}=\frac{4.701}{10}=0.4701$

(2) $\sqrt{2040}=\sqrt{20.4\times10^2}=10\sqrt{20.4}$

제곱근표에서 $\sqrt{20.4}=4.517$이므로

$\sqrt{2040}=10\sqrt{20.4}=10\times4.517=45.17$

23 ① $\sqrt{0.5}=\sqrt{\frac{50}{100}}=\frac{\sqrt{50}}{10}=\frac{7.071}{10}=0.7071$

② $\sqrt{0.05}=\sqrt{\frac{5}{100}}=\frac{\sqrt{5}}{10}=\frac{2.236}{10}=0.2236$

③ $\sqrt{0.005}=\sqrt{\frac{50}{10000}}=\frac{\sqrt{50}}{100}=\frac{7.071}{100}=0.07071$

④ $\sqrt{500}=\sqrt{5\times100}=10\sqrt{5}=10\times2.236=22.36$

⑤ $\sqrt{5000}=\sqrt{50\times100}=10\sqrt{50}=10\times7.071=70.71$

24 ① $\sqrt{700}=\sqrt{7\times100}=10\sqrt{7}=10\times2.646=26.46$

② $\sqrt{70000}=\sqrt{7\times10000}=100\sqrt{7}$

$=100\times2.646=264.6$

③ $\sqrt{0.7}=\sqrt{\frac{70}{100}}=\frac{\sqrt{70}}{10}$

④ $\sqrt{0.07}=\sqrt{\frac{7}{100}}=\frac{\sqrt{7}}{10}=\frac{2.646}{10}=0.2646$

⑤ $\sqrt{0.0007}=\sqrt{\frac{7}{10000}}=\frac{\sqrt{7}}{100}=\frac{2.646}{100}=0.02646$

25 $\sqrt{2}-5\sqrt{7}-2\sqrt{2}+3\sqrt{7}=(1-2)\sqrt{2}+(-5+3)\sqrt{7}$

$=-\sqrt{2}-2\sqrt{7}$

따라서 $a=-1$, $b=-2$이므로

$a+b=-1+(-2)=-3$

26 $A=2\sqrt{5}+4\sqrt{5}-3\sqrt{5}=(2+4-3)\sqrt{5}=3\sqrt{5}$

$B=4\sqrt{3}-3\sqrt{3}+5\sqrt{3}=(4-3+5)\sqrt{3}=6\sqrt{3}$

$\therefore AB=3\sqrt{5}\times6\sqrt{3}=18\sqrt{15}$

27 $9\sqrt{5}+2\sqrt{3}-5\sqrt{5}+a\sqrt{3}=(9-5)\sqrt{5}+(2+a)\sqrt{3}$

$=4\sqrt{5}+(2+a)\sqrt{3}$

이므로 $4=b$, $2+a=-4$에서 $a=-6$, $b=4$

$\therefore b-a=4-(-6)=10$

28 $\sqrt{8}-\sqrt{32}+\sqrt{50}=2\sqrt{2}-4\sqrt{2}+5\sqrt{2}$

$=(2-4+5)\sqrt{2}=3\sqrt{2}=3a$

29 $\sqrt{128}+3\sqrt{27}-\sqrt{48}-\sqrt{18}$

$=8\sqrt{2}+9\sqrt{3}-4\sqrt{3}-3\sqrt{2}$

$=(8-3)\sqrt{2}+(9-4)\sqrt{3}$

$=5\sqrt{2}+5\sqrt{3}=5a+5b$

30 $\frac{14}{\sqrt{7}}=\frac{14\times\sqrt{7}}{\sqrt{7}\times\sqrt{7}}=\frac{14\sqrt{7}}{7}=2\sqrt{7}$이므로

$\sqrt{75}+\sqrt{63}-\sqrt{48}-\frac{14}{\sqrt{7}}$

$=5\sqrt{3}+3\sqrt{7}-4\sqrt{3}-2\sqrt{7}$

$=(5-4)\sqrt{3}+(3-2)\sqrt{7}$

$=\sqrt{3}+\sqrt{7}=a+b$

31 $\sqrt{27}+\frac{12}{\sqrt{3}}-\sqrt{3}(2-4\sqrt{3})$

$=3\sqrt{3}+4\sqrt{3}-2\sqrt{3}+12$

$=5\sqrt{3}+12$

따라서 $a=5$, $b=12$이므로

$a+b=5+12=17$

32 $\sqrt{2}a+\sqrt{5}b=\sqrt{2}(\sqrt{2}+\sqrt{5})+\sqrt{5}(\sqrt{2}-\sqrt{5})$

$=2+\sqrt{10}+\sqrt{10}-5$

$=2\sqrt{10}-3$

33 $\frac{\sqrt{15}-\sqrt{2}}{\sqrt{3}}+\sqrt{5}(2-\sqrt{30})=\sqrt{5}-\frac{\sqrt{6}}{3}+2\sqrt{5}-5\sqrt{6}$

$=3\sqrt{5}-\frac{16\sqrt{6}}{3}$

따라서 $a=3$, $b=-\frac{16}{3}$이므로

$ab=3\times\left(-\frac{16}{3}\right)=-16$

34 $\frac{2\sqrt{3}-\sqrt{2}}{\sqrt{2}}-\frac{3\sqrt{2}+\sqrt{3}}{\sqrt{3}}=\frac{2\sqrt{6}-2}{2}-\frac{3\sqrt{6}+3}{3}$

$=(\sqrt{6}-1)-(\sqrt{6}+1)$

$=-2$

35 $\sqrt{6}(5+\sqrt{18})-\frac{24-\sqrt{72}}{\sqrt{6}}$

$=5\sqrt{6}+6\sqrt{3}-(4\sqrt{6}-2\sqrt{3})$

$=5\sqrt{6}+6\sqrt{3}-4\sqrt{6}+2\sqrt{3}$

$=\sqrt{6}+8\sqrt{3}$

따라서 $a=1$, $b=3$이므로 $a+b=1+3=4$

36 $\sqrt{3}(2\sqrt{7}-3)-(2+\sqrt{7})\div\sqrt{3}+\sqrt{27}$

$=2\sqrt{21}-3\sqrt{3}-\frac{2+\sqrt{7}}{\sqrt{3}}+3\sqrt{3}$

$=2\sqrt{21}-3\sqrt{3}-\frac{2\sqrt{3}}{3}-\frac{\sqrt{21}}{3}+3\sqrt{3}$

$=\frac{5\sqrt{21}}{3}-\frac{2\sqrt{3}}{3}$

따라서 $a=\frac{5}{3}$, $b=-\frac{2}{3}$이므로

$a+b=\frac{5}{3}+\left(-\frac{2}{3}\right)=1$

37 $\sqrt{3}(\sqrt{15}+3\sqrt{3})-2a-a\sqrt{5}$

$=\sqrt{45}+9-2a-a\sqrt{5}$

$=3\sqrt{5}+9-2a-a\sqrt{5}$

$=9-2a+(3-a)\sqrt{5}$

이 식이 유리수가 되려면 $3-a=0$이어야 하므로 $a=3$

38 $4\sqrt{8}+3a-\sqrt{6}(a\sqrt{3}-2\sqrt{6})$

$=4\sqrt{8}+3a-a\sqrt{18}+12$

$=8\sqrt{2}+3a-3a\sqrt{2}+12$

$=3a+12+(8-3a)\sqrt{2}$

이 식이 유리수가 되려면 $8-3a=0$이어야 하므로

$3a=8 \quad \therefore a=\frac{8}{3}$

39 $\sqrt{24}\left(\frac{1}{\sqrt{3}}-\sqrt{6}\right)-\frac{a}{\sqrt{2}}(\sqrt{32}-2)$

$=\sqrt{8}-\sqrt{144}-a\sqrt{16}+\frac{2a}{\sqrt{2}}$

$=2\sqrt{2}-12-4a+a\sqrt{2}$

$=-4a-12+(a+2)\sqrt{2}$

이 식이 유리수가 되려면 $a+2=0$이어야 하므로

$a=-2$

40 $2<\sqrt{5}<3$이므로

$\sqrt{5}$의 정수 부분 $a=2$, 소수 부분 $b=\sqrt{5}-2$

$\therefore a+2b=2+2(\sqrt{5}-2)=2\sqrt{5}-2$

41 $3<\sqrt{10}<4$이므로 $\sqrt{10}$의 정수 부분 $a=3$

$4<\sqrt{19}<5$이므로 $\sqrt{19}$의 정수 부분은 4,

소수 부분 $b=\sqrt{19}-4$

$\therefore a-b=3-(\sqrt{19}-4)=7-\sqrt{19}$

42 $2<\sqrt{6}<3$에서 $4<2+\sqrt{6}<5$이므로

$2+\sqrt{6}$의 정수 부분은 4,

소수 부분 $a=(2+\sqrt{6})-4=\sqrt{6}-2$

$-3<-\sqrt{6}<-2$에서 $2<5-\sqrt{6}<3$이므로

$5-\sqrt{6}$의 정수 부분은 2,

소수 부분 $b=(5-\sqrt{6})-2=3-\sqrt{6}$

$\therefore a+b=(\sqrt{6}-2)+(3-\sqrt{6})=1$

43 ① $3-(\sqrt{5}+1)=2-\sqrt{5}<0 \quad \therefore 3<\sqrt{5}+1$

② $(7-\sqrt{15})-3=4-\sqrt{15}>0 \quad \therefore 7-\sqrt{15}>3$

③ $(2+\sqrt{12})-(2+\sqrt{11})=\sqrt{12}-\sqrt{11}>0$

$\therefore 2+\sqrt{12}>2+\sqrt{11}$

④ $(\sqrt{2}-3)-(\sqrt{2}-\sqrt{7})=-3+\sqrt{7}<0$

$\therefore \sqrt{2}-3<\sqrt{2}-\sqrt{7}$

⑤ $(\sqrt{13}-1)-(\sqrt{13}-\sqrt{2})=-1+\sqrt{2}>0$

$\therefore \sqrt{13}-1>\sqrt{13}-\sqrt{2}$

44 $a-b=(\sqrt{5}+\sqrt{3})-(\sqrt{5}+1)=\sqrt{3}-1>0$

$\therefore a>b$

$a-c=(\sqrt{5}+\sqrt{3})-(3+\sqrt{3})=\sqrt{5}-3<0$

$\therefore a<c$

$\therefore b<a<c$

45 $-\sqrt{2}$, $-3+\sqrt{3}$은 음수이므로 $\sqrt{2}+\sqrt{3}$, $2+\sqrt{2}$, $2+\sqrt{3}$ 중 가장 작은 수를 구하면 된다.

$(\sqrt{2}+\sqrt{3})-(2+\sqrt{2})=\sqrt{3}-2<0$

$\therefore \sqrt{2}+\sqrt{3}<2+\sqrt{2}$

$(\sqrt{2}+\sqrt{3})-(2+\sqrt{3})=\sqrt{2}-2<0$

$\therefore \sqrt{2}+\sqrt{3}<2+\sqrt{3}$

따라서 작은 것부터 나열할 때 세 번째에 오는 수는 ①이다.

46 ① $\sqrt{5}-1=2.236-1=1.236$

② $\sqrt{5}-0.3=2.236-0.3=1.936$

③ $\dfrac{2+\sqrt{5}}{2}=\dfrac{2+2.236}{2}=2.118$

④ $\sqrt{5}+0.1=2.236+0.1=2.336$

⑤ $\sqrt{5}+2=2.236+2=4.236$

따라서 두 수 2와 $\sqrt{5}$ 사이에 있는 수는 ③이다.

[다른 풀이]

③ $\dfrac{2+\sqrt{5}}{2}$는 두 수의 평균이므로 2와 $\sqrt{5}$ 사이에 있다.

47 $\sqrt{a}$의 값이 6과 7 사이에 있으므로 $6<\sqrt{a}<7$

각 변을 제곱하면 $36<a<49$

따라서 주어진 조건을 만족하는 자연수 a는

37, 38, 39, …, 48의 12개이다.

48 $3<\sqrt{12}<4$에서 $4<1+\sqrt{12}<5$

$-4<-\sqrt{12}<-3$에서 $-3<1-\sqrt{12}<-2$

즉, 구하는 정수를 x라 하면 $-2\le x\le 4$

따라서 x는 -2, -1, 0, 1, 2, 3, 4의 7개이다.

개념완성익힘

익힘북 21~22쪽

1 ⑤	**2** ③	**3** 4	**4** 0.1549
5 ①	**6** $\dfrac{\sqrt{15}}{5}$	**7** ②	**8** ⑤
9 ②	**10** $3ab$	**11** $3\sqrt{10}\text{ cm}^2$	
12 0			

1 $\sqrt{12}\times\sqrt{18}\times\sqrt{50}=2\sqrt{3}\times3\sqrt{2}\times5\sqrt{2}$

$=2\times3\times5\times\sqrt{2^2\times3}$

$=30\times2\sqrt{3}=60\sqrt{3}$

$\therefore A=60$

2 ③ $4\sqrt{\dfrac{2}{3}}\times3\sqrt{\dfrac{21}{8}}=12\sqrt{\dfrac{2}{3}\times\dfrac{21}{8}}$

$=12\sqrt{\dfrac{7}{4}}=\dfrac{12\sqrt{7}}{2}=6\sqrt{7}$

④ $-\sqrt{72}\div(-\sqrt{12})=\sqrt{\dfrac{72}{12}}=\sqrt{6}$

⑤ $3\sqrt{45}\div2\sqrt{15}=\dfrac{3}{2}\sqrt{\dfrac{45}{15}}=\dfrac{3\sqrt{3}}{2}$

3 $\sqrt{2}\times\sqrt{10}\times\sqrt{2a}\times\sqrt{10a}$

$=\sqrt{2\times10\times2a\times10a}=\sqrt{400a^2}=20a$ ($\because a>0$)

따라서 $20a=80$이므로 $a=4$

4 $\sqrt{0.024}=\sqrt{\dfrac{2.4}{100}}=\dfrac{\sqrt{2.4}}{10}=\dfrac{1.549}{10}=0.1549$

5 $\sqrt{3}(3\sqrt{2}+5\sqrt{7})-(7\sqrt{3}-\sqrt{42})\div\sqrt{7}$

$=3\sqrt{6}+5\sqrt{21}-\dfrac{7\sqrt{3}-\sqrt{42}}{\sqrt{7}}$

$=3\sqrt{6}+5\sqrt{21}-\dfrac{7\sqrt{21}-7\sqrt{6}}{7}$

$=3\sqrt{6}+5\sqrt{21}-\sqrt{21}+\sqrt{6}$

$=4\sqrt{6}+4\sqrt{21}$

따라서 $a=4$, $b=4$이므로 $a+b=4+4=8$

6 $x=\dfrac{\sqrt{5}+\sqrt{3}}{\sqrt{2}}=\dfrac{\sqrt{10}+\sqrt{6}}{2}$

$y=\dfrac{\sqrt{5}-\sqrt{3}}{\sqrt{2}}=\dfrac{\sqrt{10}-\sqrt{6}}{2}$

이므로

$x+y=\dfrac{\sqrt{10}+\sqrt{6}}{2}+\dfrac{\sqrt{10}-\sqrt{6}}{2}=\dfrac{2\sqrt{10}}{2}=\sqrt{10}$

$x-y=\dfrac{\sqrt{10}+\sqrt{6}}{2}-\dfrac{\sqrt{10}-\sqrt{6}}{2}=\dfrac{2\sqrt{6}}{2}=\sqrt{6}$

$\therefore \dfrac{x-y}{x+y}=\dfrac{\sqrt{6}}{\sqrt{10}}=\dfrac{\sqrt{60}}{10}=\dfrac{2\sqrt{15}}{10}=\dfrac{\sqrt{15}}{5}$

7 $1<\sqrt{2}<2$이므로

$\sqrt{2}$의 정수 부분은 1, 소수 부분 $a=\sqrt{2}-1$

$7<\sqrt{50}<8$에서 $-8<-\sqrt{50}<-7$이므로

$1<9-\sqrt{50}<2$

즉, $9-\sqrt{50}$의 정수 부분은 1, 소수 부분은

$(9-\sqrt{50})-1=8-\sqrt{50}=8-5\sqrt{2}$

$a=\sqrt{2}-1$에서 $\sqrt{2}=a+1$이므로

$8-5\sqrt{2}=8-5(a+1)=8-5a-5=3-5a$

8 ① $2-\sqrt{3}=\sqrt{4}-\sqrt{3}>0$ $\therefore 2>\sqrt{3}$

② $(1+\sqrt{0.3})-1.3=\sqrt{0.3}-0.3=\sqrt{0.3}-\sqrt{0.09}>0$

$\therefore 1+\sqrt{0.3}>1.3$

③ $(\sqrt{10}-1)-2=\sqrt{10}-3=\sqrt{10}-\sqrt{9}>0$

$\therefore \sqrt{10}-1>2$

④ $(1+\sqrt{5})-3=\sqrt{5}-2=\sqrt{5}-\sqrt{4}>0$

$\therefore 1+\sqrt{5}>3$

⑤ $1-(4-\sqrt{7})=\sqrt{7}-3=\sqrt{7}-\sqrt{9}<0$

$\therefore 1<4-\sqrt{7}$

9 $1<\sqrt{3}<2$, $3<\sqrt{11}<4$이므로

① $2<\sqrt{3}+1<3$이므로 $\sqrt{3}<\sqrt{3}+1<\sqrt{11}$

② $\sqrt{\dfrac{23}{2}}=\sqrt{11.5}>\sqrt{11}$

③ $\dfrac{\sqrt{3}+\sqrt{11}}{2}$은 $\sqrt{3}$과 $\sqrt{11}$의 평균이므로 $\sqrt{3}$과 $\sqrt{11}$ 사이에 있다.

④ $\sqrt{3}<\sqrt{10}<\sqrt{11}$

⑤ $2<\sqrt{11}-1<3$이므로 $\sqrt{3}<\sqrt{11}-1<\sqrt{11}$

10 $\sqrt{135}=\sqrt{3^3\times5}=3\sqrt{3\times5}=3\sqrt{3}\sqrt{5}$ …… ①

$=3ab$ …… ②

단계	채점 기준	비율
①	$\sqrt{135}$를 $\sqrt{3}$과 $\sqrt{5}$를 이용하여 나타내기	80 %
②	a, b를 이용하여 나타내기	20 %

11 사각뿔의 부피가 $2\sqrt{15}\text{ cm}^3$이므로

$\dfrac{1}{3}\times(\text{밑면의 넓이})\times\sqrt{6}=2\sqrt{15}$ …… ①

$\therefore (\text{밑면의 넓이})=\dfrac{2\sqrt{15}\times3}{\sqrt{6}}=\dfrac{6\sqrt{15}}{\sqrt{6}}=\dfrac{6\sqrt{90}}{6}$

$=\sqrt{90}=3\sqrt{10}\,(\text{cm}^2)$ …… ②

단계	채점 기준	비율
①	사각뿔의 부피를 이용하여 식 세우기	30 %
②	밑면의 넓이 구하기	70 %

12 $\sqrt{45}-\sqrt{12}-\dfrac{10}{\sqrt{5}}+\dfrac{3}{\sqrt{3}}=3\sqrt{5}-2\sqrt{3}-2\sqrt{5}+\sqrt{3}$

$=-\sqrt{3}+\sqrt{5}$ …… ①

따라서 $a=-1$, $b=1$이므로 …… ②

$a+b=(-1)+1=0$ …… ③

단계	채점 기준	비율
①	주어진 식을 간단히 하기	60 %
②	a, b의 값 각각 구하기	20 %
③	$a+b$의 값 구하기	20 %

대단원 마무리

익힘북 23~24쪽

1 ④	**2** 4	**3** ②	**4** ②
5 ③	**6** ③	**7** $\dfrac{2}{3}$	**8** ④
9 ③	**10** $4-7\sqrt{6}$	**11** ①	**12** ④

1 ① 1의 제곱근은 ±1이다.

② 음수의 제곱근은 없다.

③ $\sqrt{36}=6$의 제곱근은 $\pm\sqrt{6}$이다.

⑤ $3^2=9$와 $(-3)^2=9$의 제곱근은 ±3으로 같다.

따라서 옳은 것은 ④이다.

2 $x-3<0$, $x+1>0$이므로 …… ①

$\sqrt{(x-3)^2}+\sqrt{(x+1)^2}$

$=-(x-3)+x+1$ …… ②

$=-x+3+x+1=4$ …… ③

단계	채점 기준	비율
①	근호 안의 식의 부호 판별하기	30 %
②	제곱근의 성질을 이용하여 근호 없애기	40 %
③	식을 간단히 정리하기	30 %

3 $\sqrt{2^4\times3^3\times x}$가 자연수가 되려면 $2^4\times3^3\times x$의 소인수의 지수가 모두 짝수이어야 하므로 $x=3\times(\text{자연수})^2$의 꼴이어야 한다.

① $3=3\times1^2$　② $9=3\times3$　③ $12=3\times2^2$

④ $27=3\times3^2$　⑤ $75=3\times5^2$

따라서 x의 값으로 옳지 않은 것은 ②이다.

4 유리수가 아닌 실수는 무리수이다.

$\sqrt{0.04}=0.2$, $3-\sqrt{4}=3-2=1$, $-\sqrt{\dfrac{25}{36}}=-\dfrac{5}{6}$

이므로 무리수는 $\sqrt{4.9}$, 2π의 2개이다.

5 점 A에 대응하는 수는 $-1-\sqrt{2}$

점 B에 대응하는 수는 $1-\sqrt{2}$

점 C에 대응하는 수는 $-1+\sqrt{2}$

점 D에 대응하는 수는 $\sqrt{2}$

점 E에 대응하는 수는 $1+\sqrt{2}$

따라서 $-1+\sqrt{2}$에 대응하는 점은 점 C이다.

6 $\sqrt{250}=\sqrt{2\times5^3}=5\sqrt{2\times5}=5\sqrt{2}\sqrt{5}=5ab$

7 $\frac{5}{\sqrt{48}}=\frac{5}{4\sqrt{3}}=\frac{5\sqrt{3}}{12}$ $\therefore A=\frac{5}{12}$

$\frac{1}{2\sqrt{2}}=\frac{\sqrt{2}}{4}$ $\therefore B=\frac{1}{4}$ …… ①

$\therefore A+B=\frac{5}{12}+\frac{1}{4}=\frac{8}{12}=\frac{2}{3}$ …… ②

단계	채점 기준	비율
①	주어진 분수를 유리화하여 A, B의 값 각각 구하기	80 %
②	A, B의 값 구하기	20 %

8 세 정사각형의 한 변의 길이는 각각 $\sqrt{27}=3\sqrt{3}(\text{m})$, $\sqrt{12}=2\sqrt{3}(\text{m})$, $\sqrt{3}\,\text{m}$이므로

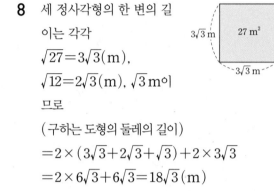

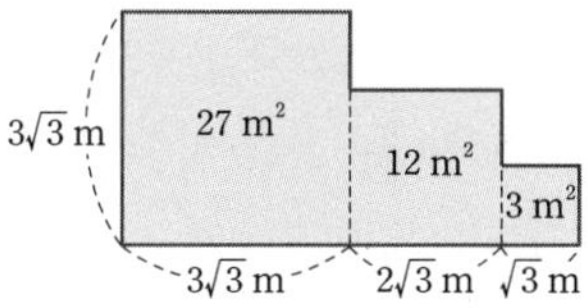

(구하는 도형의 둘레의 길이)

$=2\times(3\sqrt{3}+2\sqrt{3}+\sqrt{3})+2\times3\sqrt{3}$

$=2\times6\sqrt{3}+6\sqrt{3}=18\sqrt{3}(\text{m})$

9 ① $\sqrt{20000}=\sqrt{10000\times2}=100\sqrt{2}=100\times1.414$
$=141.4$

② $\sqrt{200}=\sqrt{100\times2}=10\sqrt{2}=10\times1.414=14.14$

③ $\sqrt{0.2}=\sqrt{\frac{20}{100}}=\frac{\sqrt{20}}{10}$

④ $\sqrt{0.02}=\sqrt{\frac{2}{100}}=\frac{\sqrt{2}}{10}=\frac{1.414}{10}=0.1414$

⑤ $\sqrt{0.0002}=\sqrt{\frac{2}{10000}}=\frac{\sqrt{2}}{100}=\frac{1.414}{100}=0.01414$

따라서 그 값을 구할 수 없는 것은 ③이다.

10 $\frac{6}{\sqrt{3}}(\sqrt{3}-\sqrt{32})-\frac{\sqrt{8}-2\sqrt{3}}{\sqrt{2}}$

$=2\sqrt{3}(\sqrt{3}-4\sqrt{2})-\frac{\sqrt{16}-2\sqrt{6}}{2}$

$=6-8\sqrt{6}-(2-\sqrt{6})$

$=6-8\sqrt{6}-2+\sqrt{6}$

$=4-7\sqrt{6}$

11 $8<\sqrt{75}<9$이므로 $f(75)=\sqrt{75}-8=5\sqrt{3}-8$

$3<\sqrt{12}<4$이므로 $f(12)=\sqrt{12}-3=2\sqrt{3}-3$

$\therefore f(75)-f(12)=(5\sqrt{3}-8)-(2\sqrt{3}-3)$

$=5\sqrt{3}-8-2\sqrt{3}+3$

$=3\sqrt{3}-5$

12 ① $(2+\sqrt{5})-(2+\sqrt{6})=\sqrt{5}-\sqrt{6}<0$

$\therefore 2+\sqrt{5}<2+\sqrt{6}$

② $2-(\sqrt{7}-1)=3-\sqrt{7}>0$ $\therefore 2>\sqrt{7}-1$

③ $(\sqrt{15}-\sqrt{17})-(4-\sqrt{17})=\sqrt{15}-4<0$

$\therefore \sqrt{15}-\sqrt{17}<4-\sqrt{17}$

④ $(4-\sqrt{19})-(-1)=5-\sqrt{19}>0$

$\therefore 4-\sqrt{19}>-1$

⑤ $(\sqrt{28}+1)-(3+\sqrt{7})=2\sqrt{7}+1-3-\sqrt{7}$

$=\sqrt{7}-2>0$

$\therefore \sqrt{28}+1>3+\sqrt{7}$

Ⅱ 식의 계산

1 다항식의 곱셈

개념적용익힘

익힘북 25~36쪽

1 ②	**2** ④	**3** $A=3$, $B=13$	
4 ③	**5** ⑤	**6** -9	**7** 45
8 ③	**9** ⑤	**10** $28x$	**11** 21
12 ③	**13** ⑤	**14** ③	**15** ①
16 ②	**17** ①	**18** ③, ④	**19** ②
20 ④	**21** ㄴ과 ㅁ, ㄷ과 ㄹ		**22** ④
23 ㄴ, ㄹ	**24** -5	**25** ③	**26** -9
27 -19	**28** ①	**29** ②	**30** ④
31 ①	**32** ③	**33** ②	**34** ④
35 $2x^2+14x+44$		**36** 22	**37** ③
38 ③	**39** ③	**40** ②	
41 (1) ㄷ (2) ㄴ (3) ㄱ (4) ㄹ			**42** ③
43 ④	**44** ④	**45** 1584	**46** 102.01
47 ④	**48** ②	**49** ④	**50** -2
51 $-\sqrt{3}-\sqrt{6}$		**52** $8\sqrt{6}$	**53** ②
54 ④	**55** ④	**56** $-\frac{17}{4}$	**57** 3
58 10	**59** 18	**60** 14	**61** ③
62 $\pm 4\sqrt{2}$	**63** 38	**64** 5	**65** 7
66 11	**67** ③	**68** 6	**69** ②
70 ③	**71** ③	**72** ②	**73** ③
74 ②	**75** ③	**76** ④	**77** 6
78 $\frac{2023}{4044}$	**79** -4		

1 $(3a-b)(-a+5b)=-3a^2+15ab+ab-5b^2$
$=-3a^2+16ab-5b^2$

2 (넓이)$=(-2x+3y)(x+3y-1)$
$=-2x^2-6xy+2x+3xy+9y^2-3y$
$=-2x^2+9y^2-3xy+2x-3y$

3 $(x+3y)(Ax+4y)=Ax^2+4xy+3Axy+12y^2$
$=Ax^2+(4+3A)xy+12y^2$
$Ax^2+(4+3A)xy+12y^2=3x^2+Bxy+12y^2$이므로
$A=3$, $B=4+3A=4+3\times3=13$

4 $(2x+1)(2x-3)=4x^2-6x+2x-3$
$=4x^2-4x-3$
따라서 $A=4$, $B=-4$이므로
$A+B=4+(-4)=0$

5 $(x-2y)(Ax+3y)=Ax^2+(3-2A)xy-6y^2$
$Ax^2+(3-2A)xy-6y^2=-2x^2+Bxy-6y^2$이므로
$A=-2$, $B=3-2A=3-2\times(-2)=7$
$\therefore A+B=-2+7=5$

6 $(x-2y+3)(x-ay)$
$=x^2-axy-2xy+2ay^2+3x-3ay$
$=x^2-(a+2)xy+2ay^2+3x-3ay$
이때 $-(a+2)=7$, $a+2=-7$ $\quad\therefore a=-9$
[다른 풀이]
xy항이 나오는 부분만 전개하면
$-axy-2xy=(-a-2)xy$이므로
$-a-2=7$ $\quad\therefore a=-9$

7 $(3x-2y-z)(3x-y-2z)$
$=9x^2-3xy-6xz-6xy+2y^2+4yz-3xz+yz+2z^2$
$=9x^2-9xy-9xz+2y^2+5yz+2z^2$
따라서 $A=9$, $B=5$이므로 $AB=9\times5=45$
[다른 풀이]
x^2항이 나오는 부분만 전개하면
$3x\times3x=9x^2$이므로 $A=9$
yz항이 나오는 부분만 전개하면
$(-2y)\times(-2z)+(-z)\times(-y)=4yz+yz=5yz$
이므로 $B=5$
따라서 $A=9$, $B=5$이므로 $AB=9\times5=45$

8 $(2x+3y)^2=(2x)^2+2\times2x\times3y+(3y)^2$
$=4x^2+12xy+9y^2$
이므로 $a=4$, $b=12$, $c=9$
$\therefore a+b+c=4+12+9=25$

9 ① $\left(4+\frac{1}{2}x\right)^2=4^2+2\times4\times\frac{1}{2}x+\left(\frac{1}{2}x\right)^2$
$=16+4x+\frac{1}{4}x^2$
② $(2a+3b)^2=(2a)^2+2\times2a\times3b+(3b)^2$
$=4a^2+12ab+9b^2$

③ $(-x+y)^2=(-x)^2+2\times(-x)\times y+y^2$
$=x^2-2xy+y^2$
④ $(-x-y)^2=\{-(x+y)\}^2=(x+y)^2$
$=x^2+2xy+y^2$

10 $(x+7)^2-(x-7)^2$
$=x^2+2\times x\times 7+7^2-(x^2-2\times x\times 7+7^2)$
$=(x^2+14x+49)-(x^2-14x+49)$
$=28x$

11 $(-2x+5)(2x+5)=(5-2x)(5+2x)$
$=5^2-(2x)^2$
$=25-4x^2$
따라서 x^2의 계수는 -4, 상수항은 25이므로
구하는 합은 $-4+25=21$

12 $Q=S$이므로 가로, 세로의 길이가 각각 $a+b$, $a-b$인 색칠한 직사각형의 넓이는 한 변의 길이가 a인 정사각형의 넓이에서 한 변의 길이가 b인 정사각형의 넓이를 뺀 부분과 같다.
따라서 넓이는 곱셈공식 $(a+b)(a-b)=a^2-b^2$으로 나타낼 수 있다.

13 $\left(-x+\frac{1}{2}y\right)\left(-x-\frac{1}{2}y\right)=(-x)^2-\left(\frac{1}{2}y\right)^2$
$=x^2-\frac{1}{4}y^2$
$=3^2-\frac{1}{4}\times 4^2$
$=9-4=5$

14 $(x^2+1)(x^2-1)(x^4+1)=(x^4-1)(x^4+1)$
$=x^8-1$

15 $(3x-A)^2=9x^2-6Ax+A^2$이므로
$6A=B$, $A^2=16$
$A>0$이므로 $A=4$, $B=6A=6\times 4=24$
$\therefore B-A=24-4=20$

16 $(2x+a)^2=4x^2+4ax+a^2$이므로
$4a=-(b-5)$, $a^2=49$
$a>0$이므로 $a=7$
$b=-4a+5=-4\times 7+5=-23$
$\therefore a+b=7+(-23)=-16$

17 $(x+A)^2=x^2+2Ax+A^2$이므로
$2A=10$, $A^2=B$ $\quad\therefore A=5$, $B=25$
$\therefore A-B=5-25=-20$

18 $(3x-a)^2=9x^2-6ax+a^2$이므로
$-6a=b$, $a^2=4$ $\quad\therefore a=-2$ 또는 $a=2$
(i) $a=-2$일 때, $b=-6a=-6\times(-2)=12$
(ii) $a=2$일 때, $b=-6a=-6\times 2=-12$
따라서 $a=-2$일 때 $b=12$, $a=2$일 때 $b=-12$

19 $(x+y)^2=x^2+2xy+y^2$
① $(x-y)^2=x^2-2xy+y^2$
② $(-x-y)^2=\{-(x+y)\}^2=(x+y)^2$
$=x^2+2xy+y^2$
③ $-(x+y)^2=-(x^2+2xy+y^2)$
$=-x^2-2xy-y^2$
④ $-(x-y)^2=-(x^2-2xy+y^2)$
$=-x^2+2xy-y^2$
⑤ $(-x+y)^2=x^2-2xy+y^2$

20 ① $(a-b)^2=a^2-2ab+b^2$
② $(b-a)^2=a^2-2ab+b^2$
③ $\{-(a-b)\}^2=(a-b)^2=a^2-2ab+b^2$
④ $-(-b+a)^2=-(a-b)^2$
$=-(a^2-2ab+b^2)$
$=-a^2+2ab-b^2$
⑤ $(a+b)^2-4ab=a^2+2ab+b^2-4ab$
$=a^2-2ab+b^2$
따라서 나머지 넷과 다른 것은 ④이다.

21 ㄱ. $(a+b)(a-b)=a^2-b^2$
ㄴ. $(a+b)(-a-b)=-(a+b)^2$
$=-(a^2+2ab+b^2)$
$=-a^2-2ab-b^2$
ㄷ. $(a-b)(-a-b)=-(a-b)(a+b)$
$=-(a^2-b^2)$
$=-a^2+b^2$
ㄹ. $-(a+b)(a-b)=-(a^2-b^2)=-a^2+b^2$
ㅁ. $-(a+b)^2=-(a^2+2ab+b^2)$
$=-a^2-2ab-b^2$
ㅂ. $-(a-b)^2=-(a^2-2ab+b^2)$
$=-a^2+2ab-b^2$
따라서 전개식이 같은 것은 ㄴ과 ㅁ, ㄷ과 ㄹ이다.

22 $\left(x-\frac{1}{2}y\right)\left(x-\frac{1}{4}y\right)=x^2-\frac{3}{4}xy+\frac{1}{8}y^2$이므로

$a=-\frac{3}{4}$, $b=\frac{1}{8}$

$\therefore a+b=-\frac{3}{4}+\frac{1}{8}=-\frac{5}{8}$

23 ㄱ. $(-x+3)(x+4)=-x^2-x+12$

ㄷ. $(x+7)(x+2)=x^2+9x+14$

ㅁ. $(2x-3y)(3x-5y)=6x^2-19xy+15y^2$

따라서 옳은 것은 ㄴ, ㄹ이다.

24 $(3x-y)^2+(x-3y)(x+2y)$

$=9x^2-6xy+y^2+x^2-xy-6y^2$

$=10x^2-7xy-5y^2$

따라서 y^2의 계수는 -5이다.

[다른 풀이]

$(3x-y)^2$에서 y^2항이 나오는 부분만 전개하면 y^2이고,

$(x-3y)(x+2y)$에서 y^2항이 나오는 부분만 전개하면 $-6y^2$이므로

$y^2-6y^2=-5y^2$

따라서 주어진 식에서 y^2의 계수는 -5이다.

25 $(x+3)(x-a)=x^2+(3-a)x-3a$에서

$3-a=8$, $-3a=b$이므로

$a=-5$, $b=-3a=(-3)\times(-5)=15$

$\therefore a+b=-5+15=10$

26 $(x-1)(x+A)=x^2+(A-1)x-A$

$A-1=8$이므로 $A=9$

따라서 상수항은 $-A=-9$

27 $(5x+4)(2x-3)=10x^2-7x-12$

따라서 x의 계수는 -7, 상수항은 -12이므로

구하는 합은 $-7-12=-19$

28 $(2x+a)(bx-6)=2bx^2+(ab-12)x-6a$이므로

$2b=6$, $ab-12=c$, $-6a=18$

$\therefore a=-3$, $b=3$,

$c=ab-12=(-3)\times3-12=-21$

29 (주어진 식) $=3(3x^2+5x-2)-(6x^2-x-2)$

$=9x^2+15x-6-6x^2+x+2$

$=3x^2+16x-4$

따라서 $A=3$, $B=16$, $C=-4$이므로

$AC+B=3\times(-4)+16=4$

30 주어진 식을 전개하였을 때, $AB=20$이므로

A, B의 값을 순서쌍으로 나타내면

$(A, B)=(1, 20), (2, 10), (4, 5), (5, 4),$
$(10, 2), (20, 1), (-1, -20),$
$(-2, -10), (-4, -5), (-5, -4),$
$(-10, -2), (-20, -1)$

이때 $C=A+B$이므로

C의 값은 -21, -12, -9, 9, 12, 21이다.

따라서 C의 값이 될 수 없는 것은 ④이다.

31 동현이가 잘못 보고 전개한 식은

$(\square x-1)(x+2)=\square x^2+(2\times\square-1)x-2$이므로

$2\times\square-1=9$ $\therefore \square=5$, $A=5$

연정이가 잘못 보고 전개한 식은

$(3x-1)(x+\square)=3x^2+(3\times\square-1)x-\square$이므로

$3\times\square-1=2$ $\therefore \square=1$, $B=1$

$\therefore A+B=5+1=6$

32 (색칠한 부분의 넓이) $=(x+2a)(x-3a)$

$=x^2-ax-6a^2$

33 (색칠한 부분의 넓이) $=(5x-2a)(4x-a)$

$=20x^2-13ax+2a^2$

34 (색칠한 부분의 넓이) $=(3a-b)(5a-2b)+b\times2b$

$=15a^2-11ab+2b^2+2b^2$

$=15a^2-11ab+4b^2$

35 (넓이) $=(x+2)(x-2)+(x+8)(x+6)$

$=x^2-4+x^2+14x+48$

$=2x^2+14x+44$

36 새로운 직사각형의 가로, 세로의 길이는 각각

$(a+5)$ cm, $(a-4)$ cm이므로

새로운 직사각형의 넓이는

$(a+5)(a-4)=a^2+a-20(\text{cm}^2)$

처음 정사각형의 넓이는 a^2 cm^2이므로

$a^2+2=a^2+a-20$ $\therefore a=22$

37 (겉넓이)

$=2(2x+1)(2x-1)+2(2x+1)(2x-1)+2(2x-1)^2$

$=2(4x^2-1)+2(4x^2-1)+2(4x^2-4x+1)$

$=8x^2-2+8x^2-2+8x^2-8x+2$

$=24x^2-8x-2$

38 ③ $(-1+x)(1+x)=(x+1)(x-1)=x^2-1$

39 ① $(x-3)^2=x^2-6x+9$ $\therefore \square=6$

② $(2x+1)(3x-2)=6x^2-x-2$ $\therefore \square=6$

③ $(x+3)(x-3)=x^2-9$ $\therefore \square=9$

④ $(3x-y)^2=9x^2-6xy+y^2$ $\therefore \square=6$

⑤ $(x+2)(2x+3)=2x^2+7x+6$ $\therefore \square=6$

따라서 □ 안의 수가 나머지 넷과 다른 것은 ③이다.

40 ① $(2x-6)^2=4x^2-24x+36$

② $(-4x-3)^2=16x^2+24x+9$

③ $(5x-1)(5x+3)=25x^2+10x-3$

④ $(6x-1)(7x+4)=42x^2+17x-4$

⑤ $(3x+4)(2x+4)=6x^2+20x+16$

따라서 x의 계수가 가장 큰 것은 ②이다.

41 (1) $19\times21=(20-1)(20+1)$이므로 ㄷ 이용

(2) $29^2=(30-1)^2$이므로 ㄴ 이용

(3) $203^2=(200+3)^2$이므로 ㄱ 이용

(4) $21\times24=(20+1)(20+4)$이므로 ㄹ 이용

42 $79\times81=(80-1)(80+1)=80^2-1^2$이므로 $(a+b)(a-b)=a^2-b^2$을 이용하는 것이 가장 편리하다.

43 ① $998^2=(1000-2)^2$이므로

$(a-b)^2=a^2-2ab+b^2$ 이용

② $101^2=(100+1)^2$이므로

$(a+b)^2=a^2+2ab+b^2$ 이용

③ $997\times1003=(1000-3)(1000+3)$이므로

$(a+b)(a-b)=a^2-b^2$ 이용

④ $105\times102=(100+5)(100+2)$이므로

$(x+a)(x+b)=x^2+(a+b)x+ab$ 이용

⑤ $4.02\times3.98=(4+0.02)(4-0.02)$이므로

$(a+b)(a-b)=a^2-b^2$ 이용

44 $\dfrac{2021\times2023+1}{2022}=\dfrac{(2022-1)(2022+1)+1}{2022}$

$=\dfrac{2022^2}{2022}=2022$

45 $44\times36=(40+4)(40-4)$

$=40^2-4^2$

$=1600-16=1584$

46 $10.1^2=(10+0.1)^2$

$=10^2+2\times10\times0.1+0.1^2$

$=100+2+0.01$

$=102.01$

47 $(3-\sqrt{5})^2-(\sqrt{6}+2)(\sqrt{6}-2)$

$=(9-6\sqrt{5}+5)-(6-4)$

$=14-6\sqrt{5}-2=12-6\sqrt{5}$

48 $(a-2\sqrt{7})(5+\sqrt{7})=5a+a\sqrt{7}-10\sqrt{7}-14$

$=(5a-14)+(a-10)\sqrt{7}$

$(5a-14)+(a-10)\sqrt{7}=1+b\sqrt{7}$이므로

$5a-14=1,\ a-10=b$

$\therefore a=3,\ b=a-10=3-10=-7$

$\therefore a+b=3+(-7)=-4$

49 $(1+3\sqrt{3})(4a-\sqrt{3})=4a-9+(-1+12a)\sqrt{3}$

이므로 유리수가 되려면 $-1+12a=0$이어야 한다.

$12a=1$ $\therefore a=\dfrac{1}{12}$

50 $\left(\dfrac{1}{2}a+b\right)\left(\dfrac{1}{2}a-b\right)=\dfrac{1}{4}a^2-b^2$

$=\dfrac{1}{4}\times4-3=-2$

51 $(x+2y)^2-(x+y)(x+4y)$

$=x^2+4xy+4y^2-(x^2+5xy+4y^2)$

$=-xy$

$=-(1+\sqrt{2})\times\sqrt{3}$

$=-\sqrt{3}-\sqrt{6}$

52 $x+y=A,\ x-y=B$라 하면

$(x+y)^2-(x-y)^2$

$=A^2-B^2=(A+B)(A-B)$

$=\{(x+y)+(x-y)\}\{(x+y)-(x-y)\}$

$=2x\times2y=4xy=4\times2\sqrt{2}\times\sqrt{3}=8\sqrt{6}$

[다른 풀이]

$(x+y)^2-(x-y)^2$

$=x^2+2xy+y^2-(x^2-2xy+y^2)=4xy$

$=4\times2\sqrt{2}\times\sqrt{3}=8\sqrt{6}$

53 $\dfrac{\sqrt{3}-\sqrt{11}}{\sqrt{3}+\sqrt{11}}=\dfrac{(\sqrt{3}-\sqrt{11})^2}{(\sqrt{3}+\sqrt{11})(\sqrt{3}-\sqrt{11})}$

$=\dfrac{3-2\sqrt{33}+11}{3-11}$

$=\frac{14-2\sqrt{33}}{-8}=\frac{-7+\sqrt{33}}{4}$

54 $x+\frac{1}{x}=\sqrt{2}-1+\frac{1}{\sqrt{2}-1}$

$=\sqrt{2}-1+\frac{\sqrt{2}+1}{(\sqrt{2}-1)(\sqrt{2}+1)}$

$=\sqrt{2}-1+\sqrt{2}+1$

$=2\sqrt{2}$

55 $\frac{\sqrt{2}}{\sqrt{5}-\sqrt{2}}-\frac{\sqrt{2}}{\sqrt{5}+\sqrt{2}}$

$=\frac{\sqrt{2}(\sqrt{5}+\sqrt{2})}{(\sqrt{5}-\sqrt{2})(\sqrt{5}+\sqrt{2})}-\frac{\sqrt{2}(\sqrt{5}-\sqrt{2})}{(\sqrt{5}+\sqrt{2})(\sqrt{5}-\sqrt{2})}$

$=\frac{\sqrt{10}+2}{3}-\frac{\sqrt{10}-2}{3}=\frac{\sqrt{10}+2-(\sqrt{10}-2)}{3}=\frac{4}{3}$

56 $\frac{y}{x}+\frac{x}{y}=\frac{x^2+y^2}{xy}=\frac{(x+y)^2-2xy}{xy}$

$=\frac{3^2-2\times(-4)}{-4}=-\frac{17}{4}$

57 $x^2+y^2=(x-y)^2+2xy$이므로

$3=1+2xy \quad \therefore xy=1$

$\therefore \frac{y}{x}+\frac{x}{y}=\frac{x^2+y^2}{xy}=\frac{3}{1}=3$

58 $x+y=\sqrt{2}+\sqrt{3}+\sqrt{2}-\sqrt{3}=2\sqrt{2}$

$xy=(\sqrt{2}+\sqrt{3})(\sqrt{2}-\sqrt{3})=2-3=-1$

$\therefore x^2+y^2=(x+y)^2-2xy$

$=(2\sqrt{2})^2-2\times(-1)$

$=10$

59 $x^2+\frac{1}{x^2}=\left(x-\frac{1}{x}\right)^2+2=4^2+2=18$

60 $x^2+\frac{1}{x^2}=\left(x+\frac{1}{x}\right)^2-2=4^2-2=14$

61 $\left(x+\frac{1}{x}\right)^2=\left(x-\frac{1}{x}\right)^2+4=5^2+4=29$

62 $\left(x-\frac{1}{x}\right)^2=\left(x+\frac{1}{x}\right)^2-4=6^2-4=32$

$\therefore x-\frac{1}{x}=\pm\sqrt{32}=\pm4\sqrt{2}$

63 $x\neq0$이므로 $x^2+6x-1=0$의 양변을 x로 나누면

$x+6-\frac{1}{x}=0 \quad \therefore x-\frac{1}{x}=-6$

$\therefore x^2+\frac{1}{x^2}=\left(x-\frac{1}{x}\right)^2+2=(-6)^2+2=38$

64 $x\neq0$이므로 $x^2+x-1=0$의 양변을 x로 나누면

$x+1-\frac{1}{x}=0 \quad \therefore x-\frac{1}{x}=-1$

$\therefore \left(x+\frac{1}{x}\right)^2=\left(x-\frac{1}{x}\right)^2+4=(-1)^2+4=5$

65 $x\neq0$이므로 $x^2-3x+1=0$의 양변을 x로 나누면

$x-3+\frac{1}{x}=0 \quad \therefore x+\frac{1}{x}=3$

$\therefore x^2+\frac{1}{x^2}=\left(x+\frac{1}{x}\right)^2-2=3^2-2=7$

66 $x\neq0$이므로 $x^2-4x+1=0$의 양변을 x로 나누면

$x-4+\frac{1}{x}=0 \quad \therefore x+\frac{1}{x}=4$

$\therefore x^2-3+\frac{1}{x^2}=x^2+\frac{1}{x^2}-3=\left(x+\frac{1}{x}\right)^2-2-3$

$=4^2-5=11$

67 $x=\frac{1}{2+\sqrt{3}}=\frac{2-\sqrt{3}}{(2+\sqrt{3})(2-\sqrt{3})}=2-\sqrt{3}$

$y=\frac{1}{2-\sqrt{3}}=\frac{2+\sqrt{3}}{(2-\sqrt{3})(2+\sqrt{3})}=2+\sqrt{3}$이므로

$x+y=(2-\sqrt{3})+(2+\sqrt{3})=4$

$xy=(2-\sqrt{3})(2+\sqrt{3})=4-3=1$

$\therefore x^2+y^2=(x+y)^2-2xy=4^2-2\times1=14$

68 $x=\frac{(\sqrt{2}-1)^2}{(\sqrt{2}+1)(\sqrt{2}-1)}=3-2\sqrt{2}$

$\therefore x+\frac{1}{x}=3-2\sqrt{2}+\frac{3+2\sqrt{2}}{(3-2\sqrt{2})(3+2\sqrt{2})}$

$=3-2\sqrt{2}+3+2\sqrt{2}=6$

[다른 풀이]

$x=\frac{\sqrt{2}-1}{\sqrt{2}+1}$이므로 $\frac{1}{x}=\frac{\sqrt{2}+1}{\sqrt{2}-1}$

$\therefore x+\frac{1}{x}=\frac{\sqrt{2}-1}{\sqrt{2}+1}+\frac{\sqrt{2}+1}{\sqrt{2}-1}$

$=\frac{(\sqrt{2}-1)^2+(\sqrt{2}+1)^2}{(\sqrt{2}+1)(\sqrt{2}-1)}$

$=2-2\sqrt{2}+1+2+2\sqrt{2}+1$

$=6$

69 $a=\frac{1}{1+\sqrt{2}}=\frac{1-\sqrt{2}}{(1+\sqrt{2})(1-\sqrt{2})}=-1+\sqrt{2}$

$b=\frac{1}{1-\sqrt{2}}=\frac{1+\sqrt{2}}{(1-\sqrt{2})(1+\sqrt{2})}=-1-\sqrt{2}$이므로

$a+b=(-1+\sqrt{2})+(-1-\sqrt{2})=-2$

$ab=(-1+\sqrt{2})(-1-\sqrt{2})=1-2=-1$

$\therefore \frac{b}{a}+\frac{a}{b}=\frac{a^2+b^2}{ab}=\frac{(a+b)^2-2ab}{ab}$

$=\frac{(-2)^2-2\times(-1)}{-1}=\frac{6}{-1}=-6$

70 $x=3+\sqrt{3}$에서 $x-3=\sqrt{3}$이므로 양변을 제곱하면

$x^2-6x+9=3$, $x^2-6x=-6$

$\therefore x^2-6x+10=-6+10=4$

71 $x=\sqrt{3}+1$에서 $x-1=\sqrt{3}$이므로 양변을 제곱하면

$x^2-2x+1=3$, $x^2-2x=2$

$\therefore x^2-2x-2=2-2=0$

72 $x=\frac{1}{3+2\sqrt{2}}=\frac{3-2\sqrt{2}}{(3+2\sqrt{2})(3-2\sqrt{2})}=3-2\sqrt{2}$

이므로

$x-3=-2\sqrt{2}$, $(x-3)^2=(-2\sqrt{2})^2$

$x^2-6x+9=8$에서 $x^2-6x=-1$

$\therefore x^2-6x-2=-1-2=-3$

73 $x=\frac{\sqrt{3}+\sqrt{2}}{\sqrt{3}-\sqrt{2}}=\frac{(\sqrt{3}+\sqrt{2})^2}{(\sqrt{3}-\sqrt{2})(\sqrt{3}+\sqrt{2})}$

$=3+2\sqrt{6}+2=5+2\sqrt{6}$

이므로 $x-5=2\sqrt{6}$, $(x-5)^2=(2\sqrt{6})^2$

$x^2-10x+25=24$에서 $x^2-10x=-1$

$\therefore x^2-10x+3=-1+3=2$

74 $a-b=A$로 놓으면

$(a-b)(a-b+1)=A(A+1)=A^2+A$

$=(a-b)^2+(a-b)$

$=a^2-2ab+b^2+a-b$

따라서 ab의 계수는 -2이다.

75 $2x-3y=A$로 놓으면

$(2x-3y+4)^2$

$=(A+4)^2=A^2+8A+16$

$=(2x-3y)^2+8(2x-3y)+16$

$=4x^2-12xy+9y^2+16x-24y+16$

따라서 x의 계수는 16, xy의 계수는 -12이므로 그 합은 $16+(-12)=4$

76 $y-z=A$로 놓으면

$(x+y-z)(x-y+z)+(y-z)^2$

$=(x+y-z)\{x-(y-z)\}+(y-z)^2$

$=(x+A)(x-A)+A^2$

$=x^2-A^2+A^2=x^2$

77 $(x-3)(x-2)(x+2)(x+3)$

$=\{(x-3)(x+3)\}\{(x-2)(x+2)\}$

$=(x^2-9)(x^2-4)$

$=(3-9)(3-4)$

$=6$

78 (주어진 식)

$=\left(1-\frac{1}{2}\right)\left(1+\frac{1}{2}\right)\left(1-\frac{1}{3}\right)\left(1+\frac{1}{3}\right)\left(1-\frac{1}{4}\right)\left(1+\frac{1}{4}\right)\cdots$

$\left(1-\frac{1}{2021}\right)\left(1+\frac{1}{2021}\right)\left(1-\frac{1}{2022}\right)\left(1+\frac{1}{2022}\right)$

$=\frac{1}{2}\times\frac{3}{2}\times\frac{2}{3}\times\frac{4}{3}\times\frac{3}{4}\times\frac{5}{4}\times\cdots$

$\times\frac{2020}{2021}\times\frac{2022}{2021}\times\frac{2021}{2022}\times\frac{2023}{2022}$

$=\frac{1}{2}\times\frac{2023}{2022}$

$=\frac{2023}{4044}$

79 $(x-6)(x-3)(x-1)(x+2)+50$

$=\{(x-6)(x+2)\}\{(x-3)(x-1)\}+50$

$=(x^2-4x-12)(x^2-4x+3)+50$

이때 $x^2-4x-6=0$에서 $x^2-4x=6$

$\therefore (x^2-4x-12)(x^2-4x+3)+50$

$=(6-12)(6+3)+50$

$=-54+50$

$=-4$

개념완성익힘

익힘북 37~38쪽

1 ②	**2** ④	**3** ⑤	**4** ③
5 ③	**6** ①	**7** 풀이 참조	**8** ②
9 ③	**10** ⑤	**11** -5	**12** 13
13 18			

1 $(3a+5b)(3b-5a)=9ab-15a^2+15b^2-25ab$
$=-15a^2-16ab+15b^2$

2 xy항이 나오는 부분만 전개하면
$x\times ay+y\times(-x)=(a-1)xy$이므로
$a-1=3 \quad \therefore a=4$
[다른 풀이]
$(x+y)(-x+ay-7)$
$=-x^2+axy-7x-xy+ay^2-7y$
$=-x^2+(a-1)xy-7x+ay^2-7y$
$a-1=3$이므로 $a=4$

3 넓이는 $(7x+4)(5x-2)=35x^2+6x-8$이므로
$(ax+b)(cx+d)=acx^2+(ad+bc)x+bd$를 이용하였다.

4 ① $(-x+y)^2=x^2-2xy+y^2$
② $(4x-5y)^2=16x^2-40xy+25y^2$
④ $(x+4)(x-2)=x^2+2x-8$
⑤ $(5x+1)(3x-1)=15x^2-2x-1$

5 $38\times42=(40-2)(40+2)=40^2-2^2$
이므로 가장 편리한 곱셈 공식은
$(a+b)(a-b)=a^2-b^2$이다.

6 $\dfrac{101\times99+1}{20^2}=\dfrac{(100+1)(100-1)+1}{20^2}$
$=\dfrac{(100^2-1^2)+1}{20^2}=\dfrac{100^2}{400}=25$

7 연속하는 두 홀수를 $2n-1$, $2n+1$(단, n은 자연수)이라 하면
$(2n+1)^2-(2n-1)^2$
$=4n^2+4n+1-(4n^2-4n+1)=8n$
따라서 연속하는 두 홀수의 제곱의 차는 8의 배수이다.

8 $(2\sqrt{2}+3)^5(2\sqrt{2}-3)^5=\{(2\sqrt{2}+3)(2\sqrt{2}-3)\}^5$
$=\{(2\sqrt{2})^2-3^2\}^5$
$=(8-9)^5=-1$

9 $(2+1)(2^2+1)(2^4+1)(2^8+1)$
$=(2-1)(2+1)(2^2+1)(2^4+1)(2^8+1)$
$=(2^2-1)(2^2+1)(2^4+1)(2^8+1)$
$=(2^4-1)(2^4+1)(2^8+1)$
$=(2^8-1)(2^8+1)$
$=2^{16}-1$
$\therefore a=16$

10 $x=\sqrt{2}-2$에서 $x+2=\sqrt{2}$이므로
양변을 제곱하여 정리하면
$x^2+4x+2=0$
$\therefore x^2+6x+3=(x^2+4x+2)+2x+1$
$=0+2(\sqrt{2}-2)+1$
$=2\sqrt{2}-3$

11 잘못 본 식을 전개하면
$(x-2)(x+a)=x^2+(-2+a)x-2a$이므로 …… ①
$-2+a=3$, $-2a=b$
$\therefore a=5$, $b=-2a=(-2)\times5=-10$ …… ②
$\therefore a+b=5+(-10)=-5$ …… ③

단계	채점 기준	비율
①	잘못 본 식 전개하기	40%
②	a, b의 값 각각 구하기	40%
③	$a+b$의 값 구하기	20%

12 $(ax+4)(5x-3)=5ax^2+(-3a+20)x-12$
이므로 $-3a+20=-1 \quad \therefore a=7$ …… ①
$(x+4)(4x-b)=4x^2+(16-b)x-4b$이므로
$16-b=10 \quad \therefore b=6$ …… ②
$\therefore a+b=7+6=13$ …… ③

단계	채점 기준	비율
①	a의 값 구하기	40%
②	b의 값 구하기	40%
③	$a+b$의 값 구하기	20%

13 $a^2+b^2=(a-b)^2+2ab=4^2+2\times1=18$ …… ①
$\therefore \dfrac{b}{a}+\dfrac{a}{b}=\dfrac{a^2+b^2}{ab}=\dfrac{18}{1}=18$ …… ②

단계	채점 기준	비율
①	주어진 식을 변형하여 a^2+b^2의 값 구하기	60%
②	식의 값 구하기	40%

2 다항식의 인수분해

개념적용익힘

익힘북 39~50쪽

1 ③	**2** ㄱ, ㄷ, ㅁ	**3** ④	**4** 풀이 참조
5 ③	**6** ⑤	**7** ④	**8** ⑤
9 $\frac{15}{2}$	**10** ㄱ, ㄴ, ㅁ	**11** ③	**12** ⑤
13 ⑤	**14** 4	**15** ⑤	**16** ①
17 4	**18** ①	**19** ④	**20** x
21 $\left(2x+\frac{1}{3y}\right)\left(2x-\frac{1}{3y}\right)$		**22** ③, ⑤	**23** $3x+5$
24 $(x^2+4y^2)(x+2y)(x-2y)$			**25** ④
26 (1) $(n+1)^2-n^2$ (2) 풀이 참조			**27** ⑤
28 -11	**29** ⑤	**30** ④	
31 (1) $x^2-2x-24$ (2) $(x+4)(x-6)$			
32 $(x-1)(x+12)$		**33** $(x+2)(x-6)$	
34 ②	**35** ②, ③	**36** ⑤	**37** $4x-6$
38 ⑤	**39** ③	**40** ④	**41** ①
42 $x+3$	**43** ③	**44** -2	**45** ③
46 ⑤	**47** ③		
48 (1) $(x-y)(a+b)$ (2) $b(x-y)(a-1)$ (3) $(x+y)(x+y+4)$ (4) $(b+1)(a-b-1)$			
49 ④	**50** $(x+2y)(x-2y)(m+n)$		
51 ①, ④	**52** (1) $(x+y-3)^2$ (2) $(a-2)(a+5)$		
53 $2x+4$	**54** 15	**55** ②	**56** ②
57 ③	**58** ④	**59** $(x-5)(2x-7)$	
60 $(x^2+5x+3)^2$		**61** ②	**62** ①, ③
63 ①, ③	**64** ②	**65** $x-1$	
66 $(a+2b)(c+d)$		**67** ③	**68** $x+y$
69 ②, ④	**70** ②	**71** ③	**72** 8000
73 309	**74** ⑤	**75** -128	**76** $\frac{6}{11}$
77 $-2\sqrt{5}$	**78** ⑤	**79** 96	
80 $400\pi\ \text{cm}^3$		**81** $910\pi\ \text{cm}^2$	
82 17 cm			

1 ③ ㉡의 과정에서 분배법칙이 이용된다.

2 $3(x-5)(x+2)$의 인수는 1, 3, $x-5$, $x+2$, $3(x-5)$, $3(x+2)$, $(x-5)(x+2)$, $3(x-5)(x+2)$이다.
따라서 인수는 ㄱ, ㄷ, ㅁ이다.

3 주어진 다항식의 인수는
1, x, $x+3$, $2x-1$, $x(x+3)$, $x(2x-1)$, $(x+3)(2x-1)$, $x(x+3)(2x-1)$이다.
따라서 인수가 아닌 것은 ④이다.

4

다항식	각 항의 공통인수	인수분해
$ax+ay$	a	$a(x+y)$
ab^2+6ab	ab	$ab(b+6)$
$x^2-2xy+xz$	x	$x(x-2y+z)$
$2a^2b-4ab$	$2ab$	$2ab(a-2)$

5 $a^2b-ab^2=ab(a-b)$

6 ① $xy^2-3xy=xy(y-3)$
② $2a^2b-4ab^2=2ab(a-2b)$
③ $4a^2b-16ab^2=4ab(a-4b)$
④ $-3x^2y-12y^2=-3y(x^2+4y)$

7 ① $4x^2+8x+4=4(x^2+2x+1)=4(x+1)^2$
② $9x^2+6x+1=(3x+1)^2$
③ $x^2+8xy+16y^2=(x+4y)^2$
⑤ $x^2+xy+\frac{1}{4}y^2=\left(x+\frac{1}{2}y\right)^2$

8 ㄷ. $\left(\frac{3}{4}x+y\right)^2$ ㄹ. $\left(\frac{1}{2}y-1\right)^2$
따라서 완전제곱식으로 인수분해되는 것은 ㄷ, ㄹ이다.

9 $b^2=\frac{25}{4}$에서 $b=\frac{5}{2}$ $(\because b>0)$
$a=2\times1\times\frac{5}{2}=5$
$\therefore a+b=5+\frac{5}{2}=\frac{15}{2}$

10 $5x(y-1)^2$의 인수는 5, x, $y-1$, $(y-1)^2$, $5x$, $5(y-1)$, $5(y-1)^2$, $x(y-1)$, $x(y-1)^2$, $5x(y-1)$, $5x(y-1)^2$이다.
따라서 인수인 것은 ㄱ, ㄴ, ㅁ이다.

11 $3ab^2+12ab+12a=3a(b^2+4b+4)=3a(b+2)^2$
따라서 $3ab^2+12ab+12a$의 인수가 아닌 것은 ③이다.

12 $4x^2+24x+36=4(x^2+6x+9)=4(x+3)^2$
따라서 $4x^2+24x+36$의 인수인 것은 ⑤이다.

13 $x^2-10x+2a+9$가 완전제곱식이 되려면

$2a+9=\left(\frac{-10}{2}\right)^2=25 \qquad \therefore a=8$

14 $(x-2)(x-6)+k=x^2-8x+12+k$가 완전제곱식이 되려면

$12+k=\left(\frac{-8}{2}\right)^2=16 \qquad \therefore k=4$

15 ① 16 ② ± 8 ③ 16 ④ ± 2 ⑤ ± 20

16 $k+3=\pm 2\times 3\times 4=\pm 24$

$\therefore k=-27$ 또는 $k=21$

17 $\sqrt{x^2}+\sqrt{x^2-8x+16}=\sqrt{x^2}+\sqrt{(x-4)^2}$

$0<x<4$이므로 $x>0$, $x-4<0$

따라서 $\sqrt{x^2}=x$, $\sqrt{(x-4)^2}=-(x-4)$이므로

(주어진 식)$=x-(x-4)=x-x+4=4$

18 $\sqrt{x^2-2x+1}+\sqrt{x^2-4x+4}$

$=\sqrt{(x-1)^2}+\sqrt{(x-2)^2}$

$1<x<2$이므로 $x-1>0$, $x-2<0$

따라서 $\sqrt{(x-1)^2}=x-1$, $\sqrt{(x-2)^2}=-(x-2)$이므로

(주어진 식)$=x-1-(x-2)=x-1-x+2=1$

19 $\sqrt{a^2+2ab+b^2}+\sqrt{a^2-2ab+b^2}$

$=\sqrt{(a+b)^2}+\sqrt{(a-b)^2}$

$0<a<b$이므로 $a+b>0$, $a-b<0$

따라서 $\sqrt{(a+b)^2}=a+b$, $\sqrt{(a-b)^2}=-(a-b)$이므로

(주어진 식)$=a+b-(a-b)=a+b-a+b=2b$

20 $\sqrt{x^2}-\sqrt{x^2-\frac{1}{2}x+\frac{1}{16}}+\sqrt{x^2+\frac{1}{2}x+\frac{1}{16}}$

$=\sqrt{x^2}-\sqrt{\left(x-\frac{1}{4}\right)^2}+\sqrt{\left(x+\frac{1}{4}\right)^2}$

$-\frac{1}{4}<x<0$이므로 $x-\frac{1}{4}<0$, $x+\frac{1}{4}>0$

따라서 $\sqrt{x^2}=x$, $\sqrt{\left(x-\frac{1}{4}\right)^2}=-\left(x-\frac{1}{4}\right)$,

$\sqrt{\left(x+\frac{1}{4}\right)^2}=x+\frac{1}{4}$이므로

(주어진 식)$=-x-\left\{-\left(x-\frac{1}{4}\right)\right\}+\left(x+\frac{1}{4}\right)$

$=-x+x-\frac{1}{4}+x+\frac{1}{4}=x$

21 $4x^2-\frac{1}{9y^2}=(2x)^2-\left(\frac{1}{3y}\right)^2$

$=\left(2x+\frac{1}{3y}\right)\left(2x-\frac{1}{3y}\right)$

22 ① $a^2-16=(a+4)(a-4)$

② $16x^2-9y^2=(4x)^2-(3y)^2$

$=(4x+3y)(4x-3y)$

③ $-x^2+y^2=-(x^2-y^2)=-(x+y)(x-y)$

④ $-x^2+\frac{1}{x^2}=-\left(x^2-\frac{1}{x^2}\right)=-\left(x+\frac{1}{x}\right)\left(x-\frac{1}{x}\right)$

⑤ $4x^2-100=4(x^2-25)=4(x+5)(x-5)$

23 (A의 넓이)$=(3x)^2-5^2=(3x+5)(3x-5)$

(B의 넓이)$=$(B의 가로의 길이)$\times(3x-5)$

따라서 두 도형 A, B의 넓이가 같으므로 도형 B의 가로의 길이는 $3x+5$이다.

24 $x^4-16y^4=(x^2)^2-(4y^2)^2=(x^2+4y^2)(x^2-4y^2)$

$=(x^2+4y^2)(x+2y)(x-2y)$

25 $x^8-1=(x^4+1)(x^4-1)$

$=(x^4+1)(x^2+1)(x^2-1)$

$=(x^4+1)(x^2+1)(x+1)(x-1)$

26 (2) $(n+1)^2-n^2=(n+1+n)(n+1-n)$

$=2n+1=(n+1)+n$

따라서 연속한 두 자연수의 제곱의 차는 항상 이 두 자연수의 합과 같다.

27 $x^2+2x-24=(x+6)(x-4)$이므로 두 일차식의 합은 $(x+6)+(x-4)=2x+2$

28 $(x+b)(x-3)=x^2+(b-3)x-3b$

$=x^2+ax+12$

$-3b=12$이므로 $b=-4$

$a=b-3$이므로 $a=-4-3=-7$

$\therefore a+b=-7-4=-11$

29 ① $x^2+x-6=(x-2)(x+3)$

② $x^2-5x-6=(x-6)(x+1)$

③ $x^2+10x+16=(x+2)(x+8)$

④ $x^2+7xy+6y^2=(x+y)(x+6y)$

30 $(x+4)(x-8)+11=x^2-4x-32+11$
$=x^2-4x-21$
$=(x+3)(x-7)$
따라서 $(x+4)(x-8)+11$의 인수인 것은 ④이다.

31 (1) 진희는 상수항을 바르게 보았으므로
$(x-4)(x+6)=x^2+2x-24$에서 상수항은 -24이다.
민정이는 x의 계수를 바르게 보았으므로
$(x-4)(x+2)=x^2-2x-8$에서 x의 계수는 -2이다.
따라서 처음 이차식은 $x^2-2x-24$이다.
(2) $x^2-2x-24$를 바르게 인수분해하면
$x^2-2x-24=(x+4)(x-6)$

32 혜정이는 상수항을 바르게 보았으므로
$(x-3)(x+4)=x^2+x-12$에서 상수항은 -12이다.
준호는 x의 계수를 바르게 보았으므로
$(x+1)(x+10)=x^2+11x+10$에서 x의 계수는 11이다.
따라서 처음 이차식은 $x^2+11x-12$이므로
바르게 인수분해하면 $x^2+11x-12=(x-1)(x+12)$

33 효빈이는 상수항을 바르게 보았으므로
$(x+4)(x-3)=x^2+x-12$에서 상수항은 -12이다.
기연이는 x의 계수를 바르게 보았으므로
$(x+3)(x-7)=x^2-4x-21$에서 x의 계수는 -4이다.
따라서 처음 이차식은 $x^2-4x-12$이므로
바르게 인수분해하면 $x^2-4x-12=(x+2)(x-6)$

34 ① $2x^2-9x-5=(x-5)(2x+1)$
③ $5x^2+12x+4=(x+2)(5x+2)$
④ $12x^2-x-6=(3x+2)(4x-3)$
⑤ $10x^2-11xy-6y^2=(2x-3y)(5x+2y)$

35 $6x^2-11x-7=(2x+1)(3x-7)$
따라서 $6x^2-11x-7$의 인수인 것은 ②, ③이다.

36 $8x^2-10xy-12y^2=2(4x^2-5xy-6y^2)$
$=2(x-2y)(4x+3y)$
따라서 $8x^2-10xy-12y^2$의 인수인 것은 ⑤이다.

37 $3x^2-14x+8=(x-4)(3x-2)$
따라서 두 일차식은 $x-4$, $3x-2$이므로 그 합은
$(x-4)+(3x-2)=4x-6$

38 ⑤ $4x^2+15xy+9y^2=(x+3y)(4x+3y)$

39 ① $x^2-1=(\underline{x+1})(x-1)$
② $x^2+2x+1=(\underline{x+1})^2$
③ $x^2-11x+10=(x-1)(x-10)$
④ $2x^2-3x-5=(\underline{x+1})(2x-5)$
⑤ $5x^2+x-4=(\underline{x+1})(5x-4)$
따라서 $x+1$을 인수로 갖지 않는 것은 ③이다.

40 ① 1 ② 1 ③ 1 ④ 2 ⑤ 1

41 $x^2+x-20=(\underline{x-4})(x+5)$
$3x^2-14x+8=(\underline{x-4})(3x-2)$
따라서 두 다항식의 공통인수는 $x-4$이다.

42 $2x^2+7x+3=(\underline{x+3})(2x+1)$
$4x^2+10x-6=2(2x^2+5x-3)$
$=2(\underline{x+3})(2x-1)$
따라서 두 다항식의 공통인수는 $x+3$이다.

43 $2x^2-15x+18=(x-6)(\underline{2x-3})$
$6x^2-7x-3=(\underline{2x-3})(3x+1)$
$8x^2-22x+15=(\underline{2x-3})(4x-5)$
따라서 세 다항식의 공통인수는 $2x-3$이다.

44 $x^2-9=(\underline{x+3})(x-3)$
$2x^2+5x-3=(2x-1)(\underline{x+3})$
$x^2+6x+9=(\underline{x+3})^2$, $x^2+3x=x(\underline{x+3})$
따라서 공통인수가 $x+3$이므로 $a=1$, $b=3$
$\therefore a-b=-2$

45 $3x^2+ax-6$에서 x^2의 계수는 3이고, $x+3$이 인수이므로 나머지 인수는 $3x+b$로 놓을 수 있다.
즉, $3x^2+ax-6=(x+3)(3x+b)$
$3x^2+ax-6=3x^2+(b+9)x+3b$에서
$a=b+9$, $-6=3b$
따라서 $b=-2$이므로 $a=b+9=-2+9=7$

46 $5x^2+ax-10$에서 x^2의 계수는 5이고, $x+5$가 인수이므로 나머지 인수는 $5x+b$로 놓을 수 있다.
즉, $5x^2+ax-10=(x+5)(5x+b)$
$5x^2+ax-10=5x^2+(b+25)x+5b$에서
$a=b+25$, $-10=5b$
따라서 $b=-2$이므로 $a=b+25=-2+25=23$

47 $8x^2+axy-3y^2$에서 x^2의 계수는 8이고, $2x-y$가 인수이므로 나머지 인수는 $4x+by$로 놓을 수 있다.
즉, $8x^2+axy-3y^2=(2x-y)(4x+by)$
$8x^2+axy-3y^2=8x^2+(2b-4)xy-by^2$에서
$a=2b-4$, $-3=-b$
따라서 $b=3$이므로 $a=2b-4=2\times3-4=2$

48 (2) $ab(x-y)+b(y-x)=ab(x-y)-b(x-y)$
$=(x-y)(ab-b)$
$=b(x-y)(a-1)$

49 ① $x(2x+y)+2x+y=(2x+y)(x+1)$
② $a(b-1)-(b-1)=(b-1)(a-1)$
③ $(x+1)(y-2)+2x(y-2)$
$=(y-2)(x+1+2x)=(y-2)(3x+1)$
④ $6x^2y+10xy-4y=2y(3x^2+5x-2)$
$=2y(x+2)(3x-1)$
⑤ $a^2(a-1)-4(a-1)=(a-1)(a^2-4)$
$=(a-1)(a+2)(a-2)$

50 $m(x^2-4y^2)-n(4y^2-x^2)$
$=m(x^2-4y^2)+n(x^2-4y^2)$
$=(x^2-4y^2)(m+n)$
$=(x+2y)(x-2y)(m+n)$

51 $x(x-y)-y(y-x)-x+y$
$=x(x-y)+y(x-y)-(x-y)$
$=(x-y)(x+y-1)$
따라서 주어진 다항식의 인수인 것은 ①, ④이다.

52 (1) $x+y=A$로 놓으면
$(x+y)^2-6(x+y)+9=A^2-6A+9$
$=(A-3)^2$
$=(x+y-3)^2$

(2) $a+2=A$로 놓으면
$(a+2)^2-(a+2)-12=A^2-A-12$
$=(A-4)(A+3)$
$=(a+2-4)(a+2+3)$
$=(a-2)(a+5)$

53 $x+3=A$로 놓으면
$(x+3)^2-2(x+3)-15=A^2-2A-15$
$=(A-5)(A+3)$
$=(x+3-5)(x+3+3)$
$=(x-2)(x+6)$
따라서 두 일차식은 $x-2$, $x+6$이므로 그 합은
$(x-2)+(x+6)=2x+4$

54 $x-4=A$로 놓으면
$5(x-4)^2-6(x-4)-8$
$=5A^2-6A-8$
$=(A-2)(5A+4)$
$=(x-4-2)\{5(x-4)+4\}$
$=(x-6)(5x-16)$
따라서 $a=-6$, $b=5$, $c=-16$이므로
$a+b-c=-6+5-(-16)=15$

55 $x+y=A$로 놓으면
$(x+y)^2-2(x+y)z-3z^2$
$=A^2-2zA-3z^2$
$=(A+z)(A-3z)$
$=(x+y+z)(x+y-3z)$

56 $x+y=A$로 놓으면
$(x+y)(x+y+4)+4=A(A+4)+4$
$=A^2+4A+4$
$=(A+2)^2$
$=(x+y+2)^2$

57 $3x+y=A$로 놓으면
$(3x+y)(3x+y+7)+10$
$=A(A+7)+10$
$=A^2+7A+10$
$=(A+2)(A+5)$
$=(3x+y+2)(3x+y+5)$

58 $4x+3y=A$, $3x-2y=B$로 놓으면
$(4x+3y)^2-(3x-2y)^2$
$=A^2-B^2=(A+B)(A-B)$
$=\{(4x+3y)+(3x-2y)\}\{(4x+3y)-(3x-2y)\}$
$=(7x+y)(x+5y)$

59 $2x-1=A$, $x+1=B$로 놓으면
$6(2x-1)^2-17(2x-1)(x+1)+12(x+1)^2$
$=6A^2-17AB+12B^2$
$=(2A-3B)(3A-4B)$
$=\{2(2x-1)-3(x+1)\}\{3(2x-1)-4(x+1)\}$
$=(4x-2-3x-3)(6x-3-4x-4)$
$=(x-5)(2x-7)$

60 $x^2+5x=A$로 놓으면
$x(x+2)(x+3)(x+5)+9$
$=\{x(x+5)\}\{(x+2)(x+3)\}+9$
$=(x^2+5x)(x^2+5x+6)+9$
$=A(A+6)+9=A^2+6A+9$
$=(A+3)^2=(x^2+5x+3)^2$

61 $x^2+x=A$로 놓으면
$(x-1)(x-2)(x+2)(x+3)+4$
$=\{(x-1)(x+2)\}\{(x-2)(x+3)\}+4$
$=(x^2+x-2)(x^2+x-6)+4$
$=(A-2)(A-6)+4=A^2-8A+16$
$=(A-4)^2=(x^2+x-4)^2$

62 $x^2-2x=A$로 놓으면
$(x+1)(x+2)(x-3)(x-4)+4$
$=(x+1)(x-3)(x+2)(x-4)+4$
$=(x^2-2x-3)(x^2-2x-8)+4$
$=(A-3)(A-8)+4$
$=A^2-11A+28=(A-4)(A-7)$
$=(x^2-2x-4)(x^2-2x-7)$

63 $4a^2-b^2+12a+9=(4a^2+12a+9)-b^2$
$=(2a+3)^2-b^2$
$=(2a+b+3)(2a-b+3)$
따라서 $4a^2-b^2+12a+9$의 인수인 것은 ①, ③이다.

64 ① $xy+2x+2y+4=x(y+2)+2(y+2)$
$=(x+2)(y+2)$
② $x^3-3x^2-2x+6=x^2(x-3)-2(x-3)$
$=(x-3)(x^2-2)$
③ $xy+2-2x-y=x(y-2)-(y-2)$
$=(x-1)(y-2)$
④ $x^2+2x-y^2-2y=(x+y)(x-y)+2(x-y)$
$=(x-y)(x+y+2)$
⑤ $3xy-6x-4y+8=3x(y-2)-4(y-2)$
$=(3x-4)(y-2)$

65 $xy-x-y+1=x(y-1)-(y-1)$
$=(y-1)(\underline{x-1})$
$x^2-xy-x+y=x(x-y)-(x-y)$
$=(x-y)(\underline{x-1})$
따라서 두 다항식의 공통인수는 $x-1$이다.

66 $ac+ad+2bc+2bd=a(c+d)+2b(c+d)$
$=(a+2b)(c+d)$

67 $x^2+xy-8x-4y+16=xy-4y+x^2-8x+16$
$=y(x-4)+(x-4)^2$
$=(x-4)(x+y-4)$

68 $x^2-y^2+x+y=(x+y)(x-y)+(x+y)$
$=(\underline{x+y})(x-y+1)$
$x^2+2y^2+3xy+x+y=x^2+(3y+1)x+2y^2+y$
$=x^2+(3y+1)x+y(2y+1)$
$=(\underline{x+y})(x+2y+1)$
따라서 두 다항식의 1이 아닌 공통인수는 $x+y$이다.

69 $a+b=A$로 놓으면
$x^2+2a^2+2b^2+4ab+3ax+3bx$
$=x^2+3(a+b)x+2a^2+4ab+2b^2$
$=x^2+3(a+b)x+2(a+b)^2$
$=x^2+3Ax+2A^2$
$=(x+A)(x+2A)$
$=(x+a+b)(x+2a+2b)$

70 $x^2+2xy+y^2-4x-4y-5$
$=x^2+(2y-4)x+y^2-4y-5$
$=x^2+(2y-4)x+(y-5)(y+1)$
$=(x+y-5)(x+y+1)$
$\therefore a+b+c+d=1-5+1+1=-2$

71 $99^2-1=99^2-1^2=(99+1)(99-1)=100\times98$
따라서 가장 적당한 인수분해 공식은 ③이다.

72 $61^2-19^2+80\times25+80\times33$
$=(61+19)(61-19)+80(25+33)$
$=80\times42+80\times58=80(42+58)$
$=80\times100=8000$

73 $A=17.5^2-2\times17.5\times0.5+0.5^2$
$=(17.5-0.5)^2=17^2=289$
$B=\sqrt{52^2-48^2}=\sqrt{(52+48)(52-48)}$
$=\sqrt{100\times4}=20$
$\therefore A+B=289+20=309$

74 $\dfrac{197\times198+197}{198^2-1}=\dfrac{197\times(198+1)}{(198+1)\times(198-1)}$
$=\dfrac{197}{197}=1$

75 $1^2-3^2+5^2-7^2+9^2-11^2+13^2-15^2$
$=(1+3)(1-3)+(5+7)(5-7)$
$+(9+11)(9-11)+(13+15)(13-15)$
$=-2\times(1+3+5+7+9+11+13+15)$
$=-128$

76 $\left(1-\dfrac{1}{2^2}\right)\left(1-\dfrac{1}{3^2}\right)\left(1-\dfrac{1}{4^2}\right)$
$\cdots\left(1-\dfrac{1}{10^2}\right)\left(1-\dfrac{1}{11^2}\right)$
$=\left(1-\dfrac{1}{2}\right)\left(1+\dfrac{1}{2}\right)\left(1-\dfrac{1}{3}\right)\left(1+\dfrac{1}{3}\right)\left(1-\dfrac{1}{4}\right)\left(1+\dfrac{1}{4}\right)$
$\cdots\left(1-\dfrac{1}{10}\right)\left(1+\dfrac{1}{10}\right)\left(1-\dfrac{1}{11}\right)\left(1+\dfrac{1}{11}\right)$
$=\dfrac{1}{2}\times\dfrac{\cancel{3}}{\cancel{2}}\times\dfrac{\cancel{2}}{\cancel{3}}\times\dfrac{\cancel{4}}{\cancel{3}}\times\dfrac{\cancel{3}}{\cancel{4}}\times\dfrac{\cancel{5}}{\cancel{4}}\times\cdots$
$\times\dfrac{\cancel{9}}{\cancel{10}}\times\dfrac{\cancel{11}}{\cancel{10}}\times\dfrac{\cancel{10}}{\cancel{11}}\times\dfrac{12}{11}$
$=\dfrac{1}{2}\times\dfrac{12}{11}=\dfrac{6}{11}$

77 $xy=(2+\sqrt{5})(2-\sqrt{5})=4-5=-1$
$x-y=(2+\sqrt{5})-(2-\sqrt{5})$
$=2+\sqrt{5}-2+\sqrt{5}=2\sqrt{5}$
$\therefore x^2y-xy^2=xy(x-y)=(-1)\times2\sqrt{5}=-2\sqrt{5}$

78 $x-2=A$로 놓으면
$(x-2)^2-(x-2)-2=A^2-A-2$
$=(A-2)(A+1)$
$=(x-2-2)(x-2+1)$
$=(x-4)(x-1)$
이 식에 $x=4+\sqrt{2}$를 대입하면
$(x-4)(x-1)=(4+\sqrt{2}-4)(4+\sqrt{2}-1)$
$=\sqrt{2}(3+\sqrt{2})=2+3\sqrt{2}$

79 $x=\dfrac{\sqrt{2}-\sqrt{3}}{\sqrt{2}+\sqrt{3}}=\dfrac{(\sqrt{2}-\sqrt{3})^2}{(\sqrt{2}+\sqrt{3})(\sqrt{2}-\sqrt{3})}$
$=\dfrac{5-2\sqrt{6}}{-1}=-5+2\sqrt{6}$
$y=\dfrac{\sqrt{2}+\sqrt{3}}{\sqrt{2}-\sqrt{3}}=\dfrac{(\sqrt{2}+\sqrt{3})^2}{(\sqrt{2}-\sqrt{3})(\sqrt{2}+\sqrt{3})}$
$=\dfrac{5+2\sqrt{6}}{-1}=-5-2\sqrt{6}$
$\therefore (x+y)^2-4xy$
$=(x-y)^2$
$=\{(-5+2\sqrt{6})-(-5-2\sqrt{6})\}^2$
$=(4\sqrt{6})^2=96$

80 큰 원기둥의 부피에서 안쪽 원기둥의 부피를 빼면 화장지의 부피와 같으므로
$\pi\times6.5^2\times10-\pi\times1.5^2\times10$
$=10\pi(6.5^2-1.5^2)$
$=10\pi(6.5+1.5)\times(6.5-1.5)$
$=10\pi\times8\times5=400\pi(\text{cm}^3)$

81 (큰 부채꼴의 넓이)$=\pi\times53.5^2\times\dfrac{120}{360}(\text{cm}^2)$
(작은 부채꼴의 넓이)$=\pi\times11.5^2\times\dfrac{120}{360}(\text{cm}^2)$
$\therefore$ (필요한 한지의 넓이)
=(큰 부채꼴의 넓이)−(작은 부채꼴의 넓이)
$=53.5^2\times\dfrac{\pi}{3}-11.5^2\times\dfrac{\pi}{3}=\dfrac{\pi}{3}(53.5^2-11.5^2)$
$=\dfrac{\pi}{3}(53.5+11.5)\times(53.5-11.5)$
$=\dfrac{\pi}{3}\times65\times42=910\pi(\text{cm}^2)$

82 두 접시의 둘레의 길이의 합이 60π cm이므로
$2\pi a+2\pi b=60\pi \quad \therefore a+b=30$ ······㉠
두 접시의 넓이의 차가 $120\pi\ \text{cm}^2$이고, $a>b$이므로
$\pi a^2-\pi b^2=120\pi$에서 $a^2-b^2=120$
$\therefore (a+b)(a-b)=120$ ······㉡
㉠을 ㉡에 대입하면 $30(a-b)=120$
$\therefore a-b=4$ ······㉢
㉠, ㉢을 연립하여 풀면 $a=17$, $b=13$
따라서 큰 접시의 반지름의 길이는 17 cm이다.

개념완성익힘

익힘북 51~52쪽

1 ④ **2** 3 **3** ③, ⑤ **4** ③

5 ④ **6** $x+y-2$ **7** ④ **8** ②

9 ⑤ **10** 1, 3, 5, 15, 17

11 $(x-2)(x-4)$ **12** $\sqrt{15}$ **13** $2x$

1 $3a^3x-12a^2y=3a^2(ax-4y)$

따라서 $3a^3x-12a^2y$의 인수가 아닌 것은 ④이다.

2 $3x^2-6x+\square=3\left(x^2-2x+\frac{\square}{3}\right)$가 완전제곱식이 되려면

$\frac{\square}{3}=\left(\frac{-2}{2}\right)^2=(-1)^2=1 \quad \therefore \square=3$

3 ① $x^2-36=x^2-6^2=(x+6)(x-6)$

② $9a^2-b^2=(3a)^2-b^2=(3a+b)(3a-b)$

③ $\frac{1}{4}x^2-y^2=\left(\frac{1}{2}x\right)^2-y^2=\left(\frac{1}{2}x+y\right)\left(\frac{1}{2}x-y\right)$

④ $16a^2-81b^2=(4a)^2-(9b)^2$
$=(4a+9b)(4a-9b)$

⑤ $5x^2-45y^2=5(x^2-9y^2)=5\{x^2-(3y)^2\}$
$=5(x+3y)(x-3y)$

4 $2x^2-5x+3=(x-1)(\underline{2x-3})$

$2x^2-x-3=(x+1)(\underline{2x-3})$

따라서 두 다항식의 공통인수는 $2x-3$이다.

5 $3x+2y$가 $12x^2-axy-14y^2$의 인수이고 x^2의 계수가 12이므로 나머지 인수는 $4x+by$로 놓을 수 있다.

즉, $12x^2-axy-14y^2=(3x+2y)(4x+by)$

$12x^2-axy-14y^2=12x^2+(3b+8)xy+2by^2$

$-a=3b+8$, $-14=2b$에서 $b=-7$이므로

$a=-3b-8=-3\times(-7)-8=13$

6 (직사각형의 넓이)

$=x^2+2xy+y^2-5x-5y+6$

$=x^2+(2y-5)x+y^2-5y+6$

$=x^2+(2y-5)x+(y-2)(y-3)$

$=(x+y-2)(x+y-3)$

따라서 직사각형의 가로의 길이는 $x+y-2$이다.

[다른 풀이]

(직사각형의 넓이)$=(x^2+2xy+y^2)-5(x+y)+6$

$=(x+y)^2-5(x+y)+6$

$x+y=A$로 놓으면

(직사각형의 넓이)$=A^2-5A+6=(A-3)(A-2)$

$=(x+y-3)(x+y-2)$

따라서 직사각형의 가로의 길이는 $x+y-2$이다.

7 $x^2+axy+20y^2=(x-4y)(x+my)$로 놓으면

$x^2+axy+20y^2=x^2+(-4+m)xy-4my^2$

즉, $a=-4+m$, $20=-4m$

$\therefore m=-5,\ a=-9$

$5x^2-13xy+by^2=(x-4y)(5x+ny)$로 놓으면

$5x^2-13xy+by^2=5x^2+(-20+n)xy-4ny^2$

즉, $-13=-20+n$, $b=-4n$

$\therefore n=7,\ b=-28$

$\therefore a-b=-9-(-28)=19$

8 $x+2y=A$로 놓으면

$(x+2y)(x+2y+2)-15$

$=A(A+2)-15$

$=A^2+2A-15$

$=(A-3)(A+5)$

$=(x+2y-3)(x+2y+5)$

따라서 $a=3$, $b=5$이므로 $2a+b=6+5=11$

9 $x^2+6xy+9y^2-4=(x+3y)^2-2^2$

$=3^2-4$

$=5$

10 $2^{16}-1=(2^8+1)(2^8-1)$

$=(2^8+1)(2^4+1)(2^4-1)$

$=(2^8+1)(2^4+1)(2^2+1)(2^2-1)$

$=(2^8+1)(2^4+1)(2^2+1)(2+1)(2-1)$

$=257\times17\times5\times3\times1$

따라서 $2^{16}-1$의 약수 중 20 이하인 것은 1, 3, 5, 15, 17이다.

11 정희는 상수항을 바르게 보았으므로

$(x+1)(x+8)=x^2+9x+8$에서

상수항은 8이다. …… ①

형진이는 x의 계수를 바르게 보았으므로

$(x+2)(x-8)=x^2-6x-16$에서

x의 계수는 -6이다. …… ②

따라서 처음 이차식은 x^2-6x+8이므로 …… ③

바르게 인수분해하면

$x^2-6x+8=(x-2)(x-4)$ …… ④

단계	채점 기준	비율
①	바르게 본 상수항 구하기	20 %
②	바르게 본 x의 계수 구하기	20 %
③	처음 이차식 구하기	20 %
④	바르게 인수분해하기	40 %

12 $y=\frac{1}{\sqrt{5}+\sqrt{3}}=\frac{\sqrt{5}-\sqrt{3}}{(\sqrt{5}+\sqrt{3})(\sqrt{5}-\sqrt{3})}=\frac{\sqrt{5}-\sqrt{3}}{2}$

이므로 …… ①

$x+y=\frac{\sqrt{5}+\sqrt{3}}{2}+\frac{\sqrt{5}-\sqrt{3}}{2}=\sqrt{5}$ …… ②

$x-y=\frac{\sqrt{5}+\sqrt{3}}{2}-\frac{\sqrt{5}-\sqrt{3}}{2}=\sqrt{3}$ …… ③

$\therefore x^2-y^2=(x+y)(x-y)$

$=\sqrt{5}\times\sqrt{3}=\sqrt{15}$ …… ④

단계	채점 기준	비율
①	y의 값을 유리화하여 나타내기	20 %
②	$x+y$의 값 구하기	20 %
③	$x-y$의 값 구하기	20 %
④	x^2-y^2의 값 구하기	40 %

13 $x^2+6x+9=(x+3)^2$

$x^2-6x+9=(x-3)^2$ …… ①

$-3<x<3$이므로 $x+3>0$, $x-3<0$ …… ②

$\therefore \sqrt{x^2+6x+9}-\sqrt{x^2-6x+9}$

$=\sqrt{(x+3)^2}-\sqrt{(x-3)^2}$

$=(x+3)-\{-(x-3)\}$ …… ③

$=x+3+x-3=2x$ …… ④

단계	채점 기준	비율
①	근호 안의 식을 인수분해하기	20 %
②	근호 안의 부호 판별하기	20 %
③	제곱근의 성질을 이용하여 근호 없애기	30 %
④	식을 간단히 정리하기	30 %

대단원 마무리

익힘북 53~54쪽

1 ①	**2** ③, ④	**3** ④	**4** 6 또는 9
5 ③	**6** ①	**7** ③	**8** ⑤
9 -144	**10** ④	**11** $6x+8$	**12** ③
13 ④	**14** ④		

1 ㄱ. $a^2+2ab+b^2$ ㄴ. $-a^2-2ab-b^2$

ㄷ. $a^2-2ab+b^2$ ㄹ. $a^2+2ab+b^2$

ㅁ. a^2-b^2 ㅂ. b^2-a^2

따라서 전개식이 같은 것은 ㄱ, ㄹ이다.

2 ③ $43\times37=(40+3)(40-3)=40^2-3^2$

④ $2.1\times1.9=(2+0.1)(2-0.1)=2^2-0.1^2$

3 (주어진 식)

$=(2x^2+x-3)-(4x^2-12x+9)+(16-x^2)$

$=2x^2+x-3-4x^2+12x-9+16-x^2$

$=-3x^2+13x+4$

따라서 x의 계수는 13이다.

4 $(x+a)(x+b)=x^2+(a+b)x+ab=x^2+cx+8$

이므로 $ab=8$ …… ①

자연수 a, b를 순서쌍 (a, b)로 나타내면

$(1, 8)$, $(2, 4)$, $(4, 2)$, $(8, 1)$ …… ②

이때 $c=a+b$이므로 c의 값은 6 또는 9이다. …… ③

단계	채점 기준	비율
①	ab의 값 구하기	40 %
②	a, b를 순서쌍 (a, b)로 나타내기	50 %
③	c의 값 구하기	10 %

5 (주어진 식)$=\frac{(110+2)(110-2)+4}{10\times11}$

$=\frac{(110^2-2^2)+4}{10\times11}=\frac{110^2}{110}=110$

6 $\left(x-\frac{1}{x}\right)^2=x^2+\frac{1}{x^2}-2=18-2=16$

$\therefore x-\frac{1}{x}=-4$ ($\because 0<x<1$)

7 $x=\frac{1}{\sqrt{2}-1}=\frac{\sqrt{2}+1}{(\sqrt{2}-1)(\sqrt{2}+1)}=\sqrt{2}+1$이므로

$x-1=\sqrt{2}$

양변을 제곱하면 $(x-1)^2=2$, $x^2-2x+1=2$

$\therefore x^2-2x=1$

8 $(x-1)(x+5)+k=x^2+4x-5+k$가 완전제곱식이 되려면

$-5+k=\left(\frac{4}{2}\right)^2$, $-5+k=4$ $\quad\therefore k=9$

9 (주어진 식)

$=(2+4)(2-4)+(6+8)(6-8)$
$\quad+(10+12)(10-12)+(14+16)(14-16)$

$=(-2)\times6+(-2)\times14+(-2)\times22+(-2)\times30$

$=(-2)\times(6+14+22+30)$

$=(-2)\times72$

$=-144$

10 ① $x^2-9=\underline{(x+3)}(x-3)$

② $x^2-3x-18=\underline{(x+3)}(x-6)$

③ $x^2+4x+3=(x+1)\underline{(x+3)}$

④ $2x^2-x-6=(2x+3)(x-2)$

⑤ $3x^2+5x-12=\underline{(x+3)}(3x-4)$

따라서 $x+3$을 인수로 갖지 않는 것은 ④이다.

11 (새로 만든 직사각형의 넓이)$=2x^2+7x+3$ …… ①

$2x^2+7x+3=(x+3)(2x+1)$이고

새로 만든 직사각형의 가로의 길이는 $x+3$이므로

세로의 길이는 $2x+1$이다. …… ②

$\therefore$ (새로 만든 직사각형의 둘레의 길이)

$=2\{(x+3)+(2x+1)\}$

$=2(3x+4)$

$=6x+8$ …… ③

단계	채점 기준	비율
①	새로 만든 직사각형의 넓이 구하기	20 %
②	새로 만든 직사각형의 세로의 길이 구하기	60 %
③	새로 만든 직사각형의 둘레의 길이 구하기	20 %

12 $x-y=A$로 치환하면

(주어진 식)$=(A+3)A-10=A^2+3A-10$

$=(A-2)(A+5)$

$=(x-y-2)(x-y+5)$

13 (주어진 식)

$=x^2(x+1)-(x+1)=(x+1)(x^2-1)$

$=(x+1)(x+1)(x-1)=(x+1)^2(x-1)$

따라서 x^3+x^2-x-1의 인수가 아닌 것은 ④이다.

14 (주어진 식)$=(x-3)y+(x^2-2x-3)$

$=(x-3)y+(x-3)(x+1)$

$=(x-3)(x+y+1)$

III 이차방정식

1 이차방정식과 그 풀이

개념적용익힘

익힘북 55~60쪽

1 ④	**2** ④	**3** ④	**4** -5
5 -1	**6** ⑤	**7** ③	**8** 3개
9 ③	**10** ①	**11** 8	

12 $a=7$, $b=-3$ **13** $a=1$, $b=5$

14 ③, ⑤

15 (1) $x=\frac{1}{3}$ 또는 $x=2$ (2) $x=-1$ 또는 $x=5$

16 3	**17** ④	**18** $a=-4$, $x=-3$	
19 $x=-\frac{4}{3}$	**20** 13	**21** ④	**22** ④
23 ⑤	**24** ⑤	**25** 7	**26** 2
27 $\frac{1}{4}$	**28** ②	**29** ⓒ $x+2=\pm\sqrt{6}$	
30 7	**31** 8	**32** 13	**33** ①
34 $a>3$	**35** ③	**36** -24	**37** -20
38 $\frac{19}{4}$	**39** ⑤	**40** -1	**41** ④

1 ② $3x^2-5=0$이므로 이차방정식이다.
③ $-x^2-2x+4=0$이므로 이차방정식이다.
④ $x^2+3=x^2-2x+1$, $2x+2=0$이므로 일차방정식이다.
⑤ $x^3+x^2-1=x^3+3x$, $x^2-3x-1=0$이므로 이차방정식이다.

2 ㄱ. $2x=0$ (일차방정식)
ㄴ. $x^2-4x-1=0$ (이차방정식)
ㄷ. $x^2-3x+2=0$ (이차방정식)
ㄹ. $7x-3=0$ (일차방정식)
ㅁ. $-6x-4=0$ (일차방정식)
따라서 이차방정식은 ㄴ, ㄷ이다.

3 $(3x-1)(x+5)=ax^2-2x+3$에서
$3x^2+14x-5=ax^2-2x+3$
$(3-a)x^2+16x-8=0$
이 식이 이차방정식이 되려면 $3-a\neq0$ $\quad\therefore a\neq3$

4 $x(x-3)-(4-x)=0$에서 $x^2-3x-4+x=0$
$x^2-2x-4=0$이므로 $a=1$, $b=-2$, $c=-4$
$\therefore a+b+c=1+(-2)+(-4)=-5$

5 $3x(x-3)-2=2x^2+5$에서 $x^2-9x-7=0$이므로
$a=1$, $b=-9$, $c=-7$
$\therefore a+b-c=1+(-9)-(-7)=-1$

6 $5x^2-x-3=x(x-2)$에서 $5x^2-x-3=x^2-2x$
$4x^2+x-3=0$이므로 $a=4$, $b=1$
$\therefore ab=4\times1=4$

7 ① $3\times1^2+1\neq5$ (거짓)
② $-2^2+2+6\neq0$ (거짓)
③ $3^2-6\times3+9=0$ (참)
④ $2\times(-1)^2-3\times(-1)-1\neq0$ (거짓)
⑤ $(-4)^2+10\times(-4)-24\neq0$ (거짓)

8 ㄱ. $(-2)^2\neq2$ (거짓)
ㄴ. $(-2+1)(-2+2)=0$ (참)
ㄷ. $3\times(-2)^2-10\neq0$ (거짓)
ㄹ. $(-2)^2-2-2=0$ (참)
ㅁ. $(-2-1)^2\neq3$ (거짓)
ㅂ. $2\times(-2+2)^2=0$ (참)
따라서 $x=-2$를 해로 갖는 것은 ㄴ, ㄹ, ㅂ의 3개이다.

9 $x=-1$, 0, 1, 2, 3이므로
$x=-1$일 때, $2\times(-1)^2-5\times(-1)-3=4\neq0$
$x=0$일 때, $2\times0-5\times0-3=-3\neq0$
$x=1$일 때, $2\times1^2-5\times1-3=-6\neq0$
$x=2$일 때, $2\times2^2-5\times2-3=-5\neq0$
$x=3$일 때, $2\times3^2-5\times3-3=0$
따라서 해는 $x=3$이다.

10 $ax^2-6x-(a+3)=0$에 $x=-2$를 대입하면
$a\times(-2)^2-6\times(-2)-(a+3)=0$
$4a+12-a-3=0$, $3a=-9$
$\therefore a=-3$

11 $x^2+6x-5=0$에 $x=a$를 대입하면
$a^2+6a-5=0$ $\quad\therefore a^2+6a=5$
$\therefore a^2+6a+3=5+3=8$

12 $x^2+ax+6=0$에 $x=-1$을 대입하면

익힘북

$(-1)^2+a\times(-1)+6=0$

$1-a+6=0$ $\quad\therefore a=7$

$2x^2+5x+b=0$에 $x=-3$을 대입하면

$2\times(-3)^2+5\times(-3)+b=0$

$18-15+b=0$ $\quad\therefore b=-3$

13 $(x+2)(2x+a)=b$에 $x=\frac{1}{2}$을 대입하면

$\left(\frac{1}{2}+2\right)\left(2\times\frac{1}{2}+a\right)=\frac{5}{2}+\frac{5}{2}a=b$ …… ㉠

$(x+2)(2x+a)=b$에 $x=-3$을 대입하면

$(-3+2)\{2\times(-3)+a\}=6-a=b$ …… ㉡

㉠, ㉡을 연립하면

$\frac{5}{2}+\frac{5}{2}a=6-a$, $\frac{7}{2}a=\frac{7}{2}$ $\quad\therefore a=1$

$a=1$을 ㉡에 대입하면 $b=5$

14 ① $x=-\frac{1}{3}$ 또는 $x=-2$ ② $x=\frac{1}{3}$ 또는 $x=2$

③ $x=-\frac{1}{3}$ 또는 $x=2$ ④ $x=\frac{1}{3}$ 또는 $x=\frac{1}{2}$

⑤ $x=-\frac{1}{3}$ 또는 $x=2$

15 (1) $3x^2-7x+2=0$에서 $(3x-1)(x-2)=0$

$\therefore x=\frac{1}{3}$ 또는 $x=2$

(2) $x^2-4x-12=-7$에서 $x^2-4x-5=0$

$(x+1)(x-5)=0$ $\quad\therefore x=-1$ 또는 $x=5$

16 $x^2+x-2=2(x^2-2x+1)$에서 $x^2-5x+4=0$

$(x-1)(x-4)=0$ $\quad\therefore x=1$ 또는 $x=4$

따라서 $m=4$, $n=1(\because m>n)$이므로

$m-n=4-1=3$

17 $(x+2)(2x-1)=x^2+2$에서

$2x^2+3x-2=x^2+2$, $x^2+3x-4=0$

$(x+4)(x-1)=0$ $\quad\therefore x=-4$ 또는 $x=1$

$a<b$이므로 $a=-4$, $b=1$

$x^2+ax-5b=0$에 대입하면 $x^2-4x-5=0$

$(x+1)(x-5)=0$ $\quad\therefore x=-1$ 또는 $x=5$

18 $x^2-ax+3=0$에 $x=-1$을 대입하면

$(-1)^2-a\times(-1)+3=0$, $1+a+3=0$

$\therefore a=-4$

이차방정식은 $x^2+4x+3=0$이므로

$(x+3)(x+1)=0$ $\quad\therefore x=-3$ 또는 $x=-1$

따라서 다른 한 근은 $x=-3$이다.

19 $3x^2-5x+a=0$에 $x=3$을 대입하면

$3\times3^2-5\times3+a=0$, $27-15+a=0$

$\therefore a=-12$

이차방정식은 $3x^2-5x-12=0$이므로

$(3x+4)(x-3)=0$

$\therefore x=-\frac{4}{3}$ 또는 $x=3$

따라서 다른 한 근은 $x=-\frac{4}{3}$이다.

20 $(2x-1)(x-b)=0$에서 $x=\frac{1}{2}$ 또는 $x=b$

$2x^2-ax+4=0$의 한 근이 $\frac{1}{2}$이므로 $x=\frac{1}{2}$을 대입하면

$\frac{1}{2}-\frac{1}{2}a+4=0$, $\frac{1}{2}a=\frac{9}{2}$ $\quad\therefore a=9$

즉, $2x^2-9x+4=0$이므로

$(2x-1)(x-4)=0$ $\quad\therefore b=4$

$\therefore a+b=9+4=13$

21 ① $(x+2)(x-2)=0$ $\quad\therefore x=-2$ 또는 $x=2$

② $x(x+3)=0$ $\quad\therefore x=0$ 또는 $x=-3$

③ $(x-2)(x-4)=0$ $\quad\therefore x=2$ 또는 $x=4$

④ $(3x+1)^2=0$ $\quad\therefore x=-\frac{1}{3}$ (중근)

⑤ $(x+3)(4x-3)=0$ $\quad\therefore x=-3$ 또는 $x=\frac{3}{4}$

22 ① $(x+3)^2=0$ $\quad\therefore x=-3$ (중근)

② $x^2-2x+1=0$에서 $(x-1)^2=0$

$\therefore x=1$ (중근)

③ $(x-5)^2=0$ $\quad\therefore x=5$ (중근)

④ $3x^2-4x+1=0$에서 $(3x-1)(x-1)=0$

$\therefore x=\frac{1}{3}$ 또는 $x=1$

⑤ $(5x-3)^2=0$ $\quad\therefore x=\frac{3}{5}$ (중근)

23 ㄱ. $2x^2-2x=0$, $2x(x-1)=0$

$\therefore x=0$ 또는 $x=1$

ㄴ. $x^2-3x+2=1-x$, $x^2-2x+1=0$

$(x-1)^2=0$ $\quad\therefore x=1$ (중근)

ㄷ. $\left(x+\frac{1}{2}\right)^2=0$ $\quad\therefore x=-\frac{1}{2}$ (중근)

ㄹ. $x^2-8x+16=0$, $(x-4)^2=0$ $\quad\therefore x=4$ (중근)

따라서 중근을 갖는 것은 ㄴ, ㄷ, ㄹ이다.

24 $x^2-8x+a+4=0$이 중근을 가지므로

$a+4=\left(\frac{-8}{2}\right)^2=16 \quad \therefore a=12$

$x^2-8x+12+4=0$에서 $x^2-8x+16=0$이므로

$(x-4)^2=0 \quad \therefore x=4$ (중근)

따라서 a의 값과 그 중근의 합은 $12+4=16$

25 $3x^2-12x+4m-8=0$이므로

$3\left(x^2-4x+\frac{4m-8}{3}\right)=0$이 중근을 가지므로

$\frac{4m-8}{3}=\left(\frac{-4}{2}\right)^2=4$

$4m-8=12,\ 4m=20 \quad \therefore m=5$

따라서 $3(x^2-4x+4)=0$이므로 $3(x-2)^2=0$에서

$x=2$ (중근) $\quad \therefore n=2$

$\therefore m+n=5+2=7$

26 $x^2+ax+b=0$이 중근을 가지므로

$b=\left(\frac{a}{2}\right)^2 \quad \therefore a^2=4b$

따라서 $a^2=4b$를 만족하는 순서쌍 (a, b)는

$(2, 1), (4, 4)$이므로 경우의 수는 2이다.

27 $x^2-4mx-m=0$이 중근을 가지므로

$-m=\left(\frac{-4m}{2}\right)^2$

$4m^2+m=0,\ m(4m+1)=0$

$\therefore m=0$ 또는 $m=-\frac{1}{4}$

이때 m의 값이 $x^2+ax+b=0$의 두 근이므로

$x=0,\ x=-\frac{1}{4}$을 각각 대입하면

$$\begin{cases} b=0 & \cdots\cdots \text{㉠} \\ \frac{1}{16}-\frac{1}{4}a+b=0 & \cdots\cdots \text{㉡} \end{cases}$$

㉠, ㉡을 연립하여 풀면 $a=\frac{1}{4},\ b=0$

$\therefore a+b=\frac{1}{4}+0=\frac{1}{4}$

28 ① $x^2=9 \quad \therefore x=\pm 3$

② $x^2=18 \quad \therefore x=\pm 3\sqrt{2}$

③ $2x^2=28,\ x^2=14 \quad \therefore x=\pm\sqrt{14}$

④ $3x^2=15,\ x^2=5 \quad \therefore x=\pm\sqrt{5}$

⑤ $\frac{1}{2}x^2=16,\ x^2=32 \quad \therefore x=\pm 4\sqrt{2}$

29 ㉢ $x+2=\pm\sqrt{6} \quad \therefore x=-2\pm\sqrt{6}$

30 $(x-1)^2=6,\ x-1=\pm\sqrt{6} \quad \therefore x=1\pm\sqrt{6}$

따라서 $A=1,\ B=6$이므로 $A+B=1+6=7$

31 $(x-5)^2=\frac{a}{4},\ x-5=\pm\frac{\sqrt{a}}{2} \quad \therefore x=5\pm\frac{\sqrt{a}}{2}$

이때 근이 $x=5\pm\sqrt{2}$이므로 $\frac{\sqrt{a}}{2}=\sqrt{2}$

$\sqrt{a}=2\sqrt{2}=\sqrt{8} \quad \therefore a=8$

32 $(x-a)^2=\frac{b}{2},\ x-a=\pm\sqrt{\frac{b}{2}} \quad \therefore x=a\pm\sqrt{\frac{b}{2}}$

이때 근이 $x=3\pm\sqrt{5}$이므로 $a=3$이고,

$\frac{b}{2}=5$에서 $b=10$

$\therefore a+b=3+10=13$

33 $a(x+4)^2-2=0$에 $x=-4+\sqrt{2}$를 대입하면

$2a-2=0 \quad \therefore a=1$

즉, 주어진 이차방정식은 $(x+4)^2-2=0$이므로

$(x+4)^2=2,\ x+4=\pm\sqrt{2}$

$\therefore x=-4\pm\sqrt{2}$

따라서 $b=-4-\sqrt{2}$이므로

$a+b=1+(-4-\sqrt{2})=-3-\sqrt{2}$

34 $(x+16)^2=\frac{a-3}{4}$이 서로 다른 두 근을 가지려면

$\frac{a-3}{4}>0$이어야 하므로 $a>3$

35 $x^2-8x=-1,\ x^2-8x+16=15$

$\therefore (x-4)^2=15$

따라서 $A=-4,\ B=15$이므로

$A+B=-4+15=11$

36 $\frac{1}{2}x^2-3x-6=0$의 양변에 2를 곱하면

$x^2-6x-12=0,\ x^2-6x=12,\ x^2-6x+9=12+9$

$\therefore (x-3)^2=21$

따라서 $p=-3,\ q=21$이므로

$p-q=-3-21=-24$

37 $(x-1)^2=2x+7$에서 $x^2-2x+1=2x+7$

$x^2-4x=6,\ x^2-4x+4=10$

$\therefore (x-2)^2=10$

따라서 $a=-2,\ b=10$이므로

$ab=-2\times 10=-20$

38 $2x^2+6x-5=0$의 양변을 2로 나누면

$x^2+3x-\frac{5}{2}=0$, $x^2+3x=\frac{5}{2}$

$x^2+3x+\frac{9}{4}=\frac{5}{2}+\frac{9}{4}$ $\quad\therefore \left(x+\frac{3}{2}\right)^2=\frac{19}{4}$

$\therefore k=\frac{19}{4}$

39 ⑤ $-5\pm\frac{7\sqrt{2}}{2}$

40 $x^2+6x=3k$에서 $x^2+6x+9=3k+9$

$(x+3)^2=3k+9$, $x+3=\pm\sqrt{3k+9}$

$\therefore x=-3\pm\sqrt{3k+9}$

이때 해가 $x=-3\pm\sqrt{6}$이므로

$3k+9=6$ $\quad\therefore k=-1$

41 $x^2+ax-1=0$에서 $x^2+ax=1$

$x^2+ax+\frac{a^2}{4}=1+\frac{a^2}{4}$

$\left(x+\frac{a}{2}\right)^2=1+\frac{a^2}{4}$, $x+\frac{a}{2}=\pm\frac{\sqrt{4+a^2}}{2}$

$\therefore x=\frac{-a\pm\sqrt{4+a^2}}{2}$

해가 $x=\frac{1\pm\sqrt{b}}{2}$이므로 $a=-1$, $b=4+(-1)^2=5$

$\therefore a+b=-1+5=4$

개념완성익힘

익힘북 61~62쪽

1 ④	**2** ②, ④	**3** ④	**4** ①
5 ②	**6** ④	**7** ④	**8** -1, $\frac{3}{4}$
9 ①	**10** -11	**11** ③	**12** ③
13 $\frac{5}{2}$	**14** 7	**15** 6	

1 ① $x^2-4x-7=0$이므로 이차방정식이다.

② $x^2-2x=0$이므로 이차방정식이다.

③ $2x^2+3x-5=0$이므로 이차방정식이다.

④ $-5x-1=0$이므로 일차방정식이다.

⑤ $x^2-2x+1=5x-2$에서 $x^2-7x+3=0$이므로 이차방정식이다.

2 ① $(-1)^2\neq2$ (거짓)

② $3\times(-1)^2-1=2$ (참)

③ $(-1)\times\{2\times(-1)+1\}\neq0$ (거짓)

④ $(-1-3)^2=16$ (참)

⑤ $(-1)^2+4\times(-1)-5\neq0$ (거짓)

따라서 $x=-1$을 해로 갖는 이차방정식은 ②, ④이다.

3 $x=2$를 $x^2-(2a+5)x+10=0$에 대입하면

$2^2-2(2a+5)+10=0$

$4-4a-10+10=0$, $4a=4$ $\quad\therefore a=1$

4 $x^2=3(2x+9)$이므로 $x^2=6x+27$

$x^2-6x-27=0$, $(x+3)(x-9)=0$

$\therefore x=-3$ 또는 $x=9$

5 가로, 세로의 합이 서로 같으므로

$2+(2x+5)+x^2=6+7+2$

$x^2+2x-8=0$, $(x+4)(x-2)=0$

$\therefore x=-4$ 또는 $x=2$

따라서 자연수 x의 값은 2이다.

6 $x^2-x-6=0$에서 $(x+2)(x-3)=0$

$\therefore x=-2$ 또는 $x=3$

$x^2-4x+3=0$에서 $(x-1)(x-3)=0$

$\therefore x=1$ 또는 $x=3$

따라서 두 이차방정식을 동시에 만족시키는 x의 값은 3이다.

7 ㄱ. $x=\pm3$

ㄴ. $4x^2-4x+1=0$에서 $(2x-1)^2=0$

$\therefore x=\frac{1}{2}$ (중근)

ㄷ. $(2x-3)(x-2)=0$ $\quad\therefore x=\frac{3}{2}$ 또는 $x=2$

ㄹ. $x^2+2x-15=-16$에서 $x^2+2x+1=0$

$(x+1)^2=0$ $\quad\therefore x=-1$ (중근)

따라서 중근을 갖는 것은 ㄴ, ㄹ이다.

8 중근을 가지므로 $-a+3=\left(\frac{4a}{2}\right)^2$

$4a^2+a-3=0$, $(a+1)(4a-3)=0$

$\therefore a=-1$ 또는 $a=\frac{3}{4}$

따라서 구하는 a의 값은 -1, $\frac{3}{4}$이다.

9 $2(x+3)^2=10$에서 $(x+3)^2=5$, $x+3=\pm\sqrt{5}$

$\therefore x=-3\pm\sqrt{5}$

따라서 두 근의 합은

$-3+\sqrt{5}+(-3-\sqrt{5})=-6$

10 $(x-2)(x+4)=3$에서 $x^2+2x-8=3$

$x^2+2x=11$, $x^2+2x+1=12$

$\therefore (x+1)^2=12$

따라서 $A=1$, $B=12$이므로

$A-B=1-12=-11$

11 $x^2+12x=-9$, $x^2+12x+36=27$

$(x+6)^2=27$, $x+6=\pm3\sqrt{3}$

$\therefore x=-6\pm3\sqrt{3}$

12 $3x^2-6x-4=0$에서 $x^2-2x-\frac{4}{3}=0$

$x^2-2x=\frac{4}{3}$, $x^2-2x+1=\frac{7}{3}$

$(x-1)^2=\frac{7}{3}$, $x-1=\pm\sqrt{\frac{7}{3}}$

$\therefore x=1\pm\frac{\sqrt{21}}{3}$

따라서 $a=1$, $b=21$이므로

$a+b=1+21=22$

13 $x=7$을 $x^2+(m-13)x+21=0$에 대입하면

$49+7(m-13)+21=0$

$7m=21$ $\quad\therefore m=3$ …… ①

즉, 이차방정식 $x^2-10x+21=0$에서

$(x-3)(x-7)=0$ $\quad\therefore x=3$ 또는 $x=7$

또한 $x=7$을 $2x^2-13x-n=0$에 대입하면

$2\times49-13\times7-n=0$

$98-91=n$ $\quad\therefore n=7$ …… ②

즉, 이차방정식 $2x^2-13x-7=0$에서

$(2x+1)(x-7)=0$ $\quad\therefore x=-\frac{1}{2}$ 또는 $x=7$

따라서 두 이차방정식의 또 다른 근은 각각

$x=3$, $x=-\frac{1}{2}$이므로 그 합은 $3+\left(-\frac{1}{2}\right)=\frac{5}{2}$

…… ③

단계	채점 기준	비율
①	m의 값 구하기	30 %
②	n의 값 구하기	30 %
③	근의 합 구하기	40 %

14 $2x^2-12x+5m-2=0$에서

$2\left(x^2-6x+\frac{5m-2}{6}\right)=0$이 중근을 가지므로

$\frac{5m-2}{2}=\left(\frac{-6}{2}\right)^2$이어야 한다.

$5m-2=18$, $5m=20$ $\quad\therefore m=4$ …… ①

$m=4$를 주어진 이차방정식에 대입하면

$2x^2-12x+18=0$, $2(x^2-6x+9)=0$

$2(x-3)^2=0$에서 $x=3$ (중근) $\quad\therefore n=3$ …… ②

$\therefore m+n=4+3=7$ …… ③

단계	채점 기준	비율
①	m의 값 구하기	40 %
②	n의 값 구하기	40 %
③	$m+n$의 값 구하기	20 %

15 $5(x-3)^2=12$, $(x-3)^2=\frac{12}{5}$, $x-3=\pm\sqrt{\frac{12}{5}}$

$\therefore x=3\pm\frac{2\sqrt{15}}{5}$ …… ①

따라서 $a=3$, $b=\frac{2}{5}$이므로

$5ab=5\times3\times\frac{2}{5}=6$ …… ②

단계	채점 기준	비율
①	$x=a\pm b\sqrt{15}$의 꼴로 나타내기	60 %
②	$5ab$의 값 구하기	40 %

2 이차방정식의 활용

개념적용익힘 익힘북 63~70쪽

1 ⑤ **2** 7 **3** ④ **4** -2
5 11 **6** 2 **7** $a=-6$, $b=-11$
8 ② **9** $x=1\pm\sqrt{2}$ **10** ④
11 ① **12** 69 **13** $\frac{2+\sqrt{10}}{3}$
14 ② **15** 72 **16** $\frac{1}{2}$
17 $x=\frac{3\pm\sqrt{2}}{2}$ **18** $\frac{8}{7}$ **19** 50
20 ② **21** ② **22** ⑤ **23** ①
24 $k=21$, $x=3$ (중근) **25** -4 또는 4
26 -2 **27** $x=-1$ (중근) **28** 33
29 15 **30** ① **31** $3x^2-20x+25=0$
32 5 **33** $x^2+4x-12=0$ **34** 4
35 -8 **36** ④ **37** ② **38** 12명
39 ④ **40** ① **41** ③ **42** 10
43 67 **44** ① **45** ② **46** ④
47 1 cm **48** 6 cm **49** ③
50 $-5+5\sqrt{5}$ **51** 2 cm **52** ②
53 ① **54** (1) 2초 또는 3초 (2) 5초
55 ④ **56** $\frac{8+\sqrt{73}}{5}$초

1 $x=\frac{-(-1)\pm\sqrt{(-1)^2-4\times5\times(-2)}}{2\times5}=\frac{1\pm\sqrt{41}}{10}$
따라서 $A=10$, $B=41$이므로
$A+B=10+41=51$

2 $x=\frac{-(-3)\pm\sqrt{(-3)^2-9\times(-4)}}{9}$
$=\frac{3\pm\sqrt{45}}{9}=\frac{3\pm3\sqrt{5}}{9}=\frac{1\pm\sqrt{5}}{3}$
따라서 $a=1$, $b=5$이므로
$2a+b=2\times1+5=7$

3 $x=\frac{-(-3)\pm\sqrt{(-3)^2-3\times2}}{3}=\frac{3\pm\sqrt{3}}{3}$
따라서 큰 근은 $m=\frac{3+\sqrt{3}}{3}$이므로
$3m-3=3\times\frac{3+\sqrt{3}}{3}-3=\sqrt{3}$

4 $x=\frac{-(-1)\pm\sqrt{(-1)^2-4\times2\times a}}{2\times2}=\frac{1\pm\sqrt{1-8a}}{4}$
따라서 $1-8a=17$이므로 $-8a=16$ $\therefore a=-2$

5 $x=\frac{-(-7)\pm\sqrt{(-7)^2-4\times2\times a}}{2\times2}=\frac{7\pm\sqrt{49-8a}}{4}$
즉, $7=b$, $49-8a=17$이므로 $a=4$, $b=7$
$\therefore a+b=4+7=11$

6 $x=\frac{-(-2)\pm\sqrt{(-2)^2-3\times(-k)}}{3}=\frac{2\pm\sqrt{4+3k}}{3}$
즉, $A=3$이고 $4+3k=7$이므로 $k=1$
$\therefore A-k=3-1=2$

7 $x=\frac{-a\pm\sqrt{a^2-4\times3\times b}}{2\times3}=\frac{-a\pm\sqrt{a^2-12b}}{6}$
이때 $x=\frac{3\pm\sqrt{42}}{3}=\frac{6\pm2\sqrt{42}}{6}=\frac{6\pm\sqrt{168}}{6}$이므로
$-a=6$, $a^2-12b=168$ $\therefore a=-6$, $b=-11$

8 $x^2+6x+9-4x-16=0$이므로
$x^2+2x-7=0$
$\therefore x=\frac{-1\pm\sqrt{1^2-1\times(-7)}}{1}=-1\pm2\sqrt{2}$

9 $3(x+1)(x-1)=(x+3)^2-2(x+5)$에서
$3x^2-3=x^2+4x-1$, $x^2-2x-1=0$
$\therefore x=\frac{-(-1)\pm\sqrt{(-1)^2-1\times(-1)}}{1}=1\pm\sqrt{2}$

10 $(x-1)(x+2)=-2x+8$에서
$x^2+x-2=-2x+8$, $x^2+3x-10=0$
$(x+5)(x-2)=0$ $\therefore x=-5$ 또는 $x=2$
이때 $a>b$이므로 $a=2$, $b=-5$
따라서 이차방정식 $x^2+2x-5=0$의 해는
$x=\frac{-1\pm\sqrt{1^2-1\times(-5)}}{1}=-1\pm\sqrt{6}$

11 $\frac{1}{6}x^2+\frac{1}{3}x-\frac{1}{4}=0$에서 양변에 12를 곱하면
$2x^2+4x-3=0$
$\therefore x=\frac{-2\pm\sqrt{2^2-2\times(-3)}}{2}=\frac{-2\pm\sqrt{10}}{2}$

12 양변에 6을 곱하면 $6x^2+3x-2=0$

$\therefore x=\frac{-3\pm\sqrt{3^2-4\times6\times(-2)}}{2\times6}=\frac{-3\pm\sqrt{57}}{12}$

따라서 $A=12$, $B=57$이므로 $A+B=12+57=69$

13 $-\frac{1}{3}x=-\frac{1}{4}x^2+\frac{1}{6}$의 양변에 12를 곱하면

$3x^2-4x-2=0$

$\therefore x=\frac{-(-2)\pm\sqrt{(-2)^2-3\times(-2)}}{3}=\frac{2\pm\sqrt{10}}{3}$

따라서 두 근 중 큰 근은 $\frac{2+\sqrt{10}}{3}$이다.

14 $0.1x^2+0.4x-1=0$의 양변에 10을 곱하면

$x^2+4x-10=0$

$\therefore x=-2\pm\sqrt{2^2-1\times(-10)}=-2\pm\sqrt{14}$

15 양변에 15를 곱하면 $5x^2=3x+3$, $5x^2-3x-3=0$

$\therefore x=\frac{-(-3)\pm\sqrt{(-3)^2-4\times5\times(-3)}}{2\times5}$

$=\frac{3\pm\sqrt{69}}{10}$

따라서 $A=3$, $B=69$이므로 $A+B=3+69=72$

16 $A=0$이므로 $0.6x^2-1.3x+0.5=0$의 양변에 10을 곱하면 $6x^2-13x+5=0$

$(2x-1)(3x-5)=0$　　$\therefore x=\frac{1}{2}$ 또는 $x=\frac{5}{3}$

$B=0$이므로 $\frac{2}{3}x^2-\frac{7}{3}x+1=0$의 양변에 3을 곱하면

$2x^2-7x+3=0$

$(2x-1)(x-3)=0$　　$\therefore x=\frac{1}{2}$ 또는 $x=3$

따라서 동시에 만족하는 x의 값은 $\frac{1}{2}$이다.

17 $x-\frac{1}{2}=A$로 놓으면 $2A^2-4A+1=0$

$\therefore A=\frac{-(-2)\pm\sqrt{(-2)^2-2\times1}}{2}=\frac{2\pm\sqrt{2}}{2}$

따라서 $x-\frac{1}{2}=\frac{2\pm\sqrt{2}}{2}$이므로 $x=\frac{3\pm\sqrt{2}}{2}$

18 $7x-3=A$로 놓으면 $A^2-2A-8=0$

$(A+2)(A-4)=0$

$\therefore A=-2$ 또는 $A=4$

따라서 $7x-3=-2$ 또는 $7x-3=4$이므로

$x=\frac{1}{7}$ 또는 $x=1$　　$\therefore \alpha+\beta=\frac{1}{7}+1=\frac{8}{7}$

19 $x-2=X$로 놓으면 $X^2-2X-15=0$

$(X+3)(X-5)=0$　　$\therefore X=-3$ 또는 $X=5$

따라서 $x-2=-3$ 또는 $x-2=5$이므로

$x=-1$ 또는 $x=7$

$\therefore m^2+n^2=(-1)^2+7^2=50$

20 $a+b=A$로 놓으면 $A(A+4)-21=0$

$A^2+4A-21=0$, $(A+7)(A-3)=0$

$\therefore A=-7$ 또는 $A=3$

따라서 $a+b=-7$ 또는 $a+b=3$이고 a, b는 양수이므로 $a+b=3$

21 ① $(-1)^2-4\times1\times(-4)>0$　　$\therefore$ 2개

② $(-1)^2-4\times1\times1<0$　　$\therefore$ 근이 없다.

③ $10^2-4\times1\times25=0$　　$\therefore$ 1개

④ $1^2-4\times3\times(-3)>0$　　$\therefore$ 2개

⑤ $(-12)^2-4\times9\times4=0$　　$\therefore$ 1개

22 ① $(-10)^2-4\times1\times13=48>0$　　$\therefore$ 2개

② $(-7)^2-4\times2\times(-3)=73>0$　　$\therefore$ 2개

③ $(-4)^2-4\times3\times(-2)=40>0$　　$\therefore$ 2개

④ $7^2-4\times1\times12=1>0$　　$\therefore$ 2개

⑤ $1^2-4\times1\times8=-31<0$　　$\therefore$ 0개

23 서로 다른 두 근을 가지므로

$a^2-4\times1\times5=a^2-20>0$　　$\therefore a^2>20$

따라서 상수 a의 값으로 적당하지 않은 것은 ①이다.

24 중근을 가지므로 $(-12)^2-4\times2\times(k-3)=0$

$144-8k+24=0$, $8k=168$　　$\therefore k=21$

이차방정식은 $2x^2-12x+18=0$이므로

$x^2-6x+9=0$에서 $(x-3)^2=0$　　$\therefore x=3$ (중근)

25 중근을 가지므로 $(k+2)^2-4(k+5)=0$

$k^2+4k+4-4k-20=0$, $k^2-16=0$

$(k+4)(k-4)=0$

$\therefore k=-4$ 또는 $k=4$

26 중근을 가지므로 $k^2-4=0$

$(k+2)(k-2)=0$　　$\therefore k=\pm2$

k의 값 중 작은 값은 -2이므로

$(a-1)x^2-4x+a^2=0$에 $x=-2$를 대입하면

$4(a-1)+8+a^2=0$, $a^2+4a+4=0$

$(a+2)^2=0$　　$\therefore a=-2$

27 중근을 가지므로 $\{-(k-1)\}^2-(k^2-1)\times 3=0$
$k^2-2k+1-3k^2+3=0$
$2k^2+2k-4=0$, $k^2+k-2=0$
$(k+2)(k-1)=0 \qquad \therefore k=-2$ 또는 $k=1$
이때 $k\neq\pm1$이어야 하므로 $k=-2$일 때 주어진 이차방정식은 중근을 가진다.
따라서 주어진 식에 $k=-2$를 대입하면
$3x^2+6x+3=0$에서 $x^2+2x+1=0$
$(x+1)^2=0 \qquad \therefore x=-1$ (중근)

28 두 근이 -3, 4이고 x^2의 계수가 3인 이차방정식은
$3(x+3)(x-4)=0$이므로 $3(x^2-x-12)=0$
$\therefore 3x^2-3x-36=0$
따라서 $a=-3$, $b=-36$이므로
$a-b=-3-(-36)=33$

29 중근 $x=-3$을 가지므로 $(x+3)^2=0$에서
$x^2+6x+9=0$
따라서 $a=6$, $b=9$이므로 $a+b=6+9=15$

30 $2x^2-6x+3=0$에서 $x=\dfrac{3\pm\sqrt{3}}{2}$이므로
두 근의 합은 $\dfrac{3+\sqrt{3}}{2}+\dfrac{3-\sqrt{3}}{2}=3$
두 근의 곱은 $\dfrac{3+\sqrt{3}}{2}\times\dfrac{3-\sqrt{3}}{2}=\dfrac{6}{4}=\dfrac{3}{2}$
즉, 두 근이 3, $\dfrac{3}{2}$이고 x^2의 계수가 2인 이차방정식은
$2(x-3)\left(x-\dfrac{3}{2}\right)=0$
$\therefore 2x^2-9x+9=0$
따라서 $a=-9$, $b=9$이므로
$a+b=-9+9=0$

31 $y=ax+b$의 그래프에서
기울기는 $a=\dfrac{5}{3}$, y절편은 $b=5$
따라서 $\dfrac{5}{3}$, 5를 두 근으로 하고 x^2의 계수가 3인 이차방정식은 $3\left(x-\dfrac{5}{3}\right)(x-5)=0$
$\therefore 3x^2-20x+25=0$

32 이차방정식의 계수가 모두 유리수이고 한 근이 $-2+\sqrt{3}$이므로 다른 한 근은 $-2-\sqrt{3}$이다.
(두 근의 합)$=(-2+\sqrt{3})+(-2-\sqrt{3})=-4$
(두 근의 곱)$=(-2+\sqrt{3})(-2-\sqrt{3})=4-3=1$
따라서 이차방정식은 $x^2+4x+1=0$
즉, $p=4$, $q=1$이므로 $p+q=4+1=5$

33 이차방정식의 계수가 모두 유리수이고 한 근이 $\dfrac{3-\sqrt{3}}{3}$이므로 다른 한 근은 $\dfrac{3+\sqrt{3}}{3}$이다.
(두 근의 합)$=\dfrac{3-\sqrt{3}}{3}+\dfrac{3+\sqrt{3}}{3}=2$
(두 근의 곱)$=\dfrac{3-\sqrt{3}}{3}\times\dfrac{3+\sqrt{3}}{3}=\dfrac{2}{3}$
따라서 이차방정식은
$3\left(x^2-2x+\dfrac{2}{3}\right)=3x^2-6x+2=0$
즉, $a=-6$, $b=2$
따라서 구하는 이차방정식은
$(x+6)(x-2)=0$에서 $x^2+4x-12=0$

34 $2<\sqrt{5}<3$이므로 $\sqrt{5}$의 소수 부분은 $\sqrt{5}-2$이다.
즉, 계수가 유리수인 이차방정식 $x^2+kx-1=0$의 한 근이 $-2+\sqrt{5}$이므로 다른 한 근은 $-2-\sqrt{5}$이다.
(두 근의 합)$=(-2+\sqrt{5})+(-2-\sqrt{5})=-4$
(두 근의 곱)$=(-2+\sqrt{5})(-2-\sqrt{5})=4-5=-1$
따라서 이차방정식은 $x^2+4x-1=0$
$\therefore k=4$

35 $4<\sqrt{17}<5$이므로 $1<-3+\sqrt{17}<2$에서
$a=1$, $b=(-3+\sqrt{17})-1=-4+\sqrt{17}$
따라서 $-4+\sqrt{17}$이 $x^2+px+q=0$의 한 근이므로 다른 한 근은 $-4-\sqrt{17}$이다.
(두 근의 합)$=(-4+\sqrt{17})+(-4-\sqrt{17})=-8$
(두 근의 곱)$=(-4+\sqrt{17})(-4-\sqrt{17})=16-17$
$=-1$
따라서 이차방정식은 $x^2+8x-1=0$
즉, $p=8$, $q=-1$이므로 $pq=-8$

36 $\dfrac{n(n+1)}{2}=105$에서 $n^2+n-210=0$
$(n+15)(n-14)=0 \qquad \therefore n=14\ (\because n>0)$
따라서 합이 105가 되려면 1부터 14까지의 수를 더해야 한다.

37 $\dfrac{n(n-3)}{2}=35$에서 $n^2-3n-70=0$
$(n+7)(n-10)=0 \qquad \therefore n=10\ (\because n\geq 3)$

따라서 대각선의 개수가 35인 다각형은 십각형이다.

38 $\frac{1}{2}n(n-1)=66$에서 $n^2-n=132$, $n^2-n-132=0$

$(n-12)(n+11)=0$ $\therefore n=-11$ 또는 $n=12$

그런데 $n>0$이므로 $n=12$

따라서 모임에 참가한 학생 수는 12명이다.

39 바둑돌의 개수가 91인 삼각형 모양이 n번째 삼각형 모양이라고 하면 $\frac{n(n+1)}{2}=91$

$n^2+n-182=0$, $(n+14)(n-13)=0$

$\therefore n=-14$ 또는 $n=13$

이때 $n>0$이므로 $n=13$

따라서 바둑돌의 개수가 91인 삼각형 모양은 13번째 삼각형이다.

40 두 자연수의 차가 5이므로 두 수를 x, $x+5$라 하면

$(x+5)^2=4x^2$

$x^2+10x+25=4x^2$, $3x^2-10x-25=0$

$(3x+5)(x-5)=0$ $\therefore x=5$ ($\because$ x는 자연수)

따라서 두 자연수는 5, 10이므로 그 합은 $5+10=15$이다.

41 연속한 두 홀수를 x, $x+2$라 하면

$x+(x+2)=x(x+2)-47$

$2x+2=x^2+2x-47$, $x^2=49$

$\therefore x=7$ ($\because x>0$)

따라서 연속한 두 홀수는 7, 9이므로 두 홀수의 곱은 63이다.

42 연속하는 세 짝수를 $x-2$, x, $x+2$로 놓으면

$(x+2)^2=(x-2)^2+x^2$

$x^2-8x=0$, $x(x-8)=0$ $\therefore x=0$ 또는 $x=8$

이때 x는 짝수이므로 $x=8$

따라서 구하는 세 짝수는 6, 8, 10이므로 가장 큰 수는 10이다.

43 십의 자리의 숫자를 x라 하면 (가)에서 일의 자리의 숫자는 $13-x$ ...... ㉠

(나)에서 $x(13-x)=(10x+13-x)-25$

$13x-x^2=9x-12$, $x^2-4x-12=0$

$(x+2)(x-6)=0$ $\therefore x=-2$ 또는 $x=6$

이때 x는 자연수이므로 $x=6$

㉠에서 일의 자리의 숫자는 7이므로 구하는 두 자리의 자연수는 67이다.

44 동생의 나이를 x살이라 하면 형의 나이는 $(x+7)$살이므로

$x^2=2(x+7)+1$

$x^2-2x-15=0$, $(x+3)(x-5)=0$

$\therefore x=5$ ($\because x>0$)

따라서 동생의 나이는 5살이다.

45 과자, 음료수, 빵의 개수를 각각 $n-1$, n, $n+1$이라 하면

$n^2=(n+1)^2-(n-1)^2-3$

$n^2=(n^2+2n+1)-(n^2-2n+1)-3$

$n^2-4n+3=0$, $(n-1)(n-3)=0$

$\therefore n=3$ ($\because n>1$)

따라서 과자, 음료수, 빵의 개수는 차례대로 2, 3, 4이므로 그 합은 $2+3+4=9$

46 500 g의 물이 들어 있는 그릇에서 x g의 물을 퍼낸 다음 x g의 소금을 넣으면 소금물은 500 g이 되고 이때의 소금물의 농도는 $\frac{x}{500}\times100(\%)$이다.

여기서 $(x+50)$ g의 소금물을 퍼내면 퍼낸 소금물에 들어 있는 소금의 양은

$\frac{1}{100}\times\left(\frac{x}{500}\times100\right)\times(x+50)=\frac{x}{500}(x+50)$(g)

퍼내고 남은 소금물에 다시 $(x+50)$ g의 소금을 넣으면 28 %의 소금물 500 g이 되고 이때의 소금의 양은

$x-\frac{x}{500}(x+50)+(x+50)=\frac{28}{100}\times500$

$-\frac{1}{500}x^2+\frac{19}{10}x-90=0$

$x^2-950x+45000=0$, $(x-50)(x-900)=0$

$\therefore x=50$ 또는 $x=900$

이때 $0<x<500$이므로 처음 퍼낸 물의 양은 50 g이다.

47 직사각형의 가로의 길이를 x cm라 하면 둘레의 길이가 18 cm이므로 세로의 길이는 $(9-x)$ cm이다.

$x(9-x)=20$에서

$x^2-9x+20=0$, $(x-4)(x-5)=0$

$\therefore x=4$ 또는 $x=5$

따라서 직사각형의 이웃한 두 변의 길이는 4 cm, 5 cm이므로 이웃한 두 변의 길이의 차는 $5-4=1$(cm)이다.

48 $\overline{AP}=x$ cm라 하면 $\overline{BP}=(10-x)$ cm이므로

$x^2+(10-x)^2=52$, $2x^2-20x+48=0$

$x^2-10x+24=0$, $(x-4)(x-6)=0$

$\therefore x=4$ 또는 $x=6$

이때 $\overline{AP}>\overline{BP}$이므로 $\overline{AP}=6$ cm

49 나중 삼각형의 넓이가 처음 삼각형의 넓이와 같아지는 때를 x초 후라 하면

$\frac{1}{2}(18+2x)(20-x)=\frac{1}{2}\times18\times20$

$360+22x-2x^2=360$

$x^2-11x=0$, $x(x-11)=0$ $\quad\therefore x=0$ 또는 $x=11$

이때 $x>0$이므로 $x=11$

따라서 나중 삼각형의 넓이가 처음 삼각형의 넓이와 같아지는 것은 11초 후이다.

50 $\triangle ABC$는 $\angle A=36°$, $\overline{AB}=\overline{AC}$인 이등변삼각형이므로 $\angle B=\angle C=72°$

$\overline{CD}$는 $\angle C$의 이등분선이므로

$\angle ACD=\angle BCD=36°$, $\angle BDC=72°$

$\overline{BC}=x$라 하면

$\overline{BC}=\overline{CD}=\overline{AD}=x$, $\overline{DB}=10-x$

이때 $\triangle ABC\sim\triangle CBD$이므로

$10:x=x:(10-x)$

$x^2=10(10-x)$, $x^2+10x-100=0$

$\therefore x=-5\pm5\sqrt{5}$

이때 $x>0$이므로 $x=-5+5\sqrt{5}$

따라서 $\overline{BC}$의 길이는 $-5+5\sqrt{5}$이다.

51 오른쪽 그림과 같이 늘어난 반지름의 길이를 x cm라 하면

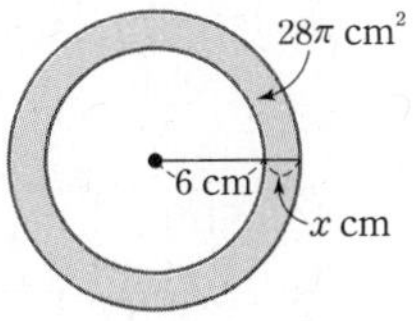

$\pi\times(6+x)^2=\pi\times6^2+28\pi$

$x^2+12x-28=0$

$(x+14)(x-2)=0$

$\therefore x=-14$ 또는 $x=2$

이때 $x>0$이므로 $x=2$

따라서 반지름의 길이는 처음보다 2 cm 늘어났다.

52 처음 원의 반지름의 길이를 x cm라 하면

$\pi(x+10)^2=4\pi x^2$, $x^2+20x+100=4x^2$

$3x^2-20x-100=0$, $(3x+10)(x-10)=0$

$\therefore x=10\ (\because x>0)$

따라서 처음 원의 반지름의 길이는 10 cm이다.

53 $\overline{AC}=x$ cm라 하면 $\overline{BC}=(20-x)$ cm이므로

$\frac{1}{2}\pi\times10^2-\frac{1}{2}\pi\times\left(\frac{x}{2}\right)^2-\frac{1}{2}\pi\times\left(\frac{20-x}{2}\right)^2=24\pi$

$x^2-20x+96=0$, $(x-8)(x-12)=0$

$\therefore x=8$ 또는 $x=12$

이때 $\overline{AC}>\overline{BC}$이어야 하므로 $10<x<20$

$\therefore x=12$

따라서 $\overline{AC}$의 길이는 12 cm이다.

54 (1) $25x-5x^2=30$에서 $5x^2-25x+30=0$

$x^2-5x+6=0$, $(x-2)(x-3)=0$

$\therefore x=2$ 또는 $x=3$

따라서 물체의 높이가 30 m가 되는 것은 2초 또는 3초 후이다.

(2) $25x-5x^2=0$에서 $5x^2-25x=0$

$x(x-5)=0$ $\quad\therefore x=0$ 또는 $x=5$

따라서 물체가 지면에 다시 떨어지는 것은 5초 후이다.

55 $-5t^2+50t+120=200$에서 $t^2-10t+16=0$

$(t-2)(t-8)=0$ $\quad\therefore t=2$ 또는 $t=8$

따라서 물체의 높이가 두 번째로 200 m가 되는 것은 8초 후이다.

56 체공 시간은 공이 다시 땅에 닿을 때까지의 시간이고, 이때 높이는 0 m이므로

$-5t^2+16t+1.8=0$에서 $5t^2-16t-1.8=0$

$\therefore t=\frac{-(-8)\pm\sqrt{(-8)^2-5\times(-1.8)}}{5}$

$=\frac{8\pm\sqrt{73}}{5}$

이때 $t>0$이므로 $t=\frac{8+\sqrt{73}}{5}$

따라서 공은 $\frac{8+\sqrt{73}}{5}$초 후에 떨어진다.

개념완성익힘

익힘북 71~72쪽

1 ⑤	**2** $\frac{1-\sqrt{13}}{2}$	**3** -1	**4** ②
5 ③	**6** ①, ④	**7** ②	**8** ①
9 ③	**10** ⑤	**11** 12초	**12** ①, ③
13 3	**14** -5	**15** 16 cm	

1 $x=\frac{-(-a)\pm\sqrt{(-a)^2-3\times5}}{3}=\frac{a\pm\sqrt{a^2-15}}{3}$

따라서 $a=5$, $a^2-15=b$이므로 $b=5^2-15=10$

$\therefore a+b=5+10=15$

2 $x^2-x-3=0$에서

$x=\frac{-(-1)\pm\sqrt{(-1)^2-4\times1\times(-3)}}{2\times1}$

$=\frac{1\pm\sqrt{13}}{2}$

$6-2x>3+x$에서 $3x<3$ $\quad\therefore x<1$

따라서 두 식을 동시에 만족하는 x의 값은 $\frac{1-\sqrt{13}}{2}$이다.

3 양변에 15를 곱하면

$5(x-1)(x+4)=3(x-2)(x+3)$

$5(x^2+3x-4)=3(x^2+x-6)$

$5x^2+15x-20=3x^2+3x-18$

$2x^2+12x-2=0$, $x^2+6x-1=0$

$\therefore x=-3\pm\sqrt{10}$

$\therefore ab=(-3+\sqrt{10})(-3-\sqrt{10})=9-10=-1$

4 $x^2+0.3x=0.1$의 양변에 10을 곱하면

$10x^2+3x-1=0$, $(2x+1)(5x-1)=0$

$\therefore x=-\frac{1}{2}$ 또는 $x=\frac{1}{5}$

따라서 $a=-\frac{1}{2}$, $b=\frac{1}{5}$ ($\because a<b$)이므로

$2a-b=2\times\left(-\frac{1}{2}\right)-\frac{1}{5}=-\frac{6}{5}$

5 $x+1=A$로 놓으면

$A^2-5A+4=0$, $(A-1)(A-4)=0$

$\therefore A=1$ 또는 $A=4$

즉, $x+1=1$ 또는 $x+1=4$이므로 $x=0$ 또는 $x=3$

따라서 두 근의 합은 $0+3=3$

6 ① $2^2-4\times1\times(-1)>0$ $\quad\therefore$ 서로 다른 두 근

② $8^2-4\times1\times16=0$ $\quad\therefore$ 중근

③ $(-5)^2-4\times1\times8<0$ $\quad\therefore$ 해가 없다.

④ $1^2-4\times4\times(-9)>0$ $\quad\therefore$ 서로 다른 두 근

⑤ $12^2-4\times4\times9=0$ $\quad\therefore$ 중근

7 $2x^2-8x+k=0$이 중근을 가지므로

$(-8)^2-4\times2\times k=0$

$64-8k=0$ $\quad\therefore k=8$

즉, 이차방정식은 $3x^2+2x-1=0$이므로

$(x+1)(3x-1)=0$

$\therefore x=-1$ 또는 $x=\frac{1}{3}$

8 $x^2+3x-18=0$에서 $(x+6)(x-3)=0$

$\therefore x=-6$ 또는 $x=3$

따라서 두 근 -6, 3에 각각 4를 더한 값인 -2, 7이 $x^2-ax+b=0$의 두 근이다.

즉, 이차방정식은 $(x+2)(x-7)=0$에서

$x^2-5x-14=0$

따라서 $a=5$, $b=-14$이므로

$a+b=5+(-14)=-9$

9 $2x^2-4x+1=0$에서 $x=\frac{2\pm\sqrt{2}}{2}$

즉, $a+b=\frac{2+\sqrt{2}}{2}+\frac{2-\sqrt{2}}{2}=2$

$ab=\frac{2+\sqrt{2}}{2}\times\frac{2-\sqrt{2}}{2}=\frac{1}{2}$

이므로 2, $\frac{1}{2}$을 두 근으로 하고 x^2의 계수가 2인 이차방정식은 $2(x-2)\left(x-\frac{1}{2}\right)=0$

$2\left(x^2-\frac{5}{2}x+1\right)=0$ $\quad\therefore 2x^2-5x+2=0$

10 전체 학생 수를 x명이라 하면 한 학생에게 돌아가는 살구의 수는 $(x-4)$개이므로

$x(x-4)=96$, $x^2-4x-96=0$

$(x-12)(x+8)=0$ $\quad\therefore x=12$ ($\because x>0$)

따라서 전체 학생 수는 12명이다.

11 오른쪽 그림과 같이 t초 후에 생기는 직사각형을 $\square AB'C'D'$이라 하면

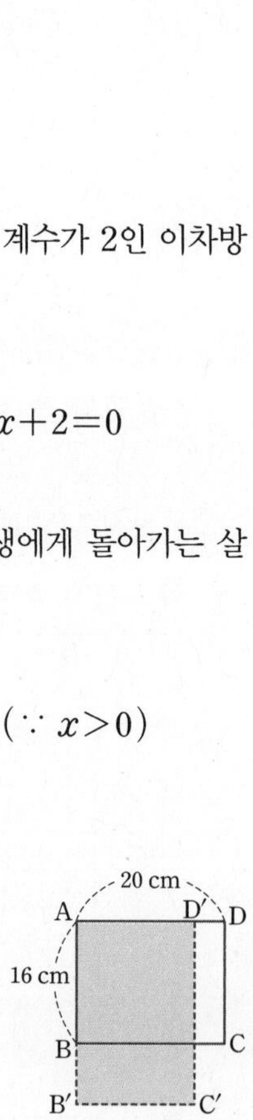

$\overline{AB'}=(16+2t)$ cm

$\overline{AD'}=(20-t)$ cm

t초 후에 $\square AB'C'D'$의 넓이와

□ABCD의 넓이는 같으므로

$(16+2t)(20-t)=16\times 20$, $2t^2-24t=0$

$2t(t-12)=0$ $\therefore t=0$ 또는 $t=12$

이때 $t>0$이므로 $t=12$

따라서 □AB′C′D′의 넓이는 12초 후에 처음 직사각형의 넓이와 같아진다.

12 $100+40t-5t^2=175$에서 $5t^2-40t+75=0$

$t^2-8t+15=0$, $(t-3)(t-5)=0$

$\therefore t=3$ 또는 $t=5$

따라서 물체의 지면으로부터의 높이가 175 m가 되는 것은 3초 후 또는 5초 후이다.

13 두 근이 $-\frac{1}{4}$, 1이고 x^2의 계수가 4인 이차방정식은

$4\left(x+\frac{1}{4}\right)(x-1)=0$ …… ①

$4\left(x^2-\frac{3}{4}x-\frac{1}{4}\right)=0$

$4x^2-3x-1=0$ …… ②

따라서 $a=-3$, $b=-1$이므로 …… ③

$ab=(-3)\times(-1)=3$ …… ④

단계	채점 기준	비율
①	이차방정식 세우기	30 %
②	$4x^2+ax+b=0$ 꼴 만들기	30 %
③	a, b의 값 구하기	20 %
④	ab의 값 구하기	20 %

14 계수가 유리수이므로 한 근이 $-3+2\sqrt{5}$이므로 다른 한 근은 $-3-2\sqrt{5}$이다. …… ①

(두 근의 합)$=(-3+2\sqrt{5})+(-3-2\sqrt{5})=-6$

(두 근의 곱)$=(-3+2\sqrt{5})(-3-2\sqrt{5})=9-20$

$=-11$ …… ②

따라서 이차방정식은 $x^2+6x-11=0$ …… ③

즉, $a=6$, $b=-11$이므로

$a+b=6+(-11)=-5$ …… ④

단계	채점 기준	비율
①	다른 한 근 구하기	20 %
②	두 근의 합과 곱 구하기	40 %
③	이차방정식 세우기	20 %
④	$a+b$의 값 구하기	20 %

15 △ABC가 직각이등변삼각형이므로

$\angle B=\angle C=45°$

즉, △BED와 △FCG도 직각이등변삼각형이다.

$\overline{BE}=\overline{DE}=\overline{GF}=\overline{CF}=x$ cm라 하면

$\overline{EF}=(12-2x)$ cm이므로

□DEFG$=x(12-2x)=16$ …… ①

$2x^2-12x+16=0$, $x^2-6x+8=0$

$(x-2)(x-4)=0$

$\therefore x=4$ ($\because \overline{BE}>\overline{EH}$) …… ②

따라서 $\overline{EF}=12-2\times 4=4$(cm)이므로 …… ③

(□DEFG의 둘레의 길이)$=4\times 4=16$(cm) …… ④

단계	채점 기준	비율
①	□DEFG의 넓이를 이용하여 이차방정식 세우기	30 %
②	$\overline{BE}$의 길이 구하기	30 %
③	$\overline{EF}$의 길이 구하기	20 %
④	□DEFG의 둘레의 길이 구하기	20 %

대단원 마무리

익힘북 73~74쪽

1 ② **2** ④ **3** ③ **4** ②
5 2개 **6** ⑤ **7** -24
8 $x=-6$ 또는 $x=4$ **9** ③ **10** ③
11 5 cm 또는 10 cm **12** ⑤

1 ① 일차방정식

③ $x^2-x^2-3x=0$에서 $-3x=0$이므로 일차방정식

④ 이차식

⑤ $2x^2+5x=2x^2+x+3$에서 $4x-3=0$이므로 일차방정식

따라서 이차방정식인 것은 ②이다.

2 이차방정식의 한 근이 $x=a$이므로 $a^2-4a+1=0$

$a\neq 0$이므로 이 식의 양변을 a로 나누면 $a-4+\frac{1}{a}=0$

$\therefore a+\frac{1}{a}=4$

3 $mx+2y=2$에 $x=m+1$, $y=m^2$을 대입하면

$m(m+1)+2m^2=2$, $3m^2+m-2=0$

$(m+1)(3m-2)=0$ $\therefore m=-1$ 또는 $m=\frac{2}{3}$

(i) $m=-1$일 때, $-x+2y=2$에서 $y=\frac{1}{2}x+1$

(ii) $m=\frac{2}{3}$일 때, $\frac{2}{3}x+2y=2$에서 $y=-\frac{1}{3}x+1$

따라서 $m=\frac{2}{3}$일 때, 그 그래프가 제3사분면을 지나지 않는다.

4 $x^2-x-6=0$에서 $(x+2)(x-3)=0$

$\therefore x=-2$ 또는 $x=3$

$2x^2+9x+10=0$에서 $(2x+5)(x+2)=0$

$\therefore x=-\frac{5}{2}$ 또는 $x=-2$

따라서 두 이차방정식의 공통인 해는 $x=-2$이다.

5 ㄱ. $x^2-4x-5=0$에서 $(x+1)(x-5)=0$

$\therefore x=-1$ 또는 $x=5$

ㄴ. $x^2-\frac{2}{3}x+\frac{1}{9}=0$에서 $\left(x-\frac{1}{3}\right)^2=0$

$\therefore x=\frac{1}{3}$ (중근)

ㄷ. $x^2+8x-20=0$에서 $(x+10)(x-2)=0$

$\therefore x=-10$ 또는 $x=2$

ㄹ. $25x^2+20x+4=0$에서 $(5x+2)^2=0$

$\therefore x=-\frac{2}{5}$ (중근)

따라서 중근을 갖는 것은 ㄴ, ㄹ의 2개이다.

6 $x=\frac{-(-5)\pm\sqrt{(-5)^2-a\times b}}{a}$

$=\frac{5\pm\sqrt{25-ab}}{a}=\frac{5\pm\sqrt{10}}{3}$

이므로 $a=3$이고, $25-ab=10$에서

$25-3b=10$, $3b=15$ $\quad\therefore b=5$

$\therefore a-b=3-5=-2$

7 $x^2-(k+2)x+4=0$이 중근을 가지려면

$(k+2)^2-4\times1\times4=0$

$k^2+4k+4-16=0$, $k^2+4k-12=0$

$(k+6)(k-2)=0$

$\therefore k=-6$ 또는 $k=2$ …… ①

-6과 2를 두 근으로 하고 x^2의 계수가 3인 이차방정식은 $3(x+6)(x-2)=0$

$3(x^2+4x-12)=0$, $3x^2+12x-36=0$

즉, $a=12$, $b=-36$ …… ②

$\therefore a+b=12+(-36)=-24$ …… ③

단계	채점 기준	비율
①	k의 값 구하기	50 %
②	a, b의 값 구하기	40 %
③	$a+b$의 값 구하기	10 %

8 x^2의 계수가 1이고 -3과 8을 두 근으로 하는 이차방정식은

$(x+3)(x-8)=0$ $\quad\therefore x^2-5x-24=0$

영재는 상수항을 바르게 보았으므로 처음 이차방정식의 상수항은 -24이다.

x^2의 계수가 1이고 -5와 3을 두 근으로 하는 이차방정식은

$(x+5)(x-3)=0$ $\quad\therefore x^2+2x-15=0$

재원이는 x의 계수를 바르게 보았으므로 처음 이차방정식의 x의 계수는 2이다.

따라서 처음 이차방정식은 $x^2+2x-24=0$이므로 이 이차방정식을 풀면

$(x+6)(x-4)=0$ $\quad\therefore x=-6$ 또는 $x=4$

9 이차방정식의 두 근을 m, $m+3$이라 하면

$m+3=2m$이므로 $m=3$

즉, 두 근은 3, 6이다.

따라서 이차방정식은 $(x-3)(x-6)=0$

$x^2-9x+18=0$

즉, $a=-9$, $b=18$

$\therefore a+b=-9+18=9$

10 연속하는 두 자연수를 x, $x+1$이라 하면

$x(x+1)=132$, $x^2+x-132=0$

$(x+12)(x-11)=0$ $\quad\therefore x=11$ ($\because x>0$)

따라서 연속하는 두 자연수는 11, 12이고 두 자연수의 제곱의 차는 $12^2-11^2=(12+11)(12-11)=23$

11 오른쪽 그림과 같이 물받이의 높이를 x cm라 하면

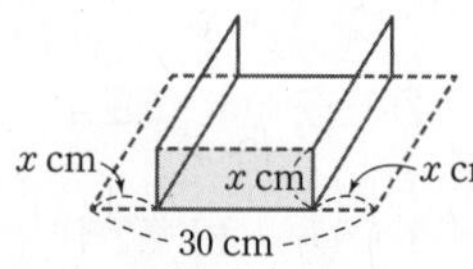

색칠한 부분의 가로의 길이는 $(30-2x)$ cm이므로

$x(30-2x)=100$, $2x^2-30x+100=0$

$x^2-15x+50=0$, $(x-5)(x-10)=0$

$\therefore x=5$ 또는 $x=10$

이때 $x>0$이고 $30-2x>0$이므로 $0<x<15$

따라서 물받이의 높이는 5 cm 또는 10 cm이다.

12 $50t-5t^2=125$에서

$5t^2-50t+125=0$, $t^2-10t+25=0$

$(t-5)^2=0$ $\quad\therefore t=5$ (중근)

따라서 폭죽은 쏘아 올린 지 5초 후에 터진다.

IV 이차함수

1 이차함수와 그 그래프

개념적용익힘

익힘북 75~88쪽

1 ④	**2** ③	**3** ①, ②	
4 (1) -1 (2) 8		**5** 12	**6** 3
7 ④	**8** ③	**9** $\frac{1}{4}$	**10** ①, ⑤
11 ㄱ, ㄷ	**12** ㄱ, ㄷ	**13** ④	**14** ⑤
15 50	**16** -1	**17** 8	**18** ②, ④
19 ①	**20** ②, ④	**21** ③	**22** ⑤
23 ③	**24** ①, ⑤	**25** ②	**26** ⑤
27 $\frac{1}{2}$	**28** 18	**29** 3	**30** $(0, 7)$
31 $2, -2$	**32** ④	**33** ⑤	**34** ⑤
35 ④	**36** 3	**37** ③	**38** 2
39 ㄱ, ㄴ, ㅁ	**40** ②, ⑤	**41** ②	**42** -3
43 ③	**44** ①	**45** $-\frac{3}{2}$	
46 $a=\frac{3}{4}$, $p=4$, $q=-3$		**47** ③	**48** ③, ⑤
49 ③	**50** $a<0$, $p<0$, $q<0$		**51** ④
52 (1) $y=-(x+6)^2+1$ (2) $y=-(x+2)^2+3$ (3) $y=-(x+6)^2+3$		**53** 3	**54** ④
55 (1) $y=-3(x-2)^2-1$ (2) -13			**56** ④
57 $-\frac{1}{2}$	**58** 4	**59** $x=-2$	**60** ①
61 $(5, -4)$	**62** ①	**63** -3	**64** ②
65 ③	**66** ②	**67** ㄱ, ㄹ	**68** 8
69 24	**70** 2 : 11	**71** ①	**72** 제3사분면
73 ⑤	**74** -10	**75** -2	**76** -3
77 ③	**78** 0	**79** ②	**80** ②
81 $(1, 7)$	**82** ③	**83** ④	
84 $y=x^2+x-12$		**85** 5	

1 ① 일차함수
② 분모에 x^2이 있으므로 이차함수가 아니다.
③ 우변이 이차식이 아니므로 이차함수가 아니다.
④ $y=-x^2-3x$이므로 이차함수이다.
⑤ $y=x^2+3x-x^2=3x$이므로 일차함수이다.

2 ① $y=x^3$이므로 이차함수가 아니다.
② $y=2\pi x$이므로 일차함수이다.
③ $y=x(x+2)=x^2+2x$이므로 이차함수이다.
④ $y=\frac{1}{2}\times(x+2x)\times 3=\frac{9}{2}x$이므로 일차함수이다.
⑤ $y=4(x+1)=4x+4$이므로 일차함수이다.

3 $y=k(k+6)x^2+4x+8x^2=(k^2+6k+8)x^2+4x$
가 이차함수가 되려면
$k^2+6k+8\neq 0$
$(k+4)(k+2)\neq 0 \qquad \therefore k\neq -4$이고 $k\neq -2$

4 (1) $f(2)=2^2-4\times 2+3=-1$
(2) $f(-1)=(-1)^2-4\times(-1)+3=8$

5 $f(1)=\frac{1}{2}\times 1^2+4\times 1-3=\frac{3}{2}$
$f(-2)=\frac{1}{2}\times(-2)^2+4\times(-2)-3=-9$
$\therefore 2f(1)-f(-2)=2\times\frac{3}{2}-(-9)=12$

6 $f(x)=-2x^2-5x+c$에서 $f(-2)=5$이므로
$-2\times(-2)^2-5\times(-2)+c=5$
$-8+10+c=5 \qquad \therefore c=3$

7 $f(a)=-a^2+a-3=-9$이므로
$a^2-a-6=0$, $(a-3)(a+2)=0$
$\therefore a=3\ (\because a>0)$

8 ① $y=-x^2$에 $x=-2$, $y=-4$를 대입하면
$-4=-(-2)^2$
② $y=-x^2$에 $x=-\frac{3}{2}$, $y=-\frac{9}{4}$를 대입하면
$-\frac{9}{4}=-\left(-\frac{3}{2}\right)^2$
③ $y=-x^2$에 $x=-\frac{1}{2}$, $y=\frac{1}{4}$을 대입하면
$\frac{1}{4}\neq-\left(-\frac{1}{2}\right)^2$
④ $y=-x^2$에 $x=\frac{1}{3}$, $y=-\frac{1}{9}$을 대입하면
$-\frac{1}{9}=-\left(\frac{1}{3}\right)^2$
⑤ $y=-x^2$에 $x=1$, $y=-1$을 대입하면 $-1=-1^2$
따라서 $y=-x^2$의 그래프 위의 점이 아닌 것은 ③이다.

9 $y=x^2$의 그래프가 점 $\left(\frac{1}{2}, k\right)$를 지나므로

$x=\frac{1}{2}$, $y=k$를 대입하면

$k=\left(\frac{1}{2}\right)^2=\frac{1}{4}$

10 $y=x^2$의 그래프가 점 $(a-2, 2a-1)$을 지나므로

$x=a-2$, $y=2a-1$을 대입하면

$2a-1=(a-2)^2$에서 $2a-1=a^2-4a+4$

즉, $a^2-6a+5=0$이므로 $(a-1)(a-5)=0$

$\therefore a=1$ 또는 $a=5$

11 ㄴ. $-4\neq2^2$이므로 점 $(2, -4)$를 지나지 않는다.

따라서 옳은 것은 ㄱ, ㄷ이다.

12 그래프가 y축 대칭이므로 축의 방정식은 $x=0$이다.

따라서 옳은 것은 ㄱ, ㄷ이다.

13 ④ $x>0$일 때, x의 값이 증가하면 y의 값은 감소한다.

14 $y=-\frac{3}{2}x^2$에 각 점의 좌표를 대입하면

① $-6=-\frac{3}{2}\times2^2$ ② $-24=-\frac{3}{2}\times4^2$

③ $0=-\frac{3}{2}\times0^2$ ④ $-\frac{3}{8}=-\frac{3}{2}\times\left(-\frac{1}{2}\right)^2$

⑤ $24\neq-\frac{3}{2}\times(-4)^2$

따라서 $y=-\frac{3}{2}x^2$의 그래프 위의 점이 아닌 것은 ⑤이다.

15 $y=2x^2$의 그래프가 점 $(4, a)$를 지나므로 $x=4$, $y=a$를 대입하면

$a=2\times4^2=32$

또, 점 $(-3, b)$를 지나므로 $x=-3$, $y=b$를 대입하면

$b=2\times(-3)^2=18$

$\therefore a+b=32+18=50$

16 $y=ax^2$의 그래프가 점 $(1, -3)$을 지나므로

$-3=a\times1^2$ $\therefore a=-3$

따라서 $y=-3x^2$의 그래프가 점 $(b, -12)$를 지나므로

$-12=-3b^2$, $b^2=4$ $\therefore b=\pm2$

이때 $b>0$이므로 $b=2$

$\therefore a+b=-3+2=-1$

17 $y=ax^2$에 $x=-2$, $y=16$을 대입하면

$16=4a$ $\therefore a=4$

즉, $y=4x^2$의 그래프와 x축에 대하여 대칭인 그래프의 식은 $y=-4x^2$이므로 $b=-4$

$\therefore a-b=4-(-4)=8$

18 이차함수 $y=ax^2$에서 $a<0$이면 제3, 4사분면을 지난다.

19 그래프가 아래로 볼록한 것은 ①, ②, ⑤이고, 이 중에서 그래프의 폭이 가장 좁은 것은 ①이다.

21 그래프가 아래로 볼록하면서 폭이 $y=x^2$의 그래프보다 넓은 것은 ③이다.

22 ⑤ $x>0$일 때, x의 값이 증가하면 y의 값은 감소한다.

23 ③ a의 절댓값이 클수록 그래프의 폭은 좁아진다.

24 ② 그래프의 폭이 좁은 것부터 차례로 나열하면

$y=3x^2$, $y=-2x^2$, $y=x^2$, $y=-\frac{1}{2}x^2$이다.

③ $y=x^2$, $y=3x^2$의 그래프는 아래로 볼록하고,

$y=-2x^2$, $y=-\frac{1}{2}x^2$의 그래프는 위로 볼록하다.

④ $y=x^2$, $y=3x^2$의 그래프는 원점 이외의 부분이 모두 x축보다 위에 있고, $y=-2x^2$, $y=-\frac{1}{2}x^2$의 그래프는 원점 이외의 부분이 모두 x축보다 아래에 있다.

25 이차함수의 식을 $y=ax^2$이라 하면 이 그래프가 점 $(3, -3)$을 지나므로 $x=3$, $y=-3$을 대입하면

$-3=a\times3^2$ $\therefore a=-\frac{1}{3}$

따라서 구하는 이차함수의 식은 $y=-\frac{1}{3}x^2$

26 구하는 이차함수의 식을 $y=ax^2$이라 하면

이 그래프가 점 $\left(\frac{1}{2}, 2\right)$를 지나므로

$x=\frac{1}{2}$, $y=2$를 대입하면 $2=a\times\left(\frac{1}{2}\right)^2$ $\therefore a=8$

따라서 구하는 이차함수의 식은 $y=8x^2$이다.

27 이차함수의 식을 $y=ax^2$이라 하면 이 그래프가 점 $(4, 2)$를 지나므로

$x=4$, $y=2$를 대입하면 $2=a\times4^2$ $\therefore a=\frac{1}{8}$

즉, $y=\frac{1}{8}x^2$의 그래프가 점 $(-2, b)$를 지나므로

$x=-2$, $y=b$를 대입하면 $b=\frac{1}{8}\times(-2)^2=\frac{1}{2}$

28 $f(x)=ax^2$의 그래프가 점 $(-2, 8)$을 지나므로
$f(-2)=a\times(-2)^2=8$, $4a=8$ $\quad\therefore a=2$
따라서 $f(x)=2x^2$이므로 $f(3)=2\times3^2=18$

29 $y=2x^2$의 그래프를 y축의 방향으로 q만큼 평행이동한 그래프의 식은 $y=2x^2+q$
이 그래프가 점 $(1, 5)$를 지나므로 $x=1$, $y=5$를 대입하면
$5=2+q$ $\quad\therefore q=3$

30 $y=-\frac{1}{4}x^2+q$의 그래프가 점 $(-2, 6)$을 지나므로
$x=-2$, $y=6$을 대입하면 $6=-\frac{1}{4}\times(-2)^2+q$
$\therefore q=7$
따라서 $y=-\frac{1}{4}x^2+7$의 그래프의 꼭짓점의 좌표는 $(0, 7)$이다.

31 $y=-\frac{1}{2}x^2+5$의 그래프가 점 $(-k, 3)$을 지나므로
$3=-\frac{1}{2}\times(-k)^2+5$
$k^2=4$ $\quad\therefore k=\pm2$

32 $y=ax^2+q$의 그래프가 $(-1, 2)$를 지나므로
$2=a\times(-1)^2+q$, $a+q=2$ …… ㉠
$y=ax^2+q$의 그래프가 $(2, 5)$를 지나므로
$5=a\times2^2+q$, $4a+q=5$ …… ㉡
㉠, ㉡을 연립하여 풀면 $a=1$, $q=1$
$\therefore a-q=1-1=0$

33 ⑤ $a<0$, $q<0$이면 $y=ax^2+q$의 그래프는 오른쪽 그림과 같이 제3, 4사분면을 지난다.

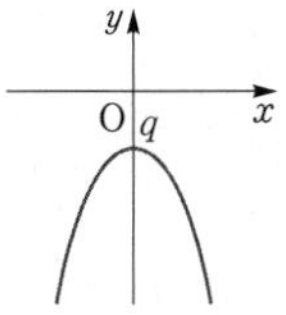

34 ① 꼭짓점의 좌표는 $(0, 1)$이다.
② 축의 방정식은 $x=0$이다.
③ $-10\neq-3\times2^2+1$
④ $y=2x^2-5$의 그래프보다 폭이 좁다.

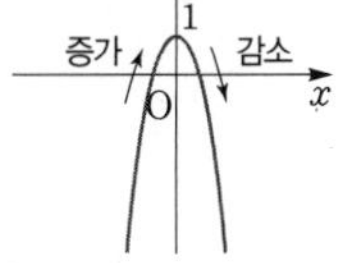

35 $f(x)=a(x-2)^2$의 그래프가 점 $(4, 12)$를 지나므로
$f(4)=a(4-2)^2=12$, $4a=12$ $\quad\therefore a=3$
따라서 $f(x)=3(x-2)^2$이므로
$f(5)=3\times(5-2)^2=27$

36 $y=3x^2$의 그래프를 x축의 방향으로 -1만큼 평행이동한 그래프의 식은 $y=3(x+1)^2$
이 그래프가 점 $(-2, k)$를 지나므로 $x=-2$, $y=k$를 대입하면
$k=3(-2+1)^2=3$

37 $y=-\frac{1}{4}(x-p)^2$의 그래프가 점 $(3, -4)$를 지나므로
$x=3$, $y=-4$를 대입하면
$-4=-\frac{1}{4}(3-p)^2$, $(3-p)^2=16$, $3-p=\pm4$
$\therefore p=7$ ($\because p>0$)
따라서 $y=-\frac{1}{4}(x-7)^2$의 그래프의 축의 방정식은 $x=7$

38 꼭짓점의 좌표가 $(-1, 0)$이므로 이차함수의 식을 $y=a(x+1)^2$으로 놓으면 그래프가 점 $(0, 2)$를 지나므로
$x=0$, $y=2$를 대입하면
$2=a(0+1)^2$ $\quad\therefore a=2$

39 ㄷ. 축의 방정식은 $x=-1$이다.
ㄹ. 이차함수 $y=3x^2$의 그래프를 x축의 방향으로 -1만큼 평행이동한 것이다.

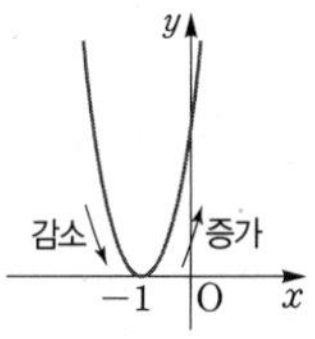

따라서 옳은 것은 ㄱ, ㄴ, ㅁ이다.

40 ② 축의 방정식은 $x=-3$이다.
③ $-4=-(-1+3)^2$
⑤ 이차함수 $y=-x^2$의 그래프를 x축의 방향으로 -3만큼 평행이동한 것이다.

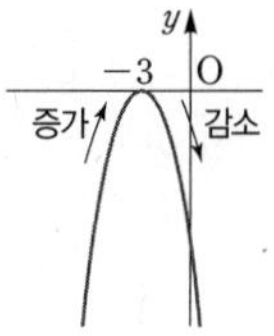

41 $y=-\frac{1}{2}(x+6)^2+9$의 그래프가 오른쪽 그림과 같으므로 x의 값이 증가할 때, y의 값은 감소하는 x의 값의 범위는 $x>-6$

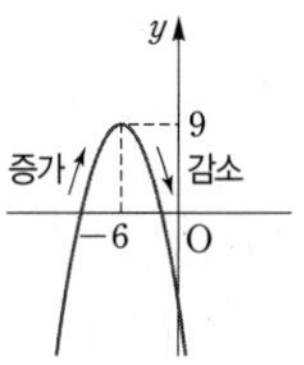

42 $y=3x^2$의 그래프를 x축의 방향으로 2만큼, y축의 방향으로 -4만큼 평행이동한 그래프의 식은
$y=3(x-2)^2-4$이므로 이 그래프의 꼭짓점의 좌표는 $(2, -4)$이다.
$\therefore p=2$, $q=-4$

또, 그래프가 점 $(3, a)$를 지나므로 $x=3$, $y=a$를 대입하면

$a=3(3-2)^2-4=-1$

$\therefore a+p+q=-1+2+(-4)=-3$

43 그래프의 꼭짓점의 좌표가 $(3, 1)$이므로 $p=3$, $q=1$

즉, $y=a(x-3)^2+1$의 그래프가 점 $(0, -5)$를 지나므로 $x=0$, $y=-5$를 대입하면

$-5=a(0-3)^2+1$, $9a=-6$ $\quad\therefore a=-\frac{2}{3}$

$\therefore apq=-\frac{2}{3}\times 3\times 1=-2$

44 $y=(x+2)^2-3$의 그래프는 꼭짓점의 좌표가 $(-2, -3)$으로 제3사분면에 위치하고 아래로 볼록한 포물선이다.

또, $y=(x+2)^2-3$에 $x=0$을 대입하면

$y=(0+2)^2-3=1$이므로 y축과 점 $(0, 1)$에서 만난다. 따라서 그 그래프는 ①이다.

45 꼭짓점의 좌표가 $(p, 2p^2)$이고, 이 점이 일차함수 $y=-x+3$의 그래프 위에 있으므로

$2p^2=-p+3$, $2p^2+p-3=0$

$(2p+3)(p-1)=0$ $\quad\therefore p=-\frac{3}{2}$ 또는 $p=1$

이때 $p<0$이므로 $p=-\frac{3}{2}$

46 두 점 $(2, 0)$, $(6, 0)$을 이은 선분의 중점인 점 $(4, 0)$을 축의 방정식이 지나므로 $p=4$

꼭짓점이 $y=-3$의 그래프 위에 있으므로 꼭짓점의 y좌표는 -3이다. $\quad\therefore q=-3$

따라서 $y=a(x-4)^2-3$의 그래프가 점 $(2, 0)$을 지나므로

$0=a(2-4)^2-3$, $4a=3$ $\quad\therefore a=\frac{3}{4}$

47 ③ $8\neq\frac{2}{3}(2+1)^2+3$

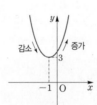

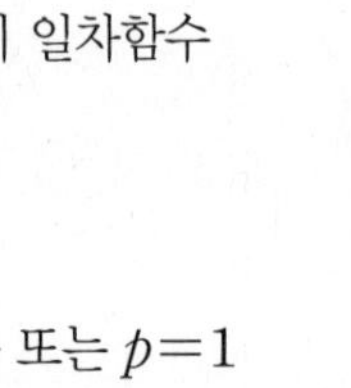

48 ① 꼭짓점의 좌표는 $(1, 5)$이다.

② 축의 방정식은 $x=1$이다.

④ $x<1$일 때, x의 값이 증가하면 y의 값도 증가한다.

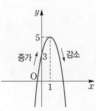

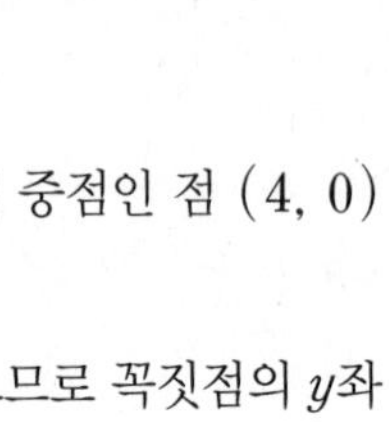

49 주어진 그래프는 아래로 볼록하므로 $a>0$

꼭짓점의 좌표는 (p, q)이고, 꼭짓점이 제3사분면에 있으므로 $p<0$, $q<0$

50 그래프가 위로 볼록하므로 $a<0$

꼭짓점의 좌표 $(-p, -q)$가 제1사분면 위에 있으므로

$-p>0$, $-q>0$ $\quad\therefore p<0$, $q<0$

51 $a>0$이므로 그래프는 아래로 볼록하고 $p>0$, $q<0$이므로 꼭짓점의 좌표 (p, q)는 제4사분면 위에 있다.

따라서 $y=a(x-p)^2+q$의 그래프로 적당한 것은 ④이다.

52 (1) x 대신 $x+4$를 대입하면

$y=-(x+4+2)^2+1$ $\quad\therefore y=-(x+6)^2+1$

(2) y 대신 $y-2$를 대입하면

$y-2=-(x+2)^2+1$ $\quad\therefore y=-(x+2)^2+3$

(3) x 대신 $x+4$, y 대신 $y-2$를 대입하면

$y-2=-(x+4+2)^2+1$

$\therefore y=-(x+6)^2+3$

53 $y=-(x+2)^2$의 그래프를 x축의 방향으로 3만큼, y축의 방향으로 4만큼 평행이동한 그래프의 식은

$y=-(x-3+2)^2+4$

$=-(x-1)^2+4$

이 그래프가 점 $(2, k)$를 지나므로 $x=2$, $y=k$를 대입하면 $k=-(2-1)^2+4=3$

54 $y=4(x-1)^2-5$에 x 대신 $x-m$, y 대신 $y-n$을 대입하면

$y-n=4(x-m-1)^2-5$

즉, $y=4(x-m-1)^2-5+n$의 그래프가

$y=4(x+2)^2+1$의 그래프와 일치하므로

$-m-1=2$, $-5+n=1$

따라서 $m=-3$, $n=6$이므로

$m+n=-3+6=3$

55 (1) $y=3(x-2)^2+1$에 y 대신 $-y$를 대입하면

$-y=3(x-2)^2+1$ $\quad\therefore y=-3(x-2)^2-1$

(2) $y=-3(x-2)^2-1$의 그래프가 점 $(4, a)$를 지나므로 $x=4$, $y=a$를 대입하면

$a=-3(4-2)^2-1=-13$

56 $y=-2(x+1)^2+4$에 x 대신 $-x$를 대입하면

$y=-2(-x+1)^2+4$ $\quad\therefore y=-2(x-1)^2+4$

익힘북

이 그래프가 점 (2, k)를 지나므로

$k=-2(2-1)^2+4=2$

57 $y=a(x+1)^2$의 그래프를 x축에 대하여 대칭이동한 그래프의 식은 $y=-a(x+1)^2$

다시 y축에 대하여 대칭이동하면 $y=-a(-x+1)^2$

이 그래프가 점 (3, 2)를 지나므로

$2=-a(-3+1)^2$, $-4a=2$ $\quad\therefore a=-\frac{1}{2}$

58 $y=2x^2+4x+a=2(x^2+2x+1-1)+a$

$=2(x+1)^2-2+a$

이므로 그래프의 꼭짓점의 좌표는 $(-1, -2+a)$

따라서 $b=-1$, $3=-2+a$에서 $a=5$이므로

$a+b=5+(-1)=4$

59 $y=-x^2+kx+6$의 그래프가 점 (1, 1)을 지나므로

$x=1$, $y=1$을 대입하면

$1=-1^2+k\times1+6$ $\quad\therefore k=-4$

$y=-x^2-4x+6=-(x^2+4x+4-4)+6$

$=-(x+2)^2+10$

이므로 그래프의 축의 방정식은 $x=-2$이다.

60 $y=-\frac{1}{3}x^2+4x-5$

$=-\frac{1}{3}(x^2-12x+36-36)-5$

$=-\frac{1}{3}(x-6)^2+7$

이므로 그래프는 오른쪽 그림과 같다. 따라서 x의 값이 증가할 때, y의 값도 증가하는 x의 값의 범위는 $x<6$이다.

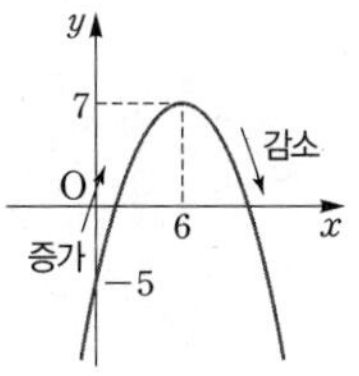

61 $y=x^2-6x+2=(x^2-6x+9-9)+2=(x-3)^2-7$

이고 이 그래프를 x축의 방향으로 2만큼, y축의 방향으로 3만큼 평행이동한 그래프의 식은

$y=(x-2-3)^2-7+3$

$=(x-5)^2-4$

따라서 구하는 꼭짓점의 좌표는 (5, -4)이다.

62 ㈎에서 이차함수의 그래프가 원점을 지나므로 $c=0$

㈑에서 이차함수 $y=\frac{1}{2}x^2$의 그래프를 평행이동하여 포갤 수 있으므로 $a=\frac{1}{2}$

따라서 이차함수의 식은

$y=\frac{1}{2}x^2+bx=\frac{1}{2}(x^2+2bx+b^2-b^2)$

$=\frac{1}{2}(x+b)^2-\frac{1}{2}b^2$

꼭짓점의 좌표가 $\left(-b, -\frac{1}{2}b^2\right)$이고 ㈎, ㈏에서 그래프가 원점을 지나고 제3사분면을 지나지 않으므로 오른쪽 그림과 같다.

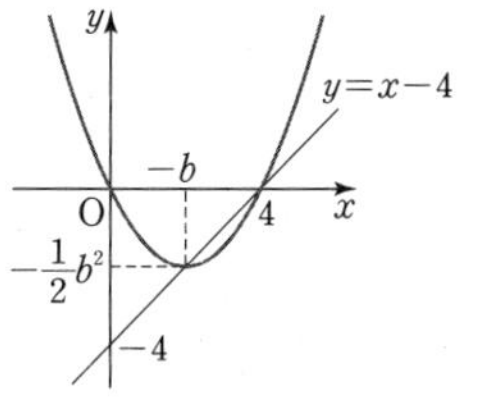

즉, $-b>0$ $\quad\therefore b<0$

㈐에서 꼭짓점 $\left(-b, -\frac{1}{2}b^2\right)$이 직선 $y=x-4$ 위에 있으므로

$-\frac{1}{2}b^2=-b-4$, $b^2-2b-8=0$

$(b+2)(b-4)=0$ $\quad\therefore b=-2$ ($\because b<0$)

$\therefore a+b+c=\frac{1}{2}+(-2)+0=-\frac{3}{2}$

63 $y=-x^2+7x-10$에 $y=0$을 대입하면

$0=-x^2+7x-10$, $x^2-7x+10=0$

$(x-2)(x-5)=0$ $\quad\therefore x=2$ 또는 $x=5$

$y=-x^2+7x-10$에 $x=0$을 대입하면 $y=-10$

따라서 그래프가 x축과 만나는 두 점의 좌표는 (2, 0), (5, 0)이고 y축과 만나는 점의 좌표는 (0, -10)이므로

$a+b+c=2+5+(-10)=-3$

64 $y=2x^2+ax-8$의 그래프가 점 (2, 0)을 지나므로

$x=2$, $y=0$을 대입하면

$0=2\times2^2+2a-8$ $\quad\therefore a=0$

즉, $y=2x^2-8$에 $y=0$을 대입하면

$0=2x^2-8$, $x^2-4=0$

$(x+2)(x-2)=0$ $\quad\therefore x=-2$ 또는 $x=2$

따라서 나머지 한 점의 좌표는 (-2, 0)이다.

65 $y=2x^2-10x+k$

$=2\left(x^2-5x+\frac{25}{4}-\frac{25}{4}\right)+k$

$=2\left(x-\frac{5}{2}\right)^2-\frac{25}{2}+k$

에서 축의 방정식은 $x=\frac{5}{2}$

$\overline{AB}=3$이므로 A(1, 0), B(4, 0)

$y=2x^2-10x+k$에 $x=1$, $y=0$을 대입하면

$0=2-10+k$ $\quad\therefore k=8$

66 $y=3x^2+6x-2$

$=3(x^2+2x+1-1)-2$

$=3(x+1)^2-5$

② 축의 방정식은 $x=-1$이다.

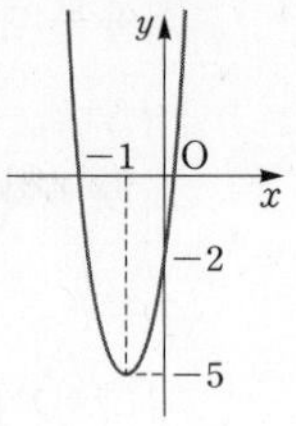

67 $y=-\frac{1}{2}x^2+2x-3$

$=-\frac{1}{2}(x^2-4x+4-4)-3$

$=-\frac{1}{2}(x-2)^2-1$

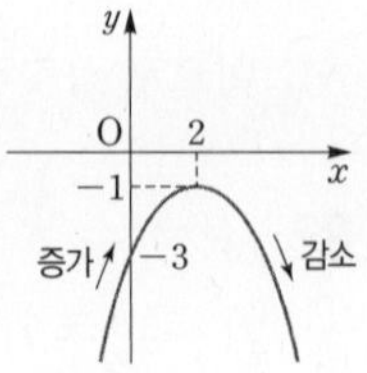

ㄴ. $-2\neq-\frac{1}{2}(3-2)^2-1$

ㄷ. $x>2$일 때, x의 값이 증가하면 y의 값은 감소한다.

따라서 옳은 것은 ㄱ, ㄹ이다.

68 $y=x^2+2x-3$에 $y=0$을 대입하면

$0=x^2+2x-3$, $(x+3)(x-1)=0$이므로

$x=-3$ 또는 $x=1$ $\quad\therefore$ A$(-3, 0)$, B$(1, 0)$

$y=x^2+2x-3=(x+1)^2-4$이므로 C$(-1, -4)$

$\therefore \triangle ABC=\frac{1}{2}\times4\times4=8$

69 $y=-x^2+2x+8$에 $y=0$을 대입하면

$0=-x^2+2x+8$, $x^2-2x-8=0$

$(x+2)(x-4)=0$이므로 $x=-2$ 또는 $x=4$

$\therefore$ A$(-2, 0)$, B$(4, 0)$

$y=-x^2+2x+8$에 $x=0$을 대입하면

$y=8$ $\quad\therefore$ C$(0, 8)$

$\therefore \triangle ABC=\frac{1}{2}\times6\times8=24$

70 점 C는 y축과의 교점이므로 C$(0, -1)$

$y=\frac{1}{2}x^2-3x-1=\frac{1}{2}(x-3)^2-\frac{11}{2}$이므로

D$\left(3, -\frac{11}{2}\right)$

이때 점 D에서 $\overline{AB}$에 내린 수선의 발을 H라 하면 $\triangle ACB$와 $\triangle ADB$의 밑변이 공통이므로

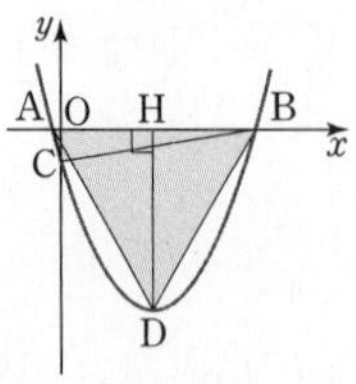

$\triangle ACB : \triangle ADB=\overline{OC} : \overline{HD}$

$=1 : \frac{11}{2}=2 : 11$

71 그래프가 아래로 볼록하므로 $a>0$

축이 y축의 왼쪽에 있으므로 $ab>0$ $\quad\therefore b>0$

y축과의 교점이 원점의 위쪽에 있으므로 $c>0$

72 조건 (나)에서 $a>0$이므로 아래로 볼록한 모양이고 b의 부호는 a의 부호와 다른 $b<0$이므로 대칭축이 y축의 오른쪽에 있으며 $c>0$이므로 y축과의 교점이 원점의 윗쪽에 있다.

또한, 조건 (가)에서 x축과 두 점에서 만나므로 이차함수 $y=ax^2+bx+c$의 그래프는 오른쪽 그림과 같다.

따라서 그래프가 지나지 않는 사분면은 제3사분면이다.

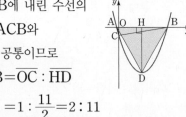

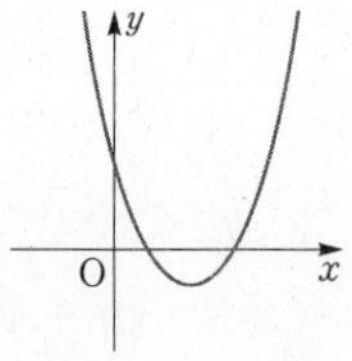

73 ① 그래프가 위로 볼록하므로 $a<0$

② 축이 y축의 오른쪽에 있으므로 $ab<0$ $\quad\therefore b>0$

③ y축과의 교점이 원점의 아래쪽에 있으므로 $c<0$

④ $x=2$일 때의 y의 값이 0보다 크므로 $4a+2b+c>0$

⑤ $x=-1$일 때의 y의 값이 0보다 작으므로

$a-b+c<0$

74 꼭짓점의 좌표가 $(2, -7)$이므로 이차함수의 식을

$y=a(x-2)^2-7$이라 하면

이 그래프가 점 $(3, -10)$을 지나므로 $x=3$, $y=-10$을 대입하면 $-10=a-7$ $\quad\therefore a=-3$

따라서 이차함수의 식은

$y=-3(x-2)^2-7=-3x^2+12x-19$이므로

$b=12$, $c=-19$

$\therefore a+b+c=-3+12+(-19)=-10$

75 꼭짓점의 좌표가 $(2, -3)$이므로 이차함수의 식을

$y=a(x-2)^2-3$이라 하면 이 그래프가 점 $(0, 1)$을 지나므로 $x=0$, $y=1$을 대입하면 $1=4a-3$

$\therefore a=1$

따라서 이차함수의 식은

$y=(x-2)^2-3=x^2-4x+1$이므로 $b=-4$, $c=1$

$\therefore a+b+c=1+(-4)+1=-2$

76 꼭짓점의 좌표가 $(-1, 0)$이므로 이차함수의 식을

$y=a(x+1)^2$이라 하면 이 그래프가 점 $(-2, 2)$를 지나므로 $x=-2$, $y=2$를 대입하면

$2=a(-2+1)^2$ $\quad\therefore a=2$

즉, $y=2(x+1)^2$의 그래프가 점 $(k, 8)$을 지나므로

$x=k$, $y=8$을 대입하면

$8=2(k+1)^2$, $(k+1)^2=4$, $k+1=\pm2$

$\therefore k=-3$ ($\because k<0$)

77 축의 방정식이 $x=2$이므로 이차함수의 식을 $y=a(x-2)^2+q$라 하면 이 그래프가 두 점 $(3, -1)$, $(0, 8)$을 지나므로

각 점의 좌표를 대입하면 $-1=a+q$, $8=4a+q$

두 식을 연립하여 풀면 $a=3$, $q=-4$

따라서 이차함수의 식은

$$y=3(x-2)^2-4$$
$$=3x^2-12x+8$$

이므로 $a=3$, $b=-12$, $c=8$

$\therefore a+b+c=3+(-12)+8=-1$

78 축의 방정식이 $x=-2$이므로 이차함수의 식을 $y=a(x+2)^2+q$라 하면 이 그래프가 두 점 $(2, -3)$, $(0, 3)$을 지나므로

각 점의 좌표를 대입하면 $-3=16a+q$, $3=4a+q$

두 식을 연립하여 풀면 $a=-\frac{1}{2}$, $q=5$

따라서 이차함수의 식은

$$y=-\frac{1}{2}(x+2)^2+5$$
$$=-\frac{1}{2}x^2-2x+3$$

이므로 $a=-\frac{1}{2}$, $b=-2$, $c=3$

$\therefore 2a+b+c=2\times\left(-\frac{1}{2}\right)+(-2)+3=0$

79 축의 방정식이 $x=3$이고, 평행이동하면 $y=x^2$의 그래프와 완전히 겹쳐지므로 이차함수의 식을 $y=(x-3)^2+q$로 놓을 수 있다.

이 그래프가 점 $(1, -1)$을 지나므로

$-1=(1-3)^2+q$ $\quad\therefore q=-5$

따라서 $y=(x-3)^2-5$이므로 이 그래프의 꼭짓점의 좌표는 $(3, -5)$이다.

80 $y=ax^2+bx+c$의 그래프가 세 점 $(0, 1)$, $(1, 2)$, $(-1, 4)$를 지나므로

각 점의 좌표를 대입하면

$1=c$, $2=a+b+c$, $4=a-b+c$

세 식을 연립하여 풀면

$a=2$, $b=-1$, $c=1$

$\therefore abc=2\times(-1)\times1=-2$

81 이차함수의 식을 $y=ax^2+bx+c$라 하면 이 그래프가 세 점 $(-1, -5)$, $(0, 4)$, $(2, 4)$를 지나므로 각 점의 좌표를 대입하면

$-5=a-b+c$, $4=c$, $4=4a+2b+c$

세 식을 연립하여 풀면

$a=-3$, $b=6$, $c=4$

따라서 이차함수의 식은

$y=-3x^2+6x+4=-3(x-1)^2+7$

이므로 꼭짓점의 좌표는 $(1, 7)$이다.

82 $f(x)=ax^2+bx+c$라고 하면 $f(0)=c=1$

$f(-1)=a-b+1=-4$에서 $a-b=-5$ …… ㉠

$f(2)=4a+2b+1=5$에서 $2a+b=2$ …… ㉡

㉠, ㉡을 연립하여 풀면 $a=-1$, $b=4$

$\therefore f(x)=-x^2+4x+1=-(x-2)^2+5$

따라서 이차함수 $y=f(x)$의 꼭짓점의 좌표는 $(2, 5)$이다.

83 $y=x^2+bx+c$의 그래프가 x축과 두 점 $(2, 0)$, $(5, 0)$에서 만나므로

$y=(x-2)(x-5)=x^2-7x+10$

$\therefore b=-7$, $c=10$

이 그래프가 점 $(3, k)$를 지나므로

$k=9-21+10=-2$

$\therefore b+c+k=-7+10+(-2)=1$

84 x축과 두 점 $(-4, 0)$, $(3, 0)$에서 만나므로 이차함수의 식을 $y=a(x+4)(x-3)$이라 하면 이 그래프가 점 $(2, -6)$을 지나므로 $x=2$, $y=-6$을 대입하면

$-6=a(2+4)(2-3)$ $\quad\therefore a=1$

따라서 구하는 이차함수의 식은

$y=(x+4)(x-3)=x^2+x-12$

85 x축과 두 점 $(-1, 0)$, $(6, 0)$에서 만나므로 이차함수의 식을 $y=a(x+1)(x-6)$이라 하면

이 그래프가 점 $(0, 3)$을 지나므로 $x=0$, $y=3$을 대입하면

$3=-6a$ $\quad\therefore a=-\frac{1}{2}$

따라서 이차함수의 식은

$y=-\frac{1}{2}(x+1)(x-6)=-\frac{1}{2}x^2+\frac{5}{2}x+3$

이므로 $b=\frac{5}{2}$, $c=3$

$\therefore a+b+c=-\frac{1}{2}+\frac{5}{2}+3=5$

1 ③, ⑤　　**2** ④　　　**3** ③, ⑤　　**4** 0

5 제2사분면　**6** ⑤　　**7** ③　　　**8** ②

9 $y=x^2-x+3$　　**10** 4　　　**11** -8

12 3

1　① $y=2x^2$이므로 이차함수이다.

② $y=\dfrac{1}{2}x^2$이므로 이차함수이다.

③ $y=\dfrac{10}{x}$이므로 이차함수가 아니다.

④ $y=x(x+1)=x^2+x$이므로 이차함수이다.

⑤ $y=2\pi x\times\dfrac{90}{360}=\dfrac{\pi}{2}x$이므로 일차함수이다.

2　$y=ax^2$의 그래프가 점 $(-2, 12)$를 지나므로

$x=-2, y=12$를 대입하면

$12=a\times(-2)^2$　∴ $a=3$

따라서 $y=3x^2$의 그래프가 점 $(b, 3)$을 지나므로

$x=b, y=3$을 대입하면

$3=3\times b^2$　∴ $b=1\ (∵ b>0)$

∴ $a+b=3+1=4$

3　이차함수 $y=ax^2$의 그래프는 a의 절댓값이 클수록 그래프의 폭이 좁아지므로 그래프가 색칠한 부분의 영역을 지나려면 $-\dfrac{1}{3}<a<1$이어야 한다.

4　그래프의 꼭짓점의 좌표가 $(-2, 3)$이므로

$p=-2, q=3$

즉, $y=a(x+2)^2+3$의 그래프가 점 $(0, -1)$을 지나므로 $x=0, y=-1$을 대입하면

$-1=4a+3$　∴ $a=-1$

∴ $a+p+q=-1+(-2)+3=0$

5　$y=a(x-p)^2+q$의 그래프는 아래로 볼록하므로

$a>0$

꼭짓점 (p, q)가 제3사분면 위에 있으므로 $p<0, q<0$

따라서 $y=p(x+a)^2-q$의 그래프의 꼭짓점의 좌표는

$(-a, -q)$이고 $-a<0, -q>0$이므로 꼭짓점은 제2사분면 위에 있다.

6　$y=2x^2+2x-5=2\left(x+\dfrac{1}{2}\right)^2-\dfrac{11}{2}$이므로

① 그래프의 꼭짓점의 좌표는 $\left(-\dfrac{1}{2}, -\dfrac{11}{2}\right)$이고, 아래로 볼록한 포물선이다.

② $-4\neq2\left(-1+\dfrac{1}{2}\right)^2-\dfrac{11}{2}$

③ $y=2x^2+2x-5$에 $x=0$을 대입하면 $y=-5$이므로 y축과의 교점의 좌표는 $(0, -5)$이다.

④ $x>-\dfrac{1}{2}$일 때, x의 값이 증가하면 y의 값도 증가한다.

⑤ 그래프는 오른쪽 그림과 같으므로 모든 사분면을 지난다.

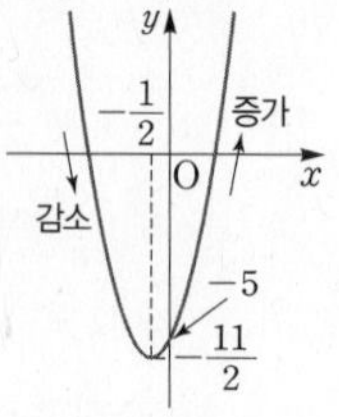

7　$y=\dfrac{1}{2}x^2-6x+2a+7$

$=\dfrac{1}{2}(x^2-12x+36-36)=2a+7$

$=\dfrac{1}{2}(x-6)^2+2a-11$

이므로 이 그래프의 꼭짓점의 좌표는 $(6, 2a-11)$이고, 꼭짓점이 일차함수 $3x+2y-4=0$의 그래프 위에 있으므로 $x=6, y=2a-11$을 대입하면

$3\times6+2\times(2a-11)-4=0, 18+4a-22-4=0$

$4a=8$　∴ $a=2$

8　$y=ax^2+bx+c$의 그래프가 아래로 볼록하므로 $a>0$

축이 y축의 왼쪽에 있으므로 $ab>0$　∴ $b>0$

y축과의 교점이 원점의 아래쪽에 있으므로 $c<0$

즉, $y=\dfrac{a}{b}x+\dfrac{b}{c}$의 그래프에서 기울기 $\dfrac{a}{b}>0$,

y절편 $\dfrac{b}{c}<0$이므로 오른쪽 그림과 같다.

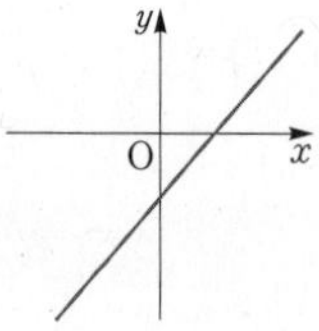

따라서 $y=\dfrac{a}{b}x+\dfrac{b}{c}$의 그래프가 지나지 않는 사분면은 제2사분면이다.

9　$y=ax^2+bx+c$의 그래프가 세 점 $(0, 3)$, $(1, 3)$, $(-1, 5)$를 지나므로 각 점의 좌표를 대입하면

$3=c, 3=a+b+c, 5=a-b+c$

세 식을 연립하여 풀면 $a=1, b=-1, c=3$

따라서 구하는 이차함수의 식은 $y=x^2-x+3$

10　점 D의 좌표를 $(a, 2a^2)$이라 하면

$A(-a, 2a^2), B(-a, -2a^2), C(a, -2a^2)$ …… ①

$\overline{AD}=2a, \overline{DC}=4a^2$이고 □ABCD는 정사각형이므로

$2a=4a^2$, $2a^2-a=0$, $a(2a-1)=0$

$\therefore a=\frac{1}{2}$ ($\because a>0$) …… ②

따라서 $\overline{AD}=1$이므로 □ABCD의 둘레의 길이는 4이다. …… ③

단계	채점 기준	비율
①	네 점 A, B, C, D의 좌표를 a로 나타내기	30%
②	a의 값 구하기	40%
③	□ABCD의 둘레의 길이 구하기	30%

11 $y=-4(x-1)^2+5$에 x 대신 $x+2$를, y 대신 $y-3$을 대입하면 $y-3=-4(x+2-1)^2+5$

$\therefore y=-4(x+1)^2+8$ …… ①

이 그래프가 점 $(1, a)$를 지나므로 $x=1$, $y=a$를 대입하면

$a=-4(1+1)^2+8=-8$ …… ②

단계	채점 기준	비율
①	평행이동한 그래프의 식 구하기	50%
②	a의 값 구하기	50%

12 $y=-x^2-2x+p=-(x+1)^2+1+p$의 축의 방정식이 $x=-1$이고, 두 점 A, B 사이의 거리가 4이므로 두 점의 좌표는 A$(-3, 0)$, B$(1, 0)$이다. …… ①

즉, 이차함수 $y=-x^2-2x+p$의 그래프가 점 $(1, 0)$을 지나므로 $x=1$, $y=0$을 대입하면

$0=-1-2+p$ $\quad\therefore p=3$ …… ②

단계	채점 기준	비율
①	두 점 A, B의 좌표 구하기	50%
②	p의 값 구하기	50%

대단원 마무리

익힘북 91~92쪽

1 ③	**2** ②	**3** ②	**4** ④
5 6	**6** ④	**7** ②	**8** 15
9 ④	**10** ⑤	**11** -1	**12** ⑤

1 ① $y=\pi x^2$ ② $y=x^2$

③ $y=3x+3(x+2)=6x+6$

④ $y=\frac{1}{2}x(x-2)=\frac{1}{2}x^2-x$

⑤ $y=x(x+2)=x^2+2x$

따라서 이차함수가 아닌 것은 ③이다.

2 $f(a)=-2a^2+3a-2=-4$에서

$2a^2-3a-2=0$, $(2a+1)(a-2)=0$

$\therefore a=2$ ($\because a>0$)

3 $y=-4x^2$의 그래프를 x축의 방향으로 -3만큼 평행이동한 그래프의 식은 $y=-4(x+3)^2$이고, 이 그래프가 점 $(-1, k)$를 지나므로 $x=-1$, $y=k$를 대입하면

$k=-4(-1+3)^2=-16$

4 이차함수 $y=a(x-p)^2+q$의 그래프의 꼭짓점의 좌표가 $(-2, -3)$이므로 $y=a(x+2)^2-3$

$\therefore p=-2$, $q=-3$

이 그래프가 점 $(0, 1)$을 지나므로 $x=0$, $y=1$을 대입하면

$1=a(0+2)^2-3$, $4a=4$ $\quad\therefore a=1$

$\therefore a+p+q=1+(-2)+(-3)=-4$

5 $y=2(x+1)^2-4$의 그래프를 x축의 방향으로 m만큼, y축의 방향으로 n만큼 평행이동한 그래프의 식은

$y=2(x-m+1)^2-4+n$

이 그래프가 $y=2(x-2)^2-1$의 그래프와 일치하므로

$-m+1=-2$, $-4+n=-1$ $\quad\therefore m=3$, $n=3$

$\therefore m+n=3+3=6$

6 $y=x^2+ax-1$의 그래프가 점 $(1, 2)$를 지나므로 $x=1$, $y=2$를 대입하면

$2=1^2+a-1$ $\quad\therefore a=2$

따라서 $y=x^2+2x-1=(x+1)^2-2$의 그래프의 꼭짓점의 좌표는 $(-1, -2)$이다.

7 $y=\frac{1}{3}x^2-2x+1$

$=\frac{1}{3}(x^2-6x+9-9)+1$

$=\frac{1}{3}(x-3)^2-2$

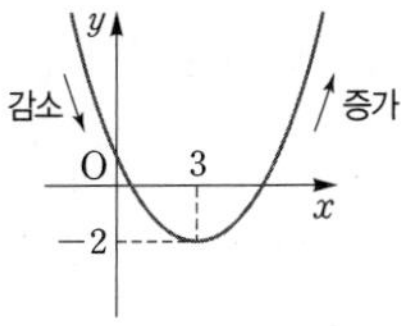

의 그래프의 축의 방정식은 $x=3$이고 아래로 볼록하므로 $x<3$일 때, x의 값이 증가함에 따라 y의 값은 감소한다.

8 $y=-x^2+x+6$에 $y=0$을 대입하면

$0=-x^2+x+6$, $x^2-x-6=0$

$(x+2)(x-3)=0$

$\therefore x=-2$ 또는 $x=3$

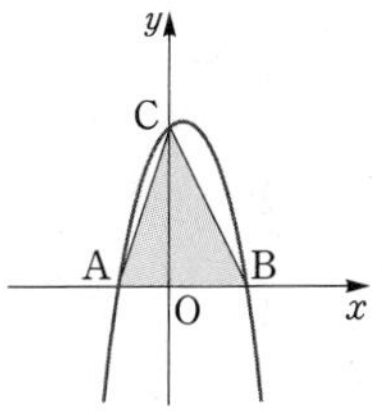

즉, 두 점 A, B의 좌표는

$(-2, 0)$, $(3, 0)$이다. …… ①

$y=-x^2+x+6$에 $x=0$을 대입하면 $y=6$이므로

점 C의 좌표는 $(0, 6)$이다. …… ②

$\therefore \triangle ABC=\frac{1}{2}\times 5\times 6=15$ …… ③

단계	채점 기준	비율
①	두 점 A, B의 좌표 구하기	50 %
②	점 C의 좌표 구하기	20 %
③	△ABC의 넓이 구하기	30 %

9 $y=-\frac{1}{2}x^2-4x-5$

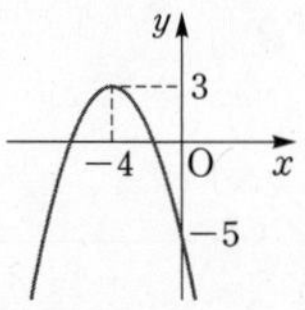

$=-\frac{1}{2}(x^2+8x+16-16)-5$

$=-\frac{1}{2}(x+4)^2+3$

① 꼭짓점의 좌표는 $(-4, 3)$이다.

② 축의 방정식은 $x=-4$이다.

③ y축과 만나는 점의 좌표는 $(0, -5)$이다.

⑤ 이차함수 $y=-\frac{1}{2}x^2$의 그래프를 x축의 방향으로 -4만큼, y축의 방향으로 3만큼 평행이동한 것이다.

10 ① 아래로 볼록하므로 $a>0$

② 축이 y축의 왼쪽에 있으므로 $ab>0$ $\quad\therefore b>0$

③ y축과의 교점이 원점의 위쪽에 있으므로 $c>0$

④ $x=1$일 때의 y의 값이 0보다 크므로 $a+b+c>0$

⑤ $x=-1$일 때의 y의 값이 0보다 작으므로

$a-b+c<0$

11 꼭짓점의 좌표가 $(3, 7)$이므로 이차함수의 식을 $y=a(x-3)^2+7$이라 하고 이 그래프가 점 $(2, 5)$를 지나므로 $x=2$, $y=5$를 대입하면

$5=a(2-3)^2+7$ $\quad\therefore a=-2$

따라서 이차함수의 식은

$y=-2(x-3)^2+7$

$=-2x^2+12x-11$

이므로 $b=12$, $c=-11$

$\therefore a+b+c=-2+12+(-11)=-1$

12 그래프가 x축과 두 점 $(-1, 0)$, $(3, 0)$에서 만나므로 이차함수의 식을 $y=a(x+1)(x-3)$이라 하자.

그래프가 점 $(2, 6)$을 지나므로

$x=2$, $y=6$을 대입하면

$6=a(2+1)(2-3)$, $-3a=6$ $\quad\therefore a=-2$

따라서 이차함수의 식은

$y=-2(x+1)(x-3)$

$=-2x^2+4x+6$

이므로 $b=4$, $c=6$

$\therefore a+b+c=-2+4+6=8$

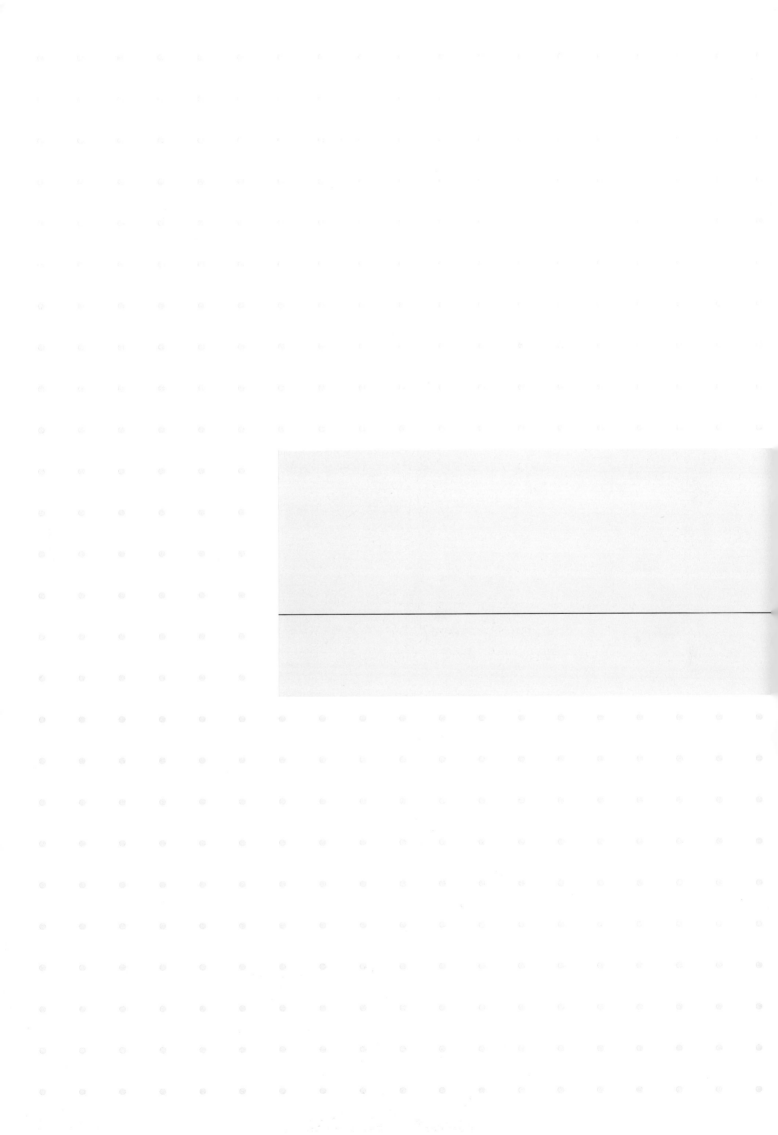

디딤돌수학 개념기본 중학 3-1

펴낸날 [초판 1쇄] 2021년 9월 1일 [초판 2쇄] 2022년 6월 1일
펴낸이 이기열
펴낸곳 (주)디딤돌 교육
주소 (03972) 서울특별시 마포구 월드컵북로 122 청원선와이즈타워
대표전화 02-3142-9000
구입문의 02-322-8451
내용문의 02-336-7918
팩시밀리 02-335-6038
홈페이지 www.didimdol.co.kr
등록번호 제10-718호
구입한 후에는 철회되지 않으며 잘못 인쇄된 책은 바꾸어 드립니다.

[2291230]

수학은 개념이다!

디딤돌수학

개념기본

중 3 / 1

익힘북

중학 수학은 개념의 연결과 확장이다.

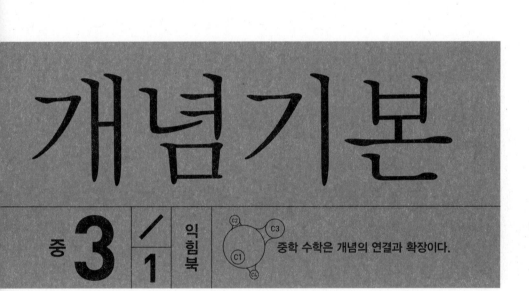

차례

1 제곱근과 실수

개념적용익힘

제곱근의 뜻

개념북 11쪽

1 ●○○

다음 중 x가 a의 제곱근일 때, x와 a의 관계식을 바르게 나타낸 것은? (단, $a>0$)

① $x=a$ ② $x=-a$ ③ $x=a^2$
④ $x^2=a$ ⑤ $x^2=-a$

2 ●●○

다음 설명 중 옳은 것은?

① 25의 제곱근은 5이다.
② 0.16의 제곱근은 0.4, -0.4이다.
③ -1의 제곱근은 -1이다.
④ 0의 제곱근은 없다.
⑤ $(-7)^2$의 제곱근은 -7이다.

3 ●●○

36의 양의 제곱근을 a, $\left(-\frac{1}{3}\right)^2$의 음의 제곱근을 b라 할 때, ab의 값은?

① -4 ② -2 ③ $-\frac{1}{2}$
④ 2 ⑤ 4

제곱근의 표현

개념북 13쪽

4 ●○○

제곱근 121을 a, $\sqrt{81}$의 양의 제곱근을 b라 할 때, $a+b$의 값을 구하시오.

5 ●●○

다음 중 그 값이 나머지 넷과 다른 하나는?

① 7의 제곱근
② 제곱하여 7이 되는 수
③ 제곱근 7
④ $a^2=7$을 만족하는 a의 값
⑤ $\sqrt{49}$의 제곱근

6 ●●○

가연이는 가로의 길이가 8 m, 세로의 길이가 5 m인 직사각형 모양의 꽃밭을 넓이가 같은 정사각형 모양의 꽃밭으로 만들려고 한다. 이때 정사각형 모양의 꽃밭의 한 변의 길이를 구하시오.

근호를 사용하지 않고 제곱근 나타내기 개념북 13쪽

7 ●○○

다음 중 근호를 사용하지 않고 나타낼 수 <u>없는</u> 것은?

① $\sqrt{0.25}$ ② $\sqrt{2.5}$ ③ $\sqrt{225}$

④ $-\sqrt{\frac{1}{36}}$ ⑤ $\sqrt{\frac{9}{64}}$

8 ●●○

다음 중 근호를 사용하지 않고 나타낼 수 <u>없는</u> 것은?

① $\sqrt{36}$ ② $-\sqrt{196}$ ③ $\sqrt{0.5}$

④ $\sqrt{0.16}$ ⑤ $\sqrt{\frac{9}{100}}$

9 ●●○

다음 수 중 그 수의 제곱근을 근호를 사용하지 않고 나타낼 수 있는 것은 모두 몇 개인가?

15	$\frac{1}{16}$	0.1	$0.\dot{4}$	$\frac{25}{49}$

① 1개 ② 2개 ③ 3개

④ 4개 ⑤ 5개

제곱근의 성질 개념북 15쪽

10 ●○○

다음 중 계산 결과가 나머지 넷과 다른 하나는?

① $-\sqrt{5^2}$ ② $-\sqrt{(-5)^2}$

③ $-(\sqrt{5})^2$ ④ $(-\sqrt{5})^2$

⑤ $-(-\sqrt{5})^2$

11 ●●○

다음 중 옳지 <u>않은</u> 것은?

① $(\sqrt{0.3})^2=0.3$ ② $(-\sqrt{25})^2=25$

③ $-\sqrt{8^2}=-8$ ④ $\sqrt{(-10)^2}=-10$

⑤ $-\left(\sqrt{\frac{1}{9}}\right)^2=-\frac{1}{9}$

12 ●●○

다음 수 중 가장 작은 수를 구하시오.

$\sqrt{\frac{1}{4}}$	$\left(\frac{1}{2}\right)^2$	$\sqrt{\left(-\frac{1}{2}\right)^2}$	$\sqrt{\left(\frac{1}{3}\right)^2}$	$\left(-\sqrt{\frac{1}{9}}\right)^2$

제곱근의 성질을 이용한 식의 계산

개념북 15쪽

13 ●●○

다음 중 옳지 않은 것은?

① $\sqrt{2^2}-\sqrt{(-3)^2}=-1$

② $-\sqrt{1.69}+\sqrt{0.09}=-1$

③ $\sqrt{0.\dot{4}}\times\sqrt{\frac{1}{49}}=\frac{2}{21}$

④ $(-\sqrt{15})^2\div(\sqrt{5})^2=3$

⑤ $\sqrt{225}-\sqrt{(-4)^2}\times(-\sqrt{8})^2=47$

14 ●●○

$(-\sqrt{7})^2-\sqrt{(-3)^2}\times\left(\sqrt{\frac{5}{3}}\right)^2+\sqrt{64}$를 계산하면?

① 4　② 6　③ 8　④ 10　⑤ 12

15 ●●●

$x=-\sqrt{169}+(-\sqrt{11})^2$, $y=\sqrt{\left(-\frac{3}{4}\right)^2}\times\{-(\sqrt{8})^2\}$ 일 때, xy의 값을 구하시오.

$\sqrt{a^2}$의 성질

개념북 17쪽

16 ●●○

$a>0$일 때, 다음 중 옳지 않은 것은?

① $\sqrt{(3a)^2}=3a$　② $\sqrt{(-4a)^2}=4a$

③ $-\sqrt{(5a)^2}=-5a$　④ $-\sqrt{(-6a)^2}=6a$

⑤ $-\sqrt{49a^2}=-7a$

17 ●●●

$a<0$일 때, $\sqrt{(-3a)^2}+\sqrt{16a^2}-\sqrt{64a^2}$을 간단히 하시오.

18 ●●●

$a>0$, $b<0$일 때, 다음 식을 간단히 하시오.

$$\sqrt{(-a)^2}\times\sqrt{(3b)^2}+(-\sqrt{-ab})^2$$

$\sqrt{(a-b)^2}$의 꼴을 포함한 식 간단히 하기 개념북 17쪽

19 ●●○

$2<a<7$일 때, $\sqrt{(2-a)^2}+\sqrt{(7-a)^2}$을 간단히 하면?

① -5 ② 5 ③ $-2a+9$
④ $2a-9$ ⑤ $2a+9$

20 ●●●

$-1<a<4$일 때,
$\sqrt{(a-4)^2}+\sqrt{(a+1)^2}-\sqrt{(a-7)^2}$을 간단히 하면?

① $a-7$ ② $a-5$ ③ $a-2$
④ $2a-1$ ⑤ $2a+3$

21 ●●●

$a<0<b$일 때, $\sqrt{a^2}+\sqrt{(a-b)^2}-\sqrt{(-b)^2}$을 간단히 하면?

① $-a$ ② $-b$ ③ $a-b$
④ $-2a$ ⑤ $-2b$

$\sqrt{Ax}$, $\sqrt{\frac{A}{x}}$가 자연수가 되도록 하는 자연수 x의 값 구하기 개념북 19쪽

22 ●●○

$\sqrt{2^5\times3^2\times x}$가 자연수가 되도록 하는 자연수 x의 값으로 옳지 않은 것은?

① 2 ② 6 ③ 8
④ 18 ⑤ 50

23 ●●○

$\sqrt{160x}$가 자연수가 되도록 하는 가장 작은 자연수 x의 값은?

① 4 ② 6 ③ 8
④ 10 ⑤ 12

24 ●●○

$\sqrt{\frac{24}{x}}$가 자연수가 되도록 하는 가장 작은 자연수 x의 값은?

① 2 ② 3 ③ 6
④ 8 ⑤ 10

25 ●●●

$\sqrt{\frac{150}{x}}$이 자연수가 되도록 하는 자연수 x의 개수는?

① 1 ② 2 ③ 3
④ 4 ⑤ 5

$\sqrt{A+x}$, $\sqrt{A-x}$가 자연수가 되도록 하는 자연수 x의 값 구하기

개념북 19쪽

26 ●●○

$\sqrt{40+x}$가 자연수가 되도록 하는 가장 작은 자연수 x의 값은?

① 5 ② 7 ③ 9
④ 11 ⑤ 14

27 ●●●

$\sqrt{58+x}$가 자연수가 되도록 하는 100 이하의 자연수 x의 개수는?

① 4 ② 5 ③ 6
④ 7 ⑤ 8

28 ●●○

$\sqrt{19-x}$가 자연수가 되도록 하는 자연수 x의 개수는?

① 4 ② 5 ③ 6
④ 7 ⑤ 8

29 ●●○

$\sqrt{35-x}$가 자연수가 되도록 하는 자연수 x의 값의 합을 구하시오.

제곱근의 대소 관계

개념북 21쪽

30 ●○○

다음 수를 크기가 작은 것부터 차례로 나열하시오.

$\sqrt{10}$ -4 $\sqrt{7}$ $-\sqrt{15}$ 3

31 ●●○

다음 중 두 수의 대소 관계가 옳은 것은?

① $4<\sqrt{15}$ ② $-\sqrt{5}<-\sqrt{6}$
③ $-\sqrt{8}>-3$ ④ $0.3>\sqrt{0.1}$
⑤ $\frac{1}{2}>\sqrt{\frac{1}{3}}$

32 ●●●

다음 중 가장 작은 수는?

① 5 ② $(-\sqrt{8})^2$ ③ $\sqrt{(-5.5)^2}$
④ $\sqrt{10}$ ⑤ $\sqrt{29}$

제곱근을 포함한 부등식 풀기

개념북 21쪽

33 ●○○

부등식 $1<\sqrt{2x}<3$을 만족하는 자연수 x의 개수는?

① 4　　② 5　　③ 6
④ 7　　⑤ 8

34 ●●○

부등식 $\frac{5}{2}<\sqrt{x+1}\leq 3$을 만족하는 자연수 x의 개수를 구하시오.

35 ●●●

부등식 $2<\sqrt{3(x-1)}<5$를 만족하는 자연수 x 중에서 가장 큰 수를 M, 가장 작은 수를 m이라 할 때, $M-m$의 값을 구하시오.

유리수와 무리수

개념북 23쪽

36 ●○○

다음 중 소수로 나타내었을 때, 순환하지 않는 무한소수가 되는 것은?

① $\frac{1}{7}$　　② $1.\dot{7}\dot{2}$　　③ $-\sqrt{144}$
④ $\sqrt{3}-1$　　⑤ $\sqrt{\frac{25}{36}}$

37 ●●○

다음 중 오른쪽 (가)에 알맞은 수는?

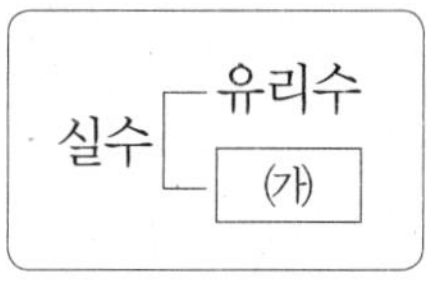

① $\sqrt{0.01}$　　② $\sqrt{\frac{49}{64}}$
③ $2.\dot{3}$　　④ $5-\sqrt{9}$
⑤ $\sqrt{1.6}$

38 ●●○

다음 설명 중 옳은 것을 모두 고르면? (정답 2개)

① 유리수 중에는 무리수도 있다.
② 유리수는 분모($\neq 0$), 분자가 정수인 분수로 나타낼 수 있는 수이다.
③ 순환소수는 무리수가 아니다.
④ 순환하지 않는 무한소수 중에는 유리수도 있다.
⑤ 근호를 사용하여 나타낸 수는 모두 무리수이다.

무리수를 수직선 위에 나타내기

개념북 25쪽

39 ●●○

다음 그림과 같이 한 눈금의 길이가 1인 모눈종이 위에 수직선과 직각삼각형 ABC를 그리고 점 A를 중심으로 하고 $\overline{AC}$를 반지름으로 하는 원을 그렸다. 원과 수직선이 만나는 두 점을 각각 P, Q라 할 때, 두 점 P, Q에 대응하는 수를 차례로 구하시오.

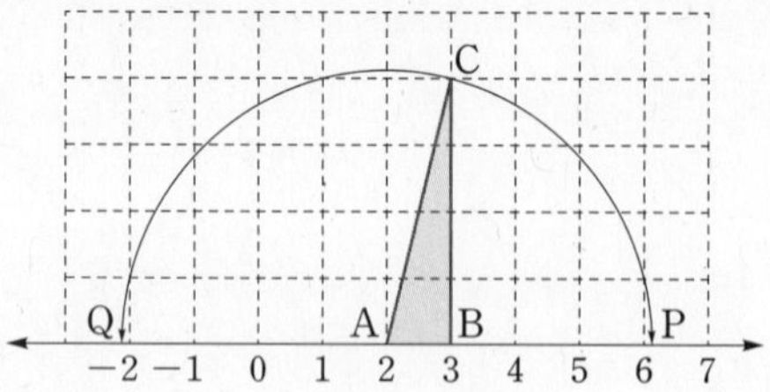

40 ●●○

다음 수직선에서 $\sqrt{110}-3$에 대응하는 점이 있는 곳은?

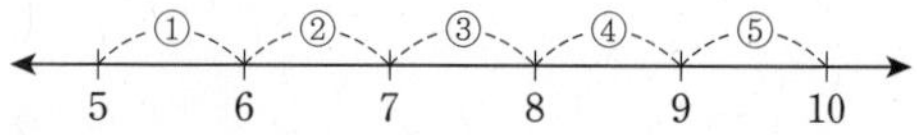

41 ●●●

다음 그림과 같이 한 눈금의 길이가 1인 모눈종이 위에 수직선과 두 직각삼각형 ABC, DEF를 그리고 $\overline{AC}=\overline{AP}$, $\overline{DF}=\overline{DQ}$가 되도록 수직선 위에 두 점 P, Q를 정할 때, 두 점 P, Q의 좌표를 각각 구하시오.

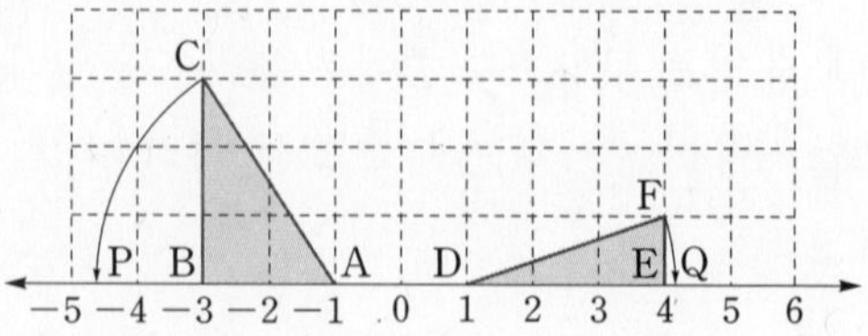

실수와 수직선

개념북 25쪽

42 ●●○

다음 설명 중 옳은 것은 ○표, 옳지 않은 것은 ×표를 (　) 안에 써넣으시오.

(1) 1과 3 사이에는 1개의 유리수가 있다. (　　)

(2) 모든 실수는 수직선 위의 한 점에 대응시킬 수 있다. (　　)

(3) 무리수에 대응하는 점으로 수직선을 완전히 메울 수 있다. (　　)

43 ●●○

다음 설명 중 옳은 것을 모두 고르면? (정답 2개)

① $\sqrt{2}$와 2 사이에는 정수가 없다.

② $\sqrt{2}$와 2 사이에는 유한개의 유리수가 있다.

③ $\sqrt{2}$와 2 사이에는 유한개의 무리수가 있다.

④ $-\sqrt{2}$와 2 사이에는 4개의 정수가 있다.

⑤ $-\sqrt{2}$와 1 사이에는 자연수가 없다.

44 ●●●

다음 **보기** 중 두 무리수 $\sqrt{3}$과 $\sqrt{6}$ 사이에 있는 실수에 대한 설명으로 옳은 것을 모두 고르시오.

보기

ㄱ. 4는 두 수 사이에 있다.

ㄴ. 두 수 사이에는 한 개의 정수가 있다.

ㄷ. $\sqrt{3}-0.1$은 두 수 사이에 있는 무리수이다.

ㄹ. 두 수 사이에는 무수히 많은 무리수가 있다.

개념완성익힘

1

다음 중 옳은 것은?

① $\sqrt{36}$은 ±6이다.
② 5는 25의 양의 제곱근이다.
③ 49의 제곱근은 7이다.
④ 제곱근 64는 ±8이다.
⑤ -16의 음의 제곱근은 -4이다.

2

다음 **보기** 중 옳은 것을 모두 고르시오.

보기
ㄱ. 0의 제곱근은 0 하나뿐이다.
ㄴ. -3의 제곱근은 없다.
ㄷ. $\sqrt{9}$의 제곱근은 ±3이다.
ㄹ. 제곱근 25는 ±5이다.
ㅁ. 제곱근 100의 제곱근은 $\pm\sqrt{10}$이다.

3

제곱근 49를 a, $\left(-\frac{1}{9}\right)^2$의 음의 제곱근을 b, $\sqrt{81}$의 양의 제곱근을 c라 할 때, abc의 값은?

① -3 ② $-\frac{7}{3}$ ③ -2
④ $-\frac{4}{3}$ ⑤ $-\frac{1}{3}$

4

다음 수 중 그 수의 제곱근을 근호를 사용하지 않고 나타낼 수 있는 것은 모두 몇 개인지 구하시오.

$20 \quad \frac{1}{49} \quad 0.9 \quad \frac{25}{16} \quad 0.04$

5

$a<0$일 때, 다음 중 옳지 않은 것은?

① $\sqrt{(-a)^2}=-a$ ② $\sqrt{(3a)^2}=-3a$
③ $\sqrt{(-4a)^2}=-4a$ ④ $-\sqrt{25a^2}=5a$
⑤ $-\sqrt{(-10a)^2}=-10a$

6 실력UP

$\sqrt{a^2}=a$, $\sqrt{(-b)^2}=-b$일 때, $\sqrt{(-4a)^2}-\sqrt{9b^2}$을 간단히 하면?

① $4a-b$ ② $4a+b$ ③ $4a-2b$
④ $4a+3b$ ⑤ $4a-3b$

7

$\sqrt{30-x}$가 정수가 되도록 하는 자연수 x 중 가장 큰 값과 가장 작은 값의 합은?

① 24 ② 28 ③ 32
④ 35 ⑤ 38

8 실력UP

부등식 $2<\sqrt{2x}-1<4$를 만족하는 자연수 x의 값 중 최댓값을 M, 최솟값을 m이라 할 때, $M+m$의 값을 구하시오.

9

다음 수 중 무리수는 모두 몇 개인지 구하시오.

$-0.1 \quad \sqrt{\frac{16}{9}} \quad -\sqrt{7} \quad \pi$

$\sqrt{2.5} \quad \sqrt{0.36} \quad 7.\dot{1}\dot{2} \quad 3+\sqrt{5}$

10

다음 중 옳지 않은 것을 모두 고르면? (정답 2개)

① 수직선 위의 한 점에는 반드시 한 실수가 대응한다.
② $\sqrt{2}$와 $\sqrt{5}$ 사이에는 무수히 많은 정수가 있다.
③ $\sqrt{5}$와 $\sqrt{6}$ 사이에는 무수히 많은 유리수가 있다.
④ 1과 2 사이에는 무수히 많은 무리수가 있다.
⑤ 유리수에 대응하는 점만으로 수직선을 완전히 메울 수 있다.

서술형

11

$-\sqrt{144}+(\sqrt{15})^2-(-\sqrt{3})^2\times\sqrt{(-10)^2}$을 구하기 위한 풀이 과정을 쓰고 답을 구하시오.

12

$\sqrt{300x}$가 자연수가 되도록 하는 가장 작은 두 자리의 자연수 x의 값을 구하기 위한 풀이 과정을 쓰고 답을 구하시오.

13

다음 그림과 같이 한 눈금의 길이가 1인 모눈종이 위에 수직선과 두 정사각형 ABCD, EFGH를 그렸다. $\overline{BC}=\overline{PC}$, $\overline{FH}=\overline{FQ}$이고 점 P에 대응하는 수를 a, 점 Q에 대응하는 수를 b라 할 때, $a+b$의 값을 구하기 위한 풀이 과정을 쓰고 답을 구하시오.

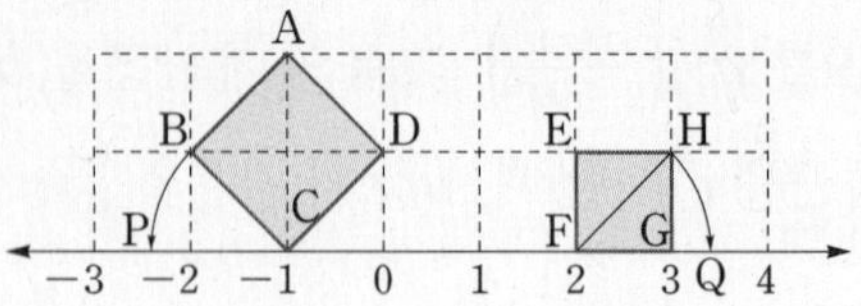

2 근호를 포함한 식의 계산

개념적용익힘

제곱근의 곱셈

개념북 35쪽

1 ●○○

다음 중 옳은 것은?

① $\sqrt{3}\times\sqrt{7}=\sqrt{10}$

② $5\sqrt{3}\times4\sqrt{2}=20\sqrt{7}$

③ $\sqrt{\frac{21}{2}}\times\sqrt{\frac{4}{7}}=\sqrt{6}$

④ $4\sqrt{\frac{6}{5}}\times2\sqrt{\frac{25}{3}}=8\sqrt{15}$

⑤ $-3\sqrt{12}\times4\sqrt{\frac{1}{6}}=-7\sqrt{2}$

2 ●○○

$-3\sqrt{2}\times\sqrt{\frac{7}{2}}\times(-2\sqrt{5})$를 간단히 하시오.

3 ●●○

다음을 만족하는 유리수 a, b에 대하여 ab의 값은?

$$\sqrt{\frac{3}{5}}\times\sqrt{\frac{10}{3}}=\sqrt{a} \qquad \sqrt{\frac{7}{4}}\times3\sqrt{\frac{8}{14}}=b$$

① 4 ② 6 ③ 8
④ 10 ⑤ 12

제곱근의 나눗셈

개념북 35쪽

4 ●○○

다음 중 옳지 않은 것은?

① $\frac{\sqrt{21}}{\sqrt{7}}=\sqrt{3}$

② $\sqrt{85}\div\sqrt{5}=\sqrt{17}$

③ $5\sqrt{14}\div\sqrt{2}=5\sqrt{7}$

④ $-6\sqrt{15}\div2\sqrt{3}=-3\sqrt{5}$

⑤ $\sqrt{\frac{27}{2}}\div\sqrt{\frac{9}{14}}=\sqrt{23}$

5 ●○○

다음 식을 간단히 하시오.

$$2\sqrt{3}\div\frac{\sqrt{6}}{\sqrt{5}}\div\frac{1}{\sqrt{12}}$$

6 ●●○

$\sqrt{12}\div\frac{\sqrt{3}}{\sqrt{2}}\div(-2\sqrt{2})=a$일 때, 유리수 a의 값은?

① -4 ② -2 ③ -1
④ 2 ⑤ 4

근호가 있는 식의 변형

개념북 37쪽

7 ●○○

다음 중 옳은 것은?

① $7\sqrt{2}=\sqrt{96}$　② $\sqrt{180}=6\sqrt{5}$

③ $\sqrt{\dfrac{11}{81}}=\dfrac{\sqrt{11}}{18}$　④ $-3\sqrt{\dfrac{5}{6}}=-\sqrt{15}$

⑤ $\sqrt{0.12}=\dfrac{\sqrt{3}}{10}$

8 ●●○

$2\sqrt{3}\times5\sqrt{7}\times\sqrt{3}=a\sqrt{7}$일 때, 자연수 a의 값은?

① 10　② 15　③ 30
④ 90　⑤ 900

9 ●●○

다음 수를 큰 수부터 차례대로 나열하시오.

$\sqrt{\dfrac{6}{25}}$　$\sqrt{\dfrac{6}{16}}$　$\sqrt{0.96}$

문자를 이용한 제곱근의 표현

개념북 37쪽

10 ●●○

$\sqrt{2}=a$, $\sqrt{5}=b$일 때, $\sqrt{90}$을 a, b를 이용하여 나타내면?

① $3a$　② $2b$　③ $2ab$
④ $3ab$　⑤ $4ab$

11 ●●○

$\sqrt{2}=a$, $\sqrt{3}=b$일 때, $\sqrt{0.24}$를 a, b를 이용하여 나타내면?

① $\dfrac{ab}{10}$　② $\dfrac{ab}{5}$　③ $\dfrac{ab}{3}$
④ $2ab$　⑤ $5ab$

12 ●●●

$a=\sqrt{3}$, $b=\sqrt{5}$일 때, $\sqrt{21}+\sqrt{30}$을 a, b에 대한 식으로 나타내면?

① ab　② $7a+2ab$　③ $\sqrt{7}a+\sqrt{2}ab$
④ $\sqrt{7}a+a^2b$　⑤ $\sqrt{7}a-ab^2$

분모의 유리화

개념북 39쪽

13 ●○○

다음 중 분모를 유리화한 것으로 옳은 것은?

① $\dfrac{5}{\sqrt{2}}=\dfrac{\sqrt{2}}{5}$　② $\dfrac{\sqrt{2}}{\sqrt{3}}=\dfrac{\sqrt{2}}{3}$

③ $\dfrac{2}{5\sqrt{2}}=\dfrac{\sqrt{2}}{10}$　④ $\dfrac{3\sqrt{3}}{\sqrt{5}}=\dfrac{3\sqrt{15}}{5}$

⑤ $\dfrac{14}{\sqrt{3}\sqrt{7}}=\dfrac{3\sqrt{21}}{2}$

14 ●●○

$\dfrac{4}{\sqrt{50}}=k\sqrt{2}$를 만족하는 유리수 k의 값은?

① $\dfrac{3}{4}$　② $\dfrac{2}{3}$　③ $\dfrac{1}{2}$

④ $\dfrac{2}{5}$　⑤ $\dfrac{3}{10}$

15 ●●○

다음 중 그 값이 나머지 넷과 다른 하나는?

① $\sqrt{48}$　② $\dfrac{12}{\sqrt{3}}$　③ $\dfrac{24}{\sqrt{12}}$

④ $\dfrac{4\sqrt{6}}{\sqrt{2}}$　⑤ $\dfrac{12\sqrt{3}}{\sqrt{6}}$

제곱근의 곱셈과 나눗셈의 혼합 계산

개념북 39쪽

16 ●●○

$\dfrac{6}{\sqrt{15}}\div\sqrt{24}\times\dfrac{\sqrt{60}}{3}$을 간단히 하면 $a\sqrt{6}$일 때, 유리수 a의 값을 구하시오.

17 ●●○

$5\sqrt{\dfrac{2}{15}}\times4\sqrt{\dfrac{3}{11}}\div8\sqrt{\dfrac{25}{33}}\times\sqrt{5}$를 간단히 하시오.

18 ●●●

오른쪽 그림과 같은 직육면체의 가로, 세로의 길이가 각각 $3\sqrt{2}$ cm, $2\sqrt{5}$ cm이고, 부피가 $60\sqrt{3}$ cm^{3}일 때, 이 직육면체의 높이를 구하시오.

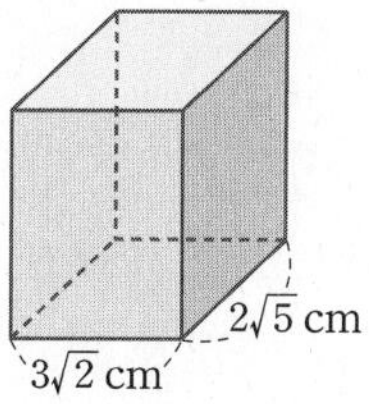

제곱근표의 이해

개념북 41쪽

19

다음 제곱근표를 이용하여 주어진 수의 값 또는 x의 값을 구하시오.

수	0	1	2	3	4
6.0	2.449	2.452	2.454	2.456	2.458
6.1	2.470	2.472	2.474	2.476	2.478
6.2	2.490	2.492	2.494	2.496	2.498
6.3	2.510	2.512	2.514	2.516	2.518

(1) $\sqrt{6.32}$ (2) $\sqrt{x}=2.472$

20

다음 제곱근표에서 $\sqrt{31.4}$의 값은 a, $\sqrt{b}$의 값은 5.788일 때, $1000a+10b$의 값을 구하시오.

수	2	3	4	5	6
30	5.495	5.505	5.514	5.523	5.532
31	5.586	5.595	5.604	5.612	5.621
32	5.675	5.683	5.692	5.701	5.710
33	5.762	5.771	5.779	5.788	5.797
34	5.848	5.857	5.865	5.874	5.882

21

다음 제곱근표에서 $\sqrt{a}=2.396$이고, $\sqrt{b}=2.435$일 때, $a+b$의 값을 구하시오.

수	0	1	2	3	4	5	6
5.7	2.387	2.390	2.392	2.394	2.396	2.398	2.400
5.8	2.408	2.410	2.412	2.415	2.417	2.419	2.421
5.9	2.429	2.431	2.433	2.435	2.437	2.439	2.441
6.0	2.449	2.452	2.454	2.456	2.458	2.460	2.462

제곱근표에 없는 수의 제곱근의 값

개념북 41쪽

22

다음 제곱근표를 이용하여 주어진 수의 값을 구하시오.

수	0	1	2	3	4
20	4.472	4.483	4.494	4.506	4.517
21	4.583	4.593	4.604	4.615	4.626
22	4.690	4.701	4.712	4.722	4.733
23	4.796	4.806	4.817	4.827	4.837

(1) $\sqrt{0.221}$ (2) $\sqrt{2040}$

23

$\sqrt{5}$의 값은 2.236, $\sqrt{50}$의 값은 7.071일 때, 다음 중 옳은 것은?

① $\sqrt{0.5}=0.2236$ ② $\sqrt{0.05}=0.7071$
③ $\sqrt{0.005}=0.07071$ ④ $\sqrt{500}=223.6$
⑤ $\sqrt{5000}=707.1$

24

다음 중 $\sqrt{7}$의 값이 2.646일 때, 이를 이용하여 그 값을 구할 수 없는 것은?

① $\sqrt{700}$ ② $\sqrt{70000}$ ③ $\sqrt{0.7}$
④ $\sqrt{0.07}$ ⑤ $\sqrt{0.0007}$

제곱근의 덧셈과 뺄셈 (1)

개념북 43쪽

25 ●○○

$\sqrt{2}-5\sqrt{7}-2\sqrt{2}+3\sqrt{7}=a\sqrt{2}+b\sqrt{7}$일 때, 유리수 a, b에 대하여 $a+b$의 값은?

① -4 ② -3 ③ -2 ④ 2 ⑤ 3

26 ●●○

$A=2\sqrt{5}+4\sqrt{5}-3\sqrt{5}$, $B=4\sqrt{3}-3\sqrt{3}+5\sqrt{3}$일 때, AB의 값은?

① $9\sqrt{3}$ ② $9\sqrt{5}$ ③ $18\sqrt{3}$ ④ $18\sqrt{5}$ ⑤ $18\sqrt{15}$

27 ●●●

$9\sqrt{5}+2\sqrt{3}-5\sqrt{5}+a\sqrt{3}=b\sqrt{5}-4\sqrt{3}$일 때, 유리수 a, b에 대하여 $b-a$의 값을 구하시오.

제곱근의 덧셈과 뺄셈 (2)

개념북 43쪽

28 ●○○

$\sqrt{2}=a$일 때, $\sqrt{8}-\sqrt{32}+\sqrt{50}$을 a를 이용하여 나타내면?

① $-3a$ ② $-a$ ③ a ④ $2a$ ⑤ $3a$

29 ●●○

$\sqrt{2}=a$, $\sqrt{3}=b$일 때, $\sqrt{128}+3\sqrt{27}-\sqrt{48}-\sqrt{18}$을 a, b를 이용하여 나타내면?

① $4a-3b$ ② $2a+4b$ ③ $3a+5b$ ④ $5a-4b$ ⑤ $5a+5b$

30 ●●●

$\sqrt{3}=a$, $\sqrt{7}=b$일 때, $\sqrt{75}+\sqrt{63}-\sqrt{48}-\frac{14}{\sqrt{7}}$를 a, b를 이용하여 나타내면?

① $a-b$ ② $a+b$ ③ $a+2b$ ④ $2a-b$ ⑤ $2a+b$

근호를 포함한 식의 계산

개념북 45쪽

31 ●○○

$\sqrt{27}+\frac{12}{\sqrt{3}}-\sqrt{3}(2-4\sqrt{3})$을 간단히 하면 $a\sqrt{3}+b$일 때, 유리수 a, b에 대하여 $a+b$의 값은?

① 9 ② 12 ③ 15
④ 17 ⑤ 19

32 ●○○

$a=\sqrt{2}+\sqrt{5}$, $b=\sqrt{2}-\sqrt{5}$일 때, $\sqrt{2}a+\sqrt{5}b$의 값은?

① $\sqrt{10}-6$ ② $\sqrt{10}+6$ ③ $2\sqrt{10}-3$
④ $2\sqrt{10}$ ⑤ $2\sqrt{10}+3$

33 ●●○

$\frac{\sqrt{15}-\sqrt{2}}{\sqrt{3}}+\sqrt{5}(2-\sqrt{30})$을 간단히 하면 $a\sqrt{5}+b\sqrt{6}$일 때, 유리수 a, b에 대하여 ab의 값은?

① -24 ② -20 ③ -16
④ -12 ⑤ -8

34 ●●○

$\frac{2\sqrt{3}-\sqrt{2}}{\sqrt{2}}-\frac{3\sqrt{2}+\sqrt{3}}{\sqrt{3}}$을 간단히 하면?

① $-2\sqrt{6}$ ② -2 ③ 0
④ 2 ⑤ $2\sqrt{6}$

35 ●●○

$\sqrt{6}(5+\sqrt{18})-\frac{24-\sqrt{72}}{\sqrt{6}}=a\sqrt{6}+8\sqrt{b}$일 때, 유리수 a, b에 대하여 $a+b$의 값은?

① 2 ② 4 ③ 6
④ 8 ⑤ 10

36 ●●○

$\sqrt{3}(2\sqrt{7}-3)-(2+\sqrt{7})\div\sqrt{3}+\sqrt{27}$을 간단히 하면 $a\sqrt{21}+b\sqrt{3}$일 때, 유리수 a, b에 대하여 $a+b$의 값은?

① $-\frac{7}{3}$ ② $-\frac{4}{3}$ ③ 1
④ $\frac{4}{3}$ ⑤ $\frac{7}{3}$

유리수가 되는 조건

개념북 45쪽

37 ●●○

$\sqrt{3}(\sqrt{15}+3\sqrt{3})-2a-a\sqrt{5}$가 유리수가 되도록 하는 유리수 a의 값은?

① -3 ② -1 ③ 1
④ 3 ⑤ 5

38 ●●○

$4\sqrt{8}+3a-\sqrt{6}(a\sqrt{3}-2\sqrt{6})$이 유리수가 되도록 하는 유리수 a의 값은?

① $-\frac{8}{3}$ ② $-\frac{5}{2}$ ③ $-\frac{1}{2}$
④ $\frac{2}{3}$ ⑤ $\frac{8}{3}$

39 ●●●

$\sqrt{24}\left(\frac{1}{\sqrt{3}}-\sqrt{6}\right)-\frac{a}{\sqrt{2}}(\sqrt{32}-2)$가 유리수가 되도록 하는 유리수 a의 값을 구하시오.

무리수의 정수 부분과 소수 부분

개념북 47쪽

40 ●○○

$\sqrt{5}$의 정수 부분을 a, 소수 부분을 b라 할 때, $a+2b$의 값은?

① $\sqrt{5}-3$ ② $\sqrt{5}-2$ ③ $2\sqrt{5}-4$
④ $2\sqrt{5}-2$ ⑤ $2\sqrt{5}+3$

41 ●●○

$\sqrt{10}$의 정수 부분을 a, $\sqrt{19}$의 소수 부분을 b라 할 때, $a-b$의 값을 구하시오.

42 ●●●

$2+\sqrt{6}$의 소수 부분을 a, $5-\sqrt{6}$의 소수 부분을 b라 할 때, $a+b$의 값을 구하시오.

실수의 대소 비교

개념북 49쪽

43 ●●○

다음 중 두 수의 대소 관계가 옳지 않은 것은?

① $3<\sqrt{5}+1$　② $7-\sqrt{15}>3$
③ $2+\sqrt{12}>2+\sqrt{11}$　④ $\sqrt{2}-3<\sqrt{2}-\sqrt{7}$
⑤ $\sqrt{13}-1<\sqrt{13}-\sqrt{2}$

44 ●●○

다음 세 수 a, b, c의 대소 관계를 바르게 나타낸 것은?

$a=\sqrt{5}+\sqrt{3}$　$b=\sqrt{5}+1$　$c=3+\sqrt{3}$

① $a<b<c$　② $a<c<b$
③ $b<a<c$　④ $b<c<a$
⑤ $c<b<a$

45 ●●●

다음 수를 작은 것부터 차례대로 나열할 때, 세 번째에 오는 수는?

① $\sqrt{2}+\sqrt{3}$　② $2+\sqrt{2}$　③ $2+\sqrt{3}$
④ $-3+\sqrt{3}$　⑤ $-\sqrt{2}$

두 무리수 사이의 수 구하기

개념북 49쪽

46 ●●○

다음 중 두 수 2와 $\sqrt{5}$ 사이에 있는 수는?

(단, $\sqrt{5}$의 값은 2.236으로 계산한다.)

① $\sqrt{5}-1$　② $\sqrt{5}-0.3$
③ $\dfrac{2+\sqrt{5}}{2}$　④ $\sqrt{5}+0.1$
⑤ $\sqrt{5}+2$

47 ●●○

$\sqrt{a}$의 값이 두 수 6과 7 사이에 있도록 하는 자연수 a의 개수는?

① 10　② 11　③ 12
④ 13　⑤ 14

48 ●●●

두 수 $1-\sqrt{12}$와 $1+\sqrt{12}$ 사이에 있는 정수의 개수는?

① 6　② 7　③ 8
④ 9　⑤ 10

개념완성익힘

1

$\sqrt{12}\times\sqrt{18}\times\sqrt{50}=A\sqrt{3}$일 때, 유리수 A의 값은?

① 12 ② 18 ③ 20
④ 30 ⑤ 60

2

다음 중 옳지 <u>않은</u> 것은?

① $-2\sqrt{3}\times3\sqrt{2}=-6\sqrt{6}$
② $\sqrt{2}\times4\sqrt{3}\times\sqrt{7}=4\sqrt{42}$
③ $4\sqrt{\dfrac{2}{3}}\times3\sqrt{\dfrac{21}{8}}=12\sqrt{7}$
④ $-\sqrt{72}\div(-\sqrt{12})=\sqrt{6}$
⑤ $3\sqrt{45}\div2\sqrt{15}=\dfrac{3\sqrt{3}}{2}$

3

$\sqrt{2}\times\sqrt{10}\times\sqrt{2a}\times\sqrt{10a}=80$을 만족하는 자연수 a의 값을 구하시오.

4

$\sqrt{2.4}$의 값이 1.549일 때, 이를 이용하여 $\sqrt{0.024}$의 값을 구하시오.

5

$\sqrt{3}(3\sqrt{2}+5\sqrt{7})-(7\sqrt{3}-\sqrt{42})\div\sqrt{7}=a\sqrt{6}+b\sqrt{21}$일 때, 유리수 a, b에 대하여 $a+b$의 값은?

① 8 ② 9 ③ 10
④ 11 ⑤ 12

6 실력UP

$x=\dfrac{\sqrt{5}+\sqrt{3}}{\sqrt{2}}$, $y=\dfrac{\sqrt{5}-\sqrt{3}}{\sqrt{2}}$일 때, $\dfrac{x-y}{x+y}$의 값을 구하시오.

7 실력UP

$\sqrt{2}$의 소수 부분을 a라 할 때, $9-\sqrt{50}$의 소수 부분을 a를 이용하여 나타내면?

① $2+a$ ② $3-5a$ ③ $3-2a$
④ $4-5a$ ⑤ $4-2a$

8

다음 중 □ 안에 알맞은 부등호를 써넣을 때, 나머지와 다른 하나는?

① $2 \square \sqrt{3}$ ② $1+\sqrt{0.3} \square 1.3$
③ $\sqrt{10}-1 \square 2$ ④ $1+\sqrt{5} \square 3$
⑤ $1 \square 4-\sqrt{7}$

9

다음 중 두 수 $\sqrt{3}$과 $\sqrt{11}$ 사이에 있는 무리수가 아닌 것은?

① $\sqrt{3}+1$ ② $\sqrt{\frac{23}{2}}$ ③ $\frac{\sqrt{3}+\sqrt{11}}{2}$
④ $\sqrt{10}$ ⑤ $\sqrt{11}-1$

서술형

10

$\sqrt{3}=a$, $\sqrt{5}=b$일 때, $\sqrt{135}$를 a, b를 이용하여 나타내기 위한 풀이 과정을 쓰고 답을 구하시오.

11

오른쪽 그림과 같이 높이가 $\sqrt{6}$ cm인 사각뿔의 부피가 $2\sqrt{15}$ cm^3일 때, 이 사각뿔의 밑면의 넓이를 구하기 위한 풀이 과정을 쓰고 답을 구하시오.

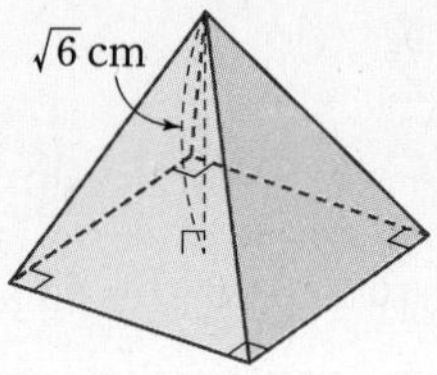

12

$\sqrt{45}-\sqrt{12}-\frac{10}{\sqrt{5}}+\frac{3}{\sqrt{3}}=a\sqrt{3}+b\sqrt{5}$일 때, 유리수 a, b에 대하여 $a+b$의 값을 구하기 위한 풀이 과정을 쓰고 답을 구하시오.

대단원 마무리

I. 실수와 그 연산

1 다음 설명 중 옳은 것은?

① 1의 제곱근은 1이다.
② -9의 제곱근은 -3이다.
③ $\sqrt{36}$의 제곱근은 ± 6이다.
④ 제곱근 10은 $\sqrt{10}$이다.
⑤ 3^2과 $(-3)^2$의 제곱근은 다르다.

서술형

2 $-1<x<3$일 때, $\sqrt{(x-3)^2}+\sqrt{(x+1)^2}$을 간단히 하기 위한 풀이 과정을 쓰고 답을 구하시오.

3 다음 중 $\sqrt{2^4\times 3^3\times x}$가 자연수가 되도록 하는 자연수 x의 값으로 옳지 않은 것은?

① 3 ② 9 ③ 12
④ 27 ⑤ 75

4 다음 중 유리수가 아닌 실수는 모두 몇 개인가?

$\sqrt{0.04}$, $3-\sqrt{4}$, $\sqrt{4.9}$, 2π, $-\sqrt{\frac{25}{36}}$

① 1개 ② 2개 ③ 3개
④ 4개 ⑤ 5개

5 다음 그림과 같이 수직선 위에 4개의 정사각형을 그리고, 정사각형의 대각선을 반지름으로 하는 원과 수직선의 교점을 이용하여 5개의 점 A, B, C, D, E를 정했을 때, $-1+\sqrt{2}$에 대응하는 점은?

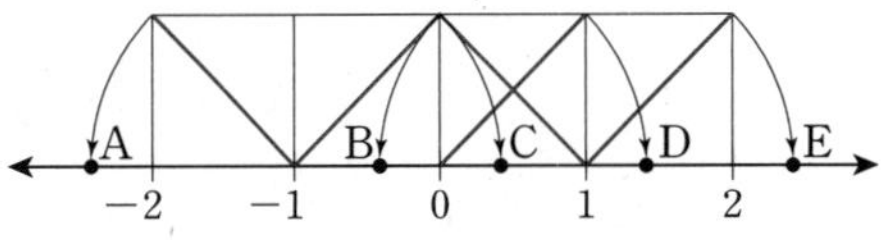

① 점 A ② 점 B ③ 점 C
④ 점 D ⑤ 점 E

6 $a=\sqrt{2}$, $b=\sqrt{5}$일 때, $\sqrt{250}$을 a, b를 이용하여 나타내면?

① $2ab$ ② $4ab$ ③ $5ab$
④ a^2b ⑤ ab^2

서술형

7 $\frac{5}{\sqrt{48}}=A\sqrt{3}$, $\frac{1}{2\sqrt{2}}=B\sqrt{2}$일 때, 유리수 A, B에 대하여 $A+B$의 값을 구하기 위한 풀이 과정을 쓰고 답을 구하시오.

8 다음 그림과 같이 넓이가 각각 27 m^2, 12 m^2, 3 m^2인 세 정사각형이 붙어 있는 도형의 둘레의 길이는?

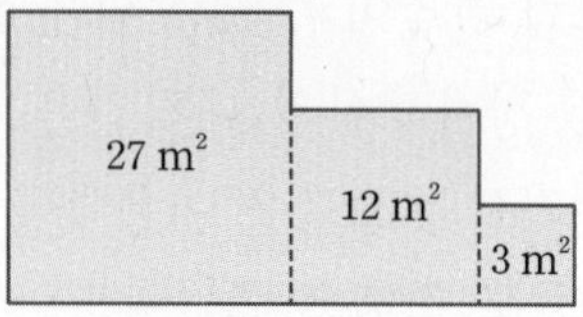

① $8\sqrt{3}$ m ② $10\sqrt{3}$ m ③ $12\sqrt{3}$ m
④ $18\sqrt{3}$ m ⑤ $24\sqrt{3}$ m

9 다음 중 $\sqrt{2}$의 값이 1.414임을 이용하여 그 값을 구할 수 없는 것은?

① $\sqrt{20000}$ ② $\sqrt{200}$ ③ $\sqrt{0.2}$
④ $\sqrt{0.02}$ ⑤ $\sqrt{0.0002}$

10 다음 식을 간단히 하시오.

$$\frac{6}{\sqrt{3}}(\sqrt{3}-\sqrt{32})-\frac{\sqrt{8}-2\sqrt{3}}{\sqrt{2}}$$

11 자연수 n에 대하여 $\sqrt{n}$의 소수 부분을 $f(n)$이라 할 때, $f(75)-f(12)$의 값은?

① $3\sqrt{3}-5$ ② $3\sqrt{3}-3$ ③ $3\sqrt{3}-1$
④ 5 ⑤ $3\sqrt{3}$

12 다음 중 두 실수의 대소 관계가 옳은 것은?

① $2+\sqrt{5}>2+\sqrt{6}$
② $2<\sqrt{7}-1$
③ $\sqrt{15}-\sqrt{17}>4-\sqrt{17}$
④ $4-\sqrt{19}>-1$
⑤ $\sqrt{28}+1<3+\sqrt{7}$

1 다항식의 곱셈

개념적용익힘

다항식과 다항식의 곱셈 (1)

개념북 59쪽

1 ●○○

$(3a-b)(-a+5b)$를 전개하면?

① $-3a^2-16ab-5b^2$　② $-3a^2+16ab-5b^2$
③ $-3a^2+16ab+5b^2$　④ $3a^2-16ab-5b^2$
⑤ $3a^2-16ab+5b^2$

2 ●●○

가로, 세로의 길이가 각각 $-2x+3y$, $x+3y-1$인 직사각형의 넓이는?

① $-x^2-3y^2+3xy-x-3y$
② $-x^2+9y^2+2x-3y$
③ $-2x^2+3y^2-6xy$
④ $-2x^2+9y^2-3xy+2x-3y$
⑤ $-2x^2-9y^2-3xy+3x-2y$

3 ●●○

$(x+3y)(Ax+4y)=3x^2+Bxy+12y^2$일 때, 상수 A, B의 값을 각각 구하시오.

다항식과 다항식의 곱셈 (2)

개념북 59쪽

4 ●○○

$(2x+1)(2x-3)$을 전개했을 때, x^2의 계수를 A, x의 계수를 B라 하면 $A+B$의 값은?

① -2　② -1　③ 0
④ 1　⑤ 2

5 ●●○

$(x-2y)(Ax+3y)=-2x^2+Bxy-6y^2$에서 $A+B$의 값은? (단, A, B는 상수)

① -3　② -1　③ 1
④ 3　⑤ 5

6 ●●○

$(x-2y+3)(x-ay)$를 전개한 식에서 xy의 계수가 7일 때, 상수 a의 값을 구하시오.

7 ●●●

$(3x-2y-z)(3x-y-2z)$를 전개한 식에서 x^2의 계수를 A, yz의 계수를 B라 할 때, AB의 값을 구하시오.

곱셈 공식 – 합의 제곱, 차의 제곱

개념북 61쪽

8 ●○○

$(2x+3y)^2=ax^2+bxy+cy^2$일 때, 상수 a, b, c의 합 $a+b+c$의 값은?

① 21　② 23　③ 25
④ 27　⑤ 29

9 ●●○

다음 중 바르게 전개한 것은?

① $\left(4+\frac{1}{2}x\right)^2=16+2x+\frac{1}{4}x^2$
② $(2a+3b)^2=4a^2+9b^2$
③ $(-x+y)^2=-x^2+2xy+y^2$
④ $(-x-y)^2=-x^2+2xy-y^2$
⑤ $(-a+4b)^2=a^2-8ab+16b^2$

10 ●●○

$(x+7)^2-(x-7)^2$을 간단히 하시오.

곱셈 공식 – 합과 차의 곱

개념북 61쪽

11 ●○○

$(-2x+5)(2x+5)$를 전개하였을 때, x^2의 계수와 상수항의 합을 구하시오.

12 ●●○

다음 중 오른쪽 그림에서 $Q=S$임을 이용하여 색칠한 직사각형의 넓이를 나타낸 곱셈 공식은?

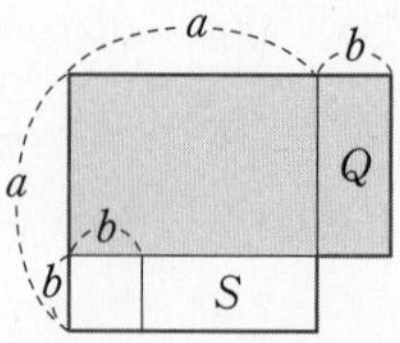

① $(a+b)^2=a^2+2ab+b^2$
② $(a-b)^2=a^2-2ab+b^2$
③ $(a+b)(a-b)=a^2-b^2$
④ $(x+a)(x+b)=x^2+(a+b)x+ab$
⑤ $(ax+b)(cx+d)=acx^2+(ad+bc)x+bd$

13 ●●○

$x=3$, $y=4$일 때, $\left(-x+\frac{1}{2}y\right)\left(-x-\frac{1}{2}y\right)$의 값은?

① 1　② 2　③ 3
④ 4　⑤ 5

14 ●●○

$(x^2+1)(x^2-1)(x^4+1)$을 전개하면?

① x^6-1　② x^6+1　③ x^8-1
④ x^8+1　⑤ $x^{16}-1$

곱셈 공식을 이용하여 미지수 구하기

개념북 62쪽

15 ●●○

$(3x-A)^2=9x^2-Bx+16$일 때, 상수 A, B에 대하여 $B-A$의 값은? (단, $A>0$)

① 20 ② 22 ③ 24
④ 26 ⑤ 28

16 ●●○

$(2x+a)^2=4x^2-(b-5)x+49$일 때, $a+b$의 값은? (단, $a>0$)

① -23 ② -16 ③ 7
④ 16 ⑤ 23

17 ●●○

$(x+A)^2=x^2+10x+B$일 때, 상수 A, B에 대하여 $A-B$의 값은?

① -20 ② -15 ③ -10
④ -5 ⑤ 0

18 ●●○

$(3x-a)^2=9x^2+bx+4$일 때, 상수 a, b의 값이 될 수 있는 것을 모두 고르면? (정답 2개)

① $a=-4$, $b=-6$ ② $a=-2$, $b=6$
③ $a=-2$, $b=12$ ④ $a=2$, $b=-12$
⑤ $a=2$, $b=-6$

전개식이 같은 것 찾기

개념북 62쪽

19 ●●○

다음 중 $(x+y)^2$과 전개식이 같은 것은?

① $(x-y)^2$ ② $(-x-y)^2$
③ $-(x+y)^2$ ④ $-(x-y)^2$
⑤ $(-x+y)^2$

20 ●●○

다음 중 나머지 넷과 다른 하나는?

① $(a-b)^2$ ② $(b-a)^2$
③ $\{-(a-b)\}^2$ ④ $-(-b+a)^2$
⑤ $(a+b)^2-4ab$

21 ●●○

다음 **보기**의 식을 전개한 결과가 같은 것끼리 짝 지으시오.

보기

ㄱ. $(a+b)(a-b)$ ㄴ. $(a+b)(-a-b)$
ㄷ. $(a-b)(-a-b)$ ㄹ. $-(a+b)(a-b)$
ㅁ. $-(a+b)^2$ ㅂ. $-(a-b)^2$

곱셈 공식 - 두 일차식의 곱

개념북 63쪽

22 ●○○

$\left(x-\frac{1}{2}y\right)\left(x-\frac{1}{4}y\right)=x^2+axy+by^2$일 때, 상수 a, b의 합 $a+b$의 값은?

① $-\frac{5}{4}$ ② $-\frac{9}{8}$ ③ $-\frac{7}{8}$
④ $-\frac{5}{8}$ ⑤ $-\frac{1}{4}$

23 ●●○

다음 **보기**의 전개식 중 옳은 것을 모두 고르시오.

보기

ㄱ. $(-x+3)(x+4)=x^2+x+12$
ㄴ. $(x-2)(x+1)=x^2-x-2$
ㄷ. $(x+7)(x+2)=x^2+14x+9$
ㄹ. $(2x+3)(2x-3)=4x^2-9$
ㅁ. $(2x-3y)(3x-5y)=6x^2+19xy+15y^2$

24 ●●○

$(3x-y)^2+(x-3y)(x+2y)$를 전개하여 간단히 하였을 때, y^2의 계수를 구하시오.

전개식에서 미지수 구하기

개념북 63쪽

25 ●●○

$(x+3)(x-a)=x^2+8x+b$일 때, $a+b$의 값은? (단, a, b는 상수)

① 0 ② 5 ③ 10
④ 15 ⑤ 20

26 ●●○

$(x-1)(x+A)$의 전개식에서 x의 계수가 8일 때, 상수항을 구하시오. (단, A는 상수)

27 ●●○

$(5x+4)(2x-3)$의 전개식에서 x의 계수와 상수항의 합을 구하시오.

28 ●●○

$(2x+a)(bx-6)=6x^2+cx+18$일 때, c의 값은? (단, a, b, c는 상수)

① -21 ② -3 ③ 3
④ 6 ⑤ 21

29 ●●○

$3(x+2)(3x-1)-(3x-2)(2x+1)$을 전개하면 Ax^2+Bx+C일 때, $AC+B$의 값은?

(단, A, B, C는 상수)

① 3 ② 4 ③ 12
④ 15 ⑤ 21

30 ●●●

$(x+A)(x+B)$를 전개하면 $x^2+Cx+20$일 때, 다음 중 C의 값이 될 수 없는 것은?

(단, A, B, C는 정수)

① -21 ② -12 ③ -9
④ 8 ⑤ 12

31 ●●●

동현이는 $(3x-1)(x+2)$를 전개하는데 x의 계수 3을 잘못 보아서 Ax^2+9x-2로 전개하였고, 연정이는 상수항 2를 잘못 보아서 $3x^2+2x-B$로 전개하였다. 이때 $A+B$의 값은?

① 6 ② 7 ③ 8
④ 9 ⑤ 10

곱셈 공식과 도형의 넓이

개념북 64쪽

32 ●○○

오른쪽 그림과 같이 한 변의 길이가 x인 정사각형에서 가로의 길이는 $2a$만큼 늘이고, 세로의 길이는 $3a$만큼 줄였다. 이때 색칠한 부분의 넓이는?

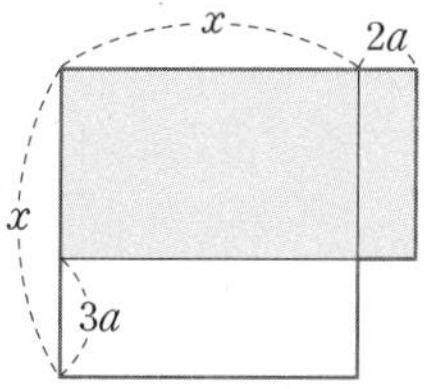

① $x^2+ax+2a^2$ ② $x^2+ax-6a^2$
③ $x^2-ax-6a^2$ ④ $x^2+2ax+6a^2$
⑤ $x^2-3ax-6a^2$

33 ●○○

오른쪽 그림과 같이 가로의 길이가 $5x$, 세로의 길이가 $4x$인 직사각형에서 가로의 길이는 $2a$, 세로의 길이는 a만큼 줄였을 때, 색칠한 부분의 넓이는?

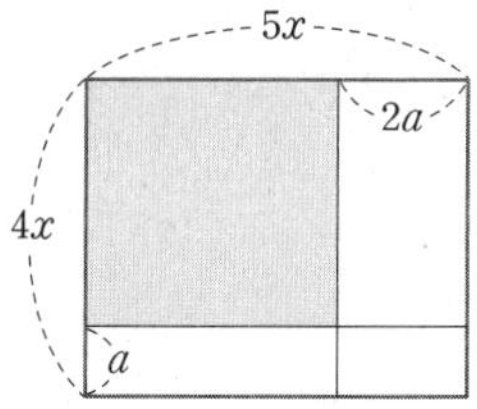

① $20x^2-13ax-2a^2$ ② $20x^2-13ax+2a^2$
③ $20x^2-8ax-2a^2$ ④ $20x^2-5ax+2a^2$
⑤ $20x^2+13ax+2a^2$

34 ●●○

오른쪽 그림과 같이 가로의 길이가 $3a$, 세로의 길이가 $5a$인 직사각형에서 색칠한 부분의 넓이는?

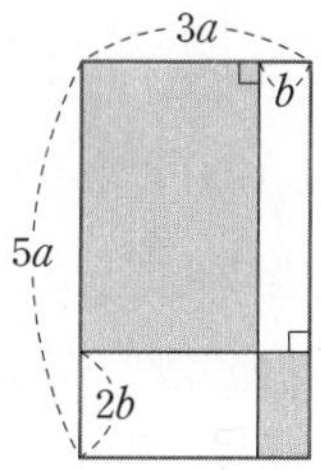

① $10a^2-11ab+2b^2$
② $10a^2-9ab+4b^2$
③ $15a^2-11ab+2b^2$
④ $15a^2-11ab+4b^2$
⑤ $15a^2+9ab-4b^2$

35 ●●○

오른쪽 그림은 큰 직사각형에서 작은 직사각형을 잘라 내고 남은 도형이다. 이 도형의 넓이를 구하시오.

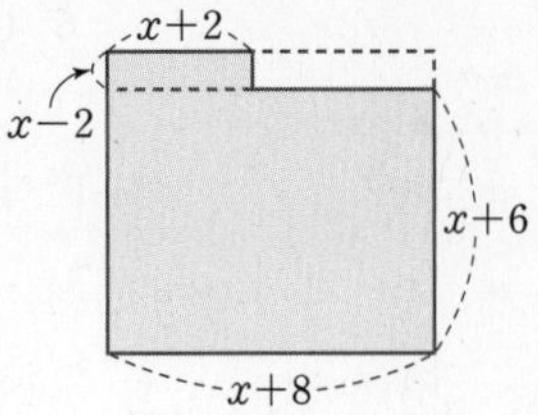

36 ●●●

한 변의 길이가 a cm인 정사각형의 가로의 길이를 5 cm만큼 늘이고, 세로의 길이를 4 cm만큼 줄여서 새로운 직사각형을 만들었더니, 그 넓이가 처음 정사각형의 넓이보다 2 cm^2만큼 늘어났다고 한다. 이때 a의 값을 구하시오.

37 ●●●

오른쪽 그림과 같이 세 모서리의 길이가 각각 $2x+1$, $2x-1$, $2x-1$인 직육면체의 겉넓이는?

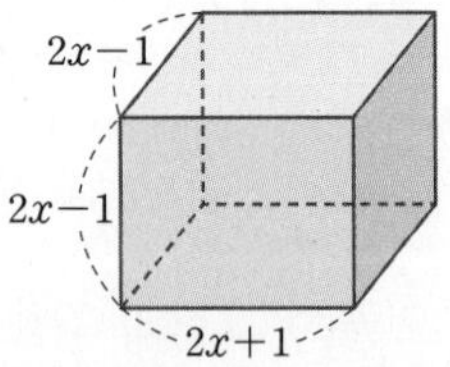

① $12x^2+8x-1$
② $12x^2-8x+1$
③ $24x^2-8x-2$
④ $24x^2-16x+2$
⑤ $24x^2-16x-2$

곱셈 공식에 관한 종합 문제

개념북 64쪽

38 ●●○

다음 중 옳지 않은 것은?

① $(2x-3)^2=4x^2-12x+9$
② $(x+4)(x-5)=x^2-x-20$
③ $(-1+x)(1+x)=1-x^2$
④ $(-x-4y)^2=x^2+8xy+16y^2$
⑤ $(5-2x)(3x-1)=-6x^2+17x-5$

39 ●●○

다음 중 □ 안의 수가 나머지 넷과 다른 하나는?

① $(x-3)^2=x^2-\square x+9$
② $(2x+1)(3x-2)=\square x^2-x-2$
③ $(x+3)(x-3)=x^2-\square$
④ $(3x-y)^2=9x^2-\square xy+y^2$
⑤ $(x+2)(2x+3)=2x^2+7x+\square$

40 ●●○

다음 중 전개하였을 때, x의 계수가 가장 큰 것은?

① $(2x-6)^2$
② $(-4x-3)^2$
③ $(5x-1)(5x+3)$
④ $(6x-1)(7x+4)$
⑤ $(3x+4)(2x+4)$

곱셈 공식을 이용한 수의 계산 (1)

개념북 66쪽

41

곱셈 공식을 이용하여 다음을 계산하려고 한다. **보기**에서 가장 편리한 곱셈 공식을 각각 고르시오.

보기

ㄱ. $(a+b)^2=a^2+2ab+b^2$
ㄴ. $(a-b)^2=a^2-2ab+b^2$
ㄷ. $(a+b)(a-b)=a^2-b^2$
ㄹ. $(x+a)(x+b)=x^2+(a+b)x+ab$

(1) 19×21
(2) 29^2
(3) 203^2
(4) 21×24

42

곱셈 공식을 이용하여 79×81을 계산하려고 할 때, 어떤 곱셈 공식을 이용하는 것이 가장 편리한가?

① $(a+b)^2=a^2+2ab+b^2$
② $(a-b)^2=a^2-2ab+b^2$
③ $(a+b)(a-b)=a^2-b^2$
④ $(x+a)(x+b)=x^2+(a+b)x+ab$
⑤ $(ax+b)(cx+d)=acx^2+(ad+bc)x+bd$

43

다음 수의 계산 중 곱셈 공식

$$(x+a)(x+b)=x^2+(a+b)x+ab$$

를 이용하여 계산하면 가장 편리한 것은?

① 998^2 ② 101^2 ③ 997×1003
④ 105×102 ⑤ 4.02×3.98

곱셈 공식을 이용한 수의 계산 (2)

개념북 66쪽

44

곱셈 공식을 이용하여 $\frac{2021\times2023+1}{2022}$을 계산하면?

① 2019 ② 2020 ③ 2021
④ 2022 ⑤ 2023

45

곱셈 공식을 이용하여 44×36을 계산하시오.

46

곱셈 공식을 이용하여 10.1^2을 계산하시오.

곱셈 공식을 이용한 근호를 포함한 식의 계산 개념북 67쪽

47 ●○○

$(3-\sqrt{5})^2-(\sqrt{6}+2)(\sqrt{6}-2)$를 간단히 하면?

① $4+2\sqrt{5}$ ② $6-4\sqrt{6}$ ③ $9+3\sqrt{2}$
④ $12-6\sqrt{5}$ ⑤ $15+5\sqrt{3}$

48 ●●○

$(a-2\sqrt{7})(5+\sqrt{7})=1+b\sqrt{7}$일 때, 유리수 a, b에 대하여 $a+b$의 값은?

① -7 ② -4 ③ -1
④ 2 ⑤ 5

49 ●●○

$(1+3\sqrt{3})(4a-\sqrt{3})$이 유리수가 되도록 하는 a의 값은? (단, a는 유리수)

① $\frac{1}{3}$ ② $\frac{1}{4}$ ③ $\frac{1}{8}$
④ $\frac{1}{12}$ ⑤ -8

곱셈 공식을 이용한 식의 값 구하기 개념북 67쪽

50 ●○○

$a^2=4$, $b^2=3$일 때, $\left(\frac{1}{2}a+b\right)\left(\frac{1}{2}a-b\right)$의 값을 구하시오.

51 ●●○

$x=1+\sqrt{2}$, $y=\sqrt{3}$일 때,
$(x+2y)^2-(x+y)(x+4y)$의 값을 구하시오.

52 ●●○

$x=2\sqrt{2}$, $y=\sqrt{3}$일 때, $(x+y)^2-(x-y)^2$의 값을 구하시오.

곱셈 공식을 이용한 분모의 유리화

개념북 69쪽

53 ●●○

$\dfrac{\sqrt{3}-\sqrt{11}}{\sqrt{3}+\sqrt{11}}$의 분모를 유리화하면?

① $\dfrac{-5+\sqrt{33}}{8}$　② $\dfrac{-7+\sqrt{33}}{4}$

③ $\dfrac{9-\sqrt{11}}{2}$　④ $-13+3\sqrt{11}$

⑤ $3+\sqrt{11}$

54 ●●○

$x=\sqrt{2}-1$일 때, $x+\dfrac{1}{x}$의 값은?

① -2　② 2　③ $2\sqrt{2}-2$

④ $2\sqrt{2}$　⑤ $2\sqrt{2}+2$

55 ●●○

$\dfrac{\sqrt{2}}{\sqrt{5}-\sqrt{2}}-\dfrac{\sqrt{2}}{\sqrt{5}+\sqrt{2}}$를 간단히 하면?

① $\dfrac{\sqrt{2}}{3}$　② $\dfrac{2}{3}$　③ $\dfrac{2\sqrt{2}}{3}$

④ $\dfrac{4}{3}$　⑤ $\dfrac{4\sqrt{2}}{3}$

곱셈 공식을 변형하여 식의 값 구하기 (1)

개념북 69쪽

56 ●●○

$x+y=3$, $xy=-4$일 때, $\dfrac{y}{x}+\dfrac{x}{y}$의 값을 구하시오.

57 ●●○

$x-y=1$, $x^2+y^2=3$일 때, $\dfrac{y}{x}+\dfrac{x}{y}$의 값을 구하시오.

58 ●●○

$x=\sqrt{2}+\sqrt{3}$, $y=\sqrt{2}-\sqrt{3}$일 때, x^2+y^2의 값을 구하시오.

59 ●●○

$x-\frac{1}{x}=4$일 때, $x^2+\frac{1}{x^2}$의 값을 구하시오.

60 ●●○

$x+\frac{1}{x}=4$일 때, $x^2+\frac{1}{x^2}$의 값을 구하시오.

61 ●●○

$x-\frac{1}{x}=5$일 때, $\left(x+\frac{1}{x}\right)^2$의 값은?

① 25 ② 27 ③ 29
④ 31 ⑤ 33

62 ●●●

$x+\frac{1}{x}=6$일 때, $x-\frac{1}{x}$의 값을 구하시오.

곱셈 공식을 변형하여 식의 값 구하기 (2)

개념북 70쪽

63 ●●○

$x^2+6x-1=0$일 때, $x^2+\frac{1}{x^2}$의 값을 구하시오.

64 ●●○

$x^2+x-1=0$일 때, $\left(x+\frac{1}{x}\right)^2$의 값을 구하시오.

65 ●●○

$x^2-3x+1=0$일 때, $x^2+\frac{1}{x^2}$의 값을 구하시오.

66 ●●●

$x^2-4x+1=0$일 때, $x^2-3+\frac{1}{x^2}$의 값을 구하시오.

분모의 유리화를 이용하여 식의 값 구하기
개념북 70쪽

67 ●●○

$x=\frac{1}{2+\sqrt{3}}$, $y=\frac{1}{2-\sqrt{3}}$일 때, x^2+y^2의 값은?

① 10 ② 12 ③ 14 ④ 16 ⑤ 18

68 ●●○

$x=\frac{\sqrt{2}-1}{\sqrt{2}+1}$일 때, $x+\frac{1}{x}$의 값을 구하시오.

69 ●●●

$a=\frac{1}{1+\sqrt{2}}$, $b=\frac{1}{1-\sqrt{2}}$일 때, $\frac{b}{a}+\frac{a}{b}$의 값은?

① -12 ② -6 ③ 1 ④ 6 ⑤ 12

$x=a+\sqrt{b}$일 때, 식의 값 구하기
개념북 71쪽

70 ●●○

$x=3+\sqrt{3}$일 때, $x^2-6x+10$의 값은?

① 1 ② $\sqrt{3}$ ③ 4 ④ 5 ⑤ 6

71 ●●○

$x=\sqrt{3}+1$일 때, x^2-2x-2의 값은?

① -2 ② -1 ③ 0 ④ 1 ⑤ 2

72 ●●○

$x=\frac{1}{3+2\sqrt{2}}$일 때, x^2-6x-2의 값은?

① -5 ② -3 ③ -1 ④ 1 ⑤ 3

73 ●●●

$x=\frac{\sqrt{3}+\sqrt{2}}{\sqrt{3}-\sqrt{2}}$일 때, $x^2-10x+3$의 값은?

① -4 ② -1 ③ 2 ④ 5 ⑤ 8

공통부분이 있을 때의 전개

개념북 73쪽

74 ●●○

$(a-b)(a-b+1)$의 전개식에서 ab의 계수는?

① -3 ② -2 ③ -1
④ 1 ⑤ 2

75 ●●○

$(2x-3y+4)^2$을 전개하였을 때, x의 계수와 xy의 계수의 합은?

① 0 ② 2 ③ 4
④ 6 ⑤ 8

76 ●●●

다음 식을 간단히 하면?

$$(x+y-z)(x-y+z)+(y-z)^2$$

① x^2-y^2 ② $x^2-2xz+z^2$
③ y^2-z^2 ④ x^2
⑤ $x^2-y^2+z^2$

( )( )( )( ) 꼴의 전개

개념북 73쪽

77 ●●○

$x^2=3$일 때, $(x-3)(x-2)(x+2)(x+3)$의 값을 구하시오.

78 ●●●

다음 식을 계산하시오.

$$\left(1-\frac{1}{2^2}\right)\left(1-\frac{1}{3^2}\right)\left(1-\frac{1}{4^2}\right)\cdots\left(1-\frac{1}{2021^2}\right)\left(1-\frac{1}{2022^2}\right)$$

79 ●●●

$x^2-4x-6=0$일 때, 다음 식의 값을 구하시오.

$$(x-6)(x-3)(x-1)(x+2)+50$$

개념완성익힘

1

$(3a+5b)(3b-5a)$를 전개하면?

① $-15a^2-16ab-15b^2$
② $-15a^2-16ab+15b^2$
③ $9a^2-25b^2$
④ $15a^2+16ab+15b^2$
⑤ $15a^2-16ab-15b^2$

2

$(x+y)(-x+ay-7)$의 전개식에서 xy의 계수가 3일 때, 상수 a의 값은?

① 1 ② 2 ③ 3
④ 4 ⑤ 5

3

오른쪽 그림과 같은 직사각형에서 색칠한 부분의 넓이를 구할 때 이용되는 곱셈 공식은?

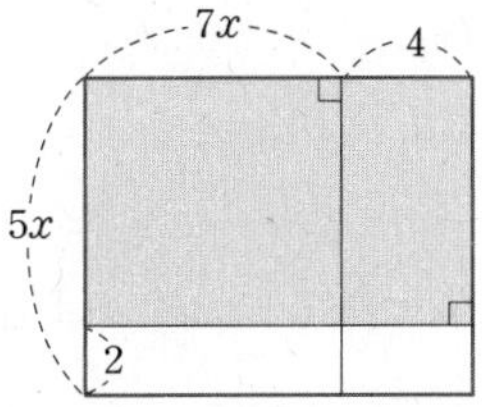

① $(a+b)^2=a^2+2ab+b^2$
② $(a-b)^2=a^2-2ab+b^2$
③ $(a+b)(a-b)=a^2-b^2$
④ $(x+a)(x+b)=x^2+(a+b)x+ab$
⑤ $(ax+b)(cx+d)=acx^2+(ad+bc)x+bd$

4

다음 중 옳은 것은?

① $(-x+y)^2=x^2+2xy+y^2$
② $(4x-5y)^2=16x^2-25y^2$
③ $(-x+2)(-x-2)=x^2-4$
④ $(x+4)(x-2)=x^2-2x-8$
⑤ $(5x+1)(3x-1)=15x^2+8x-1$

5

다음 중 38×42를 계산하는 데 이용되는 가장 편리한 곱셈 공식은?

① $(a+b)^2=a^2+2ab+b^2$
② $(a-b)^2=a^2-2ab+b^2$
③ $(a+b)(a-b)=a^2-b^2$
④ $(x+a)(x+b)=x^2+(a+b)x+ab$
⑤ $(ax+b)(cx+d)=acx^2+(ad+bc)x+bd$

6

곱셈 공식을 이용하여 $\dfrac{101\times99+1}{20^2}$을 계산하면?

① 25 ② 50 ③ 100
④ 150 ⑤ 200

7 실력UP

연속하는 두 홀수의 제곱의 차는 8의 배수임을 설명하시오.

8

$(2\sqrt{2}+3)^5(2\sqrt{2}-3)^5$을 계산하면?

① -2　② -1　③ 0
④ 1　⑤ 2

9 실력UP

$(2+1)(2^2+1)(2^4+1)(2^8+1)=2^a-1$일 때, 상수 a의 값은?

① 4　② 8　③ 16
④ 20　⑤ 24

10 실력UP

$x=\sqrt{2}-2$일 때, x^2+6x+3의 값은?

① 4　② $3\sqrt{2}-2$　③ 2
④ $\sqrt{2}-1$　⑤ $2\sqrt{2}-3$

서술형

11

동현이는 $(x-2)(x+8)$을 전개하는데 8을 a로 잘못 보아 x^2+3x+b로 전개하였다. 이때 상수 a, b에 대하여 $a+b$의 값을 구하기 위한 풀이 과정을 쓰고 답을 구하시오.

12

$(ax+4)(5x-3)$을 전개하면 x의 계수가 -1이고, $(x+4)(4x-b)$를 전개하면 x의 계수가 10이다. 이때 두 상수 a, b에 대하여 $a+b$의 값을 구하기 위한 풀이 과정을 쓰고 답을 구하시오.

13

$a-b=4$, $ab=1$일 때, $\dfrac{b}{a}+\dfrac{a}{b}$의 값을 구하기 위한 풀이 과정을 쓰고 답을 구하시오.

2 다항식의 인수분해

개념적용익힘

인수분해의 뜻

개념북 83쪽

1 ●○○

다음 식에 대한 설명 중 옳지 않은 것은?

$$2x^2y-4xy \underset{㉡}{\overset{㉠}{\rightleftarrows}} 2xy(x-2)$$

① ㉠의 과정을 인수분해라고 한다.
② ㉡의 과정을 전개라고 한다.
③ ㉡의 과정에서 결합법칙이 이용된다.
④ $2x^2y$, $-4xy$의 공통인수는 $2xy$이다.
⑤ $2x$, xy, $2(x-2)$는 모두 $2xy(x-2)$의 인수이다.

2 ●○○

다음 **보기**에서 $3(x-5)(x+2)$의 인수를 모두 고르시오.

보기

ㄱ. 3　　ㄴ. $3x-5$
ㄷ. $(x-5)(x+2)$　　ㄹ. $3x+2$
ㅁ. $3(x-5)(x+2)$

3 ●●○

다음 중 다항식 $x(x+3)(2x-1)$의 인수가 아닌 것은?

① x　② $x+3$　③ $2x-1$
④ $x^2(2x-1)$　⑤ $(x+3)(2x-1)$

공통인수를 이용한 인수분해

개념북 83쪽

4 ●○○

다음은 공통인수를 이용하여 다항식을 인수분해하는 과정이다. 표를 완성하시오.

다항식	각 항의 공통인수	인수분해
$ax+ay$		
ab^2+6ab		
$x^2-2xy+xz$		
$2a^2b-4ab$		

5 ●○○

다항식 a^2b-ab^2을 인수분해하면?

① $-ab(a-b)$　② $-ab(a+b)$
③ $ab(a-b)$　④ $ab(a+b)$
⑤ $ab(a^2-b)$

6 ●●○

다음 중 바르게 인수분해한 것은?

① $xy^2-3xy=xy(y-3x)$
② $2a^2b-4ab^2=2ab(a-b)$
③ $4a^2b-16ab^2=4a^2b(a-4)$
④ $-3x^2y-12y^2=-3xy(x+2y)$
⑤ $ab(a-b)+ab=ab(a-b+1)$

완전제곱식을 이용한 인수분해 (1)

개념북 85쪽

7 ●●○

다음 중 바르게 인수분해한 것은?

① $4x^2+8x+4=(2x+2)^2$
② $9x^2+6x+1=(3x-1)^2$
③ $x^2+8xy+16y^2=(x+2y)^2$
④ $16x^2-56xy+49y^2=(4x-7y)^2$
⑤ $x^2+xy+\frac{1}{4}y^2=\left(x+\frac{1}{2}\right)^2$

8 ●●○

다음 **보기** 중 완전제곱식으로 인수분해되는 것을 모두 고른 것은?

보기
ㄱ. $a^2+a+\frac{1}{16}$
ㄴ. $9x^2-4xy+\frac{1}{4}y^2$
ㄷ. $\frac{9}{16}x^2+\frac{3}{2}xy+y^2$
ㄹ. $\frac{1}{4}y^2-y+1$

① ㄱ, ㄴ ② ㄱ, ㄷ ③ ㄴ, ㄷ
④ ㄴ, ㄹ ⑤ ㄷ, ㄹ

9 ●●●

$x^2+ax+\frac{25}{4}=(x+b)^2$을 만족하는 두 양수 a, b에 대하여 $a+b$의 값을 구하시오.

완전제곱식을 이용한 인수분해 (2)

개념북 85쪽

10 ●○○

다음 **보기**에서 다항식 $5x(y-1)^2$의 인수를 모두 고르시오.

보기
ㄱ. x
ㄴ. $5x$
ㄷ. $5y-1$
ㄹ. $x-1$
ㅁ. $(y-1)^2$
ㅂ. y^2-1

11 ●●○

다음 중 다항식 $3ab^2+12ab+12a$의 인수가 아닌 것은?

① a ② $a(b+2)$ ③ $b-2$
④ $3(b+2)$ ⑤ $(b+2)^2$

12 ●●○

다음 중 다항식 $4x^2+24x+36$의 인수인 것은?

① $x+1$ ② $x+2$ ③ $x+6$
④ $2x+9$ ⑤ $4x+12$

완전제곱식 만들기

개념북 86쪽

13 ●●○

다항식 $x^2-10x+2a+9$가 완전제곱식이 될 때, 상수 a의 값은?

① -8 ② -4 ③ 1
④ 4 ⑤ 8

14 ●●○

다항식 $(x-2)(x-6)+k$가 완전제곱식이 되도록 하는 상수 k의 값을 구하시오.

15 ●●○

다음 식이 모두 완전제곱식이 될 때, □ 안에 알맞은 수 중 절댓값이 가장 큰 것은?

① $a^2+8a+\square$ ② $a^2+\square a+16$
③ $\square x^2-16x+4$ ④ $9y^2+\square y+\frac{1}{9}$
⑤ $4x^2+\square xy+25y^2$

16 ●●○

다항식 $9x^2+(k+3)xy+16y^2$이 완전제곱식이 될 때, 상수 k의 값은?

① -27 또는 21 ② -21 또는 27
③ -27 또는 27 ④ -21 또는 21
⑤ 21 또는 27

근호가 있는 식을 간단히 하기

개념북 86쪽

17 ●●○

$0<x<4$일 때, $\sqrt{x^2}+\sqrt{x^2-8x+16}$을 간단히 하시오.

18 ●●○

$1<x<2$일 때, $\sqrt{x^2-2x+1}+\sqrt{x^2-4x+4}$를 간단히 하면?

① 1 ② 3 ③ $2x$
④ $2x-3$ ⑤ $-2x+3$

19 ●●○

$0<a<b$일 때, $\sqrt{a^2+2ab+b^2}+\sqrt{a^2-2ab+b^2}$을 간단히 하면?

① $-2a$ ② $-2b$ ③ 1
④ $2b$ ⑤ $2a$

20 ●●●

$-\frac{1}{4}<x<0$일 때,

$\sqrt{x^2}-\sqrt{x^2-\frac{1}{2}x+\frac{1}{16}}+\sqrt{x^2+\frac{1}{2}x+\frac{1}{16}}$을 간단히 하시오.

합과 차의 곱을 이용한 인수분해 (1)

개념북 88쪽

21 ●●○

다항식 $4x^2-\dfrac{1}{9y^2}$을 인수분해하시오.

22 ●●○

다음 중 바르게 인수분해한 것을 모두 고르면? (정답 2개)

① $a^2-16=(a+8)(a-8)$
② $16x^2-9y^2=(4x+9y)(4x-9y)$
③ $-x^2+y^2=-(x+y)(x-y)$
④ $-x^2+\dfrac{1}{x^2}=\left(x+\dfrac{1}{x}\right)\left(x-\dfrac{1}{x}\right)$
⑤ $4x^2-100=4(x+5)(x-5)$

23 ●●○

다음 그림에서 두 도형 A, B의 넓이가 같을 때, 도형 B의 가로의 길이를 구하시오.

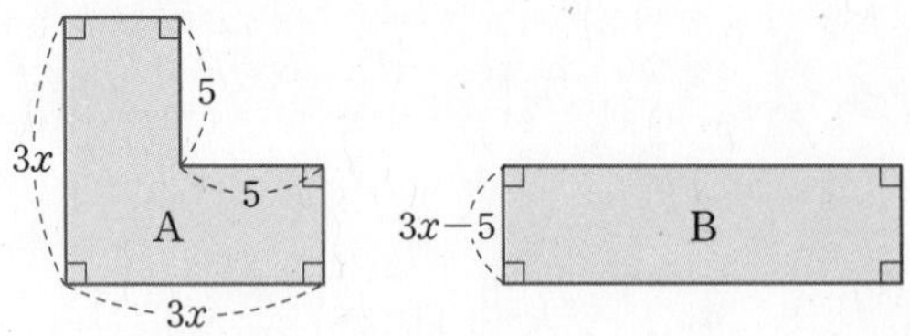

합과 차의 곱을 이용한 인수분해 (2)

개념북 88쪽

24 ●●○

다항식 x^4-16y^4을 인수분해하시오.

25 ●●○

다음 중 x^8-1의 인수가 아닌 것은?

① $x-1$ ② $x+1$ ③ x^2-1
④ x^3+1 ⑤ x^4-1

26 ●●●

다음 두 사람의 대화를 보고 물음에 답하시오.

> 효림: 다음 식처럼 연속한 두 자연수의 제곱의 차는 이 두 자연수의 합과 같아.
> $2^2-1^2=4-1=3=2+1$
> $3^2-2^2=9-4=5=3+2$
> 미라: 그렇구나. 그러면 연속한 두 자연수에 대하여 이 성질이 항상 성립할까?

(1) 연속한 두 자연수를 n, $n+1$이라 할 때, 이 두 수의 제곱의 차를 식으로 나타내시오.
(2) 인수분해를 이용하여 밑줄 친 부분이 성립함을 설명하시오.

x^2의 계수가 1인 이차식의 인수분해

개념북 90쪽

27 ●○○

$x^2+2x-24$가 일차식의 계수가 1인 두 일차식의 곱으로 인수분해될 때, 두 일차식의 합은?

① $-2x+2$　② $x-2$　③ $x+6$
④ $2x$　⑤ $2x+2$

28 ●●○

$x^2+ax+12$를 인수분해하면 $(x+b)(x-3)$일 때, 상수 a, b에 대하여 $a+b$의 값을 구하시오.

29 ●●○

다음 중 바르게 인수분해한 것은?

① $x^2+x-6=(x-3)(x+2)$
② $x^2-5x-6=(x-3)(x-2)$
③ $x^2+10x+16=(x+4)(x+6)$
④ $x^2+7xy+6y^2=(x+2y)(x+3y)$
⑤ $x^2+3xy-18y^2=(x-3y)(x+6y)$

30 ●●○

다음 중 다항식 $(x+4)(x-8)+11$의 인수인 것은?

① $x-6$　② $x-4$　③ $x-2$
④ $x+3$　⑤ $x+5$

계수 또는 상수항을 잘못 봤을 때 바르게 인수분해하기

개념북 90쪽

31 ●●●

x^2의 계수가 1인 어떤 이차식을 인수분해하는데 진희는 x의 계수를 잘못 보아 $(x-4)(x+6)$으로 인수분해하였고, 민정이는 상수항을 잘못 보아 $(x-4)(x+2)$로 인수분해하였다. 다음 물음에 답하시오.

(1) 처음 이차식을 구하시오.
(2) 처음 이차식을 바르게 인수분해하시오.

32 ●●●

x^2의 계수가 1인 어떤 이차식을 인수분해하는데 혜정이는 x의 계수를 잘못 보아 $(x-3)(x+4)$로 인수분해하였고, 준호는 상수항을 잘못 보아 $(x+1)(x+10)$으로 인수분해하였다. 처음 이차식을 바르게 인수분해하시오.

33 ●●●

x^2의 계수가 1인 어떤 이차식을 인수분해하는데 효빈이는 x의 계수를 잘못 보아 $(x+4)(x-3)$으로 인수분해하였고, 기연이는 상수항을 잘못 보아 $(x+3)(x-7)$로 인수분해하였다. 처음 이차식을 바르게 인수분해하시오.

x^2의 계수가 1이 아닌 이차식의 인수분해

개념북 92쪽

34 ●●○

다음 중 바르게 인수분해한 것은?

① $2x^2-9x-5=(x+1)(2x-5)$
② $3x^2+5x-2=(x+2)(3x-1)$
③ $5x^2+12x+4=(x+4)(5x+1)$
④ $12x^2-x-6=(3x-2)(4x+3)$
⑤ $10x^2-11xy-6y^2=(2x+3y)(5x-2y)$

35 ●●○

다음 중 다항식 $6x^2-11x-7$의 인수를 모두 고르면? (정답 2개)

① $2x-1$　② $2x+1$　③ $3x-7$
④ $3x-1$　⑤ $3x+7$

36 ●●○

다음 중 다항식 $8x^2-10xy-12y^2$의 인수인 것은?

① $x-y$　② $x+2y$　③ $2x+4y$
④ $4x-3y$　⑤ $4x+3y$

37 ●●○

다항식 $3x^2-14x+8$은 x의 계수가 자연수인 두 일차식의 곱으로 인수분해된다. 이때 두 일차식의 합을 구하시오.

인수분해 공식 종합

개념북 92쪽

38 ●●○

다음 중 인수분해한 것이 옳지 않은 것은?

① $x^2+6x+9=(x+3)^2$
② $x^2-4=(x+2)(x-2)$
③ $x^2-2x-15=(x+3)(x-5)$
④ $2x^2+x-3=(x-1)(2x+3)$
⑤ $4x^2+15xy+9y^2=(2x+3y)^2$

39 ●●○

다음 다항식 중 $x+1$을 인수로 갖지 않는 것은?

① x^2-1　② x^2+2x+1
③ $x^2-11x+10$　④ $2x^2-3x-5$
⑤ $5x^2+x-4$

40 ●●○

다음 중 □ 안에 알맞은 수가 나머지 넷과 다른 하나는?

① $x^2+2x+1=(x+\square)^2$
② $x^2-5x-6=(x+\square)(x-6)$
③ $2x^2-5x-3=(2x+\square)(x-3)$
④ $4x^2-25y^2=(\square x+5y)(2x-5y)$
⑤ $9x^2+6x+\square=(3x+1)^2$

두 다항식의 공통인수 구하기

개념북 93쪽

41 ●●○

다음 중 두 다항식 x^2+x-20, $3x^2-14x+8$의 공통인수는?

① $x-4$　② $x+4$　③ $x+5$
④ $3x-2$　⑤ $3x+2$

42 ●●○

다음 두 다항식의 1이 아닌 공통인수를 구하시오.

$2x^2+7x+3$,　　$4x^2+10x-6$

43 ●●○

다음 중 세 다항식 $2x^2-15x+18$, $6x^2-7x-3$, $8x^2-22x+15$의 공통인수는?

① $x-6$　② $x+3$　③ $2x-3$
④ $3x+1$　⑤ $4x-5$

44 ●●○

다음 네 다항식의 공통인수가 $ax+b$일 때, 상수 a, b에 대하여 $a-b$의 값을 구하시오. (단, $a\neq0$)

x^2-9,　$2x^2+5x-3$,　x^2+6x+9,　x^2+3x

인수가 주어진 이차식의 미지수의 값 구하기

개념북 93쪽

45 ●○○

다항식 $3x^2+ax-6$이 $x+3$을 인수로 가질 때, 상수 a의 값은?

① 3　② 5　③ 7
④ 9　⑤ 10

46 ●●○

다항식 $5x^2+ax-10$이 $x+5$로 나누어떨어질 때, 상수 a의 값은?

① 15　② 17　③ 19
④ 21　⑤ 23

47 ●●○

다항식 $8x^2+axy-3y^2$이 $2x-y$를 인수로 가질 때, 상수 a의 값은?

① -4　② -1　③ 2
④ 5　⑤ 7

공통인수로 묶어 인수분해하기

개념북 95쪽

48 ●○○

다음 식을 인수분해하시오.

(1) $a(x-y)+b(x-y)$

(2) $ab(x-y)+b(y-x)$

(3) $(x+y)^2+4(x+y)$

(4) $a(b+1)-(b+1)^2$

49 ●●○

다음 중 바르게 인수분해한 것은?

① $x(2x+y)+2x+y=x(2x+y)$

② $a(b-1)-(b-1)=(a-1)(b+1)$

③ $(x+1)(y-2)+2x(y-2)=(x+1)(y-2)$

④ $6x^2y+10xy-4y=2y(x+2)(3x-1)$

⑤ $a^2(a-1)-4(a-1)=(a+1)(a+2)(a-2)$

50 ●●○

다항식 $m(x^2-4y^2)-n(4y^2-x^2)$을 인수분해하시오.

51 ●●○

다음 중 다항식 $x(x-y)-y(y-x)-x+y$의 인수를 모두 고르면? (정답 2개)

① $x-y$　② $x+y$　③ $x-y-1$

④ $x+y-1$　⑤ $x+y+1$

치환을 이용한 인수분해 (1)

개념북 95쪽

52 ●●○

다음 식을 인수분해하시오.

(1) $(x+y)^2-6(x+y)+9$

(2) $(a+2)^2-(a+2)-12$

53 ●●○

다항식 $(x+3)^2-2(x+3)-15$가 x의 계수가 1인 두 일차식의 곱으로 인수분해될 때, 두 일차식의 합을 구하시오.

54 ●●●

$5(x-4)^2-6(x-4)-8=(x+a)(bx+c)$일 때, 상수 a, b, c에 대하여 $a+b-c$의 값을 구하시오.

55 ●●●

다항식 $(x+y)^2-2(x+y)z-3z^2$을 인수분해하면?

① $(x+y+z)(x+y+3z)$

② $(x+y+z)(x+y-3z)$

③ $(x+y-z)(x+y-3z)$

④ $(x-y+z)(x+y+3z)$

⑤ $(x+y-z)(x+y+3z)$

치환을 이용한 인수분해 (2)

개념북 96쪽

56 ●●○

다항식 $(x+y)(x+y+4)+4$를 인수분해하면?

① $(x+y-2)^2$
② $(x+y+2)^2$
③ $(x+y)(x+y+4)$
④ $(x+y)(x-y)(y+2)$
⑤ $(x+y+1)(x+y+2)$

57 ●●○

다음 중 다항식 $(3x+y)(3x+y+7)+10$의 인수인 것은?

① $3x+y-5$ ② $3x+y-2$
③ $3x+y+2$ ④ $3x+y+4$
⑤ $3x+y+6$

58 ●●○

다항식 $(4x+3y)^2-(3x-2y)^2$을 인수분해하면?

① $(7x-y)(x-5y)$ ② $(7x-y)(x+5y)$
③ $(7x+y)(x+2y)$ ④ $(7x+y)(x+5y)$
⑤ $(x+y)(2x+3y)$

59 ●●●

다음 식을 인수분해하시오.

$$6(2x-1)^2-17(2x-1)(x+1)+12(x+1)^2$$

( )( )( )( )+k 꼴의 인수분해

개념북 96쪽

60 ●●○

다항식 $x(x+2)(x+3)(x+5)+9$를 인수분해하시오.

61 ●●○

다항식 $(x-1)(x-2)(x+2)(x+3)+4$를 인수분해하면?

① $(x^2-x-4)^2$
② $(x^2+x-4)^2$
③ $(x^2-x-2)(x^2+x+2)$
④ $(x^2-x+2)(x^2+x-4)$
⑤ $(x^2-x-4)(x^2+x+4)$

62 ●●○

다음 중 다항식 $(x+1)(x+2)(x-3)(x-4)+4$의 인수인 것을 모두 고르면? (정답 2개)

① x^2-2x-7 ② x^2-2x+7
③ x^2-2x-4 ④ x^2-2x+4
⑤ x^2-2x-1

항이 4개인 식의 인수분해

개념북 98쪽

63 ●●○

다음 중 다항식 $4a^2-b^2+12a+9$의 인수를 모두 고르면? (정답 2개)

① $2a-b+3$ ② $2a+b-3$ ③ $2a+b+3$
④ $4a-b+3$ ⑤ $4a+b-3$

64 ●●○

다음 중 인수분해한 것이 옳지 않은 것은?

① $xy+2x+2y+4=(x+2)(y+2)$
② $x^3-3x^2-2x+6=(x-3)(x-2)(x+2)$
③ $xy+2-2x-y=(x-1)(y-2)$
④ $x^2+2x-y^2-2y=(x-y)(x+y+2)$
⑤ $3xy-6x-4y+8=(3x-4)(y-2)$

65 ●●○

다음 두 다항식의 1이 아닌 공통인수를 구하시오.

$xy-x-y+1,\qquad x^2-xy-x+y$

66 ●●○

다항식 $ac+ad+2bc+2bd$를 인수분해하시오.
(단, a와 c의 계수는 1이다.)

항이 5개 이상인 식의 인수분해

개념북 98쪽

67 ●●○

다항식 $x^2+xy-8x-4y+16$을 인수분해하면?

① $(x-4)(x-y-4)$ ② $(x-4)(x-y+4)$
③ $(x-4)(x+y-4)$ ④ $(x+4)(x+y-4)$
⑤ $(x+4)(x+y+4)$

68 ●●●

두 다항식 x^2-y^2+x+y, $x^2+2y^2+3xy+x+y$의 1이 아닌 공통인수를 구하시오.

69 ●●●

다음 중 $x^2+2a^2+2b^2+4ab+3ax+3bx$의 인수를 모두 고르면? (정답 2개)

① $x+ab$ ② $x+a+b$
③ $x+a-b$ ④ $x+2a+2b$
⑤ $x+2a-2b$

70 ●●●

$$x^2+2xy+y^2-4x-4y-5=(x+ay+b)(x+cy+d)$$

일 때, 상수 a, b, c, d에 대하여 $a+b+c+d$의 값은?

① -4 ② -2 ③ 0
④ 2 ⑤ 4

인수분해 공식을 이용하여 수를 계산하기 개념북 100쪽

71 ●●○

다음 중 $99^2-1=100\times98$임을 설명하는 데 가장 적당한 인수분해 공식은?

① $a^2+2ab+b^2=(a+b)^2$
② $a^2-2ab+b^2=(a-b)^2$
③ $a^2-b^2=(a+b)(a-b)$
④ $x^2+(a+b)x+ab=(x+a)(x+b)$
⑤ $acx^2+(ad+bc)x+bd=(ax+b)(cx+d)$

72 ●●○

인수분해 공식을 이용하여 다음을 계산하시오.

$$61^2-19^2+80\times25+80\times33$$

73 ●●○

인수분해 공식을 이용하여 $A+B$의 값을 구하시오.

$A=17.5^2-2\times17.5\times0.5+0.5^2$
$B=\sqrt{52^2-48^2}$

74 ●●○

인수분해 공식을 이용하여 $\dfrac{197\times198+197}{198^2-1}$을 계산하면?

① -1 ② $-\dfrac{1}{2}$ ③ 0
④ $\dfrac{1}{2}$ ⑤ 1

75 ●●●

인수분해 공식을 이용하여 다음을 계산하시오.

$$1^2-3^2+5^2-7^2+9^2-11^2+13^2-15^2$$

76 ●●●

인수분해 공식을 이용하여 다음을 계산하시오.

$$\left(1-\frac{1}{2^2}\right)\left(1-\frac{1}{3^2}\right)\left(1-\frac{1}{4^2}\right)\cdots\left(1-\frac{1}{10^2}\right)\left(1-\frac{1}{11^2}\right)$$

인수분해 공식을 이용하여 식의 값 구하기 개념북 100쪽

77 ●●○

$x=2+\sqrt{5}$, $y=2-\sqrt{5}$일 때, x^2y-xy^2의 값을 구하시오.

78 ●●○

$x=4+\sqrt{2}$일 때, $(x-2)^2-(x-2)-2$의 값은?

① $-1+3\sqrt{2}$ ② $1+3\sqrt{2}$ ③ $2-\sqrt{3}$
④ $2+\sqrt{3}$ ⑤ $2+3\sqrt{2}$

79 ●●●

$x=\dfrac{\sqrt{2}-\sqrt{3}}{\sqrt{2}+\sqrt{3}}$, $y=\dfrac{\sqrt{2}+\sqrt{3}}{\sqrt{2}-\sqrt{3}}$일 때, $(x+y)^2-4xy$의 값을 구하시오.

도형에의 활용 개념북 101쪽

80 ●●○

오른쪽 그림과 같이 두루마리 화장지는 밑면의 반지름의 길이가 6.5 cm, 높이가 10 cm인 원기둥 모양이고, 화장지가 감기지 않은 안쪽 원기둥의 밑면의 반지름의 길이는 1.5 cm이다. 이 두루마리 화장지의 부피를 구하시오.

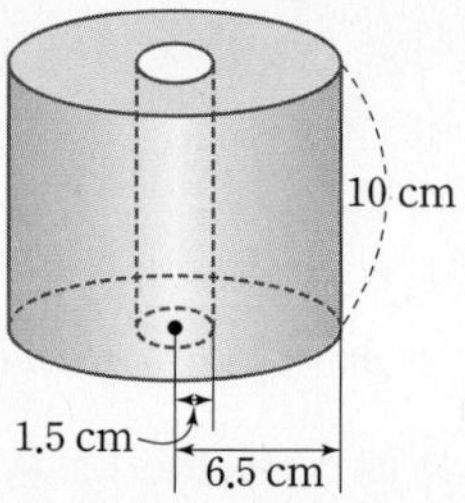

(단, 화장지가 빈틈 없이 감겨 있다.)

81 ●●●

오른쪽 그림과 같이 부채를 만들려고 한다. 색칠한 부분에 한지를 붙일 때, 필요한 한지의 넓이를 구하시오.

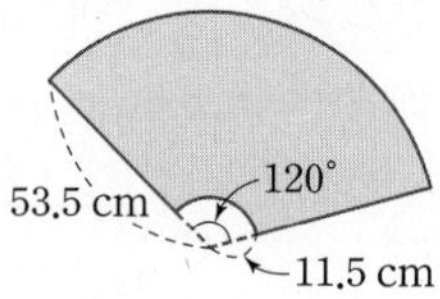

82 ●●●

오른쪽 그림과 같이 반지름의 길이가 각각 a cm, b cm인 원 모양의 두 접시가 있다. 이 두 접시의 둘레의 길이의 합이 60π cm, 넓이의 차가 120π cm^{2}일 때, 큰 접시의 반지름의 길이를 구하시오.

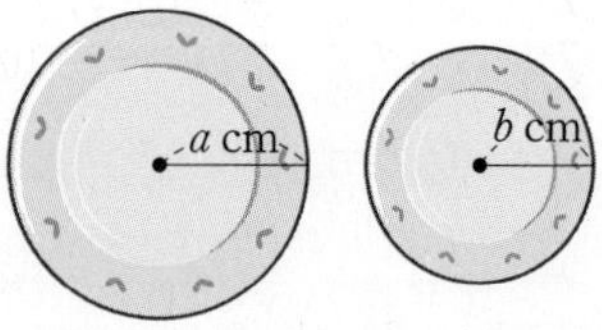

(단, $a>b$)

개념완성익힘

1

다음 중 다항식 $3a^3x-12a^2y$의 인수가 아닌 것은?

① 1　② $3a$　③ $ax-4y$
④ a^2x-4y　⑤ $a^2(ax-4y)$

2

다음은 소라와 지영이가 주어진 문제를 보고 나눈 대화이다. 대화를 읽고 □ 안에 알맞은 수를 구하시오.

> 다항식 $3x^2-6x+\square$가 완전제곱식일 때, □ 안에 알맞은 수를 구하시오.
>
> 소라: x^2의 계수가 1이 아닐 때는 어떻게 계산해야 할까?
>
> 지영: $3x^2-6x+\square=3\left(x^2-2x+\frac{\square}{3}\right)$이니까 x의 계수가 1인 이차식에서의 완전제곱식이 될 조건을 생각해 보면 돼!

3

다음 중 바르게 인수분해한 것을 모두 고르면? (정답 2개)

① $x^2-36=(x-6)^2$
② $9a^2-b^2=(9a+b)(9a-b)$
③ $\frac{1}{4}x^2-y^2=\left(\frac{1}{2}x+y\right)\left(\frac{1}{2}x-y\right)$
④ $16a^2-81b^2=(4a+9)(4a-9)$
⑤ $5x^2-45y^2=5(x+3y)(x-3y)$

4

다음 중 두 다항식 $2x^2-5x+3$, $2x^2-x-3$의 공통 인수는?

① $x-1$　② $x+1$　③ $2x-3$
④ $2x+3$　⑤ $2x+5$

5

다항식 $12x^2-axy-14y^2$이 $3x+2y$를 인수로 가질 때, 상수 a의 값은?

① -13　② -6　③ 6
④ 13　⑤ 20

6

오른쪽 그림과 같은 직사각형의 세로의 길이가 $x+y-3$이고 넓이가 $x^2+2xy+y^2-5x-5y+6$일 때, 직사각형의 가로의 길이를 구하시오.

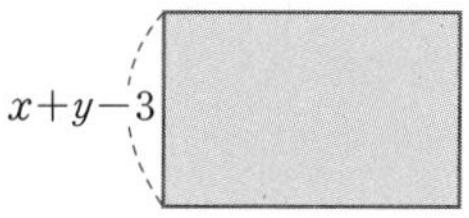

7 실력UP

두 다항식 $x^2+axy+20y^2$, $5x^2-13xy+by^2$을 인수분해하였더니 공통인수가 $x-4y$일 때, 상수 a, b에 대하여 $a-b$의 값은?

① -37　② -28　③ -9
④ 19　⑤ 37

8

$(x+2y)(x+2y+2)-15$
$=(x+2y-a)(x+2y+b)$

일 때, 자연수 a, b에 대하여 $2a+b$의 값은?

① 9　② 11　③ 13
④ 15　⑤ 17

9

$x+3y=3$일 때, $x^2+6xy+9y^2-4$의 값은?

① 1　② 2　③ 3
④ 4　⑤ 5

10 실력UP

$2^{16}-1$의 약수 중 20 이하인 것을 모두 구하시오.

서술형

11

x^2의 계수가 1인 어떤 이차식을 인수분해하는데 정희는 x의 계수를 잘못 보아 $(x+1)(x+8)$로 인수분해하였고, 형진이는 상수항을 잘못 보아 $(x+2)(x-8)$로 인수분해하였다. 처음 이차식을 바르게 인수분해하기 위한 풀이 과정을 쓰고 답을 구하시오.

12

$x=\frac{\sqrt{5}+\sqrt{3}}{2}$, $y=\frac{1}{\sqrt{5}+\sqrt{3}}$일 때, x^2-y^2의 값을 구하기 위한 풀이 과정을 쓰고 답을 구하시오.

13

$-3<x<3$일 때, $\sqrt{x^2+6x+9}-\sqrt{x^2-6x+9}$를 간단히 하기 위한 풀이 과정을 쓰고 답을 구하시오.

대단원 마무리

II. 식의 계산

1 다음 중 **보기**의 식을 곱셈 공식을 이용하여 각각 전개하였을 때, 전개식이 같은 것끼리 짝 지은 것은?

보기

ㄱ. $(a+b)^2$　　ㄴ. $-(a+b)^2$
ㄷ. $(-a+b)^2$　　ㄹ. $(-a-b)^2$
ㅁ. $(a+b)(a-b)$　　ㅂ. $(b-a)(b+a)$

① ㄱ, ㄹ　② ㄴ, ㄷ　③ ㄴ, ㄹ
④ ㄷ, ㅁ　⑤ ㅁ, ㅂ

2 다음을 계산할 때, 곱셈 공식 $(a+b)(a-b)=a^2-b^2$을 이용하면 가장 편리한 것을 모두 고르면? (정답 2개)

① 98^2　② 102×103　③ 43×37
④ 2.1×1.9　⑤ 103^2

3 다음 다항식을 전개하여 간단히 했을 때, x의 계수는?

$$(x-1)(2x+3)-(2x-3)^2+(4-x)(4+x)$$

① -11　② 7　③ 11
④ 13　⑤ 81

서술형

4 $(x+a)(x+b)$를 전개하면 x^2+cx+8일 때, c의 값을 모두 구하기 위한 풀이 과정을 쓰고 답을 구하시오. (단, a, b는 자연수)

5 곱셈 공식을 이용하여 $\dfrac{112\times108+4}{10\times11}$를 계산하면?

① 25　② 70　③ 110
④ 150　⑤ 210

6 $x^2+\dfrac{1}{x^2}=18$일 때, $x-\dfrac{1}{x}$의 값은? (단, $0<x<1$)

① -4　② -2　③ -1
④ 2　⑤ 4

7 $x=\dfrac{1}{\sqrt{2}-1}$일 때, x^2-2x의 값은?

① $-2\sqrt{2}$　② -1　③ 1
④ $2\sqrt{2}$　⑤ $2\sqrt{2}+1$

8 다항식 $(x-1)(x+5)+k$가 완전제곱식이 되기 위한 상수 k의 값은?

① 5　② 6　③ 7
④ 8　⑤ 9

9 인수분해 공식을 이용하여 다음을 계산하시오.

$$2^2-4^2+6^2-8^2+10^2-12^2+14^2-16^2$$

10 다음 다항식 중 $x+3$을 인수로 갖지 않는 것은?

① x^2-9　② $x^2-3x-18$
③ x^2+4x+3　④ $2x^2-x-6$
⑤ $3x^2+5x-12$

서술형

11 다음 그림의 모든 직사각형의 넓이의 합과 넓이가 같은 하나의 큰 직사각형을 만들려고 한다. 새로 만든 직사각형의 가로의 길이가 $x+3$일 때, 이 직사각형의 둘레의 길이를 구하기 위한 풀이 과정을 쓰고 답을 구하시오.

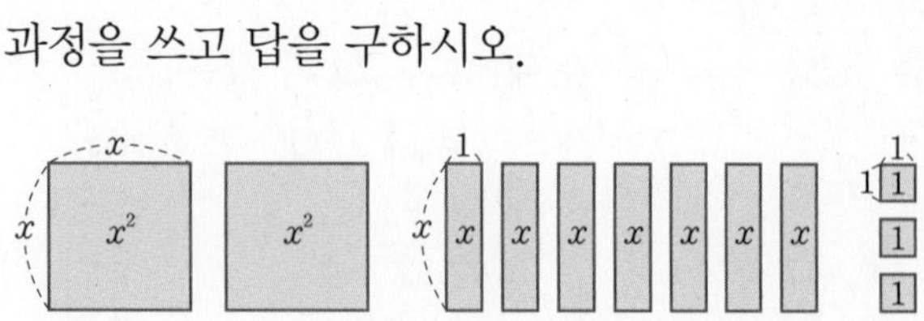

12 다항식 $(x-y+3)(x-y)-10$을 인수분해하면?

① $(x-y-5)(x+y+2)$
② $(x-y-2)(x-y-5)$
③ $(x-y-2)(x-y+5)$
④ $(x-y+2)(x-y-5)$
⑤ $(x-y+2)(x-y+5)$

13 다음 중 다항식 x^3+x^2-x-1의 인수가 아닌 것은?

① $x-1$　② $x+1$　③ x^2-1
④ x^2+1　⑤ x^2+2x+1

14 다음 중 다항식 $x^2+xy-2x-3y-3$의 인수는?

① $x+1$　② $x+3$　③ $x-y+1$
④ $x+y+1$　⑤ $x+y+3$

1 이차방정식과 그 풀이

개념적용익힘

이차방정식

개념북 113쪽

1 ●○○

다음 중 이차방정식이 아닌 것은?

① $2x^2+3x=0$　② $3x^2=5$
③ $x^2-2x=2x^2-4$　④ $x^2+3=(x-1)^2$
⑤ $x^3+x^2-1=x(x^2+3)$

2 ●●○

다음 **보기** 중 x에 대한 이차방정식을 모두 고른 것은?

보기
ㄱ. $x^2+2x=x^2$　ㄴ. $x^2-2x=2x+1$
ㄷ. $3x(x-1)=2x^2-2$　ㄹ. $x^2+7x+1=4+x^2$
ㅁ. $(x+1)(x-4)=x^2+3x$

① ㄱ, ㄴ　② ㄱ, ㄷ　③ ㄱ, ㄹ
④ ㄴ, ㄷ　⑤ ㄴ, ㅁ

3 ●●○

$(3x-1)(x+5)=ax^2-2x+3$이 이차방정식이 되도록 하는 상수 a의 값이 아닌 것은?

① -3　② -2　③ 2
④ 3　⑤ 5

이차방정식의 일반형

개념북 113쪽

4 ●●○

이차방정식 $x(x-3)-(4-x)=0$을 $ax^2+bx+c=0$의 꼴로 나타낼 때, 상수 a, b, c에 대하여 $a+b+c$의 값을 구하시오.

(단, a는 가장 작은 자연수)

5 ●●○

다음 이차방정식을 $ax^2+bx+c=0$의 꼴로 나타낼 때, 상수 a, b, c에 대하여 $a+b-c$의 값을 구하시오.

(단, a는 가장 작은 자연수)

$$3x(x-3)-2=2x^2+5$$

6 ●●○

이차방정식 $5x^2-x-3=x(x-2)$를 $ax^2+bx-3=0$의 꼴로 나타낼 때, 상수 a, b에 대하여 ab의 값은?

① -4　② -2　③ 1
④ 2　⑤ 4

이차방정식의 해

개념북 115쪽

7 ●○○

다음 [ ] 안의 수가 주어진 이차방정식의 해인 것은?

① $3x^2+x=5$ [1]
② $-x^2+x+6=0$ [2]
③ $x^2-6x+9=0$ [3]
④ $2x^2-3x-1=0$ [-1]
⑤ $x^2+10x-24=0$ [-4]

8 ●○○

다음 **보기**의 이차방정식 중 $x=-2$를 해로 갖는 것은 모두 몇 개인지 구하시오.

보기

ㄱ. $x^2=2$	ㄴ. $(x+1)(x+2)=0$
ㄷ. $3x^2-10=0$	ㄹ. $x^2+x-2=0$
ㅁ. $(x-1)^2=3$	ㅂ. $2(x+2)^2=0$

9 ●●○

x의 값이 $-1\le x\le 3$인 정수일 때, 이차방정식 $2x^2-5x-3=0$의 해는?

① $x=-1$ ② $x=1$ ③ $x=3$
④ $x=0$, $x=1$ ⑤ $x=2$, $x=3$

한 근이 주어질 때, 미지수의 값 구하기

개념북 115쪽

10 ●○○

이차방정식 $ax^2-6x-(a+3)=0$의 한 근이 $x=-2$일 때, 상수 a의 값은?

① -3 ② -2 ③ -1
④ 1 ⑤ 2

11 ●●○

$x=a$가 이차방정식 $x^2+6x-5=0$의 한 근일 때, a^2+6a+3의 값을 구하시오.

12 ●●○

이차방정식 $x^2+ax+6=0$의 한 근이 $x=-1$이고, 이차방정식 $2x^2+5x+b=0$의 한 근이 $x=-3$일 때, 상수 a, b의 값을 각각 구하시오.

13 ●●○

이차방정식 $(x+2)(2x+a)=b$의 해가 $x=\frac{1}{2}$ 또는 $x=-3$일 때, 상수 a, b의 값을 각각 구하시오.

인수분해를 이용한 이차방정식의 풀이

개념북 117쪽

14 ●○○

다음 이차방정식 중 해가 $x=-\frac{1}{3}$ 또는 $x=2$인 것을 모두 고르면? (정답 2개)

① $\left(x+\frac{1}{3}\right)(x+2)=0$　② $\left(x-\frac{1}{3}\right)(x-2)=0$

③ $\left(x+\frac{1}{3}\right)(x-2)=0$　④ $(3x-1)(2x-1)=0$

⑤ $(3x+1)(x-2)=0$

15 ●○○

다음 이차방정식을 푸시오.

(1) $3x^2+2=7x$

(2) $(x+2)(x-6)=-7$

16 ●●○

이차방정식 $(x+2)(x-1)=2(x-1)^2$의 해가 $x=m$ 또는 $x=n$일 때, $m-n$의 값을 구하시오.

(단, $m>n$)

17 ●●●

이차방정식 $(x+2)(2x-1)=x^2+2$의 두 근이 $x=a$ 또는 $x=b$일 때, 이차방정식 $x^2+ax-5b=0$의 해는? (단, $a<b$인 상수)

① $x=-5$ 또는 $x=1$　② $x=-4$ 또는 $x=1$

③ $x=-1$ 또는 $x=4$　④ $x=-1$ 또는 $x=5$

⑤ $x=1$ 또는 $x=4$

한 근이 주어질 때, 다른 한 근 구하기

개념북 117쪽

18 ●●○

이차방정식 $x^2-ax+3=0$의 한 근이 $x=-1$일 때, 상수 a의 값과 다른 한 근을 각각 구하시오.

19 ●●○

이차방정식 $3x^2-5x+a=0$의 한 근이 $x=3$일 때, 다른 한 근을 구하시오. (단, a는 상수)

20 ●●●

두 이차방정식 $2x^2-ax+4=0$과 $(2x-1)(x-b)=0$의 해가 같을 때, 상수 a, b에 대하여 $a+b$의 값을 구하시오.

이차방정식의 중근

개념북 119쪽

21 ●○○

다음 이차방정식 중 중근을 갖는 것은?

① $x^2-4=0$
② $x^2+3x=0$
③ $x^2-6x+8=0$
④ $9x^2+6x+1=0$
⑤ $4x^2+9x-9=0$

22 ●○○

다음 이차방정식 중 중근을 갖지 않는 것은?

① $x^2+6x+9=0$
② $x^2-2x=-1$
③ $x^2-10x+25=0$
④ $3x^2+2x+1=6x$
⑤ $25x^2-30x+9=0$

23 ●●○

다음 **보기**의 이차방정식 중 중근을 갖는 것을 모두 고른 것은?

보기

ㄱ. $2x^2-x=x$
ㄴ. $(x-1)(x-2)=1-x$
ㄷ. $x^2+x+\frac{1}{4}=0$
ㄹ. $x(x-8)+4=-12$

① ㄱ, ㄹ
② ㄴ, ㄷ
③ ㄴ, ㄹ
④ ㄱ, ㄴ, ㄷ
⑤ ㄴ, ㄷ, ㄹ

이차방정식이 중근을 가질 조건

개념북 119쪽

24 ●●○

이차방정식 $x^2-8x+a+4=0$이 중근을 가질 때, 상수 a의 값과 그 중근의 합은?

① -3
② 1
③ 6
④ 10
⑤ 16

25 ●●○

이차방정식 $3x^2-12x+4m-8=0$이 중근 $x=n$을 가질 때, $m+n$의 값을 구하시오. (단, m은 상수)

26 ●●●

주사위를 두 번 던질 때, 처음 나온 눈을 a, 두 번째에 나온 눈을 b라고 하자. 이때 이차방정식 $x^2+ax+b=0$이 중근을 가지는 경우의 수를 구하시오.

27 ●●●

이차방정식 $x^2-4mx-m=0$이 중근을 갖기 위한 m의 값이 이차방정식 $x^2+ax+b=0$의 두 근일 때, 상수 a, b에 대하여 $a+b$의 값을 구하시오.

제곱근을 이용한 이차방정식의 풀이

개념북 121쪽

28 ●○○

다음 이차방정식 중 $x=\pm 3\sqrt{2}$를 해로 가지는 것은?

① $x^2-9=0$ ② $x^2-18=0$
③ $2x^2-28=0$ ④ $3x^2-15=0$
⑤ $\frac{1}{2}x^2-16=0$

29 ●○○

다음은 제곱근을 이용하여 이차방정식 $3(x+2)^2-18=0$의 해를 구하는 과정이다. 처음으로 잘못된 부분을 찾아 바르게 고치시오.

$3(x+2)^2-18=0$
㉠
$3(x+2)^2=18$
㉡
$(x+2)^2=6$
㉢
$x+2=\pm 6$
㉣
$\therefore x=-8$ 또는 $x=4$

30 ●●○

이차방정식 $\frac{1}{3}(x-1)^2=2$의 근이 $x=A\pm\sqrt{B}$일 때, 유리수 A, B에 대하여 $A+B$의 값을 구하시오.

31 ●○○

이차방정식 $4(x-5)^2=a\ (a>0)$의 해가 $x=5\pm\sqrt{2}$일 때, 상수 a의 값을 구하시오.

32 ●●○

이차방정식 $2(x-a)^2=b$의 근이 $x=3\pm\sqrt{5}$일 때, 유리수 a, b에 대하여 $a+b$의 값을 구하시오.

33 ●●○

이차방정식 $a(x+4)^2-2=0$의 해가 $x=-4+\sqrt{2}$ 또는 $x=b$일 때, $a+b$의 값은? (단, a는 상수)

① $-3-\sqrt{2}$ ② -3 ③ $-3+\sqrt{2}$
④ $-\sqrt{2}$ ⑤ $3+\sqrt{2}$

34 ●●●

이차방정식 $(x+16)^2=\frac{a-3}{4}$이 서로 다른 두 근을 갖도록 하는 상수 a의 값의 범위를 구하시오.

완전제곱식의 꼴로 고치기

개념북 123쪽

35 ●○○

이차방정식 $x^2-8x+1=0$을 $(x+A)^2=B$의 꼴로 나타낼 때, 상수 A, B에 대하여 $A+B$의 값은?

① 7　② 9　③ 11
④ 13　⑤ 15

36 ●●○

이차방정식 $\frac{1}{2}x^2-3x-6=0$을 $(x+p)^2=q$의 꼴로 나타낼 때, 상수 p, q에 대하여 $p-q$의 값을 구하시오.

37 ●●○

이차방정식 $(x-1)^2=2x+7$을 $(x+a)^2=b$의 꼴로 나타낼 때, 상수 a, b에 대하여 ab의 값을 구하시오.

38 ●●○

이차방정식 $2x^2+6x-5=0$을 $\left(x+\frac{3}{2}\right)^2=k$의 꼴로 나타낼 때, 상수 k의 값을 구하시오.

완전제곱식을 이용한 이차방정식의 풀이

개념북 123쪽

39 ●○○

다음은 완전제곱식을 이용하여 이차방정식 $2x^2+20x+1=0$을 푸는 과정이다. ①~⑤에 들어갈 수로 옳지 않은 것은?

> $2x^2+20x+1=0$에서
> $x^2+10x+\frac{1}{2}=0$
> $x^2+10x=-\frac{1}{2}$
> x^2+10x+ ① $=$ ②
> $(x+$ ③ $)^2=$ ②
> $x+$ ③ $=$ ④
> $\therefore x=$ ⑤

① 25　② $\frac{49}{2}$　③ 5
④ $\pm\frac{7\sqrt{2}}{2}$　⑤ $5\pm\frac{7\sqrt{2}}{2}$

40 ●●○

이차방정식 $x^2+6x-3k=0$을 완전제곱식을 이용하여 풀면 해가 $x=-3\pm\sqrt{6}$일 때, 상수 k의 값을 구하시오.

41 ●●●

이차방정식 $x^2+ax-1=0$을 완전제곱식을 이용하여 풀었더니 해가 $x=\frac{1\pm\sqrt{b}}{2}$이었다. 유리수 a, b에 대하여 $a+b$의 값은?

① -6　② -1　③ 1
④ 4　⑤ 6

개념완성익힘

1

다음 중 이차방정식이 아닌 것은?

① $x^2=4x+7$
② $x(x-2)=0$
③ $x^2-16=-x^2-3x-11$
④ $x^2+3x=x^2+8x+1$
⑤ $(x-1)^2=5x-2$

2

다음 중 $x=-1$을 해로 갖는 이차방정식을 모두 고르면? (정답 2개)

① $x^2=2$　② $3x^2+x=2$
③ $x(2x+1)=0$　④ $(x-3)^2=16$
⑤ $x^2+4x-5=0$

3

이차방정식 $x^2-(2a+5)x+10=0$의 한 근이 $x=2$일 때, 상수 a의 값은?

① -5　② -3　③ -1
④ 1　⑤ 3

4

$(2x+9):x=x:3$을 만족하는 x의 값은?

① $x=-3$ 또는 $x=9$　② $x=-3$ 또는 $x=6$
③ $x=-\frac{9}{2}$ 또는 $x=0$　④ $x=\frac{9}{2}$ 또는 $x=6$
⑤ $x=-9$ 또는 $x=3$

5

오른쪽 표에서 가로, 세로의 합이 서로 같을 때, 자연수 x의 값은?

6		
7		
2	$2x+5$	x^2

① 1　② 2
③ 3　④ 4
⑤ 5

6

두 이차방정식 $x^2-x-6=0$과 $x^2-4x+3=0$을 모두 만족하는 x의 값은?

① -2　② -1　③ 0
④ 3　⑤ 5

7

다음 **보기**의 이차방정식 중 중근을 갖는 것을 모두 고른 것은?

보기
ㄱ. $x^2=9$
ㄴ. $4x^2-4x=-1$
ㄷ. $2x^2-7x+6=0$
ㄹ. $(x+5)(x-3)=-16$

① ㄱ, ㄴ　② ㄱ, ㄷ　③ ㄴ, ㄷ
④ ㄴ, ㄹ　⑤ ㄴ, ㄷ, ㄹ

8

이차방정식 $x^2+4ax-a+3=0$이 중근을 갖도록 하는 상수 a의 값을 모두 구하시오.

9

이차방정식 $2(x+3)^2=10$의 두 근의 합은?

① -6　② -4　③ -1
④ 2　⑤ 5

10

이차방정식 $(x-2)(x+4)=3$을 $(x+A)^2=B$의 꼴로 나타낼 때, 상수 A, B에 대하여 $A-B$의 값을 구하시오.

11

이차방정식 $x^2+12x+9=0$을 완전제곱식을 이용하여 풀면?

① $x=-12\pm\sqrt{3}$　② $x=-12\pm3\sqrt{3}$
③ $x=-6\pm3\sqrt{3}$　④ $x=-3\pm6\sqrt{3}$
⑤ $x=6\pm3\sqrt{3}$

12 실력UP

이차방정식 $3x^2-6x-4=0$을 완전제곱식을 이용하여 풀었더니 해가 $x=a\pm\frac{\sqrt{b}}{3}$일 때, 유리수 a, b에 대하여 $a+b$의 값은?

① 15　② 19　③ 22
④ 25　⑤ 28

서술형

13

다음 두 이차방정식의 공통인 근이 $x=7$일 때, 두 이차방정식의 또 다른 근의 합을 구하기 위한 풀이 과정을 쓰고 답을 구하시오.

$$x^2+(m-13)x+21=0$$
$$2x^2-13x-n=0$$

14

이차방정식 $2x^2-12x+5m-2=0$이 중근 $x=n$을 가질 때, $m+n$의 값을 구하기 위한 풀이 과정을 쓰고 답을 구하시오. (단, m은 상수)

15

이차방정식 $5(x-3)^2-12=0$의 근이 $x=a\pm b\sqrt{15}$일 때, 유리수 a, b에 대하여 $5ab$의 값을 구하기 위한 풀이 과정을 쓰고 답을 구하시오.

2 이차방정식의 활용

개념적용익힘

근의 공식을 이용한 이차방정식의 풀이

개념북 131쪽

1 ●○○

이차방정식 $5x^2-x-2=0$의 근이 $x=\frac{1\pm\sqrt{B}}{A}$일 때, 유리수 A, B에 대하여 $A+B$의 값은?

① 32　② 38　③ 45　④ 49　⑤ 51

2 ●●○

이차방정식 $9x^2-6x-4=0$의 근이 $x=\frac{a\pm\sqrt{b}}{3}$일 때, 유리수 a, b에 대하여 $2a+b$의 값을 구하시오.

3 ●●○

이차방정식 $3x^2-6x+2=0$의 두 근 중 큰 근을 m이라 할 때, $3m-3$의 값은?

① $-\sqrt{3}$　② -1　③ 1　④ $\sqrt{3}$　⑤ $2\sqrt{3}$

근의 공식을 이용하여 미지수의 값 구하기

개념북 131쪽

4 ●○○

이차방정식 $2x^2-x+a=0$의 근이 $x=\frac{1\pm\sqrt{17}}{4}$일 때, 상수 a의 값을 구하시오.

5 ●●○

이차방정식 $2x^2-7x+a=0$의 근이 $x=\frac{b\pm\sqrt{17}}{4}$일 때, 유리수 a, b에 대하여 $a+b$의 값을 구하시오.

6 ●●○

이차방정식 $3x^2-4x-k=0$의 근이 $x=\frac{2\pm\sqrt{7}}{A}$일 때, 유리수 A, k에 대하여 $A-k$의 값을 구하시오.

7 ●●●

이차방정식 $3x^2+ax+b=0$의 근이 $x=\frac{3\pm\sqrt{42}}{3}$일 때, 상수 a, b의 값을 각각 구하시오.

괄호가 있는 이차방정식의 풀이

개념북 133쪽

8 ●○○

이차방정식 $(x+3)^2=4x+16$을 풀면?

① $x=-1\pm\sqrt{2}$ ② $x=-1\pm2\sqrt{2}$
③ $x=1\pm\sqrt{2}$ ④ $x=1\pm2\sqrt{2}$
⑤ $x=\frac{-1\pm2\sqrt{2}}{2}$

9 ●●○

이차방정식 $3(x+1)(x-1)=(x+3)^2-2(x+5)$를 푸시오.

10 ●●○

이차방정식 $(x-1)(x+2)=-2x+8$의 두 근을 각각 a, b라고 할 때, 이차방정식 $x^2+ax+b=0$의 해는? (단, $a>b$)

① $x=-2\pm\sqrt{6}$ ② $x=\frac{-1\pm\sqrt{11}}{2}$
③ $x=\frac{-2\pm\sqrt{11}}{2}$ ④ $x=-1\pm\sqrt{6}$
⑤ $x=-1\pm\sqrt{21}$

계수가 분수인 이차방정식의 풀이

개념북 133쪽

11 ●○○

이차방정식 $\frac{1}{6}x^2+\frac{1}{3}x-\frac{1}{4}=0$의 해는?

① $x=\frac{-2\pm\sqrt{10}}{2}$ ② $x=1\pm\sqrt{10}$
③ $x=\frac{1\pm\sqrt{10}}{2}$ ④ $x=\frac{2\pm\sqrt{10}}{2}$
⑤ $x=\frac{1\pm2\sqrt{10}}{2}$

12 ●○○

이차방정식 $x^2+\frac{1}{2}x-\frac{1}{3}=0$의 해가 $x=\frac{-3\pm\sqrt{B}}{A}$일 때, 유리수 A, B에 대하여 $A+B$의 값을 구하시오.

13 ●●○

이차방정식 $-\frac{1}{3}x=-\frac{1}{4}x^2+\frac{1}{6}$의 두 근 중에서 큰 근을 구하시오.

계수가 소수인 이차방정식의 풀이

개념북 134쪽

14 ●○○

이차방정식 $0.1x^2+0.4x-1=0$을 풀면?

① $x=-2\pm\sqrt{7}$
② $x=-2\pm\sqrt{14}$
③ $x=-1\pm\sqrt{14}$
④ $x=1\pm\sqrt{14}$
⑤ $x=2\pm\sqrt{14}$

15 ●●○

이차방정식 $\frac{1}{3}x^2=0.2x+\frac{1}{5}$의 근이 $x=\frac{A\pm\sqrt{B}}{10}$일 때, 유리수 A, B에 대하여 $A+B$의 값을 구하시오.

16 ●●○

두 다항식 $A=0.6x^2-1.3x+0.5$, $B=\frac{2}{3}x^2-\frac{7}{3}x+1$에 대하여 $A=0$, $B=0$을 동시에 만족하는 x의 값을 구하시오.

공통부분이 있는 이차방정식의 풀이

개념북 134쪽

17 ●●○

이차방정식 $2\left(x-\frac{1}{2}\right)^2+1=4\left(x-\frac{1}{2}\right)$을 푸시오.

18 ●●○

이차방정식 $(7x-3)^2-2(7x-3)-8=0$의 두 근을 α, β라고 할 때, $\alpha+\beta$의 값을 구하시오.

19 ●●○

이차방정식 $(x-2)^2-2(x-2)-15=0$의 해를 m, n이라 할 때, m^2+n^2의 값을 구하시오.

20 ●●●

두 양수 a, b에 대하여 $(a+b)(a+b+4)-21=0$일 때, $a+b$의 값은?

① 2
② 3
③ 4
④ 5
⑤ 6

이차방정식의 근의 개수

개념북 136쪽

21 ●○○

다음 이차방정식 중 근이 없는 것은?

① $x^2-x-4=0$ ② $x^2-x+1=0$

③ $x^2+10x+25=0$ ④ $3x^2+x-3=0$

⑤ $9x^2-12x+4=0$

22 ●●○

다음 이차방정식 중 근의 개수가 나머지 넷과 다른 하나는?

① $x^2-10x+13=0$ ② $2x^2-7x-3=0$

③ $3x^2-4x-2=0$ ④ $x^2+7x+12=0$

⑤ $x^2+x+8=0$

23 ●●○

이차방정식 $x^2+ax+5=0$이 서로 다른 두 근을 가질 때, 다음 중 상수 a의 값으로 적당하지 <u>않은</u> 것은?

① 4 ② 5 ③ 6

④ 7 ⑤ 8

이차방정식이 중근을 가질 조건

개념북 136쪽

24 ●●○

이차방정식 $2x^2-12x+k-3=0$이 중근을 갖도록 하는 상수 k의 값과 그때의 중근을 각각 구하시오.

25 ●●○

이차방정식 $x^2+(k+2)x+k+5=0$이 중근을 가질 때, 상수 k의 값을 모두 구하시오.

26 ●●○

이차방정식 $x^2+kx+1=0$이 중근을 가질 때, 상수 k의 값 중 작은 값이 x에 대한 이차방정식 $(a-1)x^2-4x+a^2=0$의 근이다. 이때 상수 a의 값을 구하시오.

27 ●●●

x에 대한 이차방정식 $(k^2-1)x^2-2(k-1)x+3=0$이 중근을 가질 때, 그 근을 구하시오. (단, k는 상수)

이차방정식 구하기

개념북 138쪽

28 ●●○

이차방정식 $3x^2+ax+b=0$의 두 근이 -3, 4일 때, 상수 a, b에 대하여 $a-b$의 값을 구하시오.

29 ●●○

이차방정식 $x^2+ax+b=0$이 중근 $x=-3$을 가질 때, 상수 a, b에 대하여 $a+b$의 값을 구하시오.

30 ●●●

이차방정식 $2x^2-6x+3=0$의 두 근의 합과 곱이 이차방정식 $2x^2+ax+b=0$의 두 근일 때, 상수 a, b에 대하여 $a+b$의 값은?

① 0 ② $\frac{1}{2}$ ③ 1
④ $\frac{3}{2}$ ⑤ 3

31 ●●●

일차함수 $y=ax+b$의 그래프가 오른쪽 그림과 같을 때, a, b를 두 근으로 하고 x^2의 계수가 3인 이차방정식을 구하시오.

(단, a, b는 상수)

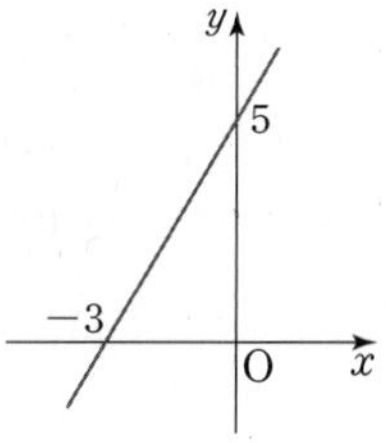

한 근이 무리수일 때, 이차방정식 구하기

개념북 138쪽

32 ●○○

이차방정식 $x^2+px+q=0$의 한 근이 $-2+\sqrt{3}$일 때, 유리수 p, q에 대하여 $p+q$의 값을 구하시오.

33 ●●○

이차방정식 $3x^2+ax+b=0$의 한 근이 $\frac{3-\sqrt{3}}{3}$일 때, a, b를 두 근으로 하고 x^2의 계수가 1인 이차방정식을 구하시오. (단, a, b는 유리수)

34 ●●●

$\sqrt{5}$의 소수 부분이 이차방정식 $x^2+kx-1=0$의 한 근일 때, 유리수 k의 값을 구하시오.

35 ●●●

$-3+\sqrt{17}$의 정수 부분을 a, 소수 부분을 b라 할 때, b가 이차방정식 $ax^2+px+q=0$의 한 근이다. 이때 유리수 p, q에 대하여 pq의 값을 구하시오.

식이 주어진 경우 이차방정식의 활용

개념북 140쪽

36 ●●○

자연수 1부터 n까지의 합은 $\frac{n(n+1)}{2}$이다. 합이 105가 되려면 1부터 어떤 자연수까지 더해야 하는가?

① 11　② 12　③ 13
④ 14　⑤ 15

37 ●●○

n각형의 대각선의 개수가 $\frac{n(n-3)}{2}$일 때, 대각선의 개수가 35인 다각형은 몇 각형인가?

① 칠각형　② 십각형　③ 십이각형
④ 십오각형　⑤ 십팔각형

38 ●●○

어떤 모임에 참가한 n명의 학생들이 서로 한 번씩 악수를 하면 그 총 횟수는 $\frac{1}{2}n(n-1)$번이 된다. 모임에 참가한 모든 학생들이 서로 한 번씩 악수한 총 횟수가 66번일 때, 이 모임에 참가한 학생 수를 구하시오.

39 ●●○

다음 그림과 같이 바둑돌로 삼각형 모양을 만들 때, n번째 삼각형 모양에 사용된 바둑돌의 개수는 $\frac{n(n+1)}{2}$이라고 한다. 바둑돌의 개수가 91인 삼각형 모양은 몇 번째 삼각형인가?

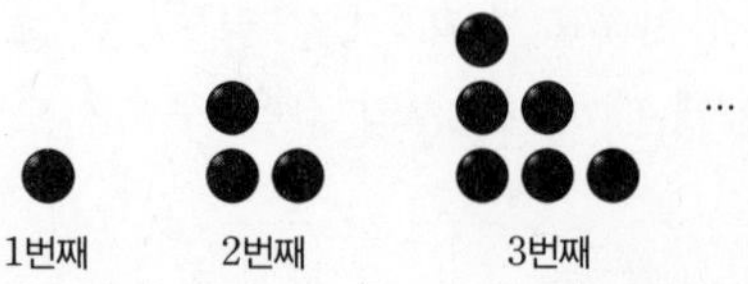

① 10번째　② 11번째　③ 12번째
④ 13번째　⑤ 14번째

수에 대한 이차방정식의 활용

개념북 140쪽

40 ●●○

어떤 두 자연수의 차가 5이고, 큰 수의 제곱은 작은 수의 제곱의 4배와 같다. 이 두 자연수의 합은?

① 15　② 17　③ 19
④ 21　⑤ 23

41 ●●○

연속한 두 홀수를 곱해야 할 것을 잘못해서 더했더니 곱한 값보다 47만큼 작아졌다. 이 연속한 두 홀수의 곱은?

① 15　② 35　③ 63
④ 99　⑤ 143

42 ●●○

연속하는 세 짝수가 있다. 가장 큰 짝수의 제곱은 나머지 두 짝수의 제곱의 합과 같을 때, 가장 큰 수를 구하시오.

43 ●●●

다음 **조건**을 모두 만족하는 두 자리의 자연수를 구하시오.

> **조건**
> (가) 십의 자리의 숫자와 일의 자리의 숫자의 합은 13이다.
> (나) 각 자리의 숫자의 곱은 원래의 두 자리의 자연수보다 25만큼 작다.

실생활에 대한 이차방정식의 활용

개념북 141쪽

44 ●●○

형과 동생의 나이의 차는 7살이고, 동생의 나이의 제곱은 형의 나이의 2배보다 1살이 더 많다. 동생의 나이는?

① 5살 ② 6살 ③ 7살
④ 8살 ⑤ 9살

45 ●●○

연정이가 가게에서 구입한 과자, 음료수, 빵의 개수는 이 순서대로 연속한 세 자연수를 이룬다. 음료수의 개수의 제곱은 빵의 개수와 과자의 개수의 제곱의 차보다 3만큼 작을 때, 연정이가 가게에서 구입한 과자, 음료수, 빵의 개수의 합은?

① 6 ② 9 ③ 12
④ 15 ⑤ 18

46 ●●●

500 g의 물이 들어 있는 그릇에서 얼마만큼의 물을 퍼낸 다음, 같은 양의 소금을 넣어 완전히 녹였다. 이 소금물에서 처음 퍼낸 물보다 50 g 더 많은 소금물을 퍼내고 그 양만큼 소금을 다시 넣었더니 28 %의 소금물이 되었다. 처음 퍼낸 물의 양은?

① 20 g ② 30 g ③ 40 g
④ 50 g ⑤ 60 g

도형에 대한 이차방정식의 활용

개념북 142쪽

47 ●●○

둘레의 길이가 18 cm이고 넓이가 20 cm^2인 직사각형의 이웃한 두 변의 길이의 차를 구하시오.

48 ●●○

오른쪽 그림과 같이 길이가 10 cm인 $\overline{AB}$ 위에 점 P를 잡아 $\overline{AP}$와 $\overline{BP}$를 각각 한 변으로 하는 두 정사각형을 만들었다.

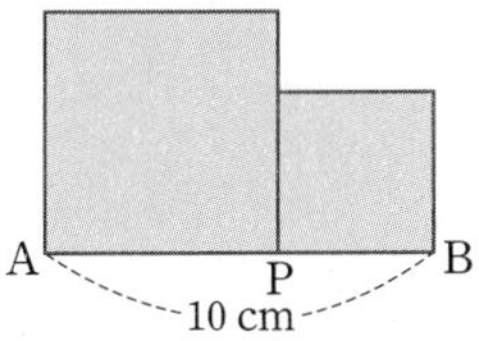

두 정사각형의 넓이의 합이 52 cm^2일 때, $\overline{AP}$의 길이를 구하시오. (단, $\overline{AP}>\overline{BP}$)

49 ●●○

밑변의 길이가 18 cm이고 높이가 20 cm인 삼각형의 밑변의 길이를 매초 2 cm씩 늘이고 높이를 매초 1 cm씩 줄였을 때, 나중 삼각형의 넓이가 처음 삼각형의 넓이와 같아지는 것은 몇 초 후인가?

① 7초 ② 9초 ③ 11초
④ 13초 ⑤ 15초

50 ●●●

오른쪽 그림과 같이 $\angle A=36°$, $\overline{AB}=\overline{AC}$인 이등변삼각형 ABC에서 $\angle C$의 이등분선과 $\overline{AB}$의 교점을 D라 하자. $\overline{AB}=10$일 때, $\overline{BC}$의 길이를 구하시오.

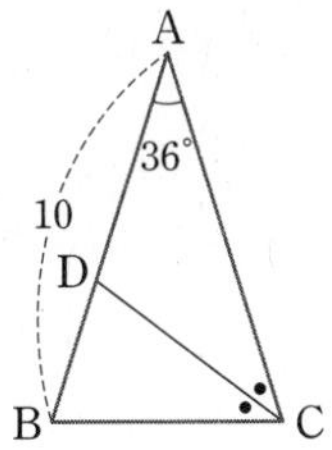

원에 대한 이차방정식의 활용

개념북 143쪽

51 ●●○

반지름의 길이가 6 cm인 원에서 반지름의 길이를 늘였더니 넓이가 처음 원의 넓이보다 28π cm^2만큼 넓어졌다. 이때 반지름의 길이는 처음보다 몇 cm 늘어났는지 구하시오.

52 ●●○

어떤 원의 반지름의 길이를 10 cm만큼 늘였더니 처음 원의 넓이의 4배가 되었다. 처음 원의 반지름의 길이는?

① 5 cm ② 10 cm ③ 15 cm
④ 20 cm ⑤ 25 cm

53 ●●●

오른쪽 그림은 세 개의 반원으로 이루어진 도형이다. $\overline{AB}=20$ cm이고 색칠한 부분의 넓이가 24π cm^2일 때, $\overline{AC}$의 길이는? (단, $\overline{AC}>\overline{BC}$)

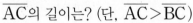

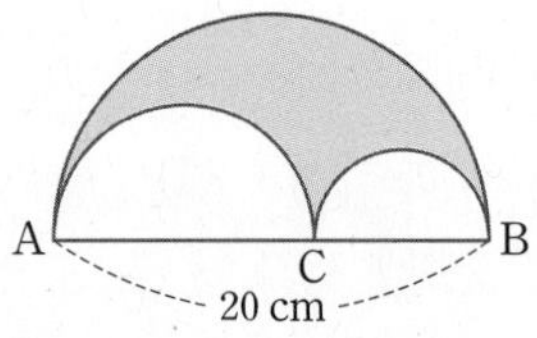

① 12 cm ② 13 cm ③ 14 cm
④ 15 cm ⑤ 16 cm

쏘아 올린 물체에 대한 이차방정식의 활용

개념북 143쪽

54 ●●○

지면에서 초속 25 m로 똑바로 위로 쏘아 올린 물체의 x초 후의 높이는 $(25x-5x^2)$ m라 한다. 다음 물음에 답하시오.

(1) 이 물체의 높이가 30 m가 되는 것은 쏘아 올린 지 몇 초 후인지 구하시오.

(2) 이 물체가 지면에 다시 떨어지는 것은 쏘아 올린 지 몇 초 후인지 구하시오.

55 ●●○

지면으로부터 120 m의 높이에서 초속 50 m로 똑바로 위로 쏘아 올린 물체의 t초 후의 지면으로부터의 높이는 $(-5t^2+50t+120)$ m라 한다. 이 물체의 지면으로부터의 높이가 두 번째로 200 m가 되는 것은 몇 초 후인가?

① 2초 ② 4초 ③ 6초
④ 8초 ⑤ 10초

56 ●●○

배구 선수가 공을 토스할 때 공의 위치가 지면으로부터 1.8 m의 높이에 있고, 지면에 수직 방향으로 초속 16 m로 쳐올린 공의 t초 후의 높이는 $(-5t^2+16t+1.8)$ m라 한다. 공은 토스한 지 몇 초 후에 지면에 떨어지는지 구하시오.

개념완성익힘

1

이차방정식 $3x^2-2ax+5=0$의 근이 $x=\frac{5\pm\sqrt{b}}{3}$일 때, 유리수 a, b에 대하여 $a+b$의 값은?

① 11 ② 12 ③ 13
④ 14 ⑤ 15

2 실력UP

이차방정식 $x^2-x-3=0$과 일차부등식 $6-2x>3+x$를 동시에 만족하는 x의 값을 구하시오.

3

이차방정식 $\frac{(x-1)(x+4)}{3}=\frac{(x-2)(x+3)}{5}$의 두 근을 a, b라 할 때, ab의 값을 구하시오.

4

이차방정식 $x^2+0.3x=0.1$의 두 근을 a, b라 할 때, $2a-b$의 값은? (단, $a<b$)

① $-\frac{8}{5}$ ② $-\frac{6}{5}$ ③ $-\frac{3}{5}$
④ $-\frac{2}{5}$ ⑤ $-\frac{1}{5}$

5

이차방정식 $(x+1)^2-5(x+1)+4=0$의 두 근의 합은?

① 1 ② 2 ③ 3
④ 4 ⑤ 5

6

다음 이차방정식 중 서로 다른 두 근을 갖는 것을 모두 구하면? (정답 2개)

① $x^2+2x-1=0$ ② $x^2+8x+16=0$
③ $x^2-5x+8=0$ ④ $4x^2+x-9=0$
⑤ $4x^2+12x+9=0$

7

이차방정식 $2x^2-8x+k=0$이 중근을 가질 때, 이차방정식 $3x^2+(k-6)x-1=0$의 근은?

(단, k는 상수)

① $x=-3$ 또는 $x=-1$ ② $x=-1$ 또는 $x=\frac{1}{3}$
③ $x=1$ 또는 $x=-\frac{1}{3}$ ④ $x=1$ 또는 $x=\frac{1}{3}$
⑤ $x=1$ 또는 $x=3$

8

이차방정식 $x^2-ax+b=0$의 두 근은 이차방정식 $x^2+3x-18=0$의 두 근에 각각 4를 더한 값과 같다고 한다. 상수 a, b에 대하여 $a+b$의 값은?

① -9 ② -6 ③ -3
④ 3 ⑤ 6

9

이차방정식 $2x^2-4x+1=0$의 두 근을 a, b라 할 때, $a+b$, ab를 두 근으로 하고 x^2의 계수가 2인 이차방정식은?

① $2x^2+5x-2=0$　② $2x^2+5x-4=0$
③ $2x^2-5x+2=0$　④ $2x^2-5x-4=0$
⑤ $2x^2+10x-5=0$

10

살구 96개를 몇 명의 학생들에게 똑같이 남김없이 나누어 주려고 한다. 한 학생에게 돌아가는 살구의 수는 전체 학생 수보다 4만큼 적을 때, 전체 학생 수는?

① 8명　② 9명　③ 10명
④ 11명　⑤ 12명

11 실력UP

오른쪽 그림과 같이 가로, 세로의 길이가 각각 20 cm, 16 cm인 직사각형에서 가로의 길이는 매초 1 cm씩 줄어들고, 동시에 세로의 길이는 매초 2 cm씩 늘어난다고 할 때, 이 직사각형의 넓이가 처음 직사각형의 넓이와 같아지는 데 걸리는 시간을 구하시오.

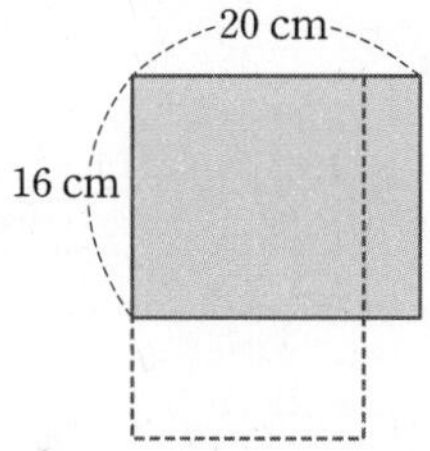

12

높이가 100 m인 건물의 옥상에서 초속 40 m로 똑바로 위로 던진 물체의 t초 후의 지면으로부터의 높이는 $(100+40t-5t^2)$ m라 한다. 이 물체의 지면으로부터의 높이가 175 m가 되는 것은 던져 올린 지 몇 초 후인지 모두 고르면? (정답 2개)

① 3초　② 4초　③ 5초
④ 6초　⑤ 7초

서술형

13

두 근이 $-\frac{1}{4}$, 1이고 x^2의 계수가 4인 이차방정식이 $4x^2+ax+b=0$일 때, 두 상수 a, b에 대하여 ab의 값을 구하기 위한 풀이 과정을 쓰고 답을 구하시오.

14

이차방정식 $x^2+ax+b=0$의 한 근이 $-3+2\sqrt{5}$일 때, 유리수 a, b에 대하여 $a+b$의 값을 구하기 위한 풀이 과정을 쓰고 답을 구하시오.

15

오른쪽 그림과 같이 $\angle A=90°$, $\overline{BC}=12$ cm인 직각이등변삼각형 ABC에서 직사각형 DEFG의 넓이가 16 cm^2일 때, □DEFG의 둘레의 길이를 구하기 위한 풀이 과정을 쓰고 답을 구하시오. (단, 점 H는 점 A에서 $\overline{BC}$에 내린 수선의 발이고, $\overline{BE}>\overline{EH}$이다.)

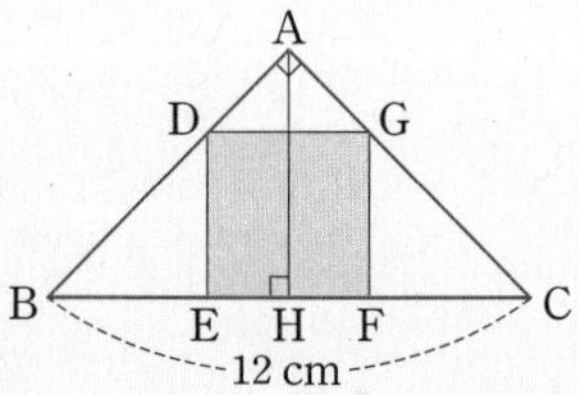

대단원 마무리

III. 이차방정식

1 다음 중 이차방정식인 것은?

① $3x-5=0$ ② $x^2-4x+2=0$
③ $x^2-x(x+3)=0$ ④ $5x^2+2x+1$
⑤ $2x^2+5x=x(2x+1)+3$

2 이차방정식 $x^2-4x+1=0$의 한 근이 $x=a$일 때, $a+\frac{1}{a}$의 값은?

① 1 ② 2 ③ 3
④ 4 ⑤ 5

3 직선 $mx+2y=2$가 점 $(m+1,\ m^2)$을 지나고 제3사분면을 지나지 않을 때, 상수 m의 값은?

① $\frac{1}{3}$ ② $\frac{1}{2}$ ③ $\frac{2}{3}$
④ $\frac{3}{4}$ ⑤ $\frac{3}{2}$

4 두 이차방정식 $x^2-x-6=0$과 $2x^2+9x+10=0$의 공통인 해는?

① -5 ② -2 ③ 1
④ 3 ⑤ 5

5 다음 **보기**의 이차방정식 중 중근을 갖는 것은 모두 몇 개인지 구하시오.

보기

ㄱ. $x^2-4x-5=0$ ㄴ. $x^2=\frac{2}{3}x-\frac{1}{9}$
ㄷ. $x^2+8x-20=0$ ㄹ. $25x^2+20x+4=0$

6 이차방정식 $ax^2-10x+b=0$의 근이 $x=\frac{5\pm\sqrt{10}}{3}$일 때, 상수 a, b에 대하여 $a-b$의 값은?

① -6 ② -5 ③ -4
④ -3 ⑤ -2

서술형

7 이차방정식 $x^2-(k+2)x+4=0$이 중근을 갖도록 하는 상수 k의 값이 이차방정식 $3x^2+ax+b=0$의 서로 다른 두 근이 될 때, 상수 a, b에 대하여 $a+b$의 값을 구하기 위한 풀이 과정을 쓰고 답을 구하시오.

8 x^2의 계수가 1인 이차방정식을 영재와 재원이가 푸는데 영재는 x의 계수를 잘못 보고 풀어 -3과 8을 두 근으로 얻었고, 재원이는 상수항을 잘못 보고 풀어 -5와 3을 두 근으로 얻었다. 처음 이차방정식의 근을 바르게 구하시오.

9 이차방정식 $x^2+ax+b=0$의 두 근의 차가 3이고, 큰 근이 작은 근의 2배일 때, 상수 a, b에 대하여 $a+b$의 값은?

① 5 ② 7 ③ 9
④ 12 ⑤ 15

10 연속하는 두 자연수의 곱이 132일 때, 이 두 자연수의 제곱의 차는?

① 21 ② 22 ③ 23
④ 24 ⑤ 25

11 오른쪽 그림과 같이 폭이 30 cm인 철판의 양쪽을 같은 길이만큼 직각으로 접어 올려 색칠한 부분의 넓이가 100 cm^2인 물받이를 만들려고 한다. 이 물받이의 높이를 구하시오.

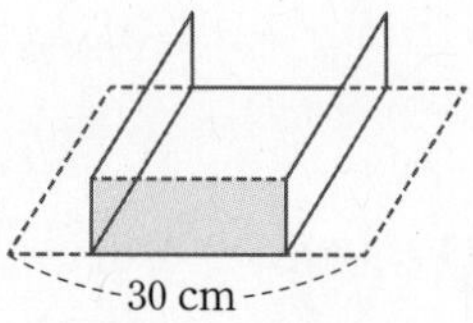

12 지면에서 초속 50 m로 똑바로 쏘아 올린 폭죽의 t초 후의 높이는 $(50t-5t^2)$m라 한다. 이 폭죽은 지면으로부터 125 m 높이까지 올라가서 터진다고 할 때, 쏘아 올린 지 몇 초 후에 폭죽이 터지는가?

① 1초 ② 2초 ③ 3초
④ 4초 ⑤ 5초

1 이차함수와 그 그래프

개념적용익힘

이차함수

개념북 155쪽

1 ●○○

다음 중 이차함수인 것은?

① $y=2x+1$　② $y=\frac{1}{x^2}+x$

③ $y=2x^3-x^2$　④ $y=-x(x+3)$

⑤ $y=x(x+3)-x^2$

2 ●●○

다음 중 y가 x에 대한 이차함수인 것은?

① 한 모서리의 길이가 x인 정육면체의 부피 y

② 반지름의 길이가 x인 원의 둘레의 길이 y

③ 밑변의 길이가 x, 높이가 $x+2$인 평행사변형의 넓이 y

④ 아랫변의 길이가 $2x$, 윗변의 길이가 x, 높이가 3인 사다리꼴의 넓이 y

⑤ 한 변의 길이가 $x+1$인 정사각형의 둘레의 길이 y

3 ●●○

$y=k(k+6)x^2+4x+8x^2$이 x에 대한 이차함수일 때, 다음 중 실수 k의 값이 될 수 없는 것을 모두 고르면? (정답 2개)

① -4　② -2　③ 0

④ 2　⑤ 4

이차함수의 함숫값

개념북 155쪽

4 ●○○

이차함수 $f(x)=x^2-4x+3$에 대하여 다음 함숫값을 구하시오.

(1) $f(2)$　(2) $f(-1)$

5 ●○○

이차함수 $f(x)=\frac{1}{2}x^2+4x-3$에 대하여 $2f(1)-f(-2)$의 값을 구하시오.

6 ●●○

이차함수 $f(x)=-2x^2-5x+c$에서 $f(-2)=5$일 때, 상수 c의 값을 구하시오.

7 ●●○

이차함수 $f(x)=-x^2+x-3$에서 $f(a)=-9$일 때, a의 값은? (단, $a>0$)

① $\frac{1}{2}$　② 1　③ 2

④ 3　⑤ 4

이차함수 $y=x^2$, $y=-x^2$의 그래프가 지나는 점 개념북 157쪽

8 ●○○

다음 중 이차함수 $y=-x^2$의 그래프 위의 점이 아닌 것은?

① $(-2, -4)$　② $\left(-\frac{3}{2}, -\frac{9}{4}\right)$

③ $\left(-\frac{1}{2}, \frac{1}{4}\right)$　④ $\left(\frac{1}{3}, -\frac{1}{9}\right)$

⑤ $(1, -1)$

9 ●○○

이차함수 $y=x^2$의 그래프가 점 $\left(\frac{1}{2}, k\right)$를 지날 때, k의 값을 구하시오.

10 ●●○

이차함수 $y=x^2$의 그래프가 점 $(a-2, 2a-1)$을 지날 때, a의 값은? (정답 2개)

① 1　② 2　③ 3

④ 4　⑤ 5

이차함수 $y=x^2$, $y=-x^2$의 그래프의 성질 개념북 157쪽

11 ●○○

다음 **보기** 중 이차함수 $y=x^2$의 그래프에 대한 설명으로 옳은 것을 모두 고르시오.

보기

ㄱ. 제1, 2사분면을 지난다.

ㄴ. 점 $(2, -4)$를 지난다.

ㄷ. $x>0$일 때, x의 값이 증가하면 y의 값도 증가한다.

12 ●○○

다음 **보기** 중 이차함수 $y=-x^2$의 그래프에 대한 설명으로 옳은 것을 모두 고르시오.

보기

ㄱ. 꼭짓점의 좌표는 $(0, 0)$이다.

ㄴ. 축의 방정식은 $y=0$이다.

ㄷ. 제3, 4사분면을 지난다.

13 ●●○

이차함수 $y=-x^2$의 그래프에 대한 설명으로 옳지 않은 것은?

① 원점을 지나고 y축에 대하여 대칭이다.

② 위로 볼록한 포물선이다.

③ 점 $(-3, -9)$를 지난다.

④ $x>0$일 때, x의 값이 증가하면 y의 값도 증가한다.

⑤ 이차함수 $y=x^2$의 그래프와 x축에 대하여 대칭이다.

이차함수 $y=ax^2$의 그래프가 지나는 점

개념북 159쪽

14 ●○○

다음 중 이차함수 $y=-\frac{3}{2}x^2$의 그래프 위의 점이 아닌 것은?

① $(2,\ -6)$　② $(4,\ -24)$　③ $(0,\ 0)$　④ $\left(-\frac{1}{2},\ -\frac{3}{8}\right)$　⑤ $(-4,\ 24)$

15 ●●○

이차함수 $y=2x^2$의 그래프가 두 점 $(4,\ a)$, $(-3,\ b)$를 지날 때, $a+b$의 값을 구하시오.

16 ●●○

이차함수 $y=ax^2$의 그래프가 두 점 $(1,\ -3)$, $(b,\ -12)$를 지날 때, $a+b$의 값을 구하시오.

(단, a는 상수, $b>0$)

17 ●●●

이차함수 $y=ax^2$의 그래프는 점 $(-2,\ 16)$을 지나고, 이차함수 $y=bx^2$의 그래프와 x축에 대하여 대칭이다. 이때 상수 a, b에 대하여 $a-b$의 값을 구하시오.

이차함수 $y=ax^2$의 그래프의 모양

개념북 159쪽

18 ●○○

다음 이차함수 중에서 그 그래프가 제3, 4사분면을 지나는 것을 모두 고르면? (정답 2개)

① $y=2x^2$　② $y=-3x^2$　③ $y=\frac{1}{2}x^2$　④ $y=-\frac{5}{3}x^2$　⑤ $y=4x^2$

19 ●○○

다음 이차함수 중 그 그래프가 아래로 볼록하고 폭이 가장 좁은 것은?

① $y=\frac{5}{2}x^2$　② $y=\frac{2}{3}x^2$　③ $y=-4x^2$　④ $y=-\frac{1}{2}x^2$　⑤ $y=2x^2$

20 ●●○

다음 **보기**의 이차함수 중에서 그 그래프가 x축에 대하여 대칭인 것끼리 짝 지은 것을 모두 고르면? (정답 2개)

보기

ㄱ. $y=-4x^2$　ㄴ. $y=\frac{3}{4}x^2$　ㄷ. $y=4x^2$

ㄹ. $y=-\frac{3}{4}x^2$　ㅁ. $y=\frac{4}{3}x^2$　ㅂ. $y=-\frac{1}{3}x^2$

① ㄱ, ㄴ　② ㄱ, ㄷ　③ ㄴ, ㄷ　④ ㄴ, ㄹ　⑤ ㅁ, ㅂ

21 ●●○

이차함수 $y=ax^2$의 그래프가 오른쪽 그림과 같을 때, 다음 중 상수 a의 값으로 적당한 것은?

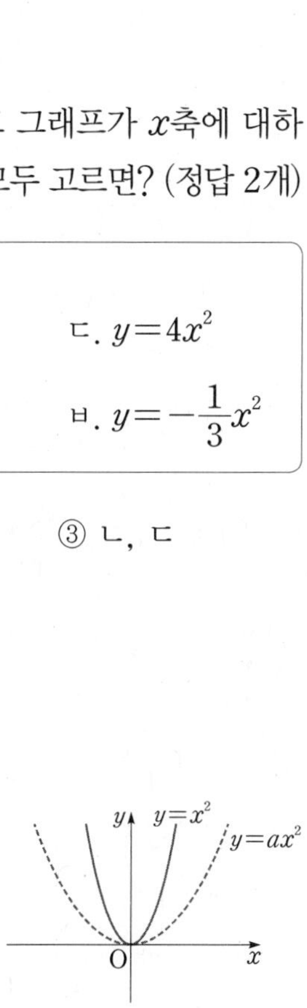

① 3　② 2　③ $\frac{1}{3}$　④ $-\frac{1}{2}$　⑤ -3

이차함수 $y=ax^2$의 그래프의 성질
개념북 160쪽

22 ●●○

이차함수 $y=-\frac{1}{2}x^2$의 그래프에 대한 다음 설명 중 옳지 않은 것은?

① 원점을 꼭짓점으로 한다.
② 위로 볼록하다.
③ 점 $(-2, -2)$를 지난다.
④ 이차함수 $y=\frac{1}{2}x^2$의 그래프와 x축에 대하여 대칭이다.
⑤ $x>0$일 때, x의 값이 증가하면 y의 값도 증가한다.

23 ●●○

이차함수 $y=ax^2$의 그래프에 대한 다음 설명 중 옳지 않은 것은?

① $a>0$일 때, 아래로 볼록하다.
② y축에 대하여 대칭이다.
③ a의 절댓값이 클수록 그래프의 폭은 넓어진다.
④ 점 $(0, 0)$을 꼭짓점으로 하는 포물선이다.
⑤ $y=-ax^2$의 그래프와 x축에 대하여 대칭이다.

24 ●●○

이차함수 $y=x^2$, $y=-2x^2$, $y=3x^2$, $y=-\frac{1}{2}x^2$의 그래프에 대한 다음 설명 중 옳은 것을 모두 고르면? (정답 2개)

① 모두 원점을 지난다.
② 그래프의 폭이 좁은 것부터 차례로 나열하면
$y=-2x^2$, $y=-\frac{1}{2}x^2$, $y=x^2$, $y=3x^2$이다.
③ 모두 아래로 볼록한 그래프이다.
④ 원점 이외의 부분은 모두 x축보다 위에 있다.
⑤ 각각의 그래프는 y축에 대하여 대칭이다.

이차함수 $y=ax^2$의 식
개념북 160쪽

25 ●○○

오른쪽 그림과 같이 원점을 꼭짓점으로 하고 점 $(3, -3)$을 지나는 포물선을 그래프로 하는 이차함수의 식은?

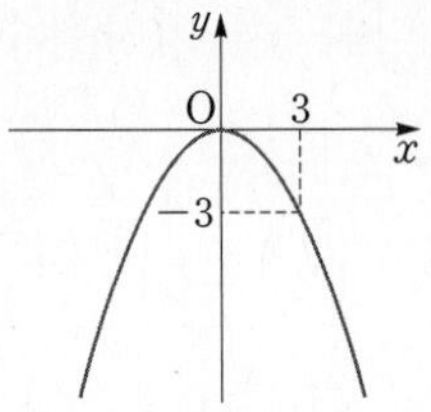

① $y=-3x^2$ ② $y=-\frac{1}{3}x^2$
③ $y=\frac{1}{3}x^2$ ④ $y=\frac{2}{3}x^2$
⑤ $y=3x^2$

26 ●●○

원점을 꼭짓점으로 하고 점 $\left(\frac{1}{2}, 2\right)$를 지나는 포물선을 그래프로 하는 이차함수의 식은?

① $y=-8x^2$ ② $y=-\frac{1}{2}x^2$ ③ $y=\frac{1}{2}x^2$
④ $y=4x^2$ ⑤ $y=8x^2$

27 ●●○

원점을 꼭짓점으로 하는 포물선이 두 점 $(4, 2)$, $(-2, b)$를 지날 때, b의 값을 구하시오.

28 ●●○

이차함수 $y=f(x)$의 그래프가 오른쪽 그림과 같을 때, $f(3)$의 값을 구하시오.

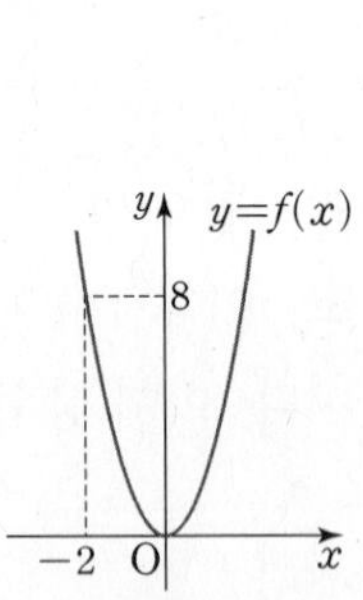

이차함수 $y=ax^2+q$의 그래프가 지나는 점

개념북 162쪽

29 ●○○

이차함수 $y=2x^2$의 그래프를 y축의 방향으로 q만큼 평행이동하였더니 점 $(1, 5)$를 지날 때, q의 값을 구하시오.

30 ●●○

이차함수 $y=-\frac{1}{4}x^2+q$의 그래프가 점 $(-2, 6)$을 지날 때, 이 그래프의 꼭짓점의 좌표를 구하시오.

31 ●●○

이차함수 $y=-\frac{1}{2}x^2+5$의 그래프가 점 $(-k, 3)$을 지날 때, k의 값을 모두 구하시오.

32 ●●●

이차함수 $y=ax^2+q$의 그래프가 두 점 $(-1, 2)$, $(2, 5)$를 지날 때, 상수 a, q에 대하여 $a-q$의 값은?

① -3 ② -2 ③ -1
④ 0 ⑤ 1

이차함수 $y=ax^2+q$의 그래프의 성질

개념북 162쪽

33 ●●○

이차함수 $y=ax^2+q$의 그래프에 대한 설명으로 옳지 않은 것은?

① 이차함수 $y=ax^2$의 그래프를 y축의 방향으로 q만큼 평행이동한 것이다.
② 꼭짓점의 좌표는 $(0, q)$이다.
③ $a>0$이면 아래로 볼록하다.
④ 축의 방정식은 $x=0$이다.
⑤ $a<0$, $q<0$이면 그래프는 제1, 2사분면을 지난다.

34 ●●○

이차함수 $y=-3x^2+1$의 그래프에 대한 다음 설명 중 옳은 것은?

① 꼭짓점의 좌표는 $(-3, 1)$이다.
② 축의 방정식은 $x=1$이다.
③ 점 $(2, -10)$을 지난다.
④ $y=2x^2-5$의 그래프보다 폭이 넓다.
⑤ $x<0$일 때, x의 값이 증가하면 y의 값도 증가한다.

이차함수 $y=a(x-p)^2$의 그래프가 지나는 점

개념북 164쪽

35

이차함수 $f(x)=a(x-2)^2$의 그래프가 점 $(4, 12)$를 지날 때, $f(5)$의 값은? (단, a는 상수)

① 4 ② 12 ③ 15
④ 27 ⑤ 30

36

이차함수 $y=3x^2$의 그래프를 x축의 방향으로 -1만큼 평행이동하면 점 $(-2, k)$를 지난다고 할 때, k의 값을 구하시오.

37

이차함수 $y=-\frac{1}{4}(x-p)^2$의 그래프가 점 $(3, -4)$를 지날 때, 이 그래프의 축의 방정식은? (단, $p>0$)

① $x=-7$ ② $x=4$ ③ $x=7$
④ $y=-7$ ⑤ $y=7$

38

꼭짓점의 좌표가 $(-1, 0)$이고, y축과 만나는 점의 y좌표가 2인 포물선을 그래프로 하는 이차함수의 식을 $y=a(x-p)^2$이라고 할 때, 상수 a의 값을 구하시오.

이차함수 $y=a(x-p)^2$의 그래프의 성질

개념북 164쪽

39

다음 **보기** 중 이차함수 $y=3(x+1)^2$의 그래프에 대한 설명으로 옳은 것을 모두 고르시오.

보기

ㄱ. 꼭짓점의 좌표는 $(-1, 0)$이다.
ㄴ. 아래로 볼록한 포물선이다.
ㄷ. 축의 방정식은 $x=1$이다.
ㄹ. 이차함수 $y=3x^2$의 그래프를 x축의 방향으로 1만큼 평행이동한 것이다.
ㅁ. $x<-1$일 때, x의 값이 증가하면 y의 값은 감소한다.

40

이차함수 $y=-(x+3)^2$의 그래프에 대한 다음 설명 중 옳지 않은 것을 모두 고르면? (정답 2개)

① 꼭짓점의 좌표는 $(-3, 0)$이다.
② 축의 방정식은 $x=3$이다.
③ 점 $(-1, -4)$를 지난다.
④ $x>-3$일 때, x의 값이 증가하면 y의 값은 감소한다.
⑤ 이차함수 $y=-x^2$의 그래프를 x축의 방향으로 3만큼 평행이동한 것이다.

이차함수 $y=a(x-p)^2+q$의 그래프 개념북 166쪽

41 ●○○

이차함수 $y=-\frac{1}{2}(x+6)^2+9$의 그래프에서 x의 값이 증가할 때, y의 값은 감소하는 x의 값의 범위는?

① $x<-6$ ② $x>-6$ ③ $x<3$
④ $x<6$ ⑤ $x>6$

42 ●●○

이차함수 $y=3x^2$의 그래프를 x축의 방향으로 2만큼, y축의 방향으로 -4만큼 평행이동한 그래프는 점 $(3, a)$를 지난다. 이 그래프의 꼭짓점의 좌표를 (p, q)라 할 때, $a+p+q$의 값을 구하시오.

43 ●●○

이차함수 $y=a(x-p)^2+q$의 그래프가 오른쪽 그림과 같을 때, 상수 a, p, q에 대하여 apq의 값은?

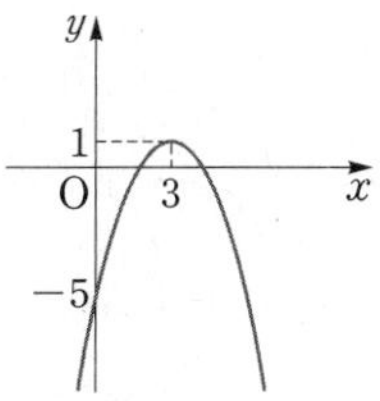

① -7 ② -5
③ -2 ④ 2
⑤ 5

44 ●●○

다음 중 이차함수 $y=(x+2)^2-3$의 그래프는?

①
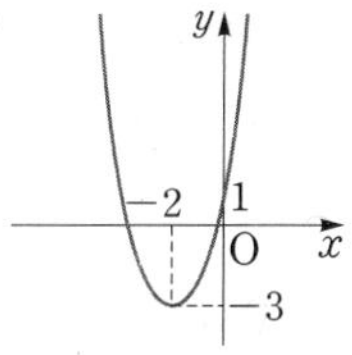

②
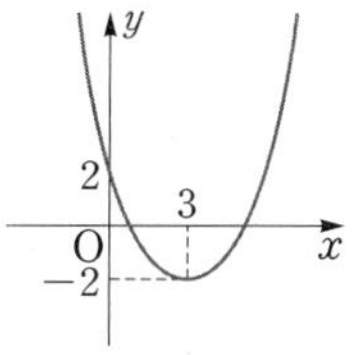

③
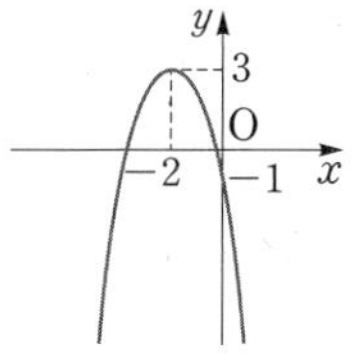

④
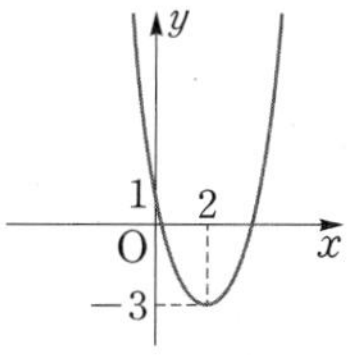

⑤
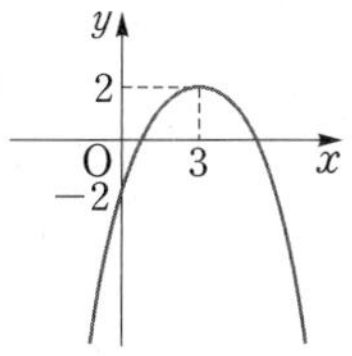

45 ●●●

이차함수 $y=\frac{1}{3}(x-p)^2+2p^2$의 그래프의 꼭짓점이 일차함수 $y=-x+3$의 그래프 위에 있을 때, 상수 p의 값을 구하시오. (단, $p<0$)

46 ●●●

오른쪽 그림과 같이 이차함수 $y=a(x-p)^2+q$의 그래프가 x축과 두 점 $(2, 0)$, $(6, 0)$에서 만나고, 꼭짓점은 직선 $y=-3$의 그래프 위에 있을 때, 상수 a, p, q의 값을 각각 구하시오.

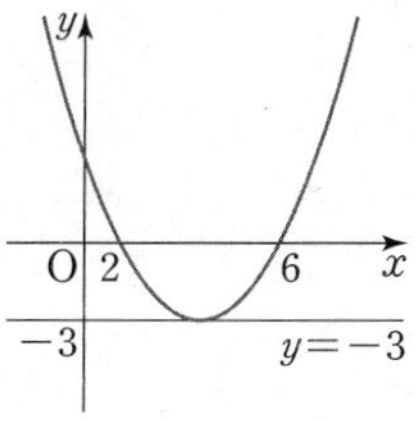

이차함수 $y=a(x-p)^2+q$의 그래프의 성질
개념북 167쪽

47 ●●○

이차함수 $y=\frac{2}{3}(x+1)^2+3$의 그래프에 대한 다음 설명 중 옳지 않은 것은?

① 꼭짓점의 좌표는 $(-1,\ 3)$이다.
② 축의 방정식은 $x=-1$이다.
③ 점 $(2,\ 8)$을 지난다.
④ 이차함수 $y=\frac{2}{3}x^2$의 그래프를 x축의 방향으로 -1만큼, y축의 방향으로 3만큼 평행이동한 것이다.
⑤ $x>-1$일 때, x의 값이 증가하면 y의 값도 증가한다.

48 ●●●

이차함수 $y=-2(x-1)^2+5$의 그래프에 대한 다음 설명 중 옳은 것을 모두 고르면? (정답 2개)

① 꼭짓점의 좌표는 $(-1,\ 5)$이다.
② 축의 방정식은 $x=-1$이다.
③ y축과 점 $(0,\ 3)$에서 만난다.
④ $x<1$일 때, x의 값이 증가하면 y의 값은 감소한다.
⑤ $y=2(x+4)^2-1$의 그래프와 폭이 같다.

이차함수 $y=a(x-p)^2+q$의 그래프와 $a,\ p,\ q$의 부호
개념북 167쪽

49 ●●○

이차함수 $y=a(x-p)^2+q$의 그래프가 오른쪽 그림과 같을 때, 상수 $a,\ p,\ q$의 부호는?

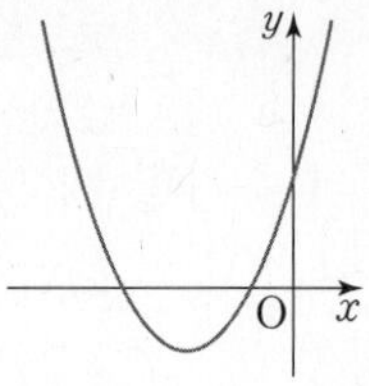

① $a>0,\ p>0,\ q>0$
② $a>0,\ p>0,\ q<0$
③ $a>0,\ p<0,\ q<0$
④ $a<0,\ p<0,\ q>0$
⑤ $a<0,\ p>0,\ q<0$

50 ●●○

이차함수 $y=a(x+p)^2-q$의 그래프가 오른쪽 그림과 같을 때, 상수 $a,\ p,\ q$의 부호를 각각 구하시오.

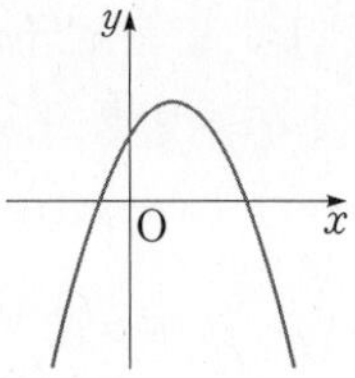

51 ●●○

$a>0,\ p>0,\ q<0$일 때, 다음 중 이차함수 $y=a(x-p)^2+q$의 그래프로 적당한 것은?

①
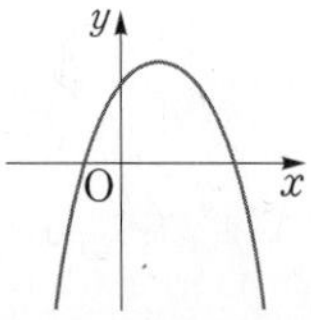

②
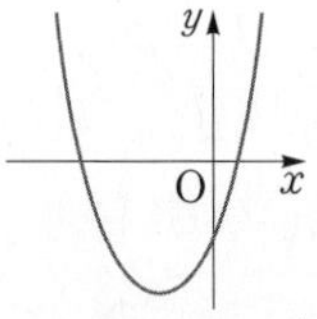

③
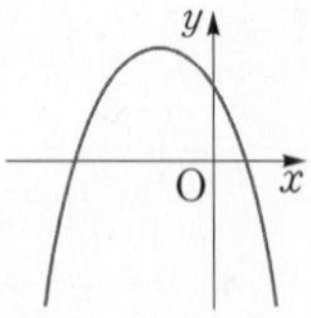

④
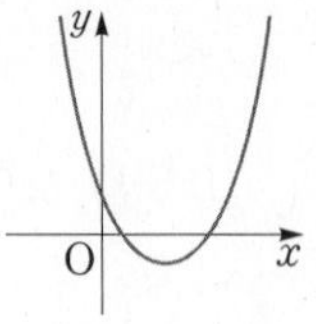

⑤
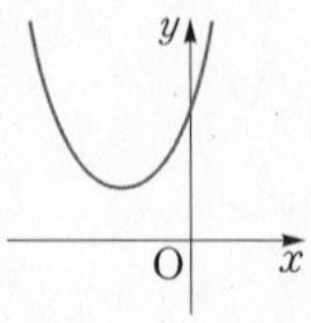

이차함수 $y=a(x-p)^2+q$의 그래프의 평행이동 개념북 169쪽

52 ●○○

이차함수 $y=-(x+2)^2+1$의 그래프를 다음과 같이 평행이동한 그래프의 식을 구하시오.

(1) x축의 방향으로 -4만큼 평행이동

(2) y축의 방향으로 2만큼 평행이동

(3) x축의 방향으로 -4만큼, y축의 방향으로 2만큼 평행이동

53 ●●○

이차함수 $y=-(x+2)^2$의 그래프를 x축의 방향으로 3만큼, y축의 방향으로 4만큼 평행이동하면 점 $(2,\ k)$를 지날 때, k의 값을 구하시오.

54 ●●●

이차함수 $y=4(x-1)^2-5$의 그래프를 x축의 방향으로 m만큼, y축의 방향으로 n만큼 평행이동하면 이차함수 $y=4(x+2)^2+1$의 그래프와 일치할 때, $m+n$의 값은?

① -3 ② -1 ③ 1
④ 3 ⑤ 5

이차함수 $y=a(x-p)^2+q$의 그래프의 대칭이동 개념북 169쪽

55 ●●○

이차함수 $y=3(x-2)^2+1$의 그래프를 x축에 대하여 대칭이동한 그래프에 대하여 다음을 구하시오.

(1) 대칭이동한 그래프의 식

(2) 대칭이동한 그래프가 점 $(4,\ a)$를 지날 때, a의 값

56 ●●○

이차함수 $y=-2(x+1)^2+4$의 그래프를 y축에 대하여 대칭이동하면 점 $(2,\ k)$를 지날 때, k의 값은?

① -7 ② -4 ③ -1
④ 2 ⑤ 6

57 ●●●

이차함수 $y=a(x+1)^2$의 그래프를 x축에 대하여 대칭이동한 후, 다시 y축에 대하여 대칭이동하면 점 $(3,\ 2)$를 지난다. 이때 상수 a의 값을 구하시오.

이차함수 $y=ax^2+bx+c$의 그래프

개념북 171쪽

58 ●●○

이차함수 $y=2x^2+4x+a$의 꼭짓점의 좌표가 $(b, 3)$일 때, $a+b$의 값을 구하시오. (단, a는 상수)

59 ●●○

이차함수 $y=-x^2+kx+6$의 그래프가 점 $(1, 1)$을 지날 때, 이 그래프의 축의 방정식을 구하시오.

(단, k는 상수)

60 ●●○

이차함수 $y=-\frac{1}{3}x^2+4x-5$의 그래프에서 x의 값이 증가할 때, y의 값도 증가하는 x의 값의 범위는?

① $x<6$ ② $x>6$ ③ $x<8$
④ $x>8$ ⑤ $6<x<8$

61 ●●●

이차함수 $y=x^2-6x+2$의 그래프를 x축의 방향으로 2만큼, y축의 방향으로 3만큼 평행이동한 그래프의 꼭짓점의 좌표를 구하시오.

62 ●●●

이차함수 $y=ax^2+bx+c$의 그래프가 다음 **조건**을 모두 만족할 때, 상수 a, b, c에 대하여 $a+b+c$의 값은?

조건

(가) 원점을 지난다.
(나) 제3사분면을 지나지 않는다.
(다) 꼭짓점이 직선 $y=x-4$ 위에 있다.
(라) 이차함수 $y=\frac{1}{2}x^2$의 그래프를 평행이동하여 포갤 수 있다.

① $-\frac{3}{2}$ ② $-\frac{1}{2}$ ③ 0
④ $\frac{1}{2}$ ⑤ $\frac{3}{2}$

이차함수 $y=ax^2+bx+c$의 그래프와 x축, y축과의 교점 개념북 171쪽

63 ●●○

이차함수 $y=-x^2+7x-10$의 그래프가 x축과 만나는 두 점의 좌표는 $(a,\ 0)$, $(b,\ 0)$이고, y축과 만나는 점의 좌표는 $(0,\ c)$일 때, $a+b+c$의 값을 구하시오.

64 ●●○

이차함수 $y=2x^2+ax-8$의 그래프가 x축과 두 점에서 만나고 그 중 한 점의 좌표가 $(2,\ 0)$일 때, 나머지 한 점의 좌표는? (단, a는 상수)

① $(-4,\ 0)$　② $(-2,\ 0)$　③ $(1,\ 0)$
④ $(4,\ 0)$　⑤ $(6,\ 0)$

65 ●●●

오른쪽 그림과 같이 이차함수 $y=2x^2-10x+k$의 그래프와 x축과의 교점을 각각 A, B라 하자. $\overline{AB}=3$일 때, 상수 k의 값은?

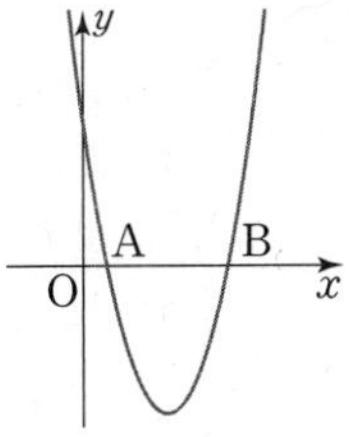

① 4　② 6
③ 8　④ 10　⑤ 12

이차함수 $y=ax^2+bx+c$의 그래프의 성질 개념북 172쪽

66 ●●○

이차함수 $y=3x^2+6x-2$의 그래프에 대한 설명으로 옳지 않은 것은?

① 꼭짓점의 좌표는 $(-1,\ -5)$이다.
② 축의 방정식은 $x=1$이다.
③ y축과의 교점의 좌표는 $(0,\ -2)$이다.
④ 이차함수 $y=3x^2$의 그래프를 x축의 방향으로 -1만큼, y축의 방향으로 -5만큼 평행이동한 것이다.
⑤ 그래프는 모든 사분면을 지난다.

67 ●●●

다음 **보기** 중 이차함수 $y=-\frac{1}{2}x^2+2x-3$의 그래프에 대한 설명으로 옳은 것을 모두 고르시오.

보기

ㄱ. 꼭짓점의 좌표는 $(2,\ -1)$이고, 축의 방정식은 $x=2$이다.
ㄴ. 점 $(3,\ -2)$를 지난다.
ㄷ. $x>2$일 때, x의 값이 증가하면 y의 값도 증가한다.
ㄹ. 이차함수 $y=\frac{1}{2}x^2$의 그래프와 폭이 같다.

이차함수의 그래프에서 삼각형의 넓이 개념북 172쪽

68 ●●○

오른쪽 그림과 같이 이차함수 $y=x^2+2x-3$의 그래프와 x축과의 교점을 각각 A, B라 하고, 꼭짓점을 C라 할 때, △ABC의 넓이를 구하시오.

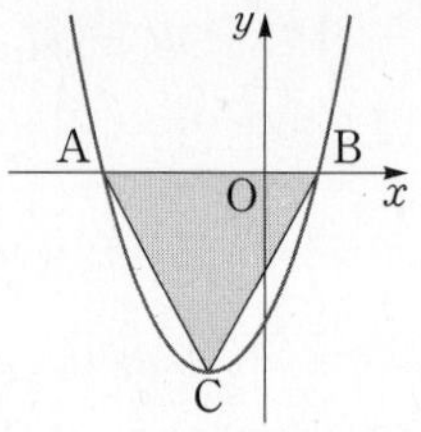

69 ●●○

오른쪽 그림과 같이 이차함수 $y=-x^2+2x+8$의 그래프와 x축과의 교점을 각각 A, B라 하고, y축과의 교점을 C라 할 때, △ABC의 넓이를 구하시오.

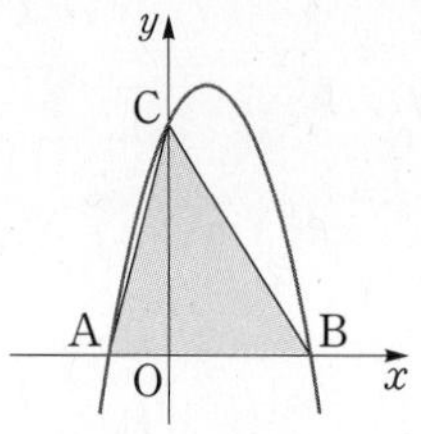

70 ●●●

오른쪽 그림과 같이 이차함수 $y=\frac{1}{2}x^2-3x-1$의 그래프와 x축과 만나는 두 점을 A, B라 하고, y축과의 교점을 C, 이 그래프의 꼭짓점을 D라고 하자. 이때 △ACB : △ADB를 가장 간단한 자연수의 비로 나타내시오.

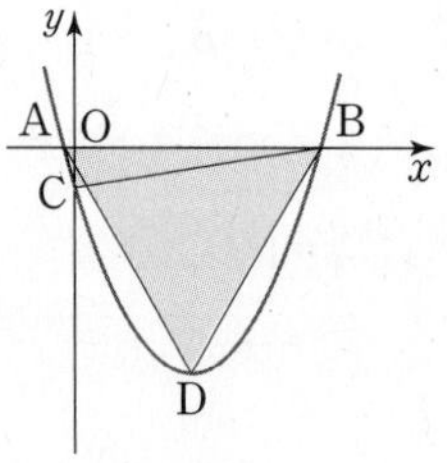

이차함수 $y=ax^2+bx+c$의 그래프와 a, b, c의 부호 개념북 174쪽

71 ●●○

이차함수 $y=ax^2+bx+c$의 그래프가 오른쪽 그림과 같을 때, 상수 a, b, c의 부호는?

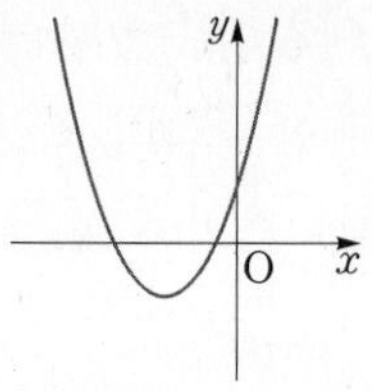

① $a>0$, $b>0$, $c>0$
② $a>0$, $b>0$, $c<0$
③ $a>0$, $b<0$, $c>0$
④ $a<0$, $b>0$, $c>0$
⑤ $a<0$, $b<0$, $c<0$

72 ●●○

다음 **조건**을 모두 만족하는 이차함수 $y=ax^2+bx+c$의 그래프가 지나지 않는 사분면을 구하시오. (단, a, b, c는 상수)

조건
(가) 그래프는 x축과 두 점에서 만난다.
(나) $a>0$, $b<0$, $c>0$

73 ●●●

이차함수 $y=ax^2+bx+c$의 그래프가 오른쪽 그림과 같을 때, 다음 중 옳지 않은 것은? (단, a, b, c는 상수)

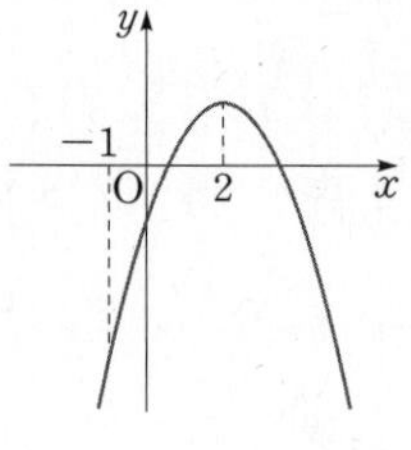

① $a<0$
② $b>0$
③ $c<0$
④ $4a+2b+c>0$
⑤ $a-b+c>0$

꼭짓점과 다른 한 점을 알 때, 이차함수의 식 구하기
개념북 176쪽

74 ●●○

꼭짓점의 좌표가 $(2,\ -7)$이고, 점 $(3,\ -10)$을 지나는 포물선을 그래프로 하는 이차함수의 식을 $y=ax^2+bx+c$라 할 때, 상수 a, b, c에 대하여 $a+b+c$의 값을 구하시오.

75 ●●○

이차함수 $y=ax^2+bx+c$의 그래프가 오른쪽 그림과 같을 때, 상수 a, b, c에 대하여 $a+b+c$의 값을 구하시오.

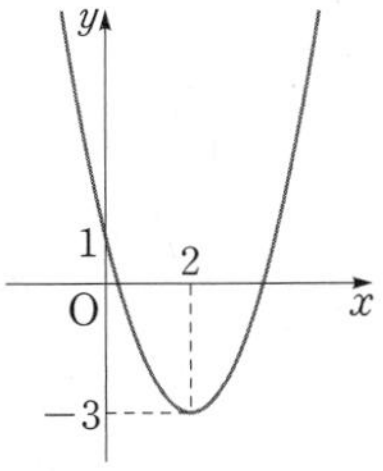

76 ●●●

꼭짓점의 좌표가 $(-1,\ 0)$이고 점 $(-2,\ 2)$를 지나는 포물선이 점 $(k,\ 8)$을 지날 때, k의 값을 구하시오. (단, $k<0$)

축의 방정식과 두 점을 알 때, 이차함수의 식 구하기
개념북 176쪽

77 ●●○

직선 $x=2$를 축으로 하고, 두 점 $(3,\ -1)$, $(0,\ 8)$을 지나는 이차함수의 식을 $y=ax^2+bx+c$라 할 때, 상수 a, b, c에 대하여 $a+b+c$의 값은?

① -5 ② -3 ③ -1
④ 1 ⑤ 3

78 ●●○

이차함수 $y=ax^2+bx+c$의 그래프가 오른쪽 그림과 같고, 직선 $x=-2$를 축으로 할 때, 상수 a, b, c에 대하여 $2a+b+c$의 값을 구하시오.

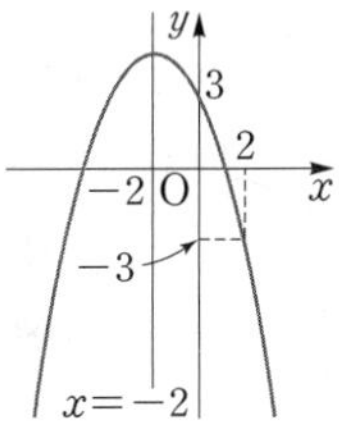

79 ●●●

오른쪽 그림과 같이 직선 $x=3$을 축으로 하는 이차함수의 그래프를 평행이동하면 함수 $y=x^2$의 그래프와 완전히 겹쳐진다. 이 그래프의 꼭짓점의 좌표는?

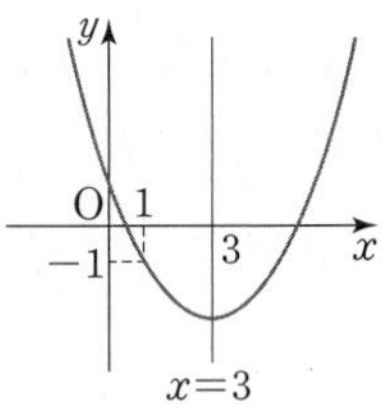

① $\left(3,\ -\frac{11}{2}\right)$ ② $(3,\ -5)$ ③ $(3,\ -3)$
④ $\left(3,\ -\frac{5}{2}\right)$ ⑤ $\left(3,\ -\frac{4}{3}\right)$

서로 다른 세 점을 알 때, 이차함수의 식 구하기 개념북 177쪽

80 ●●○

세 점 (0, 1), (1, 2), (−1, 4)를 지나는 포물선을 그래프로 하는 이차함수의 식을 $y=ax^2+bx+c$라 할 때, 상수 a, b, c에 대하여 abc의 값은?

① −4 ② −2 ③ 1
④ 3 ⑤ 6

81 ●●●

세 점 (−1, −5), (0, 4), (2, 4)를 지나는 포물선의 꼭짓점의 좌표를 구하시오.

82 ●●●

이차함수 $y=f(x)$에 대하여 $f(-1)=-4$, $f(0)=1$, $f(2)=5$일 때, 함수 $f(x)$의 꼭짓점의 좌표는?

① (−2, 3) ② (2, −4) ③ (2, 5)
④ (3, −2) ⑤ (3, 5)

x축과의 두 교점과 다른 한 점을 알 때, 이차함수의 식 구하기 개념북 177쪽

83 ●●○

세 점 (2, 0), (5, 0), (3, k)를 지나는 포물선을 그래프로 하는 이차함수의 식을 $y=x^2+bx+c$라고 할 때, $b+c+k$의 값은? (단, b, c는 상수)

① −2 ② −1 ③ 0
④ 1 ⑤ 2

84 ●●○

x축과 두 점 (−4, 0), (3, 0)에서 만나고, 점 (2, −6)을 지나는 포물선을 그래프로 하는 이차함수의 식을 $y=ax^2+bx+c$의 꼴로 나타내시오.

85 ●●●

이차함수 $y=ax^2+bx+c$의 그래프가 오른쪽 그림과 같을 때, 상수 a, b, c에 대하여 $a+b+c$의 값을 구하시오.

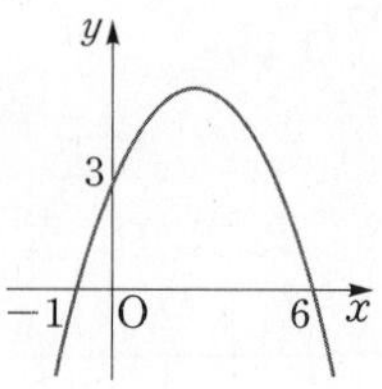

개념완성익힘

1

다음 중 y가 x에 대한 이차함수가 아닌 것을 모두 고르면? (정답 2개)

① 가로의 길이가 x, 세로의 길이가 $2x$인 직사각형의 넓이 y

② 밑변의 길이와 높이가 각각 x인 삼각형의 넓이 y

③ 10 km의 거리를 분속 x km로 갈 때 걸리는 시간 y분

④ 연속하는 두 자연수 중 작은 수를 x라 할 때 두 수의 곱 y

⑤ 반지름의 길이가 x, 중심각의 크기가 $90°$인 부채꼴의 호의 길이 y

2

이차함수 $y=ax^2$의 그래프가 두 점 $(-2, 12)$, $(b, 3)$을 지날 때, $a+b$의 값은?

(단, a는 상수, $b>0$)

① -4　② -1　③ 2

④ 4　⑤ 7

3

두 이차함수 $y=x^2$, $y=-\frac{1}{3}x^2$의 그래프가 오른쪽 그림과 같을 때, 다음 중 그 그래프가 색칠한 부분의 영역을 지나는 것을 모두 고르면? (정답 2개)

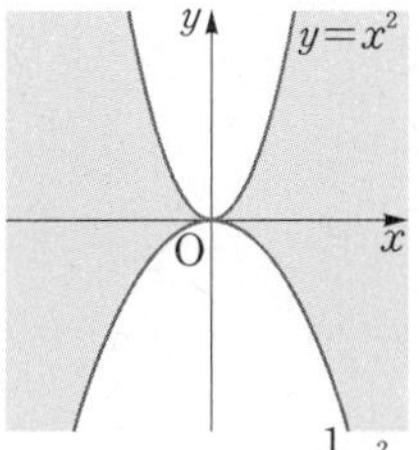

① $y=2x^2$　② $y=\frac{4}{3}x^2$

③ $y=\frac{1}{2}x^2$　④ $y=-3x^2$　⑤ $y=-\frac{1}{4}x^2$

4

이차함수 $y=a(x-p)^2+q$의 그래프가 오른쪽 그림과 같을 때, 상수 a, p, q에 대하여 $a+p+q$의 값을 구하시오.

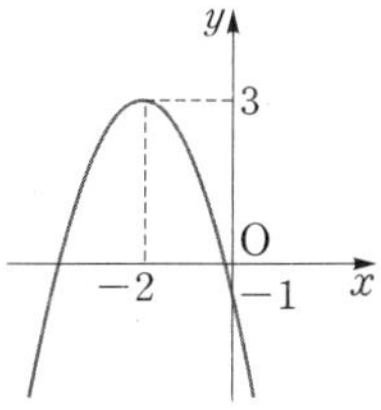

5 실력UP

이차함수 $y=a(x-p)^2+q$의 그래프가 오른쪽 그림과 같을 때, 이차함수 $y=p(x+a)^2-q$의 그래프의 꼭짓점은 제몇 사분면 위에 있는지 말하시오. (단, a, p, q는 상수)

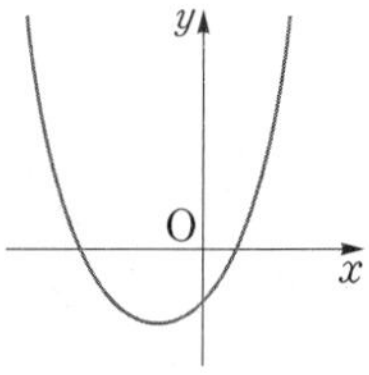

6

다음 중 이차함수 $y=2x^2+2x-5$의 그래프에 대한 설명으로 옳은 것은?

① 꼭짓점의 좌표가 $\left(\frac{1}{2}, -\frac{11}{2}\right)$이고, 위로 볼록한 포물선이다.

② 점 $(-1, -4)$를 지난다.

③ y축과의 교점의 좌표는 $\left(0, -\frac{11}{2}\right)$이다.

④ $x>-\frac{1}{2}$일 때, x의 값이 증가하면 y의 값은 감소한다.

⑤ 그래프는 모든 사분면을 지난다.

7

이차함수 $y=\frac{1}{2}x^2-6x+2a+7$의 그래프의 꼭짓점이 일차함수 $3x+2y-4=0$의 그래프 위에 있을 때, 상수 a의 값은?

① -4 ② -2 ③ 2
④ 4 ⑤ 6

8

이차함수 $y=ax^2+bx+c$의 그래프가 오른쪽 그림과 같을 때, 일차함수 $y=\frac{a}{b}x+\frac{b}{c}$의 그래프가 지나지 않는 사분면은?

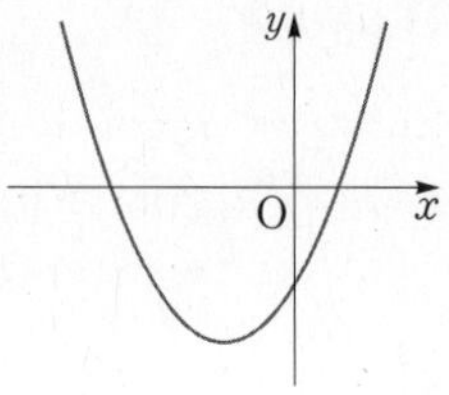

(단, a, b, c는 상수)

① 제1사분면 ② 제2사분면
③ 제3사분면 ④ 제4사분면
⑤ 제2, 4사분면

9

세 점 $(0, 3)$, $(1, 3)$, $(-1, 5)$를 지나는 포물선을 그래프로 하는 이차함수의 식을 $y=ax^2+bx+c$의 꼴로 나타내시오.

서술형

10

오른쪽 그림에서 네 점 A, B, C, D는 두 이차함수 $y=2x^2$, $y=-2x^2$의 그래프 위의 점이고 □ABCD는 정사각형이다. □ABCD의 네 변은 각각 x축, y축에 평행할 때, □ABCD의 둘레의 길이를 구하시오.

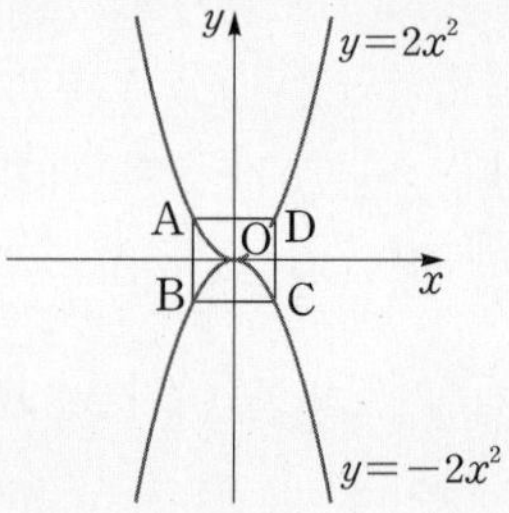

(단, 점 D는 제1사분면 위에 있다.)

11

이차함수 $y=-4(x-1)^2+5$의 그래프를 x축의 방향으로 -2만큼, y축의 방향으로 3만큼 평행이동한 그래프가 점 $(1, a)$를 지날 때, a의 값을 구하시오.

12

오른쪽 그림은 이차함수 $y=-x^2-2x+p$의 그래프이다. 그래프가 x축과 만나는 두 점 A, B 사이의 거리가 4일 때, 상수 p의 값을 구하시오.

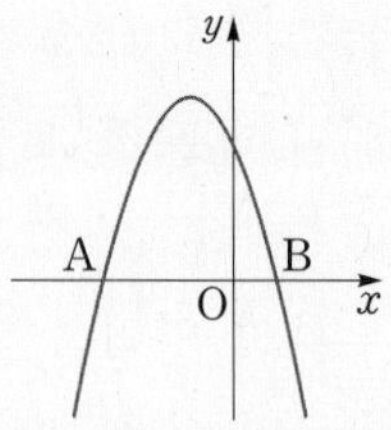

대단원 마무리

IV. 함수

1 다음 중 y가 x에 대한 이차함수가 아닌 것은?

① 반지름의 길이가 x cm인 원의 넓이 y cm^2
② 한 변의 길이가 x cm인 정사각형의 넓이 y cm^2
③ 한 변의 길이가 각각 x cm, $(x+2)$ cm인 두 정삼각형의 둘레의 길이의 합 y cm
④ 두 대각선의 길이가 x cm, $(x-2)$ cm인 마름모의 넓이 y cm^2
⑤ 밑변의 길이가 x cm, 높이가 $(x+2)$ cm인 평행사변형의 넓이 y cm^2

2 이차함수 $f(x)=-2x^2+3x-2$에 대하여 $f(a)=-4$일 때, 상수 a의 값은? (단, $a>0$)

① 1 ② 2 ③ 3
④ 4 ⑤ 5

3 이차함수 $y=-4x^2$의 그래프를 x축의 방향으로 -3만큼 평행이동하면 점 $(-1,\ k)$를 지날 때, k의 값은?

① -32 ② -16 ③ -8
④ 4 ⑤ 16

4 이차함수 $y=a(x-p)^2+q$의 그래프가 오른쪽 그림과 같을 때, 상수 a, p, q에 대하여 $a+p+q$의 값은?

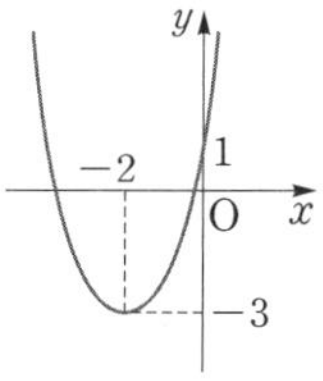

① -1 ② -2
③ -3 ④ -4
⑤ -5

5 이차함수 $y=2(x+1)^2-4$의 그래프를 x축의 방향으로 m만큼, y축의 방향으로 n만큼 평행이동하면 $y=2(x-2)^2-1$의 그래프와 일치할 때, $m+n$의 값을 구하시오.

6 이차함수 $y=x^2+ax-1$의 그래프가 점 $(1,\ 2)$를 지날 때, 이 그래프의 꼭짓점의 좌표는? (단, a는 상수)

① $(-1,\ 3)$ ② $(-2,\ -1)$ ③ $(1,\ -4)$
④ $(-1,\ -2)$ ⑤ $(3,\ -2)$

7 이차함수 $y=\frac{1}{3}x^2-2x+1$의 그래프에서 x의 값이 증가함에 따라 y의 값은 감소하는 x의 값의 범위는?

① $x>-3$ ② $x<3$ ③ $x>3$
④ $x<6$ ⑤ $x>6$

서술형

8 이차함수 $y=-x^2+x+6$의 그래프가 x축과 만나는 두 점을 각각 A, B라 하고 y축과 만나는 점을 C라 할 때, △ABC의 넓이를 구하기 위한 풀이 과정을 쓰고 답을 구하시오.

9 이차함수 $y=-\frac{1}{2}x^2-4x-5$의 그래프에 대한 다음 설명 중 옳은 것은?

① 꼭짓점의 좌표는 $(4, -3)$이다.
② 축의 방정식은 $x=4$이다.
③ y축과 만나는 점의 좌표는 $(0, 5)$이다.
④ 제2, 3, 4사분면을 지난다.
⑤ 이차함수 $y=-\frac{1}{2}x^2$의 그래프를 x축의 방향으로 4만큼, y축의 방향으로 -3만큼 평행이동한 것이다.

10 오른쪽 그림은 이차함수 $y=ax^2+bx+c$의 그래프이다. 다음 중 옳지 않은 것은?

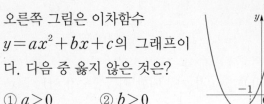

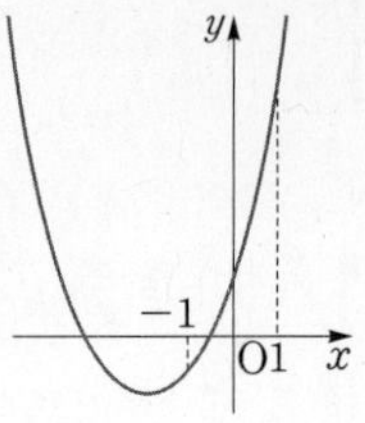

① $a>0$ ② $b>0$
③ $c>0$ ④ $a+b+c>0$
⑤ $a-b+c>0$

11 꼭짓점의 좌표가 $(3, 7)$이고 점 $(2, 5)$를 지나는 포물선을 그래프로 하는 이차함수의 식을 $y=ax^2+bx+c$라 할 때, 상수 a, b, c에 대하여 $a+b+c$의 값을 구하시오.

12 이차함수 $y=ax^2+bx+c$의 그래프가 세 점 $(-1, 0)$, $(3, 0)$, $(2, 6)$을 지날 때, 상수 a, b, c에 대하여 $a+b+c$의 값은?

① -8 ② -4 ③ 0
④ 4 ⑤ 8

제곱근표 (1)

수	0	1	2	3	4	5	6	7	8	9
1.0	1.000	1.005	1.010	1.015	1.020	1.025	1.030	1.034	1.039	1.044
1.1	1.049	1.054	1.058	1.063	1.068	1.072	1.077	1.082	1.086	1.091
1.2	1.095	1.100	1.105	1.109	1.114	1.118	1.122	1.127	1.131	1.136
1.3	1.140	1.145	1.149	1.153	1.158	1.162	1.166	1.170	1.175	1.179
1.4	1.183	1.187	1.192	1.196	1.200	1.204	1.208	1.212	1.217	1.221
1.5	1.225	1.229	1.233	1.237	1.241	1.245	1.249	1.253	1.257	1.261
1.6	1.265	1.269	1.273	1.277	1.281	1.285	1.288	1.292	1.296	1.300
1.7	1.304	1.308	1.311	1.315	1.319	1.323	1.327	1.330	1.334	1.338
1.8	1.342	1.345	1.349	1.353	1.356	1.360	1.364	1.367	1.371	1.375
1.9	1.378	1.382	1.386	1.389	1.393	1.396	1.400	1.404	1.407	1.411
2.0	1.414	1.418	1.421	1.425	1.428	1.432	1.435	1.439	1.442	1.446
2.1	1.449	1.453	1.456	1.459	1.463	1.466	1.470	1.473	1.476	1.480
2.2	1.483	1.487	1.490	1.493	1.497	1.500	1.503	1.507	1.510	1.513
2.3	1.517	1.520	1.523	1.526	1.530	1.533	1.536	1.539	1.543	1.546
2.4	1.549	1.552	1.556	1.559	1.562	1.565	1.568	1.572	1.575	1.578
2.5	1.581	1.584	1.587	1.591	1.594	1.597	1.600	1.603	1.606	1.609
2.6	1.612	1.616	1.619	1.622	1.625	1.628	1.631	1.634	1.637	1.640
2.7	1.643	1.646	1.649	1.652	1.655	1.658	1.661	1.664	1.667	1.670
2.8	1.673	1.676	1.679	1.682	1.685	1.688	1.691	1.694	1.697	1.700
2.9	1.703	1.706	1.709	1.712	1.715	1.718	1.720	1.723	1.726	1.729
3.0	1.732	1.735	1.738	1.741	1.744	1.746	1.749	1.752	1.755	1.758
3.1	1.761	1.764	1.766	1.769	1.772	1.775	1.778	1.780	1.783	1.786
3.2	1.789	1.792	1.794	1.797	1.800	1.803	1.806	1.808	1.811	1.814
3.3	1.817	1.819	1.822	1.825	1.828	1.830	1.833	1.836	1.838	1.841
3.4	1.844	1.847	1.849	1.852	1.855	1.857	1.860	1.863	1.865	1.868
3.5	1.871	1.873	1.876	1.879	1.881	1.884	1.887	1.889	1.892	1.895
3.6	1.897	1.900	1.903	1.905	1.908	1.910	1.913	1.916	1.918	1.921
3.7	1.924	1.926	1.929	1.931	1.934	1.936	1.939	1.942	1.944	1.947
3.8	1.949	1.952	1.954	1.957	1.960	1.962	1.965	1.967	1.970	1.972
3.9	1.975	1.977	1.980	1.982	1.985	1.987	1.990	1.992	1.995	1.997
4.0	2.000	2.002	2.005	2.007	2.010	2.012	2.015	2.017	2.020	2.022
4.1	2.025	2.027	2.030	2.032	2.035	2.037	2.040	2.042	2.045	2.047
4.2	2.049	2.052	2.054	2.057	2.059	2.062	2.064	2.066	2.069	2.071
4.3	2.074	2.076	2.078	2.081	2.083	2.086	2.088	2.090	2.093	2.095
4.4	2.098	2.100	2.102	2.105	2.107	2.110	2.112	2.114	2.117	2.119
4.5	2.121	2.124	2.126	2.128	2.131	2.133	2.135	2.138	2.140	2.142
4.6	2.145	2.147	2.149	2.152	2.154	2.156	2.159	2.161	2.163	2.166
4.7	2.168	2.170	2.173	2.175	2.177	2.179	2.182	2.184	2.186	2.189
4.8	2.191	2.193	2.195	2.198	2.200	2.202	2.205	2.207	2.209	2.211
4.9	2.214	2.216	2.218	2.220	2.223	2.225	2.227	2.229	2.232	2.234
5.0	2.236	2.238	2.241	2.243	2.245	2.247	2.249	2.252	2.254	2.256
5.1	2.258	2.261	2.263	2.265	2.267	2.269	2.272	2.274	2.276	2.278
5.2	2.280	2.283	2.285	2.287	2.289	2.291	2.293	2.296	2.298	2.300
5.3	2.302	2.304	2.307	2.309	2.311	2.313	2.315	2.317	2.319	2.322
5.4	2.324	2.326	2.328	2.330	2.332	2.335	2.337	2.339	2.341	2.343

제곱근표(2)

수	0	1	2	3	4	5	6	7	8	9
5.5	2.345	2.347	2.349	2.352	2.354	2.356	2.358	2.360	2.362	2.364
5.6	2.366	2.369	2.371	2.373	2.375	2.377	2.379	2.381	2.383	2.385
5.7	2.387	2.390	2.392	2.394	2.396	2.398	2.400	2.402	2.404	2.406
5.8	2.408	2.410	2.412	2.415	2.417	2.419	2.421	2.423	2.425	2.427
5.9	2.429	2.431	2.433	2.435	2.437	2.439	2.441	2.443	2.445	2.447
6.0	2.449	2.452	2.454	2.456	2.458	2.460	2.462	2.464	2.466	2.468
6.1	2.470	2.472	2.474	2.476	2.478	2.480	2.482	2.484	2.486	2.488
6.2	2.490	2.492	2.494	2.496	2.498	2.500	2.502	2.504	2.506	2.508
6.3	2.510	2.512	2.514	2.516	2.518	2.520	2.522	2.524	2.526	2.528
6.4	2.530	2.532	2.534	2.536	2.538	2.540	2.542	2.544	2.546	2.548
6.5	2.550	2.551	2.553	2.555	2.557	2.559	2.561	2.563	2.565	2.567
6.6	2.569	2.571	2.573	2.575	2.577	2.579	2.581	2.583	2.585	2.587
6.7	2.588	2.590	2.592	2.594	2.596	2.598	2.600	2.602	2.604	2.606
6.8	2.608	2.610	2.612	2.613	2.615	2.617	2.619	2.621	2.623	2.625
6.9	2.627	2.629	2.631	2.632	2.634	2.636	2.638	2.640	2.642	2.644
7.0	2.646	2.648	2.650	2.651	2.653	2.655	2.657	2.659	2.661	2.663
7.1	2.665	2.666	2.668	2.670	2.672	2.674	2.676	2.678	2.680	2.681
7.2	2.683	2.685	2.687	2.689	2.691	2.693	2.694	2.696	2.698	2.700
7.3	2.702	2.704	2.706	2.707	2.709	2.711	2.713	2.715	2.717	2.718
7.4	2.720	2.722	2.724	2.726	2.728	2.729	2.731	2.733	2.735	2.737
7.5	2.739	2.740	2.742	2.744	2.746	2.748	2.750	2.751	2.753	2.755
7.6	2.757	2.759	2.760	2.762	2.764	2.766	2.768	2.769	2.771	2.773
7.7	2.775	2.777	2.778	2.780	2.782	2.784	2.786	2.787	2.789	2.791
7.8	2.793	2.795	2.796	2.798	2.800	2.802	2.804	2.805	2.807	2.809
7.9	2.811	2.812	2.814	2.816	2.818	2.820	2.821	2.823	2.825	2.827
8.0	2.828	2.830	2.832	2.834	2.835	2.837	2.839	2.841	2.843	2.844
8.1	2.846	2.848	2.850	2.851	2.853	2.855	2.857	2.858	2.860	2.862
8.2	2.864	2.865	2.867	2.869	2.871	2.872	2.874	2.876	2.877	2.879
8.3	2.881	2.883	2.884	2.886	2.888	2.890	2.891	2.893	2.895	2.897
8.4	2.898	2.900	2.902	2.903	2.905	2.907	2.909	2.910	2.912	2.914
8.5	2.915	2.917	2.919	2.921	2.922	2.924	2.926	2.927	2.929	2.931
8.6	2.933	2.934	2.936	2.938	2.939	2.941	2.943	2.944	2.946	2.948
8.7	2.950	2.951	2.953	2.955	2.956	2.958	2.960	2.961	2.963	2.965
8.8	2.966	2.968	2.970	2.972	2.973	2.975	2.977	2.978	2.980	2.982
8.9	2.983	2.985	2.987	2.988	2.990	2.992	2.993	2.995	2.997	2.998
9.0	3.000	3.002	3.003	3.005	3.007	3.008	3.010	3.012	3.013	3.015
9.1	3.017	3.018	3.020	3.022	3.023	3.025	3.027	3.028	3.030	3.032
9.2	3.033	3.035	3.036	3.038	3.040	3.041	3.043	3.045	3.046	3.048
9.3	3.050	3.051	3.053	3.055	3.056	3.058	3.059	3.061	3.063	3.064
9.4	3.066	3.068	3.069	3.071	3.072	3.074	3.076	3.077	3.079	3.081
9.5	3.082	3.084	3.085	3.087	3.089	3.090	3.092	3.094	3.095	3.097
9.6	3.098	3.100	3.102	3.103	3.105	3.106	3.108	3.110	3.111	3.113
9.7	3.114	3.116	3.118	3.119	3.121	3.122	3.124	3.126	3.127	3.129
9.8	3.130	3.132	3.134	3.135	3.137	3.138	3.140	3.142	3.143	3.145
9.9	3.146	3.148	3.150	3.151	3.153	3.154	3.156	3.158	3.159	3.161

제곱근표 (3)

수	0	1	2	3	4	5	6	7	8	9
10	3.162	3.178	3.194	3.209	3.225	3.240	3.256	3.271	3.286	3.302
11	3.317	3.332	3.347	3.362	3.376	3.391	3.406	3.421	3.435	3.450
12	3.464	3.479	3.493	3.507	3.521	3.536	3.550	3.564	3.578	3.592
13	3.606	3.619	3.633	3.647	3.661	3.674	3.688	3.701	3.715	3.728
14	3.742	3.755	3.768	3.782	3.795	3.808	3.821	3.834	3.847	3.860
15	3.873	3.886	3.899	3.912	3.924	3.937	3.950	3.962	3.975	3.987
16	4.000	4.012	4.025	4.037	4.050	4.062	4.074	4.087	4.099	4.111
17	4.123	4.135	4.147	4.159	4.171	4.183	4.195	4.207	4.219	4.231
18	4.243	4.254	4.266	4.278	4.290	4.301	4.313	4.324	4.336	4.347
19	4.359	4.370	4.382	4.393	4.405	4.416	4.427	4.438	4.450	4.461
20	4.472	4.483	4.494	4.506	4.517	4.528	4.539	4.550	4.561	4.572
21	4.583	4.593	4.604	4.615	4.626	4.637	4.648	4.658	4.669	4.680
22	4.690	4.701	4.712	4.722	4.733	4.743	4.754	4.764	4.775	4.785
23	4.796	4.806	4.817	4.827	4.837	4.848	4.858	4.868	4.879	4.889
24	4.899	4.909	4.919	4.930	4.940	4.950	4.960	4.970	4.980	4.990
25	5.000	5.010	5.020	5.030	5.040	5.050	5.060	5.070	5.079	5.089
26	5.099	5.109	5.119	5.128	5.138	5.148	5.158	5.167	5.177	5.187
27	5.196	5.206	5.215	5.225	5.235	5.244	5.254	5.263	5.273	5.282
28	5.292	5.301	5.310	5.320	5.329	5.339	5.348	5.357	5.367	5.376
29	5.385	5.394	5.404	5.413	5.422	5.431	5.441	5.450	5.459	5.468
30	5.477	5.486	5.495	5.505	5.514	5.523	5.532	5.541	5.550	5.559
31	5.568	5.577	5.586	5.595	5.604	5.612	5.621	5.630	5.639	5.648
32	5.657	5.666	5.675	5.683	5.692	5.701	5.710	5.718	5.727	5.736
33	5.745	5.753	5.762	5.771	5.779	5.788	5.797	5.805	5.814	5.822
34	5.831	5.840	5.848	5.857	5.865	5.874	5.882	5.891	5.899	5.908
35	5.916	5.925	5.933	5.941	5.950	5.958	5.967	5.975	5.983	5.992
36	6.000	6.008	6.017	6.025	6.033	6.042	6.050	6.058	6.066	6.075
37	6.083	6.091	6.099	6.107	6.116	6.124	6.132	6.140	6.148	6.156
38	6.164	6.173	6.181	6.189	6.197	6.205	6.213	6.221	6.229	6.237
39	6.245	6.253	6.261	6.269	6.277	6.285	6.293	6.301	6.309	6.317
40	6.325	6.332	6.340	6.348	6.356	6.364	6.372	6.380	6.387	6.395
41	6.403	6.411	6.419	6.427	6.434	6.442	6.450	6.458	6.465	6.473
42	6.481	6.488	6.496	6.504	6.512	6.519	6.527	6.535	6.542	6.550
43	6.557	6.565	6.573	6.580	6.588	6.595	6.603	6.611	6.618	6.626
44	6.633	6.641	6.648	6.656	6.663	6.671	6.678	6.686	6.693	6.701
45	6.708	6.716	6.723	6.731	6.738	6.745	6.753	6.760	6.768	6.775
46	6.782	6.790	6.797	6.804	6.812	6.819	6.826	6.834	6.841	6.848
47	6.856	6.863	6.870	6.877	6.885	6.892	6.899	6.907	6.914	6.921
48	6.928	6.935	6.943	6.950	6.957	6.964	6.971	6.979	6.986	6.993
49	7.000	7.007	7.014	7.021	7.029	7.036	7.043	7.050	7.057	7.064
50	7.071	7.078	7.085	7.092	7.099	7.106	7.113	7.120	7.127	7.134
51	7.141	7.148	7.155	7.162	7.169	7.176	7.183	7.190	7.197	7.204
52	7.211	7.218	7.225	7.232	7.239	7.246	7.253	7.259	7.266	7.273
53	7.280	7.287	7.294	7.301	7.308	7.314	7.321	7.328	7.335	7.342
54	7.348	7.355	7.362	7.369	7.376	7.382	7.389	7.396	7.403	7.409

제곱근표(4)

수	0	1	2	3	4	5	6	7	8	9
55	7.416	7.423	7.430	7.436	7.443	7.450	7.457	7.463	7.470	7.477
56	7.483	7.490	7.497	7.503	7.510	7.517	7.523	7.530	7.537	7.543
57	7.550	7.556	7.563	7.570	7.576	7.583	7.589	7.596	7.603	7.609
58	7.616	7.622	7.629	7.635	7.642	7.649	7.655	7.662	7.668	7.675
59	7.681	7.688	7.694	7.701	7.707	7.714	7.720	7.727	7.733	7.740
60	7.746	7.752	7.759	7.765	7.772	7.778	7.785	7.791	7.797	7.804
61	7.810	7.817	7.823	7.829	7.836	7.842	7.849	7.855	7.861	7.868
62	7.874	7.880	7.887	7.893	7.899	7.906	7.912	7.918	7.925	7.931
63	7.937	7.944	7.950	7.956	7.962	7.969	7.975	7.981	7.987	7.994
64	8.000	8.006	8.012	8.019	8.025	8.031	8.037	8.044	8.050	8.056
65	8.062	8.068	8.075	8.081	8.087	8.093	8.099	8.106	8.112	8.118
66	8.124	8.130	8.136	8.142	8.149	8.155	8.161	8.167	8.173	8.179
67	8.185	8.191	8.198	8.204	8.210	8.216	8.222	8.228	8.234	8.240
68	8.246	8.252	8.258	8.264	8.270	8.276	8.283	8.289	8.295	8.301
69	8.307	8.313	8.319	8.325	8.331	8.337	8.343	8.349	8.355	8.361
70	8.367	8.373	8.379	8.385	8.390	8.396	8.402	8.408	8.414	8.420
71	8.426	8.432	8.438	8.444	8.450	8.456	8.462	8.468	8.473	8.479
72	8.485	8.491	8.497	8.503	8.509	8.515	8.521	8.526	8.532	8.538
73	8.544	8.550	8.556	8.562	8.567	8.573	8.579	8.585	8.591	8.597
74	8.602	8.608	8.614	8.620	8.626	8.631	8.637	8.643	8.649	8.654
75	8.660	8.666	8.672	8.678	8.683	8.689	8.695	8.701	8.706	8.712
76	8.718	8.724	8.729	8.735	8.741	8.746	8.752	8.758	8.764	8.769
77	8.775	8.781	8.786	8.792	8.798	8.803	8.809	8.815	8.820	8.826
78	8.832	8.837	8.843	8.849	8.854	8.860	8.866	8.871	8.877	8.883
79	8.888	8.894	8.899	8.905	8.911	8.916	8.922	8.927	8.933	8.939
80	8.944	8.950	8.955	8.961	8.967	8.972	8.978	8.983	8.989	8.994
81	9.000	9.006	9.011	9.017	9.022	9.028	9.033	9.039	9.044	9.050
82	9.055	9.061	9.066	9.072	9.077	9.083	9.088	9.094	9.099	9.105
83	9.110	9.116	9.121	9.127	9.132	9.138	9.143	9.149	9.154	9.160
84	9.165	9.171	9.176	9.182	9.187	9.192	9.198	9.203	9.209	9.214
85	9.220	9.225	9.230	9.236	9.241	9.247	9.252	9.257	9.263	9.268
86	9.274	9.279	9.284	9.290	9.295	9.301	9.306	9.311	9.317	9.322
87	9.327	9.333	9.338	9.343	9.349	9.354	9.359	9.365	9.370	9.375
88	9.381	9.386	9.391	9.397	9.402	9.407	9.413	9.418	9.423	9.429
89	9.434	9.439	9.445	9.450	9.455	9.460	9.466	9.471	9.476	9.482
90	9.487	9.492	9.497	9.503	9.508	9.513	9.518	9.524	9.529	9.534
91	9.539	9.545	9.550	9.555	9.560	9.566	9.571	9.576	9.581	9.586
92	9.592	9.597	9.602	9.607	9.612	9.618	9.623	9.628	9.633	9.638
93	9.644	9.649	9.654	9.659	9.664	9.670	9.675	9.680	9.685	9.690
94	9.695	9.701	9.706	9.711	9.716	9.721	9.726	9.731	9.737	9.742
95	9.747	9.752	9.757	9.762	9.767	9.772	9.778	9.783	9.788	9.793
96	9.798	9.803	9.808	9.813	9.818	9.823	9.829	9.834	9.839	9.844
97	9.849	9.854	9.859	9.864	9.869	9.874	9.879	9.884	9.889	9.894
98	9.899	9.905	9.910	9.915	9.920	9.925	9.930	9.935	9.940	9.945
99	9.950	9.955	9.960	9.965	9.970	9.975	9.980	9.985	9.990	9.995